令和7年度

基本情報技術者 過去問題集【2025年】

かんたん合格

株式会社ノマド・ワークス 著

インプレス

目 次

基本情報技術者試験

購入者限定特典!!

本書の特典は，下記サイトにアクセスすることでご利用いただけます。

https://book.impress.co.jp/books/1124101097

サイトにアクセスの上，画面の指示に従って操作してください。

※特典のご利用には，無料の読者会員システム「CLUB Impress」への登録が必要となります。
※特典のご利用には期限があります。
※本特典を印刷してご利用することはできません。あらかじめご了承ください。

●特典①：本書の電子版

本書の全文の電子版（PDF ファイル）を無料でダウンロードいただけます。

●特典②：（科目 A）過去問 18 回分

現行試験の「科目 A 試験」に当たる，旧試験の「午前試験」の過去問 18 回分を無料でダウンロードいただけます（平成 23 年度春期（特別）から令和元年度秋期までの問題・解説解答，PDF ファイル）。

※ 現行試験制度における「科目 A」とは 1 回分の問題数，試験時間が異なります。詳しくは，次ページからの「＜基本情報技術者試験＞攻略ガイド」をご確認ください。なお，予測出題率は付いていません。

●特典③：スマホで学べる単語帳「でる語句 200」

基本情報技術者試験で出題頻度の高い 200 の語句がいつでもどこでも暗記できるデジタル単語帳「でる語句 200」を無料でご利用いただけます。

※ 本特典のご利用は，書籍をご購入いただいた方に限ります。
※ 本特典のダウンロード期間・ご利用期間は，いずれも本書発売より 1 年間です。

基本情報技術者試験

攻略ガイド

基本情報技術者試験は，通年でいつでも受験できる試験です。試験はパソコンを操作して表示された問題に解答する CBT 方式で行われます。試験の概要をくわしく説明します。

基本情報技術者試験の概要

◆実施方式

基本情報技術者試験は，「科目 A」「科目 B」の 2 科目で構成されます。各科目の概要は次のとおりです。

試験名	試験時間	問題数	出題形式
科目 A	90 分	60 問（全問必須）	四肢択一式
科目 B	100 分	20 問（全問必須）	多肢択一式

科目 A と科目 B は，同じ試験会場で 1 日にまとめて実施されます。

◆CBT 方式

試験は，科目 A，科目 B ともに CBT（Computer Based Testing）方式で実施されます。受験者は，予約した日時に試験会場に出向き，パソコン上に表示された試験問題に対して，マウスを操作して解答します。

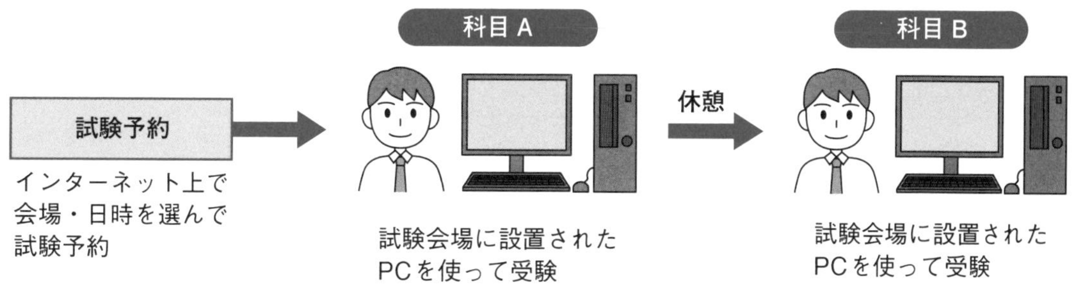

試験会場では複数の受験者が受験しますが，よーいドンでいっせいに試験を始めるわけではなく，受付を済ませた順に試験会場に入り，指定された席に座って試験を開始します。試験会場によっては，別の試験を受けている人がいる場合もあります。

◆科目A試験の概要

科目A試験は，4つの選択肢から1つを選ぶ択一式の問題が，全部で**60問**出題されます。試験時間は**90分**（1時間30分）です。

科目Aの出題範囲

分野	大分類	問題数の内訳（予想）
テクノロジ系	基礎理論 コンピュータシステム 技術要素 開発技術	41問
マネジメント系	プロジェクトマネジメント サービスマネジメント	7問
ストラテジ系	システム戦略 経営戦略 企業と法務	12問

科目A試験の1問当たりの平均解答時間は1分30秒です。のんびり解答していると時間が足りなくなるので，ペース配分に注意しましょう。なお，わからない問題にはチェックマークをつけておき，後で見直すことができる機能があります。

◆科目B試験の概要

科目B試験は，「**アルゴリズムとプログラミング**」（擬似言語による出題）と「**情報セキュリティ**」の2つの分野で構成されます。

科目Bの出題範囲

分野	カテゴリ	問題数の内訳（予想）
アルゴリズムと プログラミング	①プログラムの基本要素 ②データ構造及びアルゴリズム ③プログラミングの諸分野への適用	16問（カテゴリごとに 5～6問）
情報セキュリティ		4問

科目B試験は，擬似言語によるプログラム問題が16問と，情報セキュリティの問題が4問の合計20問で構成されています。試験時間は1時間40分です。1問当たり5分の解答時間ありますが，問題によって難易度が異なるので，最初のほうの問題に時間をかけすぎると時間が足りなくなります。とくに情報セキュリティの問題では長文を読む必要があるため，ある程度余裕をもっておきたいところです。

◆合格基準

新試験は，科目A，科目Bともに1,000点満点で，それぞれの科目で600点以上得点すれば合格となります。ただし，採点はIRT（項目応答理論）という方式で行われるため，配点は正答率などに応じて変動します。単純に6割正答すれば合格というわけではないことに注意しましょう。

最新シラバス9.0対策

基本情報技術者試験の出題範囲は，「シラバス」として公開されています。最新のシラバスはVer.9.0で，2024年10月の試験から適用されています。

シラバス9.0では「AIに関する技術」などの項目が新たに追加されました。シラバスの改訂は，主に科目A試験に大きく影響すると考えられます。では，実際の試験では，シラバス9.0で新たに追加された項目はどれくらい出題されるのでしょうか？　いちがいには言えませんが，1割程度（約6問）は出題されるとみておくべきでしょう（逆にいうと9割は従来の試験範囲ですから，これらをしっかり学習しておくことももちろん重要です）。

本書では，追加された項目のうち，とくに出題が予想されるものを「要チェックポイントシラバス9.0対策」にまとめました。また，模擬問題の中にも，ITパスポート試験や応用情報技術者試験などの過去問題から，シラバス9.0の出題範囲の問題をピックアップしています。

科目A試験の攻略法

現在の基本情報技術者試験は，一部を除いて出題内容が公表されていません。ただし，科目A試験の出題内容は旧試験の午前試験とほぼ同じなので，午前試験の過去問題の学習が効果的です。本書では，旧試験や応用情報技術者試験の午前試験などの過去問題の中から，出題が予想される問題を厳選し，新試験に合わせて再構成した模擬問題を作成しています。

過去問題の学習による効果は，次のとおりです。

①過去に出題された問題が出題される

旧試験の午前試験は，過去問題が出題される頻度が比較的高いため，多くの過去問題に接しているほど，見覚えのある問題が本番で出題される確率が高くなりました。新試験でも，出題傾向は旧試験と変わらないため，過去問題の学習が効果的です。

②出題される範囲や学習のポイントを把握できる

合格基準は1,000点満点で600点以上なので，満点をとる必要はありません。滅多に出題されないような分野の問題より，頻繁に出題される分野に的を絞って学習するのが効果的です。

③自分の苦手分野がわかる

基本情報技術者試験は，出題範囲をまともに学習しようとすると非常に広範囲になってしまうため，学習量も膨大になります。過去問題によって，自分に足りている知識・足りていない知識を把握できるので，足りていない知識を重点的に学習できます。

④実践的な学習ができる

すでにひととおりの知識を身に着けている方は，参考書を使わなくても，過去問題を何回か解くだけで大きな学習効果が得られます。模擬問題では，過去問題を分析してとくに出題が予想される問題を取り上げています。

なお，本書には付録として旧試験の午前問題 18 回分の PDF も付いているので，科目 A の試験対策として有効です。

科目 B 試験の攻略法

科目 B 試験は比較的新しい試験なので，過去問題を使った学習は充分にできません。そこで本書では，公表されている問題や出題範囲などを基に作成したオリジナル問題を用意しました。

①擬似言語に慣れよう

科目 B 試験の 8 割を占める「アルゴリズムとプログラミング」分野の問題では，情報処理試験の擬似言語によるプログラムが出題されます。本書の予想問題によって，擬似言語の仕様に慣れておいてください。

②データ構造について学習しよう

基礎的なデータ構造とアルゴリズムについて学習しておきましょう。とくに以下のデータ構造が重要です。

配列	2 分探索，整列アルゴリズム，ハッシュテーブル
二次元配列	要素の参照
単方向リスト	リストの探索，挿入，削除
スタック	プッシュ，ポップ，スタックを用いたアルゴリズム
キュー	エンキュー，デキュー
2 分木	2 分木の走査，2 分探索木，ヒープ
グラフ	有向グラフ，無向グラフ，隣接行列，トポロジカルソート

③情報セキュリティについても知っておこう

科目 B 試験では，情報セキュリティ分野の問題が全体の 2 割（4 問）出題されます。情報セキュリティについては，科目 A でも出題比率が高いので，まず科目 A 試験の対策となる基礎知識を学習しましょう。その際，単なる用語の暗記ではなく，それらがどのように活用されているかを具体的事例などによって把握するようにすれば，おのずと科目Ｂの試験対策になります。

おすすめ学習法

◆公開問題２セット＋試験４回で試験対策

本書には，IPAが2024年と2023年に公表した公開問題に詳しい解説を付して掲載しています。公開問題の内容は科目Ａが20問，科目Ｂが6問のみですが，直近の試験の出題傾向を最速でつかむのに役立ちます。

このほか，実際の試験と同じ構成（科目A60問，科目B20問）の模擬問題を，サンプル問題と併せて計４回分掲載しています。サンプル問題とは，2022年に基本情報技術者試験の試験改定が行われた際に，IPAが試験のサンプルとして事前に公開した問題で，実際の試験で出題される内容に近いものになります。これらは時間を計って解いてみるなど，より実践的な試験対策に利用してください。

◆合格のカギ

自分の苦手な分野や，欠けている知識を洗い出して，必要に応じて整理しておきましょう。とくに科目Ａでは，用語の知識が多く問われます。本書の解説欄の「**合格のカギ**」には問題に関連する用語や問題を解くためのヒントが掲載されているので参考にしてください。

◆間違えた問題をそのままにしない

一度間違えた問題はそのままにせず，チェックボックスにレ印や×印をつけておいて，後で必ず復習しましょう。

◆問題を繰り返し解く

今回初めて基本情報技術者試験に挑戦する人は，問題を繰り返し解いて実力を養いましょう。すでに解答がわかっている問題でも，見直してみると案外新たな発見があるものです。

◆予測出題率の高い問題を重点的に学習

科目Ａ試験の各問に，過去の情報処理試験の傾向などから独自に分析した予測出題率を掲載しています。出題されやすい問題を重点的に学習することで，出題範囲を効率的にカバーできます。

70～100%：**必ずマスターしておきたい頻出問題**
40～60%：**合格するにはマスターしておくべき重要問題**
10～30%：**新傾向問題や，出題率は低くてもマスターしておきたい問題**

◆時間を計って解く

試験時間は，科目 A が 90 分・科目 B が 100 分です。本番で時間が足りなくなって，せっかくわかる問題なのに解けなかったということのないよう，少なくとも一度は時間を計って問題を解いてみることをおすすめします。とくに，科目 B は時間が足りなくなる人が多いので気をつけましょう。

なお，通勤時間を勉強に充てている人など，まとまった時間がとれない場合は，科目 A 問題 10 問を 15 分とか，科目 B 問題 1 問を 5 分のように，小分けにするのもよいでしょう。

問合せ先

●情報処理技術者試験に関するお問合せ

ホームページ：https://www.ipa.go.jp/shiken/index.html

問合せ先：IPA　IT人材育成センター国家試験・試験部

「お問い合わせ」に進む前に：https://www.ipa.go.jp/shiken/jitecinquiry_faq.html

要チェックポイント

シラバス9.0対策

情報処理技術者試験を実施しているIPAは，試験の出題範囲を体系的に整理した「シラバス」を公開しています。シラバスはITの動向に応じて改訂されます。

基本情報技術者試験のシラバスの最新版は「シラバス9.0」で，2024年10月の試験から適用されています。シラバスの改訂に合わせて出題範囲も変わっているので，最新シラバスの中から，とくにおさえておきたい項目をチェックしておきましょう。

1 AIに関する技術

テクノロジ系

シラバス9.0で大幅に追加された分野の1つが，AI（人工知能）です。単なるトレンドワードではなく，基礎的な知識からしっかり理解しておくことが重要です。

機械学習

機械学習とは，コンピュータに大量の訓練データを与えて分類や認識方法を学習させ，未知のデータに対しても学習結果に基づく判断ができるシステムを作成する手法です。機械学習には，大きく次の3種類があります。

教師あり学習 正解付きの訓練データを与えて，データに対する正しい判断を学習させる方法。

応用例 **分類，回帰分析**

教師なし学習 正解なしの訓練データを与え，データの分類方法などを学習させる方法。

応用例 **クラスタリング，次元削減**

強化学習 個々の行動の良し悪しを得点として評価し，得点が最も高くなる行動を学習させる手法。

応用例 囲碁AI，将棋AI

例題

AIにおける機械学習の学習方法に関する次の記述中のa～cに入れる字句の適切な組合せはどれか。

教師あり学習は，正解を付けた学習データを入力することによって，［ a ］と呼ばれる手法で未知のデータを複数のクラスに分けたり，［ b ］と呼ばれる手法でデータの関係性を見つけたりすることができるようになる学習方法である。教師なし学習は，正解を付けない学習データを入力することによって，［ c ］と呼ばれる手法などで次第にデータを正しくグループ分けできるようになる学習方法である。

	a	b	c
ア	回帰	分類	クラスタリング
イ	クラスタリング	分類	回帰
ウ	分類	回帰	クラスタリング
エ	分類	クラスタリング	回帰

（ITパスポート 令和6年問65）

【解法】 教師あり学習は，あらかじめ正解が与えられたデータによってルールやパターンを学習させるもので，大きく分類問題と回帰問題があります。一方，教師なし学習は，複数のデータから共通する特徴を見つけてグループ分けするクラスタリングなどに用います。

【解答】 ウ

ROC 曲線

AI の性能を評価するには，未知の入力データに対してどれくらい正しい予測ができるかを評価します。たとえば，受信したメールが迷惑メールかどうかを AI で判定するとしましょう。AI の予測は，以下の４種類に分類できます（迷惑メール＝陽性，非迷惑メール＝陰性とします）。

①迷惑メールを正しく迷惑メールと予測する（真陽性）
②迷惑メールを誤って非迷惑メールと予測する（偽陰性）
③非迷惑メールを誤って迷惑メールと予測する（偽陽性）
④非迷惑メールを正しく非迷惑メールと予測する（真陰性）

予測 / 正解	迷惑メール（陽性）	非迷惑メール（陰性）
迷惑メール（陽性）	①真陽性	②偽陰性
非迷惑メール（陰性）	③偽陽性	④真陰性

実際に届いた迷惑メール（陽性）のうち，AI が正しく予測できた割合を **TPR**（真陽性率）といいます。また，実際の非迷惑メール（陰性）のうち，AI が誤って迷惑メール（陽性）と予測してしまった割合を **FPR**（偽陽性率）といいます。

$$\mathrm{TPR} = \frac{①}{① + ②}$$ ⬅迷惑メールを正しく迷惑メールと判定した割合

$$\mathrm{FPR} = \frac{③}{③ + ④}$$ ⬅非迷惑メールを誤って迷惑メールと判定した割合

TPR は高いほどよく，FPR は低いほどよいですが，実際には TPR を高く設定するほど，FPR も高くなります。この関係をグラフで表すと，次のようになります。このグラフを **ROC**（Receiver Operating Characteristic）**曲線**といいます。

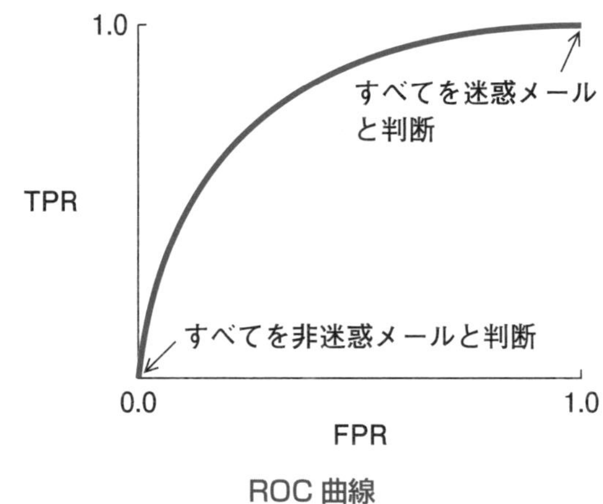

ROC 曲線

例題

AI における機械学習で，２クラス分類モデルの評価方法として用いられる ROC 曲線の説明として，適切なものはどれか。

- ア 真陽性率と偽陽性率の関係を示す曲線である。
- イ 真陽性率と適合率の関係を示す曲線である。
- ウ 正解率と適合率の関係を示す曲線である。
- エ 適合率と偽陽性率の関係を示す曲線である。

（応用情報 令和５年春午前問３）

【解法】 ROC 曲線は，真陽性率と偽陽性率の関係を示す曲線です。

【解答】 ア

過学習

機械学習を進めていくと，学習時の訓練データに対しては精度の高い結果となる一方で，未知のデータに対しては精度が低くなってしまう現象が起こる場合があります。このような現象を**過学習**といいます。

過学習は，訓練データが少ない場合や，訓練データの複雑さに適応し過ぎた場合に生じやすくなります。

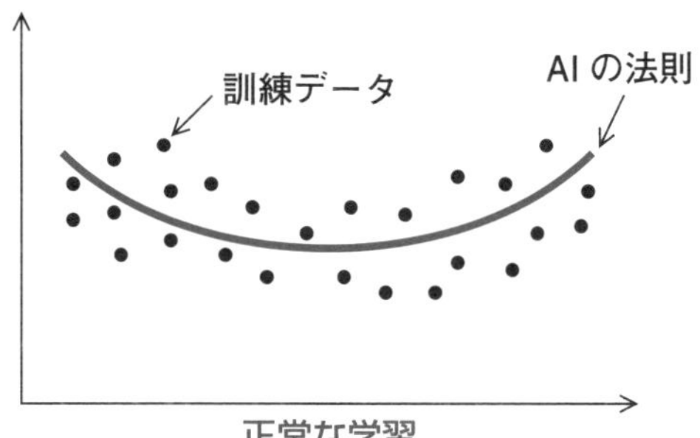

正常な学習

過学習

例題

AIにおける過学習の説明として，最も適切なものはどれか。

ア　ある領域で学習した学習済みモデルを，別の領域に再利用することによって，効率的に学習させる。

イ　学習に使った訓練データに対しては精度が高い結果となる一方で，未知のデータに対しては精度が下がる。

ウ　期待している結果とは掛け離れている場合に，結果側から逆方向に学習させて，その差を少なくする。

エ　膨大な訓練データを学習させても効果が得られない場合に，学習目標として成功と判断するための報酬を与えることによって，何が成功か分かるようにする。

（応用情報 令和４年秋午前問４）

【解法】 ア は転移学習，ウ はバックプロパゲーション（誤差逆伝播法），エ は強化学習の説明です。

【解答】 イ

ディープラーニング

ディープラーニングは，人間の脳神経をモデルにした機械学習の手法です。脳の神経細胞（ニューロン）を，次のような**パーセプトロン**という素子で模倣します。

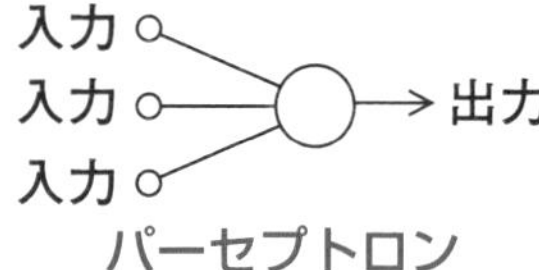

パーセプトロン

パーセプトロンは，入力された複数の値を基に，１つの出力値を算出します。このような計算を行う関数を**活性化関数**といいます。活性化関数への入力は信号線ごとにパラメータ（重み）が設定され，パラメータの値を調整することで出力値が変化します。

このパーセプトロンを複数並べて層を構成し，さらに複数の層を信号線でネットワーク状に接続したものを，**ニューラルネットワーク**といいます。

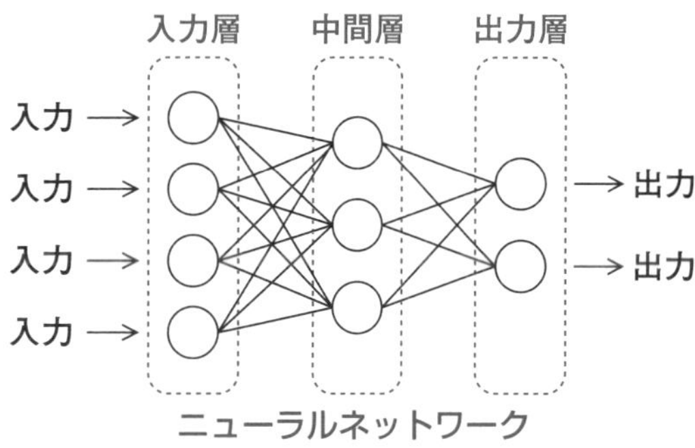

ニューラルネットワーク

ニューラルネットワークでは，複数の入力データに対する出力を，各層をつなぐ信号線ごとに設定されたパラメータによってコントロールします。各パラメータの値は，学習によって細かく調整します。ディープラーニング（深層学習）とは，このニューラルネットワークの中間層を多層にし，調整できるパラメータを増やして精度を飛躍的に高めたものです。

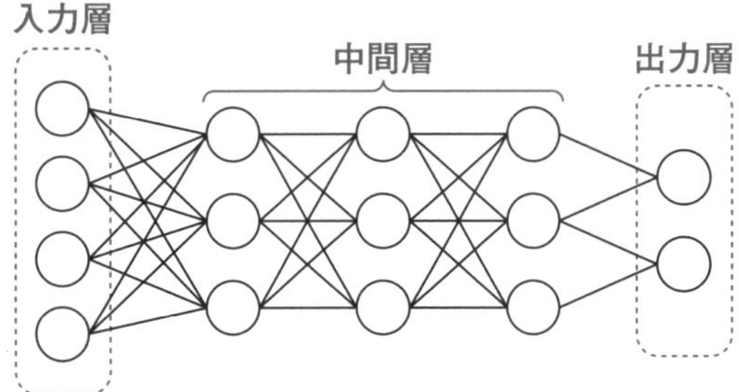

ディープラーニング

例題

AIに利用されるニューラルネットワークにおける活性化関数に関する記述として適切なものはどれか。

ア　ニューラルネットワークから得られた結果を基に計算し，結果の信頼度を出力する。
イ　入力層と出力層のニューロンの数を基に計算し，中間層に必要なニューロンの数を出力する。
ウ　ニューロンの接続構成を基に計算し，最適なニューロンの数を出力する。
エ　一つのニューロンにおいて，入力された値を基に計算し，次のニューロンに渡す値を出力する。

（ITパスポート 令和5年問91）

【解法】 活性化関数は，次のニューロン（パーセプトロン）に渡す値を出力する関数です。

【解答】 エ

ディープラーニングのモデル

ディープラーニングには，用途によって様々なモデルがあります。代表的なものを覚えておきましょう。

畳み込みニューラルネットワーク（CNN）	主に画像認識に利用されるモデル。画像から特徴を抽出する畳み込み層と，得られた特徴を集約するプーリング層をもつ。
リカレントニューラルネットワーク（RNN）	時系列データや自然言語処理に用いられるモデル。過去のデータの状態を保持しておき，後から入力されるデータの分析に利用することで，データの前後関係や時間による変化を学習する。
生成モデル	画像や文章といったデータを生成することができるモデル。とくに，データ生成を行う生成器と，生成されたデータを判別する識別器から構成され，両者が互いに競い合うことで精度の高いデータを生成するモデルを，**敵対的生成ネットワーク**（GAN）という。

② ソフトウェア開発の新しい手法

テクノロジ系

ソフトウェア開発手法に関する出題傾向は，ウォーターフォールモデル，プロトタイピングモデルといった従来の開発手法を問うものから，アジャイル開発などの新しい開発手法に関するものに移行しています。アジャイル開発の一種であるスクラムや，シラバス9.0で追加されたDevOps，ローコード開発をおさえておきましょう。

スクラム

プロジェクトを小さな単位に分割し，小単位で設計・開発・テストの工程を反復しながらプロジェクトを進めていく開発手法を**アジャイル開発**といいます。

スクラムは，少人数のチームによって進められるアジャイル開発手法で，反復する単位を**スプリント**といいます。スクラムに関する主な用語をおさえておきましょう。

①**スクラムチーム**

スクラムのチームは，プロダクトオーナー，スクラムマスタ，開発者で構成されます。

プロダクトオーナー	プロジェクト全体の管理を行う責任者。
スクラムマスタ	チーム全員がアジャイル開発を理解するように支援し，各スプリントを管理するリーダー。
開発者	各スプリントにおいて作業を行い，成果物を作成する。

②**スクラムの作成物**

スクラムによって生み出される作成物として，プロダクトバックログ，スプリントバックログ，インクリメントの３つがあります。

プロダクトバックログ	プロジェクト全体で完了すべき作業のリスト。プロダクトオーナーが管理する。
スプリントバックログ	１回のスプリント期間中に完了すべき作業をリストアップしたもの。スクラムマスタが管理する。
インクリメント	各スプリントにおいて開発者がリリースする，プロジェクトの具体的な進展（成果物）。

③**スクラムイベント**

スクラムでは，各スプリントで以下のようなミーティングを行います。これらをまとめて**スクラムイベント**といいます。

スプリント プランニング	スプリントの開始前に，今回のスプリントの期間やゴールを設定する。
デイリースクラム	スプリントの実施中に，進捗状況や問題点を毎日確認する。
スプリントレビュー	スプリントの終了時に，成果物のレビューを行う。
スプリント レトロスペクティブ	スプリント終了後に，今回のスプリントの振り返りを行う。

例題

アジャイル開発手法の一つであるスクラムでは，プロダクトオーナー，スクラムマスタ，開発者でスクラムチームを構成する。スクラムマスタが行うこととして，最も適切なものはどれか。

ア　各スプリントの終わりにプロダクトインクリメントのリリースの可否を判断する。
イ　スクラムの理論とプラクティスを全員が理解するように支援する。
ウ　プロダクトバックログアイテムを明確に表現する。
エ　プロダクトバックログの優先順位を決定する。

（秋応用情報 令和３年午前問 50）

【解法】 ア は開発者，ウ と エ はプロダクトオーナーの役割です。

【解答】 イ

DevOps

DevOpsとは，Development（開発）とOperations（運用）を組み合わせた造語で，開発担当チームと運用担当チームが緊密に連携・協力しながら，ソフトウェアやサービスの開発・運用を共同で進めていく手法のことです。

DevOpsでは，設計，ビルド，テスト，リリース，運用といったソフトウェア開発の各段階を，自動化ツールを利用してスピーディーかつ柔軟に行うのが特徴です。具体的には，以下のような仕組みを導入します。

①継続的インテグレーション（CI）

開発者がソースコードを変更すると，ビルドとテストが自動的に行われ，バグを早期に検出します。

②継続的デリバリー（CD）

ソースコードの変更が発生すると，自動的に本番環境へのリリースを準備します。これにより，バージョンアップやセキュリティ対応をこまめに，かつ迅速に行うことができます。

③継続的デプロイ

継続的デリバリーをさらに推し進めて，エンドユーザーへの配信（デプロイ）までを自動化します。

継続的インテグレーションと継続的デリバリー（またはデプロイ）の機能をまとめて，**CI/CD ツール**といいます。

例題

ソフトウェアの開発における DevOps に関する記述として，最も適切なものはどれか。

ア 開発側が重要な機能のプロトタイプを作成し，顧客とともにその性能を実測して妥当性を評価する。
イ 開発側では，開発の各工程でその工程の完了を判断した上で次工程に進み，総合テストで利用者が参加して操作性の確認を実施した後に運用側に引き渡す。
ウ 開発側と運用側が密接に連携し，自動化ツールなどを活用して機能の導入や更新などを迅速に進める。
エ システム開発において，機能の拡張を図るために，固定された短期間のサイクルを繰り返しながらプログラムを順次追加する。

（令和 6 年 IT パスポート問 47）

【解法】 ア はプロトタイピング，イ はウォーターフォールモデル，エ はアジャイル開発に関する記述です。

【解答】 ウ

ローコード／ノーコード開発

ローコード開発や**ノーコード開発**は，あらかじめ用意された部品やテンプレートを組み合わせてソフトウェアを開発する手法です。必要に応じて部分的にソースコードを記述する場合をローコード開発，ソースコードを一切記述しない場合をノーコード開発といいます。

ローコード／ノーコード開発は，プログラミングの知識が不要（または必要最小限）で開発スピードが速いので，業務担当者が自分で必要なソフトウェアを開発できます。一方で，あらかじめ用意した定型的な機能しか利用できず，動作環境もプラットフォームに大きく依存するデメリットがあります。

例題

アプリケーションソフトウェアの開発環境上で，用意された部品やテンプレートを GUI による操作で組み合わせたり，必要に応じて一部の処理のソースコードを記述したりして，ソフトウェアを開発する手法はどれか。

ア 継続的インテグレーション
イ ノーコード開発
ウ プロトタイピング
エ ローコード開発

（秋応用情報 令和 5 年午前問 47）

【解法】「必要に応じて一部の処理のソースコードを記述」とあるので，ノーコード開発ではなくローコード開発です。

【解答】 エ

③ AI の利活用

ストラテジ系

シラバス 9.0 では，AI（人工知能）の技術に関する知識だけでなく，AI の活用分野や利用する上での留意点についても項目が大幅に追加されました。関連する主な用語をおさえておきましょう。

人間中心の AI 社会原則

人間中心の AI 社会原則は，日本の内閣府が 2019 年に公表した AI 利活用のガイドラインです。①人間の尊厳が尊重される社会，②多様な背景をもつ人々が多様な幸せを追求できる社会，③持続性ある社会の 3 つを基本理念とし，その実現のために以下の 7 つの原則を定めています。

人間中心の原則	AI の利用が，基本的人権を侵害するものであってはならない。
教育・リテラシーの原則	AI に関する教育や知識が平等に提供されなければならない。
プライバシーの原則	パーソナルデータは個人が不利益を受けることのないように取り扱われなければならない。
セキュリティ確保の原則	社会の安全性及び持続可能性が向上するようにつとめなければならない。
公正競争確保の原則	公正な競争環境が維持されなければならない。
公平性・説明責任・透明性の原則	公平性・透明性のある意思決定と，その結果に対する説明責任が確保され，技術に対する信頼性が担保される必要がある。
イノベーションの原則	継続的なイノベーションを目指して，徹底的な国際化・多様化や産学官民連携を推進すべきである。

生成 AI

生成 AI とは，与えられた指示に従って，新しい文章や画像，動画などを作成する AI です。生成 AI は大量のテキストや画像などのデータを読み込んでそのパターンを学習しており，それを基に人間が作ったかのような自然な文章や画像を作成します。近年，高性能な生成AIが次々に開発され，様々な分野への活用が期待されています。

【生成 AI の活用事例】

・長い文章を要約して短い文章にまとめる
・英文の Web ページを翻訳して日本語の Web ページを作る
・何らかのテーマに基づいてアイデアを提案してもらう

生成 AI を使って望ましい出力を得るには，AI に的確な指示を与えることが重要になります。AI に対する指示や命令を最適化する技術を**プロンプトエンジニアリング**といいます。

また，生成 AI をビジネスや開発などに活用する際には，生成 AI の限界やリスクにも注意する必要があります。たとえば生成 AI は，学習データの不足や誤りによって，事実とは異なる情報や無関係な情報をもっともらしい情報として生成してしまう場合があります。このような現象を**ハルシネーション**といいます。

説明可能な AI

AI の性能が高度になると，入力されたデータから人間には識別できないような微細な違いを判定するといったこともできるようになります。しかしそうなってくると，AI が導き出した判断の根拠が人間には理解できない事態が生じ，AI に対する信頼が揺らいでしまいます。そのため，AI がなぜそのような判断を導き出したのかを，数値やグラフなどで可視化する技術が開発されています。このような AI を**説明可能な AI**（XAI：Explainable AI）といいます。AI の判断根拠を理解することは、AI への信頼性向上やバイアスの検出、改善に役立ちます。

例題

AI に関するガイドラインの一つである“人間中心の AI 原則”に定められている七つの“AI 社会原則”のうち，“イノベーションの原則”に関する記述として，最も適切なものはどれか。

ア　AI の発展によって人も併せて進化するように，国際化や多様化を推進し，大学，研究機関，企業など，官民における連携と，柔軟な人材の移動を促進する。

イ　AI の利用がもたらす結果については，問題の特性に応じて，AI の開発，提供，利用に携わった関係者が分担して責任を負う。

ウ　サービスの提供者は，AI を利用している事実やデータの取得方法や使用方法，結果の適切性について，利用者に対する適切な説明を行う。

エ　情報弱者を生み出さないために，幼児教育や初等中等教育において，AI 活用や情報リテラシーに関する教育を行う。

（IT パスポート 令和 6 年問 12）

【解法】 イ は人間中心の原則，ウ は公平性・透明性・説明責任の原則，エ は教育・リテラシーの原則に関する記述です。

【解答】 ア

④ その他の注目キーワード

シラバス 9.0 で新たに追加された用語の中から，これまでに説明したもののほかにとくに出題が予想されるものをピックアップします。

IaC (Infrastructure as Code)

IaC（Infrastructure as Code）は，アプリケーションの動作環境であるサーバや OS，ミドルウェアなどの設定をコードとして定義しておき，セットアップ作業を自動化する手法です。クラウドコンピューティングの仮想マシンの設定などに利用されています。

例題

IaC（Infrastructure as Code）に関する記述として，最も適切なものはどれか。

ア　インフラストラクチャの自律的なシステム運用を実現するために，インシデントの対応手順をコードに定義すること

イ　各種開発支援ツールを利用するために，ツールの連携手順をコードに定義すること

ウ　継続的インテグレーションを実現するために，アプリケーションの生成手順や試験の手順をコードに定義すること

エ　ソフトウェアによる自動実行を可能にするために，システムの構成や状態をコードに定義すること

（応用情報 令和 5 年秋問 14）

【解法】 Iac は，システムの構成や状態をコードに定義して，ソフトウェアが自動で生成できるようにしたものです。

【解答】 エ

JSON

JSON（JavaScript Object Notation）は，もともとJavaScriptでオブジェクトを定義するために用いられていたものでしたが，汎用性が高いことから，様々なデータの記述に用いられるようなったデータ記述の仕様です。

JSONは，次のように項目名と値を組みにしたものを複数並べ，全体を｛｝で囲んでデータを表します。

```
{
   {"番号" : 1, "商品名": "商品A", "価格": 100},
   {"番号" : 2, "商品名": "商品B", "価格": 200},
   {"番号" : 3, "商品名": "商品C", "価格": 150},
}
```

JSONの例

上のデータは，次のような表をJSONで記述したものです。

番号	商品名	価格
1	商品A	100
2	商品B	200
3	商品C	150

例題

JavaScriptのオブジェクトの表記法などを基にして規定したものであって，“名前と値との組みの集まり”と“値の順序付きリスト”の二つの構造に基づいてオブジェクトを表現する，データ記述の仕様はどれか。

ア DOM
イ JSON
ウ SOAP
エ XML

（応用情報 令和5年秋問7）

【解法】 JavaScriptに由来するデータ記述の仕様はJSONです。

【解答】 イ

3Dセキュア（3Dセキュア2.0）

3Dセキュアは，オンライン決済などの非対面でクレジットカードを利用する際に，本人確認を行う仕組みです。オンラインのカード決済では，カード番号と有効期限，セキュリティコードを入力するのが一般的ですが，3Dセキュアではこれらに加え，事前に登録しておいたパスワードの入力が必要になります。

従来の3Dセキュア（3Dセキュア1.0）では，決済時に必ずパスワード入力を要求されましたが，**3Dセキュア2.0**（EMV 3-Dセキュア）では**リスクベース認証**が導入され，不正利用や高リスクと判断される場合にのみ，カード会社が追加で本人認証を行う仕組みになりました。また，本人認証の方法もパスワードだけでなく，生体認証などにも対応しています。日本では2025年3月末をめどに，すべてのEC事業者に3Dセキュア2.0の導入が義務付けられています。

例題

3Dセキュア2.0（EMV 3-Dセキュア）は，オンラインショッピングにおけるクレジットカード決済時に，不正取引を防止するための本人認証サービスである。3Dセキュア2.0で利用される本人認証の特徴はどれか。

ア 利用者がカード会社による本人認証に用いるパスワードを忘れた場合でも，安全にパスワードを再発行することができる。
イ 利用者の過去の取引履歴や決済に用いているデバイスの情報から不正利用や高リスクと判断される場合に，カード会社が追加の本人認証を行う。
ウ 利用者の過去の取引履歴や決済に用いているデバイスの情報にかかわらず，カード会社がパスワードと生体認証を併用した本人認証を行う。
エ 利用者の過去の取引履歴や決済に用いているデバイスの情報に加えて，操作しているのが人間であることを確認した上で，カード会社が追加の本人認証を行う。

（応用情報 令和6年春問35）

【解答】 イ

デジタルツイン

IoT を活用し，様々なセンサーから収集した情報を基に，現実世界をデジタル空間上に忠実にリアルタイムに再現したものを**デジタルツイン**といいます。デジタルツインを用いると，現実には実施できないようなシミュレーションなどを行うことができます。

例題

各種センターを取り付けた航空機のエンジンから飛行中に収集したデータを分析し，仮想空間に構築したエンジンのモデルに反映してシミュレーションを行うことによって，各パーツの消耗状況や交換時期を正確に予測できるようになる。このように産業機器などに IoT 技術を活用し，現実世界や物理的現象をリアルタイムに仮想空間で忠実に再現することを表したものはどれか。

ア　サーバ仮想化
イ　スマートグリッド
ウ　スマートメーター
エ　デジタルツイン

（応用情報 令和 5 年春問 73）

【解法】現実世界を忠実に仮想空間に再現したものをデジタルツインといいます。

【解答】 エ

ゼッタイ出る！

大定番キーワードde点数UP↑↑

科目Ａで出題が予想される基本情報技術者試験の定番のキーワードをまとめました。確実に得点できるので，基礎知識として必ずチェックしておきましょう。

※予測出題率は，公表済みの過去問題等から独自に分析しています。

予測出題率 90%　　テクノロジ系

稼働率

システムの運用時間全体のうち，実際にシステムが稼働している時間の割合を**稼働率**といいます。

$$稼働率 = \frac{稼働時間}{運用時間}$$

たとえば，システムの運転時間が100時間で，そのうち稼働時間が95時間の場合，稼働率は95÷100＝0.95です。これは，利用者がこのシステムにアクセスしたとき，95%の確率でシステムを利用できることを意味します。

稼働率は，システムの**可用性**（アベイラビリティ）の指標になります。

● MTBFとMTTRから稼働率を求める

稼働率は，MTBF（平均故障間隔）とMTTR（平均修理時間）から，次のように求めることができます。

覚える MTBFとMTTR

$$稼働率 = \frac{MTBF}{MTBF + MTTR}$$

MTBF（平均故障間隔）	システムが前回故障してから，次に故障するまでの間隔（稼働している時間）の平均。MTBFが長いほど信頼性が高い。
MTTR（平均修理時間）	システムの修理にかかる時間の平均。MTTRが短いほど保守性が高い。

●複数の装置を接続した場合の稼働率を求める

2台の装置を直列に接続したシステムでは，一方の装置が故障するとシステム全体が停止してしまいます。この場合のシステム全体の稼働率は，次のように求めます。

覚える 直列システムの稼働率

稼働率A　稼働率B
―[装置A]―[装置B]―

稼働率 ＝ 稼働率A × 稼働率B

一方，2台の装置を並列に接続したシステムでは，1台の装置が故障しても，もう一方の装置があればシステム全体は運転を継続できます。

システム全体が停止するのは，装置が2台とも故障した場合だけです。したがって，システム全体の稼働率は次のように求められます。

覚える 並列システムの稼働率

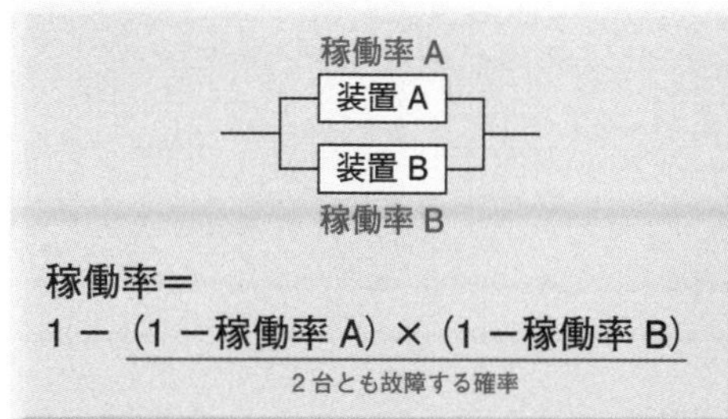

例題

MTBFが45時間でMTTRが5時間の装置がある。この装置を二つ直列に接続したシステムの稼働率は幾らか。

ア 0.81　イ 0.90　ウ 0.95　エ 0.99

【解法】 装置1台分の稼働率は，MTBFとMTTRから求められます。

$$\frac{45\text{時間}}{45\text{時間}+5\text{時間}}=\frac{45}{50}=0.9$$

稼働率0.9の装置2台を直列に接続するので，システム全体の稼働率は

$0.9 \times 0.9 = 0.81$

となります。

【解答】 ア

テクノロジ系

予測出題率 90%

論理回路

論理回路は，入力データ（0または1）に対して論理演算を行い，結果を0または1で出力する回路です。論理回路は，次のような部品（論理素子）で構成されています。図記号の形と演算との対応は覚えておきましょう。

覚える 論理回路

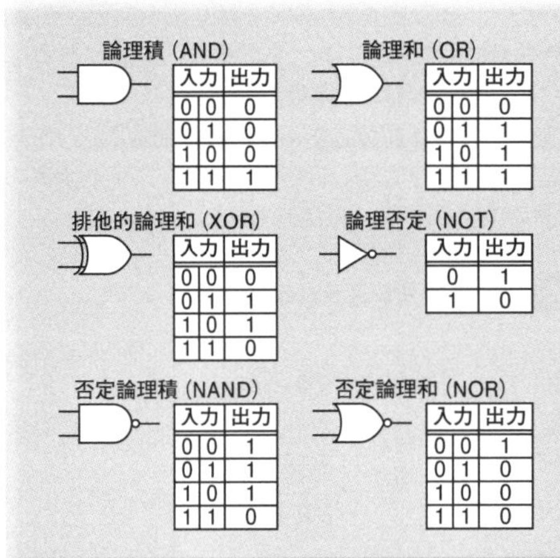

論理積（AND）

入力		出力
0	0	0
0	1	0
1	0	0
1	1	1

論理和（OR）

入力		出力
0	0	0
0	1	1
1	0	1
1	1	1

排他的論理和（XOR）

入力		出力
0	0	0
0	1	1
1	0	1
1	1	0

論理否定（NOT）

入力	出力
0	1
1	0

否定論理積（NAND）

入力		出力
0	0	1
0	1	1
1	0	1
1	1	0

否定論理和（NOR）

入力		出力
0	0	1
0	1	0
1	0	0
1	1	0

例題

図の論理回路と等価な回路はどれか。

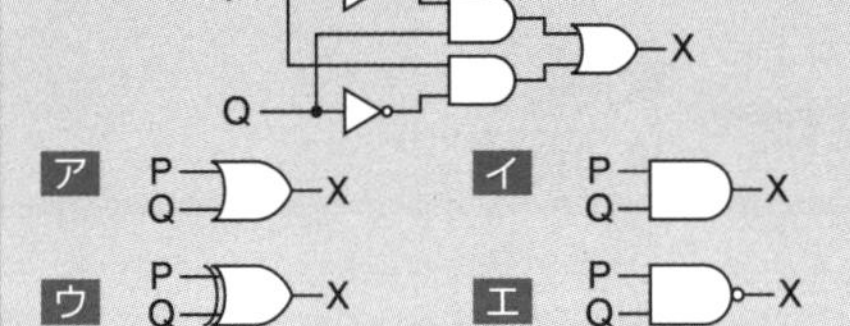

【解法】 各素子の演算は，①「Pの否定とQとの論理積」，②「PとQの否定との論理積」，③「①と②の論理和」です。これらの結果を真理値表に書き出すと，次のようになります。

P	Q	$\overline{P}$ AND Q → ①	P AND $\overline{Q}$ → ②	① OR ② → ③
0	0	1 AND 0 → 0	0 AND 1 → 0	0 OR 0 → 0
0	1	1 AND 1 → 1	0 AND 0 → 0	1 OR 0 → 1
1	0	0 AND 0 → 0	1 AND 1 → 1	0 OR 1 → 1
1	1	0 AND 1 → 0	1 AND 0 → 0	0 OR 0 → 0

③の出力は，PとQが同じ値のとき0，異なる値のとき1になるので，**排他的論理和**と等価になります。

【解答】 ウ

テクノロジ系

予測出題率 80%

RAMとROM

電源を切ると記憶内容が消えてしまうメモリを**RAM**（Random Access Memory）といい，代表的なものに**DRAM**（Dynamic RAM）と**SRAM**（Static RAM）があります。

一方，電源を切っても内容が消えないメモリを**ROM**（Read Only Memory）といいます。ROMには多くの種類がありますが，試験では**フラッシュメモリ**がよく出題されます。

覚える 試験に出るメモリ

DRAM
- 構造が単純で大容量化しやすく，ビット当たりの**単価が安い**。
- コンデンサに蓄えた電荷の有無で情報を記憶するため，定期的に**リフレッシュ**（記憶内容を再書込みすること）が必要。
- 主にコンピュータの**主記憶装置**に用いる。

SRAM

- DRAM より高速な読み書きが可能だが，ビット当たりの**単価が高い**。
- **フリップフロップ**回路で構成されており，リフレッシュ動作が不要。
- 主に**キャッシュメモリ**として用いられている。

フラッシュメモリ

- 電源を切った後も内容が消えないメモリ（ROM）の一種。
- 記憶内容を電気的に消去・書換えできる。
- USB メモリや SD カードなどに用いられている。

例題

SRAM と比較した場合の DRAM の特徴はどれか。

ア　主にキャッシュメモリとして使用される。

イ　データを保持するためのリフレッシュ又はアクセス動作が不要である。

ウ　メモリセル構成が単純なので，ビット当たりの単価が安くなる。

エ　メモリセルにフリップフロップを用いてデータを保持する。

【解答】 ウ

予測出題率 80%

テクノロジ系

LAN間接続装置

LAN 間接続装置とは，装置と装置，ネットワークとネットワークをつなぐジョイントの役割を果たす装置です。基本情報技術者では，とくに次の 4 種類の機能の違いを把握しておきましょう。下にいくほど機能が高度になることに注意。

覚える　LAN 間接続装置の種類

リピータ	信号を増幅して，ネットワークの**伝送距離を延長**する装置。
ブリッジ，スイッチングハブ（レイヤ2スイッチ）	特定の端末に宛てたデータ（＝フレーム）を，**MAC アドレス**と呼ばれる識別番号を基にして中継する装置。接続された端末同士は，1 つのネットワーク（セグメント）を構成する。
ルータ	特定の端末に宛てたデータ（＝パケット）を，**IP アドレス**を基にして中継する装置。ネットワークとネットワークをつなぎ，複数のルータを経由してデータを別のネットワーク上にある端末に届けることができる。
ゲートウェイ	プロトコルの異なるネットワーク同士（例：電話回線網とインターネットなど）を接続する装置。

LAN 間接続装置に関しては，**OSI 基本参照モデル**との対応を覚えておくことも重要です。OSI 基本参照モデルとは，データ通信を 7 つの層に切り分け，それぞれの層の機能を規定したものです。下から上の層にいくほど，機能はより抽象的・高度になっていきます。

覚える　OSI 基本参照モデルとの対応

OSI 基本参照モデル	対応するLAN 間接続装置
第 7 層 アプリケーション層	ゲートウェイ
第 6 層 プレゼンテーション層	
第 5 層 セッション層	
第 4 層 トランスポート層	
第 3 層 ネットワーク層	ルータ
第 2 層 データリンク層	ブリッジ，スイッチングハブ
第 1 層 物理層	リピータ

例題

LAN 間をOSI 基本参照モデルの物理層で相互に接続する装置はどれか。

ア　ゲートウェイ　　イ　ブリッジ

ウ　リピータ　　エ　ルータ

【解答】 ウ

予測出題率 **80%**

アローダイアグラム問題の解き方

アローダイアグラムは，あるプロジェクトの開始から終了までに行う作業を矢印で表し，各作業の結合点を○印で示して，プロジェクト全体の作業経路を表した図です。

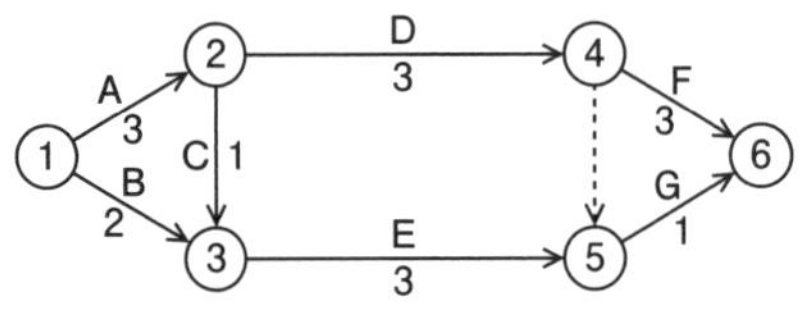

凡例　○—作業名／所要日数→○　--->：ダミー作業（所要日数ゼロの作業）

●プロジェクトの所要日数を求める

ある結合点において，最も早く次の作業を開始できる時刻を，**最早結合点時刻**といいます。最早結合点時刻を求めるには，スタートからその結合点までの作業経路の所要時間を合計します（ダミー作業の所要時間はゼロで計算します）。経路が複数ある場合は，最も大きい合計所要時間が，その結合点における最早結合点時刻になります。

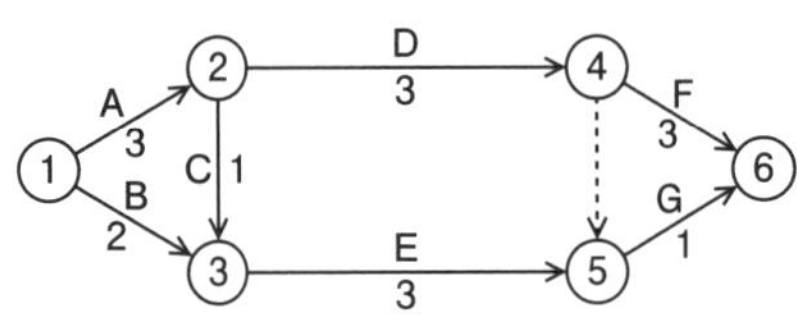

①から⑥への経路
- A→D→F：3+3+3=9日 ← 最早結合点時刻
- A→D→G：3+3+1=7日
- A→C→E→G：3+1+3+1=8日
- B→E→G：2+3+1=6日

作業終了時点の最早結合点時刻が，プロジェクト全体の所要時間になります。

●クリティカルパスを求める

プロジェクト開始から終了までの各作業のうち，時間的余裕のない一連の作業経路を**クリティカルパス**といいます。クリティカルパス上にある作業が遅れると，プロジェクト全体の所要時間が遅れることになります。

アローダイアグラムでは，開始から終了に至る複数の経路のうち，合計所要日数の最も多い経路がクリティカルパスになります。

●所要期間の短縮

所要時間の短縮方法として，クラッシングとファストトラッキングがあります。

クラッシングとは，新たな人員や予算を投入して，作業期間を短縮する方法です。

ファストトラッキングとは，通常は順番に進める作業を同時並行で進めることで，作業期間を短縮する方法です。

クラッシングもファストトラッキングも，クリティカルパス上の作業を短縮しなければ，プロジェクト全体の所要時間短縮にはつながりません。

例題

プロジェクトのタイムマネジメントのために次のアローダイアグラムを作成した。クリティカルパスはどれか。

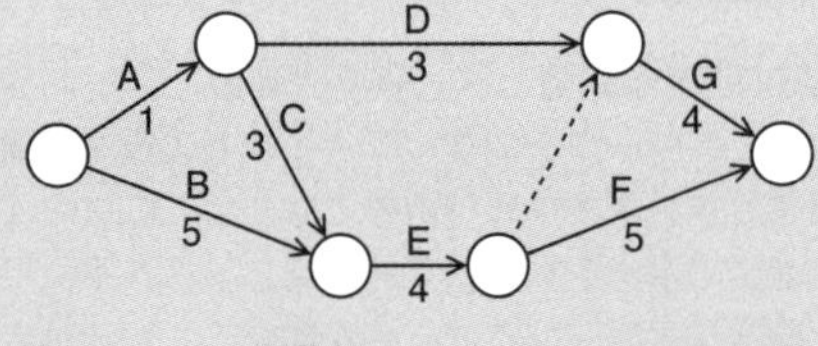

凡例　○—作業名／所要日数→○　--->：ダミー作業

ア　A→C→E→F　　イ　A→D→G
ウ　B→E→F　　エ　B→E→G

【解法】 ア～エの各作業経路のうち，所要時間の合計が最も多い経路がクリティカルパスになります。ア：13日，イ：8日，ウ：14日，エ 13日より，正解はウ。

【解答】 ウ

予測出題率 70%

テクノロジ系

タスクスケジューリング

1個のCPUで複数のタスク(処理の実行単位)を同時に実行するには，1つのタスクがCPUを独占することのないように，システムが各タスクのCPU使用時間を細かく切り替えながら処理を進めます。これをタスクスケジューリングといい，主な方式として，**ラウンドロビン方式**と**優先度順方式**があります。

覚える **スケジューリング方式**

ラウンドロビン方式
各タスクに一定のCPU使用時間を均等に割り当て，順番に切り替えていく方式。

優先度順方式
各タスクに優先度を設け，優先度の高いタスクから順にCPUを使用する方式。

ラウンドロビンや優先度順方式では，CPUを使用するタスクをOS側が管理し，CPUを使用中のタスクを強制的に切り替えます。このようなスケジューリングの方式を**プリエンプティブ**といいます。

一方，CPUを使用中のタスクが終了するか，自分から他のタスクに譲るまで処理を中断できない方式を**ノンプリエンプティブ**といいます。

予測出題率 60%

マネジメント系

開発工数の計算

●工数とは

1人で行うと1日かかる作業量（工数）を1人日といいます。一般に，a人が行ってb日かかる作業量は，(a × b）人日になります。

●生産性とは

1人日の作業量が，ソースプログラム1,000ステップ（ステップはプログラムの行数のこと）に相当する場合の作業の生産性を，**1,000ステップ／人日**と表します。

一般に，生産性がpステップ／人日の場合，sステップのプログラミング作業に必要な工数は（s ÷ p）人日です。

例題

10人が0.5kステップ／人日の生産性で作業するとき，30日間を要するプログラミング作業がある。10日目が終了した時点で作業が終了したステップ数は，10人の合計で30kステップであった。予定の30日間でプログラミングを完了するためには，少なくとも何名の要員を追加すればよいか。ここで，追加する要員の生産性は，現在の要員と同じとする。

ア　2　　イ　7　　ウ　10　　エ　20

【解法】 10人で30日間かかる工数は10 × 30 = 300人日です。生産性が0.5kステップ／人日の場合，全体の作業量は0.5k × 300 = 150kステップになります。

一方，10人が10日間作業して30kステップ終了した場合，10 × 10 = 100人日で30kステップなので，生産性は30k ÷ 100 = 0.3kステップしかありません。

残りの作業量は150k − 30k = 120kステップです。生産性を0.3kステップ／人日とすると，工数は120k ÷ 0.3k = 400人日となるので，20日で完了するには400 ÷ 20 = 20人の要員が必要です。

以上から，追加する要因は20 − 10 = 10人となります。

【解答】 ウ

予測出題率 60%

ホワイトボックステスト

プログラムをテストするために用意する一連のデータをテストケースといいます。テストケースとしてどのようなデータを用意するかは，テストがブラックボックステストかホワイトボックステストかによって異なります。

ブラックボックステストは，プログラムの内部構造には関知せず，与えられたデータに対して，あらかじめ決められたとおりに動作するかどうかを確認するテストです。これに対し**ホワイトボックステスト**は，プログラムの内部構造に着目し，ロジックが正しいかどうかを確認します。

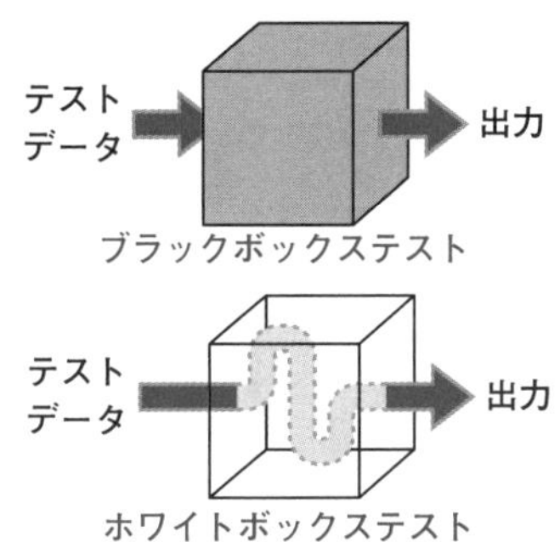

覚える ホワイトボックステストのテストケース

命令網羅	プログラム中のすべての命令を実行する。
判定条件網羅	プログラム中のすべての分岐経路を実行する。
条件網羅	個々の条件の真偽を少なくとも1回実行する（判定条件が複数の条件で構成される場合は，個々の条件の真偽を1回ずつ実行）。
判定条件／条件網羅	条件網羅だけではすべての経路が実行されない場合があるので，条件網羅と判定条件網羅を組み合わせ，すべての経路とすべての条件の真偽を少なくとも1回実行する。
複数条件網羅	判定条件のすべての真偽の組合せを網羅し，すべての命令を実行する。

例題

図の構造をもつプログラムに対して，ホワイトボックステストのテストケースを設計するとき，少なくとも実施しなければならないテストケース数が最大になるテスト技法はどれか。

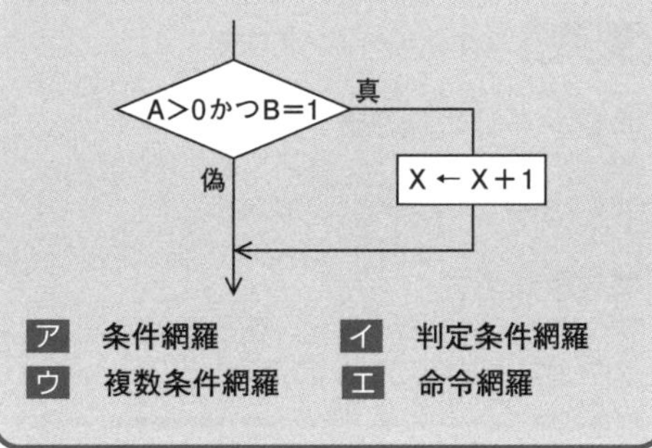

ア 条件網羅　　イ 判定条件網羅
ウ 複数条件網羅　　エ 命令網羅

【解法】 図のプログラムのテストケースとしては，次の4通りが考えられます。

① 「A > 0」が真,「B = 1」が真（例: A = 1, B = 1）
② 「A > 0」が真,「B = 1」が偽（例: A = 1, B = 0）
③ 「A > 0」が偽,「B = 1」が真（例: A = 0, B = 1）
④ 「A > 0」が偽,「B = 1」が偽（例: A = 0, B = 0）

最低限必要なテストケースは，それぞれ次のようになります。

ア 条件網羅：各条件の真偽を1回ずつ実行（②と③または①と④）
イ 判定条件網羅：判定条件の真偽を1回ずつ実行（①と②，①と③，①と④）
ウ 複数条件網羅：各条件の真偽の組合せをすべて実行（①～④すべて）
エ 命令網羅：命令をすべて実行（①）

【解答】 ウ

予測出題率 60%

テクノロジ系

スタック／キュー

●スタック

スタックは，複数のデータを格納しておくデータの置き場所の一種です。スタックの特徴は，データを格納するときは下から上に積み上げていき，取り出すときは一番上にあるデータから取り出すということです。後に入れたデータほど先に取り出すので，この特徴を「**後入れ先出し**」といいます。

また，スタックにデータを格納することを**プッシュ**，スタックからデータを取り出すことを**ポップ**といいます。

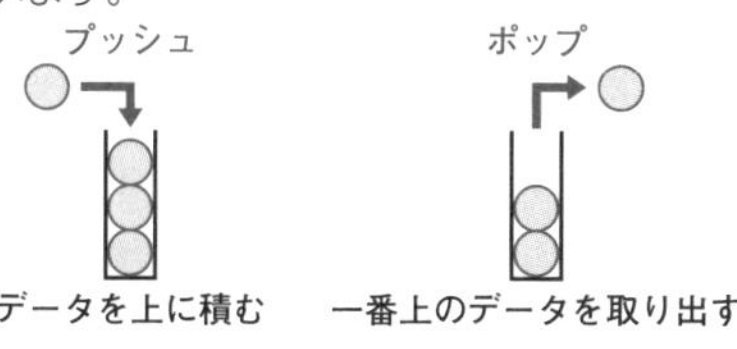

●キュー

キューもスタックと同様，複数のデータを格納しておくデータの置き場所です。キューは入口と出口が別の一方通行のトンネルで，データを入れると一番後ろに格納され，取り出すときは先頭から取り出されます。先に入れたデータを先に取り出すので，この特徴を「**先入れ先出し**」といいます。

また，キューにデータを格納することを**エンキュー**，キューからデータを取り出すことを**デキュー**といいます。

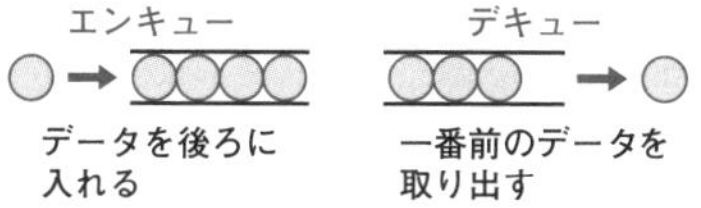

例題

四つのデータ A，B，C，D がこの順に入っているキューと空のスタックがある。手続 pop_enq，deq_push を使ってキューの中のデータを D，C，B，A の順に並べ替えるとき，deq_push の実行回数は最小で何回か。ここで，pop_enq はスタックから取り出したデータをキューに入れる操作であり，deq_push はキューから取り出したデータをスタックに入れる操作である。

ア 2　イ 3　ウ 4　エ 5

【解法】 キューの末尾にある D が先頭にくるようにしたいので，とりあえず D が先頭にくるまで，キューからデータを取り出します。キューからデータを取り出すには，手続 deq_push を使います。

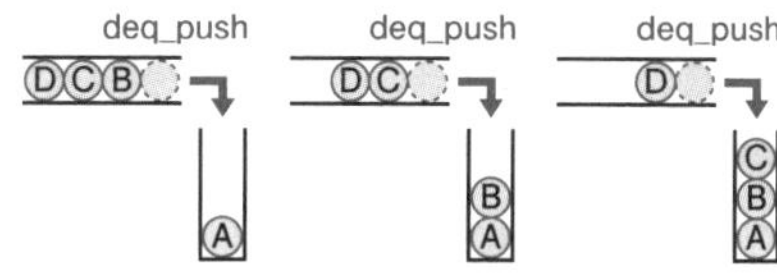

上のように，deq_push を 3 回実行すると，キューの先頭が D になります。この後，手続 pop_enq を 3 回実行すると，C，B，A の順にデータがキューに入ります。

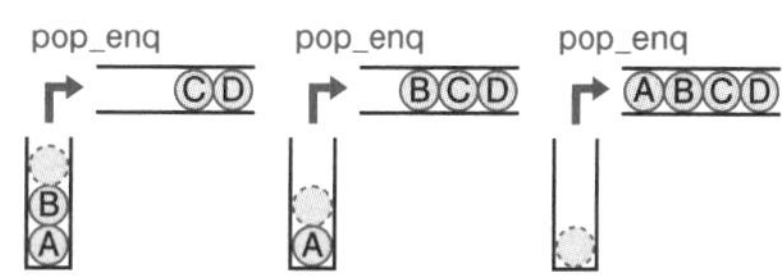

以上から，手続 deq_push の実行回数は最小で 3 回です。

【解答】 イ

予測出題率 60%

マネジメント系

ファンクションポイント法

ファンクションポイント法は，システム開発のコストを見積もる手法の 1 つです。システムの機能を入出力データやファイル，画面などの個数によって計測し，開発難易度や特性に応じて点数を付けます。算出した点数の合計によって，システムの規模を見積もります。開発規模を客観的な点数で表せるので，顧客にも説明しやすいメリットがあります。

覚える 主な見積もり手法

手法	内容
ファンクションポイント法	プログラムの機能を個数や特性によって点数化。
プログラムステップ法	プログラムごとのステップ数を積算。
標準タスク法	必要な作業の WBS を作成。
経験値による見積もり	過去の類似例から開発規模を見積もる。

例題

表の機能と特性をもったプログラムのファンクションポイント値はいくらか。ここで，複雑さの補正係数は 0.75 とする。

ユーザファンクションタイプ	個数	重み付け係数
外部入力	1	4
外部出力	2	5
内部論理ファイル	1	10
外部インタフェースファイル	0	7
外部照会	0	4

ア 18　イ 24　ウ 30　エ 32

【解法】 各機能の個数に重み付け係数を掛けたものを合計すると，$1 \times 4 + 2 \times 5 + 1 \times 10 = 24$。この点数に補正係数 0.75 を掛けると，$24 \times 0.75 = 18$ となります。

【解答】 ア

予測出題率 60%　テクノロジ系

再帰呼出し

処理の中で自分自身を呼び出すことを再帰呼出しといいます。

例題

$n!$ の値を，次の関数 $F(n)$ によって計算する。乗算の回数を表す式はどれか。

$$F(n) = \begin{cases} 1 & (n = 0) \\ n \times F(n-1) & (n > 0) \end{cases}$$

ア $n-1$　イ n

ウ n^2　エ $n!$

【解法】 $n = 0$ のとき，$F(0) = 1$ なので，乗算の回数は 0 回です。また，$n > 0$ のときは次のようになります。

$F(1) = 1 \times F(0) = 1 \times 1$　← 乗算回数 1 回

$F(2) = 2 \times F(1) = 2 \times 1 \times F(0)$

$= 2 \times 1 \times 1$　← 乗算回数 2 回

⋮

$F(n) = n \times F(n-1) = n \times (n-1) \times F(n-2)$

$= n \times (n-1) \times (n-2) \times \cdots \times 1 \times 1$ ← 乗算回数 n 回

【解答】 イ

予測出題率 60%　テクノロジ系

IPアドレスの仕組み

IPアドレスは，ネットワークに接続するすべての端末に割り当てられる識別番号です。現在一般的な IP アドレスは 32 ビット（2 進数 32 桁）の長さがありますが，表記するときは 8 ビットずつ区切って，4 個の 10 進数で表します。

	← 32ビット →			
IPアドレスの例：	11001000	10101010	01000110	00010011
	200	170	70	19

↓

200.170.70.19

●グローバルIPアドレスとプライベートIPアドレス

インターネットに接続する端末に割り当てられる IP アドレスを，**グローバル IP アドレス**といいます。グローバル IP アドレスは，世界で一意に割り当てられます。

これに対し，社内ネットワークなどで使う IP アドレスを**プライベート IP アドレス**といいます。プライベート IP アドレスを割り当てられた端末は，直接インターネットに接続することはできません。社内ネットワークとインターネットを接続するルータを介して，プライベートIPアドレスをグローバルIPアドレスに変換する必要があります。このようなルータの機能を，**NAT**（Network Address Translation）または**NAPT**（Network Address Port Translation）といいます。

なお，プライベートIPアドレスとして使用できる範囲は，IPアドレスのクラスごとに定められています。

● IPアドレスのクラス

IPアドレスは，ネットワークアドレスとホストアドレスに区分されます。ネットワークアドレスは，端末が所属するネットワークを示すアドレスで，ホストアドレスは，そのネットワーク内の各端末に一意に割り当てられるアドレスです。

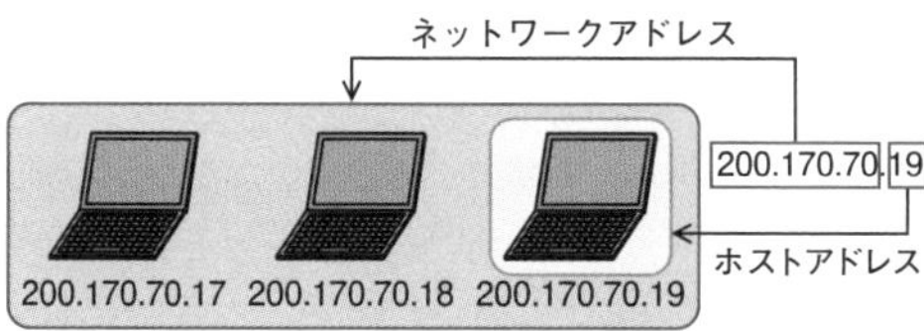

IPアドレスは，ネットワーク部の長さによって，次のようにクラスA～クラスDに分類されます。

クラス	範囲※
クラスA	ネットワークアドレス8ビット＋ホストアドレス24ビット 0.0.0.0～127.255.255.255
クラスB	ネットワークアドレス16ビット＋ホストアドレス16ビット 128.0.0.0～191.255.255.255
クラスC	ネットワークアドレス24ビット＋ホストアドレス8ビット 192.0.0.0～223.255.255.255
クラスD	ネットワークアドレス32ビット 224.0.0.0～239.255.255.255

※色文字の部分がネットワークアドレスを示す

1つのネットワークに接続できる端末の台数は，ホストアドレスの長さによって決まります。たとえば，クラスCのホストアドレスは8ビットなので，1つのネットワークにつき$2^8 = 256$通りのホストアドレスがあります。ただし，ホストアドレスの先頭（ビットがすべて0のアドレス）と末尾（ビットがすべて1のアドレス）は，端末に割当てできない決まりなので，割当て可能な端末は最大254台になります。

割当て可能な台数＝$2^H - 2$台

※H：ホストアドレスのビット数

●サブネットマスク

IPアドレスのうち，どこまでをネットワークアドレスとして扱うかは，IPアドレスと組になっている**サブネットマスク**を使って設定します。サブネットマスクを2進数で表すと，上位ビットが1の連続になります。この1の部分に対応する部分が，IPアドレスのネットワークアドレスになります。

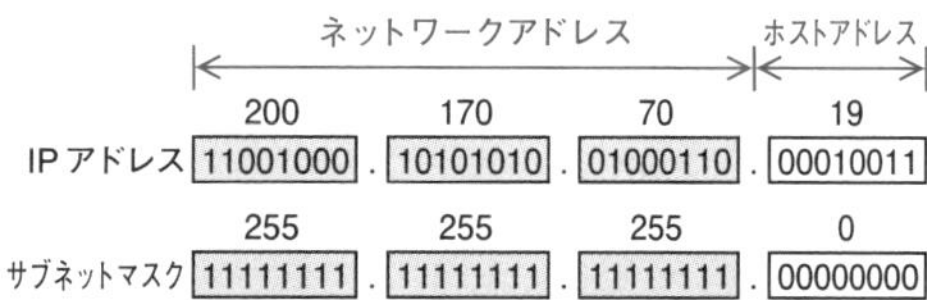

サブネットマスクを調整すると，1つのネットワークを複数のサブネットに分割できます。たとえば，クラスCのネットワークアドレスは24ビットなので，サブネットマスクは通常「255.255.255.0」です。これを「255.255.255.240」とすると，ネットワークアドレスが28ビット，ホストアドレスが4ビットになります。

追加でネットワークアドレスに割り当てた4ビットは，サブネットのアドレスとして使用できます。

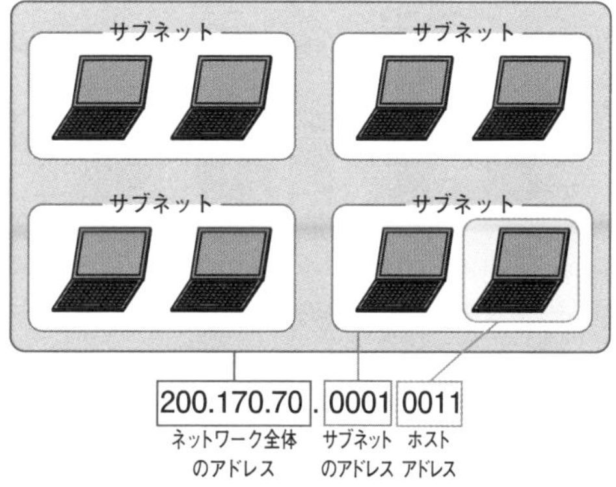

テクノロジ系

予測出題率 60%

オブジェクト指向の基礎概念

オブジェクト指向は，オブジェクトと呼ばれる構成部品を基に，プログラムを開発していく開発手法です。オブジェクト指向については，基本的な用語の意味を問う問題がよく出題されます。

覚える オブジェクト指向の基本概念

カプセル化：データとそれを操作する手続（メソッド）をオブジェクトの内部に隠ぺいし，オブジェクトの内部構造を知らなくても，利用者がそのオブジェクトを利用できるようにすること。オブジェクトの独立性を高めることができる。

クラス：オブジェクトが備える属性や手続などの内部構造を定義したもの。

インスタンス：クラスの定義に基づいて生成されるオブジェクトのこと。

継承（インヘリタンス）：基になるクラス（上位クラス，スーパクラス）の性質を引き継ぎ，新しいクラス（下位クラス，サブクラス）を定義すること。

多相性（ポリモーフィズム）：メッセージ（指示）に対するオブジェクトの動作が，同じメッセージでもオブジェクトの種類によって異なること。

オーバーライド：上位クラスで定義された手続の内容を，手続名を変えずに下位クラスで定義し直すこと。多相性を実現するための特有の手法。

例題

オブジェクト指向におけるカプセル化を説明したものはどれか。

ア　同じ性質をもつ複数のオブジェクトを抽象化して，整理すること

イ　基底クラスの性質を派生クラスに受け継がせること

ウ　クラス間に共通する性質を抽出し，基底クラスを作ること

エ　データとそれを操作する手続を一つのオブジェクトにして，その実装をオブジェクトの内部に隠ぺいすること

【解答】 エ

テクノロジ系

予測出題率 50%

LRU (Least Recently Used) 方式

仮想記憶では，主記憶装置をページと呼ばれる複数の領域に区分し，ページごとに内容を読み込みます。主記憶装置に入りきらない内容はハードディスクなどに保存しておき，必要に応じてページ内容を置き換えることで，主記憶装置を実際の容量より大きく利用することができます。

LRU 方式は，ページ内容を置き換える場合に，どのページを優先的に置き換えるかを決めるアルゴリズムの一種で，**最後に参照されてから最も長時間経過したページを置き換えます。**

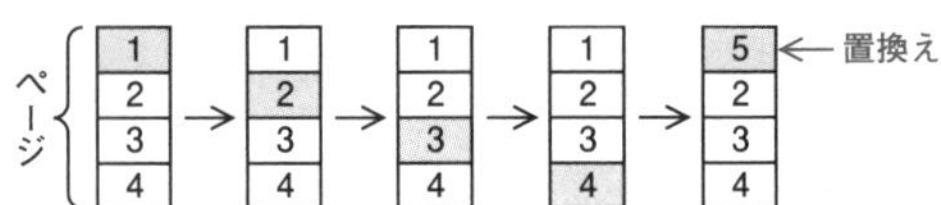

ページ枠が4で，ページ1，2，3，4，5の順にアクセスした場合

予測出題率 50%　テクノロジ系

SQLインジェクション攻撃

SQLインジェクション攻撃とは，インターネットを介してデータベースの情報を不正に入手したり，データを改ざんしたりする攻撃手法の1つです。データベースへの不正な命令（SQL文）を含んだデータを，Webアプリケーションの入力データに埋め込み，これをデーターベースに実行させるものです。入力データの処理方法に問題があるWebアプリケーションを狙った攻撃手法です。

例題

SQLインジェクション攻撃の説明はどれか。

ア　Webアプリケーションに問題があるとき，悪意のある問合せや操作を行う命令文を入力して，データベースのデータを不正に取得したり改ざんしたりする攻撃

イ　悪意のあるスクリプトを埋め込んだWebページを訪問者に閲覧させて，別のWebサイトで，その訪問者が意図しない操作を行わせる攻撃

ウ　市販されているDBMSの脆弱性を悪用することによって，宿主となるデータベースサーバを探して感染を繰り返し，インターネットのトラフィックを急増させる攻撃

エ　訪問者の入力データをそのまま画面に表示するWebサイトを悪用して，悪意のあるスクリプトを訪問者のWebブラウザで実行させる攻撃

【解答】 ア

予測出題率 50%　テクノロジ系

基数変換

● **10進数を2進数に変換する**

10進数を「2」で割って商と余りを求める。その商をまた「2」で割って商と余りを求める。これを，商が0になるまで繰り返し，求めた余りを反対の順に並べる。

例：10進数「18」を2進数に変換

18÷2＝9余り　0
9÷2＝4余り　1
4÷2＝2余り　0　　10010
2÷2＝1余り　0
1÷2＝0余り　1

（余りを下から上へ読む）

「2」の部分を「7」や「8」とすれば、それぞれ7進数や8進数への変換もできるよ。

● **10進小数を2進小数に変換する**

10進数の小数に「2」を掛ける。その結果の小数部を取り出して「2」を掛ける。これを小数部が0になるまで繰り返し，結果の整数部を順に並べる。

例：10進小数「0.375」を2進小数に変換

0.375 × 2 ＝ 0.75
0.75 × 2 ＝ 1.5　　0.011
0.5 × 2 ＝ 1.0

● **2進数を10進数に変換する**

2進数の各桁ごとに，2^nの「重み」を掛け，結果を合計する。

例：2進数「1011.01」を10進数に変換

2進数	1	0	1	1	.	0	1
重み	2^3	2^2	2^1	2^0		2^{-1}	2^{-2}

$$1\times2^3+0\times2^2+1\times2^1+1\times2^0+0\times2^{-1}\times1\times2^{-2}$$
$$=8+0+2+1+0+0.25=11.25$$

ストラテジ系

予測出題率 50%

先入先出法

先入先出法は,「先に仕入れたものから先に出庫する」とみなして,在庫評価額や払出金額を計算する方法です。

例題

ある商品の前月繰越と受払いが表のとおりであるとき,先入先出法によって算出した当月度の売上原価は何円か。

日付	摘要	受払個数		単価(円)
		受入	払出	
1日	前月繰越	100		200
5日	仕入	50		215
15日	売上		70	
20日	仕入	100		223
25日	売上		60	

ア 26,290　イ 26,450
ウ 27,250　エ 27,589

【解法】 当月度は,15日に70個,25日に60個の売上があります。このうち15日の売上70個は,「先に仕入れたものから先に出庫する」の原則により,前月繰越分の在庫100個の中から払い出します。前月繰越分の受入単価は200円なので,売上原価は200 × 70 = 14,000円になります。

次に,25日の売上60個は,前月繰越分の売れ残り30個(= 100個 − 70個)と,5日仕入分50個から30個を払い出します。前月繰越分の受入単価は200円,5日仕入分の受入単価は215円なので,売上原価は200 × 30 + 215 × 30 = 12,450円になります。

以上から,当月分の売上原価は14,000 + 12,450 = 26,450円です。

【解答】 イ

テクノロジ系

予測出題率 50%

公開鍵暗号方式

公開鍵暗号方式は,暗号化用の鍵と復号用の鍵が異なる方式。受信者は暗号化用の鍵(**公開鍵**)と復号用の鍵(**秘密鍵**)のペアを作成し,このうち暗号化鍵だけを送信者に渡します。送信者は渡された暗号化鍵でメッセージを暗号化し,受信者は手元の復号鍵を使って暗号を復号します。

復号用の鍵は受信者の手元から外に出ないので,共通鍵暗号方式より安全な方式です。

覚える 公開鍵暗号方式の仕組み

- 「受信者の公開鍵」で暗号化
- 「受信者の秘密鍵」で復号

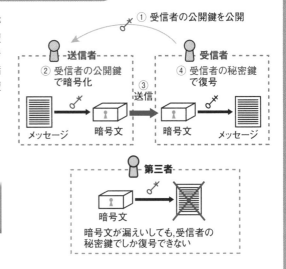

予測出題率 **50%**

テクノロジ系

デジタル署名

デジタル署名は，メッセージの改ざんやなりすましを防ぐために，メッセージに添付する暗号データです。

送信者はまず，メッセージ本文を基にして，**ハッシュ値**（メッセージダイジェストともいう）と呼ばれるデータを作成します。一般に，基になるメッセージが異なればハッシュ値は異なります。ハッシュ値からメッセージを復元することは事実上できません。

次に，このハッシュ値を公開鍵暗号方式で暗号化します。ただし，デジタル署名では暗号化用の鍵を秘密鍵，復号用の鍵を公開鍵にします。

メッセージのハッシュ値を，送信者の秘密鍵で暗号化したものがデジタル署名です。

受信者は，メッセージとともに受け取ったデジタル署名を送信者の公開鍵で復号します。復号に成功すれば，その署名が送信者の秘密鍵によって暗号化されたということです。秘密鍵は送信者が手元で保管しているものなので，メッセージの送信者が本人であることがわかります。

さらに受信者は，メッセージからハッシュ値を作成し，それを復号したデジタル署名と照合します。両者が一致すれば，メッセージが通信の途中で改ざんされていないことが確認できます。

覚える デジタル署名の仕組み

- 「送信者の秘密鍵」で暗号化
- 「送信者の公開鍵」で復号

① 送信者の公開鍵を公開

送信者

メッセージ

署名

② ハッシュ値を計算

ハッシュ値

署名

③ 送信者の秘密鍵で暗号化

④ 送信

受信者

署名

メッセージ

⑥ ハッシュ値を計算

ハッシュ値

⑦ 照合

署名

ハッシュ値

⑤ 送信者の公開鍵で復号

例題

発信者がメッセージのハッシュ値からデジタル署名を生成するのに使う鍵はどれか。

ア 受信者の公開鍵

イ 受信者の秘密鍵

ウ 発信者の公開鍵

エ 発信者の秘密鍵

【解答】 エ

予測出題率 40%

ストラテジ系

SWOT 分析

SWOT 分析とは，自社がもっている**強み**（Strengths）と**弱み**（Weaknesses），自社を取り巻く環境における**機会**（Opportunities）と**脅威**（Threats）を分析し，経営戦略の立案に役立てる手法です。4 つの要素のうち，強みと弱みを**内部要因**，機会と脅威を**外部要因**といいます。

例題

SWOT 分析を用いて識別した，自社製品に関する外部要因はどれか。

ア　機能面における強み
イ　コスト競争力
ウ　新規参入による脅威
エ　品質における弱み

【解答】 ウ

予測出題率 40%

マネジメント系

WBS

プロジェクト全体をいくつかの工程に分割し，各工程をさらに細かい作業に分割し…のように，作業を細かく階層化していく手法を**WBS**（Work Breakdown Structure）といいます。また，細分化された作業の最も小さい単位を**ワークパッケージ**といいます。

プロジェクトの計画立案時には，WBS で細分化された作業を基にアローダイアグラムやガントチャートを作成します。

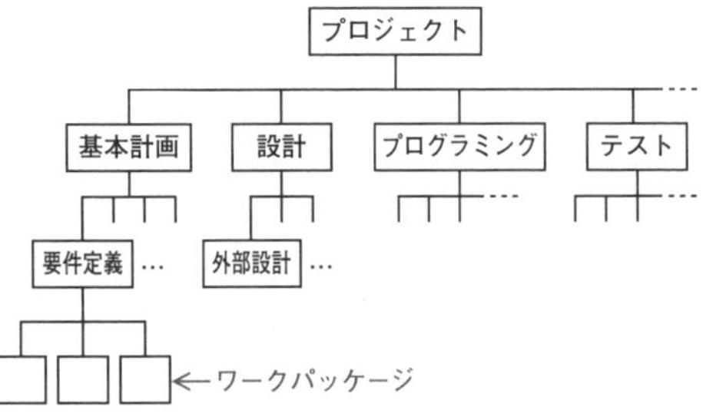

例題

プロジェクトマネジメントで使用する WBS で定義するものはどれか。

ア　プロジェクトで行う作業を階層的に要素分解したワークパッケージ
イ　プロジェクトの実行，監視・コントロール，及び終結の方法
ウ　プロジェクトの要素成果物，除外事項及び制約条件
エ　ワークパッケージを完了するために必要な作業

【解答】 ア

基本情報技術者

令和6年度公開問題

※実際の試験は科目 A60 問，科目 B20 問で構成されています。公開問題は，そのうち科目 A から 20 問，科目 B から 6 問を公開したものです。

基本情報技術者試験 令和6年度公開問題 科目A

□□ **問01** X及びYはそれぞれ0又は1の値をとる変数である。X□YをXとYの論理演算としたとき，次の真理値表が得られた。X□Yの真理値表はどれか。

X	Y	X AND (X□Y)	X OR (X□Y)
0	0	0	1
0	1	0	1
1	0	0	1
1	1	1	1

ア

X	Y	X□Y
0	0	0
0	1	0
1	0	0
1	1	1

イ

X	Y	X□Y
0	0	0
0	1	1
1	0	0
1	1	1

ウ

X	Y	X□Y
0	0	1
0	1	1
1	0	0
1	1	1

エ

X	Y	X□Y
0	0	1
0	1	1
1	0	1
1	1	0

□□ **問02** キーが小文字のアルファベット1文字（a, b, …, zのいずれか）であるデータを，大きさが10のハッシュ表に格納する。ハッシュ関数として，アルファベットのASCIIコードを10進表記法で表したときの1の位の数を用いることにする。衝突が起こるキーの組合せはどれか。ASCIIコードでは，昇順に連続した2進数が，アルファベット順にコードとして割り当てられている。

ア aとi　　イ bとr　　ウ cとl　　エ dとx

解説

問01 論理演算

.ıl70%

問題文から，X AND（X □ Y）とX OR（X □ Y）の真理値表を作り，a～dに入る値を考えてみましょう。

AND（論理積）演算は，2つの値が両方とも1のときのみ1になる演算です。右の真理値表からは，aとbの値は確定できませんが，

1 AND c = 0 より，c は 0
1 AND d = 1 より，d は 1

となることがわかります。

X	X□Y	X AND（X□Y）
0	a	0
0	b	0
1	c	0
1	d	1

OR（論理和）演算は，2つの値が両方とも0のときのみ0になる演算です。右の真理値表からは，cとdの値は確定できませんが，

0 OR a = 1 より，a は 1
0 OR b = 1 より，b は 1

となることがわかります。

X	X□Y	X OR（X□Y）
0	a	1
0	b	1
1	c	1
1	d	1

以上から，X □ Y の並びは右のようになります。正解は ウ です。

1	←a
1	←b
0	←c
1	←d

問02 ハッシュ法

.ıl30%

ハッシュ表では，ハッシュ関数が出力する格納位置に値（キー）を格納します。このとき，複数の値の格納位置が同じになってしまう現象を衝突といいます。

本問のハッシュ関数は，ASCIIコードの1の位の数を格納位置とします。ASCIIコードでは，アルファベットのa～zに順番に番号を割り当てます。したがって，あいだが10個または20個離れているアルファベットは，ASCIIコードの1の位の数が同じになり，衝突が発生します。

0	1	2	3	4	5	6	7	8	9	10	11	12
a	b	c	d	e	f	g	h	i	j	k	l	m

13	14	15	16	17	18	19	20	21	22	23	24	25
n	o	p	q	r	s	t	u	v	w	x	y	z

上図より，a～dの1の位の数が同じになるアルファベットの組合せは，aとkとu，bとlとv，cとmとw，dとnとxです。以上から，正解は エ です。

論理積（AND） 問01

2つのビットが両方とも1のとき1，それ以外は0になる論理演算。

0 AND 0 → 0
0 AND 1 → 0
1 AND 0 → 0
1 AND 1 → 1

論理和（OR） 問01

2つのビットが両方とも0のとき0，それ以外は1になる論理演算。

0 OR 0 → 0
0 OR 1 → 1
1 OR 0 → 1
1 OR 1 → 1

ハッシュ法 問02

データの格納位置を，ハッシュ関数によってデータ自体から計算する方法。データを検索する際には，同様の計算で格納位置をすばやく求めることができる。ただし，データによっては格納位置が重なる場合がある（衝突という）ため，その場合の処理手順が必要となる。

問02

対策 正確なASCIIコードを知らなくても，アルファベットに順番に番号を振ればいいんだね。

解答

問01 ウ　問02 エ

問03

図に示す構成で，表に示すようにキャッシュメモリと主記憶のアクセス時間だけが異なり，他の条件は同じ 2 種類の CPU X と Y がある。

あるプログラムを CPU X と Y とでそれぞれ実行したところ，両者の処理時間が等しかった。このとき，キャッシュメモリのヒット率は幾らか。ここで，CPU 以外の処理による影響はないものとする。

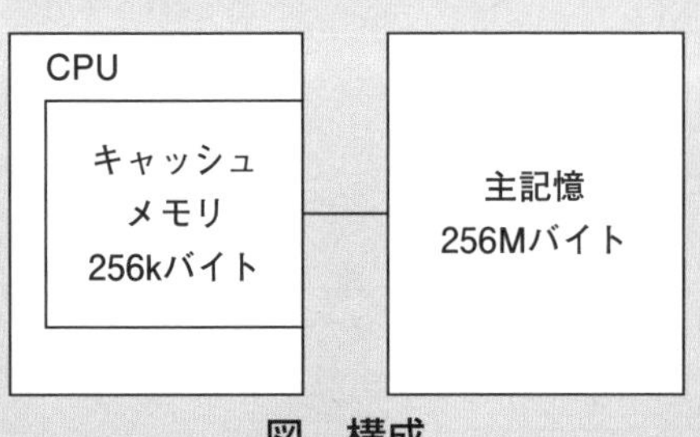

図　構成

表　アクセス時間

単位　ナノ秒

	CPU X	CPU Y
キャッシュメモリ	40	20
主記憶	400	580

ア　0.75　　イ　0.90　　ウ　0.95　　エ　0.96

問04

あるシステムの今年度の MTBF は 3,000 時間，MTTR は 1,000 時間である。翌年度は MTBF について今年度の 20%分の改善，MTTR について今年度の 10%分の改善を図ると，翌年度の稼働率は何%になるか。

ア　69　　イ　73　　ウ　77　　エ　80

問05

複数の Web サービスの入出力処理を連結させて新たなサービスを提供する，“ロジックマッシュアップ”の例はどれか。

ア　利用者が選択した飲食店情報のページを表示する際に，他の Web サービスが提供する地図コンテンツをアクセスマップとして表示する。

イ　利用者が選択した投資商品の情報を表示する際に，関連する経済指標のデータを複数の Web サービスから取得し，グラフに加工して表示する。

ウ　利用者が入力した予算の範囲で宿泊可能な施設のリストを他の Web サービスから取得し，それらの宿泊施設の空室状況を別の Web サービスから取得して表示する。

エ　利用者がマウスのドラッグで地図を操作した際に，Web ページ全体ではなく一部を読み直すことによって地図をスクロールして表示する。

解説

問03 キャッシュメモリのヒット率

50%

合格のカギ

キャッシュメモリのヒット率を p とすると，CPU X と CPU Y の実効アクセス時間はそれぞれ次のようになります。

CPU X：$40 \times p + 400 \times (1 - p) = 400 - 360p$
CPU Y：$20 \times p + 580 \times (1 - p) = 580 - 560p$

両者は等しいので，

$400 - 360p = 580 - 560p \rightarrow 200p = 180 \quad \therefore p = 180 \div 200 = 0.9$

となります。正解は イ です。

問04 稼働率の計算

90%

MTBF（平均故障間隔）は，システムが故障せずに稼働している時間の平均，MTTR（平均修理時間）は修理にかかる時間の平均を表します。したがって，MTFB は長いほどよく，MTTR は短いほどよいことに注意しましょう。

翌年度の MTBF と MTTR は，それぞれ次のように計算できます。

MTBF = 3000 × 1.2 = 3600 ← 20% 長くするので，1.2 倍する
MTTR = 1000 × 0.9 = 900 ← 10% 短くするので，0.9 倍する

以上から，翌年度の稼働率は次のようになります。正解は エ です。

$$稼働率 = \frac{MTBF}{MTBF + MTTR} = \frac{3600}{3600 + 900} = 0.8$$

問05 ロジックマッシュアップ 初モノ！

20%

インターネット上の複数の Web サービスを組み合わせて，新しいサービスを作ることをマッシュアップ（mashup）といいます。既存のサービスを再利用することで，短時間・低コストで新たなサービスを開発できるメリットがあります。マッシュアップは，以下の 3 種類に分類できます。

ロジックマッシュアップ	ある Web サービスの出力結果を別の Web サービスに入力し，新たな出力結果を得る。
プレゼンテーションマッシュアップ	複数の Web サービスから得たコンテンツを 1 つの Web ページに表示する。
データマッシュアップ	複数の Web サービスから取得したデータを統合して表示する。

× ア　プレゼンテーションマッシュアップの例です。
× イ　データマッシュアップの例です。
○ ウ　正解です。ある Web サービスから得た宿泊可能な施設をリストを別の Web サービスに入力して空室状況を取得しているので，ロジックマッシュアップの例といえます。
× エ　Ajax による非同期通信の例です。

合格のカギ

キャッシュメモリ 問03
CPU が主記憶から読み込んだデータを記録しておく高速なメモリ。同じデータを読み込むときのアクセスが高速になる。

覚えよう！ 問03
実効アクセス時間といえば
キャッシュメモリのアクセス時間×ヒット率＋主記憶のアクセス時間×（1 －ヒット率）

MTBF 問04
平均故障間隔。システムが故障してから次に故障するまでの稼働時間の平均。

MTTR 問04
平均修理時間。システムの修理にかかる時間の平均。

稼働率 問04
システムの運用時間全体のうち，実際にシステムが稼働している時間の割合のこと。MTBF と MTTR がわかれば，稼働率は次のように求められる。

$$稼働率 = \frac{MTBF}{MTBF + MTTR}$$

問05
参考 マッシュアップはもともと音楽用語で，複数の曲をミックスして新しい曲を作ることを言うんだよ。

Ajax 問05
Asynchronous JavaScript + XML：JavaScript の非同期通信機能によって，ページ全体の再読み込みをせずに画面の一部を書き換え，動的なページを作成する技術。

解答
問03 イ　問04 エ
問05 ウ

問06 液晶ディスプレイなどの表示装置において，傾いた直線の境界を滑らかに表示する手法はどれか。

ア　アンチエイリアシング　　イ　シェーディング
ウ　テクスチャマッピング　　エ　バンプマッピング

問07 DBMS に実装すべき原子性（atomicity）を説明したものはどれか。

ア　同一データベースに対する同一処理は，何度実行しても結果は同じである。
イ　トランザクション完了後にハードウェア障害が発生しても，更新されたデータベースの内容は保証される。
ウ　トランザクション内の処理は，全てが実行されるか，全てが取り消されるかのいずれかである。
エ　一つのトランザクションの処理結果は，他のトランザクション処理の影響を受けない。

問08 LAN 間接続装置に関する記述のうち，適切なものはどれか。

ア　ゲートウェイは，OSI 基本参照モデルにおける第 1 ～ 3 層だけのプロトコルを変換する。
イ　ブリッジは，IP アドレスを基にしてフレームを中継する。
ウ　リピータは，同種のセグメント間で信号を増幅することによって伝送距離を延長する。
エ　ルータは，MAC アドレスを基にしてフレームを中継する。

問09 ペネトレーションテストに該当するものはどれか。

ア　検査対象の実行プログラムの設計書，ソースコードに着目し，開発プロセスの各工程にセキュリティ上の問題がないかどうかをツールや目視で確認する。
イ　公開 Web サーバの各コンテンツファイルのハッシュ値を管理し，定期的に各ファイルから生成したハッシュ値と一致するかどうかを確認する。
ウ　公開 Web サーバや組織のネットワークの脆弱性を探索し，サーバに実際に侵入できるかどうかを確認する。
エ　内部ネットワークのサーバやネットワーク機器の IPFIX 情報から，各 PC の通信に異常な振る舞いがないかどうかを確認する。

解説

問06 コンピュータグラフィックスの表示手法　30%

傾いた直線の境界に生じる階段状のギザギザの周囲に中間色を配して，滑らかに表示する手法を**アンチエイリアシング**といいます。

合格のカギ

○ ア　正解です。

× イ　シェーディングとは，立体感を生じさせるために，物体の表面に陰影を付ける処理です。

× ウ　テクスチャマッピングとは，物体の質感を得るために，物体の表面に画像（テクスチャ）を貼り付ける処理です。

× エ　バンプマッピングは，物体の表面に細かな凹凸を付ける処理のことです。

問07 ACID 特性

.ıl 50%

DBMS（データベース管理システム）がデータベースの更新処理について保証すべき4つの特性（原子性，一貫性，独立性，耐久性）をまとめて，ACID 特性といいます。このうちの1つである原子性（atomicity）は，トランザクション内の処理はすべて実行されるか，まったく実行されないかのどちらかである（部分的に実行されることはない）ことを保証します。

× ア　ACID 特性ではなく，べき等性（idempotency）と呼ばれる特性の説明です。

× イ　耐久性（durability）の説明です。

○ ウ　正解です。

× エ　独立性（isolation）の説明です。

問08 LAN 間接続装置

.ıl 80%

OSI 基本参照モデルは，データ通信を7つの階層に切り分けて，それぞれの層での機能を規定しています。LAN 同士を相互に接続するLAN 間接続装置も，OSI 基本参照モデルのどの層の通信を中継するかによって役割が異なります。

× ア　ゲートウェイは，OSI 基本参照モデルの第1～7層全体のプロトコルを変換します。

× イ　ブリッジは，ネットワークインタフェースカード（NIC）ごとに一意に割り振られているMAC アドレスを基に，データをフレーム単位で中継する装置です。

○ ウ　正解です。リピータは，OSI 基本参照モデルの第1層（物理層）において，信号を物理的に増幅して中継するための装置です。

× エ　ルータは，OSI 基本参照モデルの第3層（ネットワーク層）において，IP アドレスを基にデータをパケット単位で中継します。

問09 ペネトレーションテスト

.ıl 20%

ペネトレーションテストとは，システムのセキュリティ上の脆弱性を発見するために，実際にシステムを外部から攻撃して侵入を試みる手法です。

× ア　ソースコード静的検査の説明です。

× イ　Web サーバのコンテンツの改ざんを検知する手法の説明です。

○ ウ　正解です。

× エ　IPFIX（IP Flow Information Export）は，ネットワークのトラフィックを監視する技術です。

合格のカギ

アンチエイリアシング 問06

a → a

覚えよう！ 問07

ACID 特性といえば
- 原子性（atomicity）
- 一貫性（consistency）
- 独立性（isolation）
- 耐久性（durability）

トランザクション 問07

データベースの更新処理の単位。1つのトランザクションによって，複数の表が更新される場合もある。

覚えよう！ 問08

OSI基本参照モデルとLAN間接続装置

OSI基本参照モデル	LAN間接続装置
第4～7層 その他	ゲートウェイ
第3層 ネットワーク層	ルータ
第2層 データリンク層	ブリッジ，レイヤ2スイッチ
第1層 物理層	リピータハブ，リピータ

解答

問06	ア	問07	ウ
問08	ウ	問09	ウ

□□ 問10 SQLインジェクションの対策として，有効なものはどれか。

ア URLをWebページに出力するときは，“http://”や“https://”で始まるURLだけを許可する。
イ 外部からのパラメータでWebサーバ内のファイル名を直接指定しない。
ウ スタイルシートを任意のWebサイトから取り込めるようにしない。
エ プレースホルダを使って命令文を組み立てる。

□□ 問11 階層構造のモジュール群から成るソフトウェアの結合テストを，上位のモジュールから行う。この場合に使用する，下位のモジュールの代替となるテスト用のモジュールはどれか。

ア エミュレータ　　イ シミュレータ
ウ スタブ　　エ ドライバ

□□ 問12 アジャイル開発手法の一つであるスクラムで定義され，スプリントで実施するイベントのうち，毎日決まった時間に決まった場所で行い，開発チームの全員が前回からの進捗状況や今後の作業計画を共有するものはどれか。

ア スプリントプランニング　　イ スプリントレトロスペクティブ
ウ スプリントレビュー　　エ デイリースクラム

解説

問10 SQLインジェクション対策

50%

SQLインジェクション攻撃は，Webアプリケーションの入力データに悪意あるSQL文を埋め込んで実行させ，データベースを改ざんしたり，情報を不正に入手したりする攻撃手法です。

SQL インジェクション攻撃への対策としては，次のような手法が用いられます。

① Web ページから入力されたデータに含まれる文字が，SQL 文として解釈されないように処理する（サニタイジング）。

② あらかじめ用意しておいた SQL 文のひな型に空欄（プレースホルダ）を設けておき，入力されたデータに置き換えて SQL 文を組み立てることで，所定の SQL 文以外は受け付けないようにする（プリペアドステートメント）。

× ア　クロスサイトスクリプティング攻撃への対策です。

× イ　ディレクトリトラバーサル攻撃への対策です。

× ウ　CSS インジェクション攻撃への対策です。

○ エ　正解です。

問11 結合テスト

30%

結合テストを上位のモジュールから順に進めていく場合には，上位モジュールから呼び出される仮の下位モジュールをテスト用に用意しておく必要があります。このような代替モジュールをスタブといいます。正解は ウ です。

なお，結合テストを下位モジュールから順に必要になる仮の上位モジュールを，ドライバといいます。

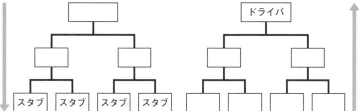

上位モジュールからテスト　下位モジュールからテスト

スタブ スタブ スタブ スタブ　ドライバ

問12 スクラム シラバス9.0

50%

プロジェクトを小さな単位に分割し，小単位で設計・開発・テストの工程を反復しながら進めていく開発手法を、アジャイル開発といいます。スクラムとは，少人数のチームによって進められるアジャイル開発手法の1つで，スプリントと呼ばれる短い開発期間ごとにゴールを定め，スプリントを反復しながら段階的に開発を進めていきます。各スプリントで行う会議をスクラムイベントといいます。毎日決まった時間に決まった場所で行い，開発チーム全員が進捗状況や今後の作業計画を共有するスクラムイベントは，デイリースクラムです。

× ア　スプリントプランニングは，スプリントの開始前に，そのスプリントのゴールを決定するイベントです。

× イ　スプリントレトロスペクティブは，スプリントの終了後に，今回のスプリントを振り返り，改善点などを話し合うイベントです。

× ウ　スプリントレビューは，スプリントの終了時に，関係者を集めて成果物のレビューを行うイベントです。

○ エ　正解です。

合格のカギ

クロスサイトスクリプティング攻撃 問10
掲示板サイトなどの入力フォームに不正なスクリプトを含むリンクを書き込み，そのページを閲覧した不特定多数のユーザーに実行させる攻撃。

ディレクトリトラバーサル攻撃 問10
サーバ管理者が意図しないパス名を指定して，本来アクセスが許可されていないファイルにアクセスする攻撃手法。

CSS インジェクション攻撃 問10
入力フォームなどを通じて Web ページに不正な CSS（スタイルシート）のコードを注入し，ページの外観を変更したり，操作を妨害したりする攻撃。

覚えよう！ 問11

スタブといえば
- トップダウンテストで使うテスト用の下位モジュール

ドライバといえば
- ボトムアップテストで使うテスト用の上位モジュール

結合テスト 問11
モジュール同士を組み合わせて，正常に動作するかどうかを確認するテスト。上位モジュールから順に結合していく場合をトップダウンテスト，下位モジュールから順に結合していく場合をボトムアップテストという。

解答
問10 エ　問11 ウ
問12 エ

□□ 問13 アローダイアグラムで表されるプロジェクトは，完了までに最少で何日を要するか。

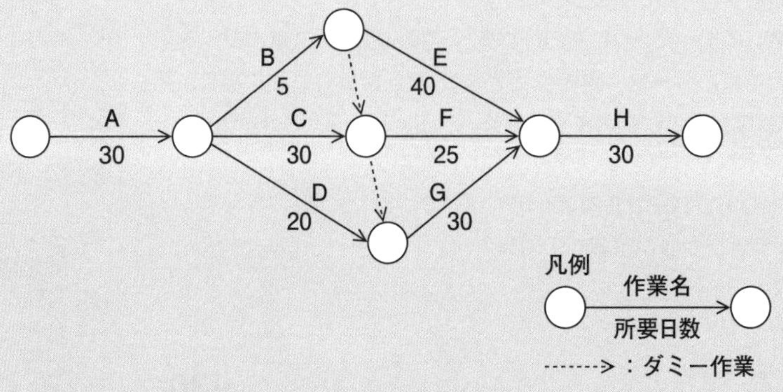

ア 105　　イ 115　　ウ 120　　エ 125

□□ 問14 システムの開発部門と運用部門が別々に組織化されているとき，システム開発を伴う新規サービスの設計及び移行を円滑かつ効果的に進めるための方法のうち，適切なものはどれか。

ア 運用テストの完了後に，開発部門がシステム仕様と運用方法を運用部門に説明する。
イ 運用テストは，開発部門の支援を受けずに，運用部門だけで実施する。
ウ 運用部門からもシステムの運用に関わる要件の抽出に積極的に参加する。
エ 開発部門は運用テストを実施して，運用マニュアルを作成し，運用部門に引き渡す。

□□ 問15 ビッグデータ分析の前段階として，非構造化データを構造化データに加工する処理を記述している事例はどれか。

ア 関係データベースに蓄積された大量の財務データから必要な条件に合致するデータを抽出し，利用者が扱いやすい表計算ソフトウェアデータに加工する。
イ 個人情報を含むビッグデータを更に利活用するために，特定の個人を識別することができないように匿名化加工する。
ウ 住所データ項目の中にある，“ヶ”と“が”の混在や，丁番地の表記不統一を，標準化された表記へ統一するために加工する。
エ ソーシャルメディアの口コミを機械学習によって単語ごとに分解し，要約を作り，分析可能なデータに加工し，関係データベースに保管する。

解説

問13 アローダイアグラム

80%

図の○で表される各結合点ごとに，開始から結合点までの所要日数を求め，次の作業を開始できる最も早い日（最早開始日）を求めます。なお，ダミー作業の所要日数は 0 とみなします。

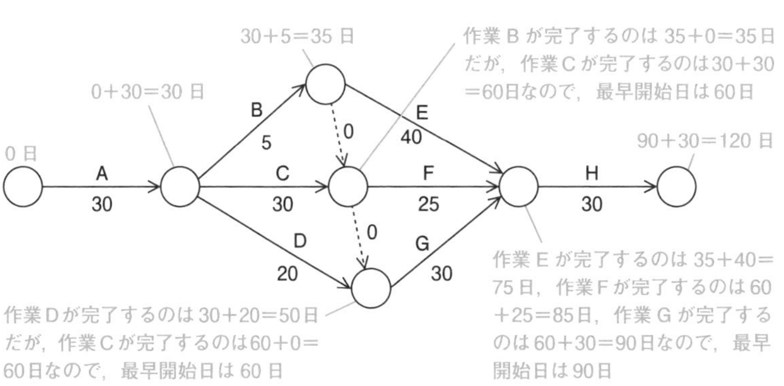

以上から，最後の作業 H が完了するのは，開始から 120 日後になります。正解は ウ です。

問14 開発部門と運用部門

20%

システム化する業務の内容に精通し，実際にシステムの運用を担当するのは運用部門です。したがって，運用部門がシステムの要件抽出の段階から参加することは，移行を円滑にし，効果的なシステムを開発するために重要です。

× ア 運用テストは運用部門が主体となって実施するので，仕様などは運用テスト前に説明すべきです。

× イ 運用テストの主体は運用部門ですが，開発部門の支援も必要です。

○ ウ 正解です。

× エ 運用テストは運用部門が主体となって実施し，業務に支障がないかどうかを確認します。

問15 ビッグデータ分析

20%

関係データベースや表計算ソフトのデータのように，一定の形式に整理されたデータを**構造化データ**といいます。これに対し，テキストや PDF，画像など，決まった形式をもたないデータを**非構造化データ**といいます。

× ア 関係データベースに蓄積されたデータは，すでに構造化されています。

× イ 非構造化データを匿名化加工しても，構造化データにはなりません。

× ウ 表記の統一などを行ってデータの品質を向上させる処理を，**データクレンジング**といいます。非構造化データを構造化データに加工する処理ではありません。

○ エ 正解です。ソーシャルメディアの口コミは一般に非構造化データですが，加工して関係データベースに保管したデータは構造化データです。

合格のカギ

アローダイアグラム 問13
プロジェクトを達成するのに必要な作業を矢線で，作業の結合点を○で表し，各作業の所要日数を示して日程計画を立てるための図。

最早開始日 問13
すべての先行作業が完了し，次の作業が開始できる最も早い日。最初の結合点から経路に沿って所要時間を足していく。複数の経路がある場合は，所要時間の大きいほうが最早開始日になる。

ビッグデータ分析 問15
多種多様で大規模なデータの集まりを BI ツールやデータマイニングツールなどを用いて分析し，有用な知見を見いだす技術。

解答

問13 ウ　問14 ウ
問15 エ

□□ 問16 コアコンピタンスを説明したものはどれか。

ア 経営活動における基本精神や行動指針
イ 事業戦略の遂行によって達成すべき到達目標
ウ 自社を取り巻く環境に関するビジネス上の機会と脅威
エ 他社との競争優位の源泉となる経営資源及び企業能力

□□ 問17 マーケティング戦略におけるブルーオーシャンの説明として，適切なものはどれか。

ア 競争が存在していない未知の市場
イ コモディティ化が進んだ既存の市場
ウ 新事業のアイディアを実際のビジネスに育成するまでの期間
エ 製品開発したものを市場化する過程に横たわっている障壁

□□ 問18 HR テックの説明はどれか。

ア ICT を活用して，住宅内のエネルギー使用状況の監視，機器の遠隔操作や自動制御などを可能にし，家庭におけるエネルギー管理を支援するソリューション
イ 既存のビジネスモデルによる業界秩序や既得権益を破壊してしまうほど大きな影響を与える新しい ICT やビジネスモデル
ウ 個人の資金に関わる情報を統合的に管理するサービスやマーケットプレイス・レンディングなどの金融サービスを実現するための新しい情報技術
エ 採用，育成，評価，配属などの人事領域の業務を対象に，ビッグデータ解析や AI などの最新 ICT を活用して，業務改善と社員満足度向上を図るソリューション

解説

問16 コアコンピタンス

20%

コアコンピタンスとは，競合他社には真似できない自社独自の技術やノウハウで，他社との競争で優位に立つことができる核となる経営資源のことです。コアコンピタンスを活用して経営を行う手法を，コアコンピタンス経営といいます。

× ア 経営理念の説明です。
× イ 経営目標の説明です。
× ウ SWOT分析における外部環境の説明です。
○ エ 正解です。

問17 ブルーオーシャン 初モノ！

10%

ブルーオーシャン戦略とは，これまで存在しなかったまったく新しい領域の事業を新規に開拓していく経営戦略のことです。新しい市場を創出することで，他社と競争することなく事業を展開できます。競合他社と熾烈な競争を繰り広げなければならない既存の市場を「レッドオーシャン（血で染まった海）」とすれば，競争が存在しない未知の市場は「ブルーオーシャン（青く広がった海）」であり，高成長が期待できます。

○ ア 正解です。
× イ レッドオーシャンの説明です。
× ウ Time To Market（TTM）の説明です。
× エ 死の谷の説明です。

問18 HRテック 初モノ！

10%

HRテックとは，ITを活用した人事サービスやソリューションのことです。

具体的には，採用や労務管理，給与計算，勤怠管理などで，情報システムやクラウドサービスを活用します。HR（Human Resouce）は人事，テック（tech）はテクノロジーの略です。

× ア HEMS（Home Energy Management System）の説明です。
× イ 破壊的イノベーションの説明です。
× ウ フィンテック（FinTech）の説明です。
○ エ 正解です。

合格のカギ

覚えよう！ 問16

コアコンピタンスといえば
- 他社より優位に立てる経営資源

問16

参考「コア」は核，「コンピタンス」は競争力という意味だよ。

死の谷 問17
新開発された製品を市場化する過程に横たわる障壁。

HEMS 問18
Home Energy Management System：家庭内の家電製品やエネルギー機器，センサーなどをネットワークでつなぎ，電力の可視化や消費の最適化を行うシステム。

フィンテック（FinTech） 問18
金融（Finance）とテクノロジー（Technology）を組み合わせた造語で，ITを用いた新たな金融サービスや事業の総称。

解答

問16 エ　問17 ア
問18 エ

□ □ **問 19** 図は，製品の製造上のある要因の値 x と品質特性の値 y との関係をプロットしたものである。この図から読み取れることはどれか。

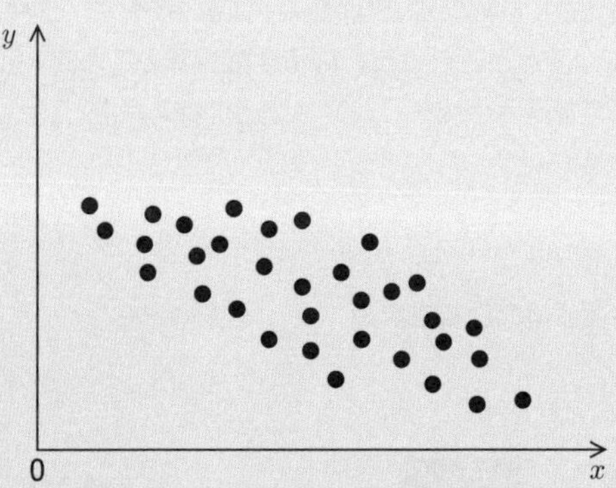

ア　x から y を推定するためには，2 次回帰係数の計算が必要である。

イ　x から y を推定するための回帰式は，y から x を推定する回帰式と同じである。

ウ　x と y の相関係数は正である。

エ　x と y の相関係数は負である。

□ □ **問 20** 日本において，産業財産権と総称される四つの権利はどれか。

ア　意匠権，実用新案権，商標権，特許権

イ　意匠権，実用新案権，著作権，特許権

ウ　意匠権，商標権，著作権，特許権

エ　実用新案権，商標権，著作権，特許権

解説

問19 相関係数

20%

要素がもつ2種類の項目を横軸と縦軸にとり，個々の要素の値を点で表したグラフを**散布図**といいます。

本問の散布図の点の散らばり具合をみると，x の値が増加するほど，y の値は減少する傾向があることがわかります。このように，2つの項目の一方の値が増加すると，それに連動してもう一方の値が減少する関係を「**負の相関**」といいます。

相関係数は，2つの項目間の相関の度合いを－1～1の数値で表したもので，正の相関のとき正の値，負の相関のとき負の値になります。x と y には負の相関があるので，相関係数は負の値になります。

× ア　x から y を推定するための式は1次式（直線）で表せるので，2次回帰係数の計算は必要ありません。

× イ　回帰式は，相関関係にある2つの値の一方から，もう一方の値を推定するための式です。x から y を推定するための回帰式は，y から x を推定する回帰式とは異なります。

× ウ　x と y の相関係数は負になります。

○ エ　正解です。

問20 産業財産権

20%

産業財産権とは，知的財産権のうち特許庁に出願することで取得できる権利で，**特許権**，**実用新案権**，**意匠権**，**商標権**の4つをいいます。**著作権**は特許庁に出願しなくても発生するので，産業財産権には含まれません。正解は ア です。

特許権	発明やアイデアについての権利
実用新案権	実用的なアイデアについての権利
意匠権	製品のデザインについての権利
商標権	商品名や会社名についての権利

合格のカギ

正の相関　問19

x が増加すると，y も増加する。

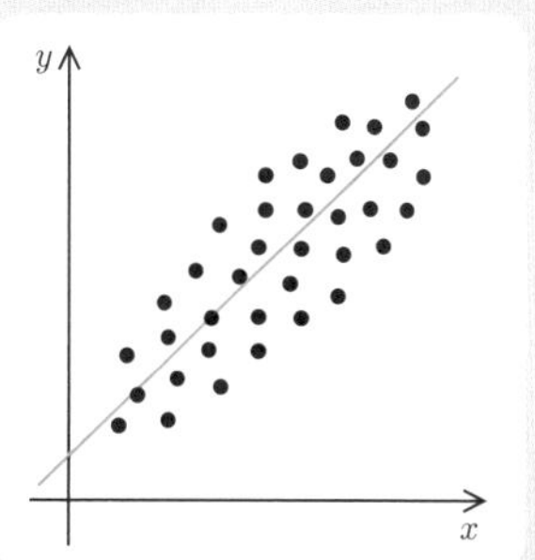

負の相関　問19

x が増加すると，y は減少する。

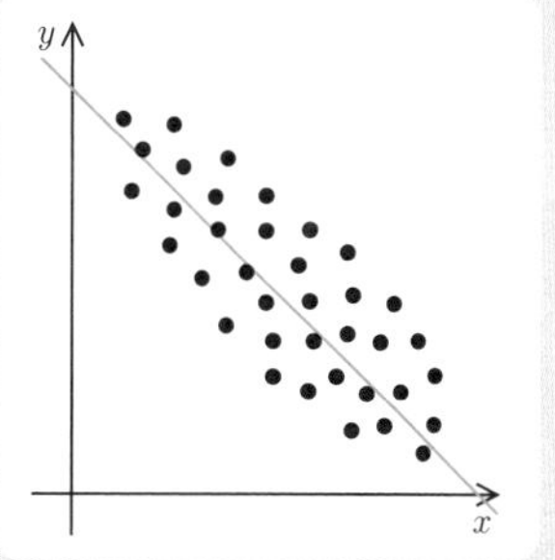

覚えよう！　問19

相関係数といえば
- 正の相関のとき：$0<r\leqq 1$
- 負の相関のとき：$-1\leqq r<0$
- 無相関のとき：$r=0$

解答

問19 エ　問20 ア

問 01

次のプログラム中の［　　　］に入れる正しい答えを，解答群の中から選べ。

関数 maximum は，異なる三つの整数を引数で受け取り，そのうちの最大値を返す。

〔プログラム〕

```
○整数型： maximum( 整数型： x, 整数型： y, 整数型： z)
  if ([      ])
    return x
  elseif (y > z)
    return y
  else
    return z
  endif
```

解答群

ア　x > y

イ　x > y and x > z

ウ　x > y and y > z

エ　x > z

オ　x > z and z > y

カ　z > y

合格のカギ

if 文の条件式を答える設問では，まず，その条件式が真のときに実行される処理を見て，その処理を実行する条件を考えます。

本問のプログラムでは，空欄に入る条件式が真のとき，「return x」が実行されます。これは，「x が最大値である」ことを示す結果ですから，空欄に入る条件式は「x，y，z のうち，x が最も大きい」とき真になるものでなければなりません。

類似の問題がよく出題されています。初歩的な問題なので，確実に正答できるようにしてください。

プログラム・ノート

```
○整数型： maximum(整数型： x，整数型： y，整数型： z)
  if ( [     ] )
    return x
  elseif (y > z)
    return yf
  else
    return z
  endif
```

❶ if ～ elseif ～ else 構文
❷ return 文

❶ if ～ elseif ～ else 構文

この構文では，条件式を上から順番に評価し，最初に真（true）になった条件式に対応する処理を実行します。真になった条件式以降の条件式は評価せず，対応する処理も実行しません。条件式がどれも真にならなかったときは，else に対応する処理 n + 1 を実行します。

```
if 条件式1
  処理1        ←―― 条件式 1 が真のとき実行
elseif 条件式2
  処理2        ←―― 条件式 2 が真のとき実行
  ⋮
elseif 条件式n
  処理n        ←―― 条件式 n が真のとき実行
else
  処理n＋1     ←―― 条件式 1 ～ n がいずれも真でないとき実行
endif
```

else と処理の組は，最後に 1 つだけ記述することができます。また必要なければ省略することもできます。

❷ return 文

return 文は戻り値を関数の呼び出し元のプログラムに返し，関数の処理を終了します。

```
return 戻り値
```

問題解説

プログラムは，3つの引数x，y，zのうち，xの値が最も大きければxの値を返し，yの値が最も大きければyの値を返し，そのどちらでもなければzの値を返します。

この処理をif～elseif～else構文に当てはめると，次のようになります。

```
if (xの値が最も大きい)
  xの値を返す
elseif (yの値が最も大きい)
  yの値を返す
else
  zの値を返す ←── xもyも最大値ではないので、zが最大値
endif
```

したがって，空欄には「xの値が最も大きい」ことを表す条件式が入ります。3つの引数の中でxの値が最も大きいということは，xはyよりも大きく（x ＞ y），かつ，zよりも大きい（x ＞ z）ということです。

```
x > y かつ x > z
```

2つの比較式を結ぶ「かつ」を論理演算子andに置き換えれば

```
x > y and x > z
```

となります。以上から，空欄には イ が入ります。

解答

問01 イ

問 02 次のプログラム中の ［ ］ に入れる正しい答えを，解答群の中から選べ。

関数 convDecimal は，引数として与えられた，“0” と “1” だけから成る，1 文字以上の文字列を，符号なしの 2 進数と解釈したときの整数値を返す。例えば，引数として “10010” を与えると 18 が返る。

関数 convDecimal が利用する関数 int は，引数で与えられた文字が “0” なら整数値 0 を返し，“1” なら整数値 1 を返す。

〔プログラム〕

```
○整数型： convDecimal(文字列型： binary)
  整数型： i, length, result ← 0
  length ← binary の文字数
  for (i を 1 から length まで 1 ずつ増やす)
    result ← [      ]
  endfor
  return result
```

解答群

ア result ＋ int(binary の (length － i ＋ 1) 文字目の文字)

イ result ＋ int(binary の i 文字目の文字)

ウ result × 2 ＋ int(binary の (length － i ＋ 1) 文字目の文字)

エ result × 2 ＋ int(binary の i 文字目の文字)

合格のカギ

文字列として与えられた 2 進数を，10 進数の数値に変換するプログラムです。2 進数を 10 進数に変換するアルゴリズムと，for 文の使い方に関する理解が必要です。

2 進数→ 10 進数の変換は科目 A でも出題されるので，筆算でできるようにしておく必要がありますが，本問ではその手順をアルゴリズムに落とし込まなければなりません。もっとも，選択肢は ア ～ エ のいずれかなので，問題文の例 “10010” を使って各選択肢を試してみて，結果が 18 になるものを選ぶという解き方もあります。

このように，問題文の例は大きなヒントになります。

プログラム・ノート

```
01  ○整数型： convDecimal(文字列型： binary)
02    整数型： i, length, result ← 0
03    length ← binary の文字数
04    for (i を 1 から length まで 1 ずつ増やす)
05      result ← [    ]
06    endfor
07    return result
```

（行04～06：❶ for 構文）

❶ for 構文

for 構文は，for ～ endfor の間の処理を，指定した条件に従って繰り返します。行番号 04 では次のようになります。

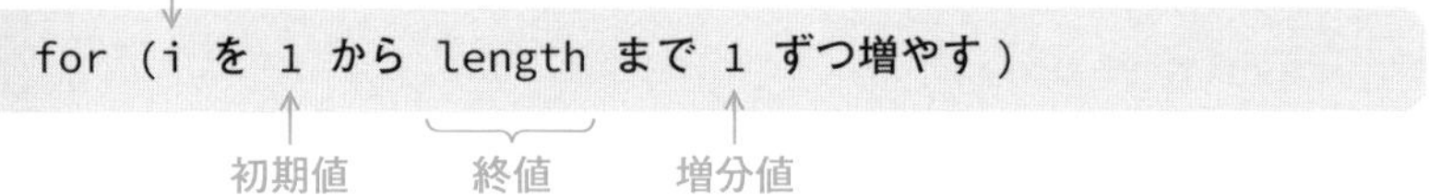

繰返し 1 回ごとに，変数 i の値を 1，2，3，…のように 1 ずつ増やしていきます。i の値が文字列 binary の文字数と等しくなったときが，最後の繰返しになります。

❷ i 文字目と（length － i ＋ 1）文字目

文字列 binary が“10010”のとき，i 文字目と（length － i ＋ 1）文字目がどの文字を指すかを，i の値ごとに確認してみましょう。“10010”は 5 文字なので，length の値は 5 です。

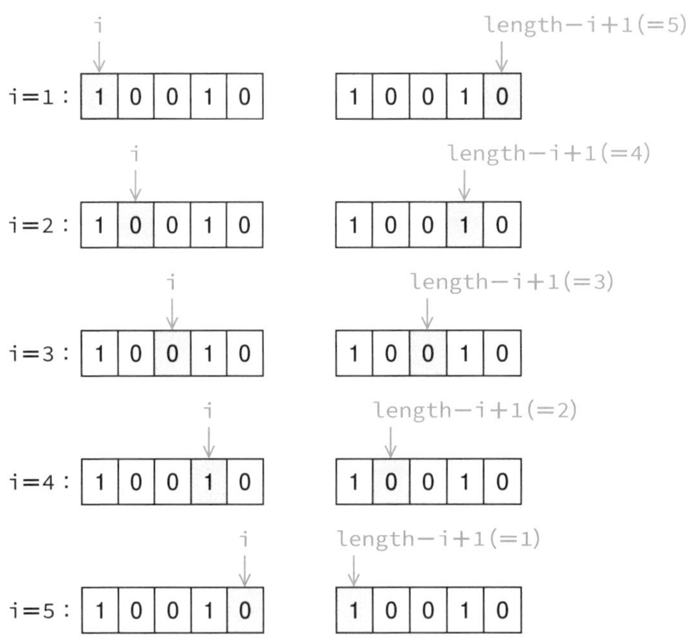

このように，i 文字目の位置が左端から 1 文字ずつ右に移動していくのに対し，（length － i ＋ 1）文字目の位置は右端から 1 文字ずつ左に移動していきます。

問題解説

文字列 binary が "10010" の場合，変数 result に 10 進数 18 が格納される過程は次のようになります（result の初期値は 0）。

i の値	処理	result の値
1	result の値を 2 倍して，binary の 1 文字目の値 1 を加算	0 × 2 ＋ 1 → 1
2	result の値を 2 倍して，binary の 2 文字目の値 0 を加算	1 × 2 ＋ 0 → 2
3	result の値を 2 倍して，binary の 3 文字目の値 0 を加算	2 × 2 ＋ 0 → 4
4	result の値を 2 倍して，binary の 4 文字目の値 1 を加算	4 × 2 ＋ 1 → 9
5	result の値を 2 倍して，binary の 5 文字目の値 0 を加算	9 × 2 ＋ 0 → 18

ここで、「result の値を 2 倍する」という処理は、2 進数の各桁の値を 1 桁ずつ左にずらす処理です。

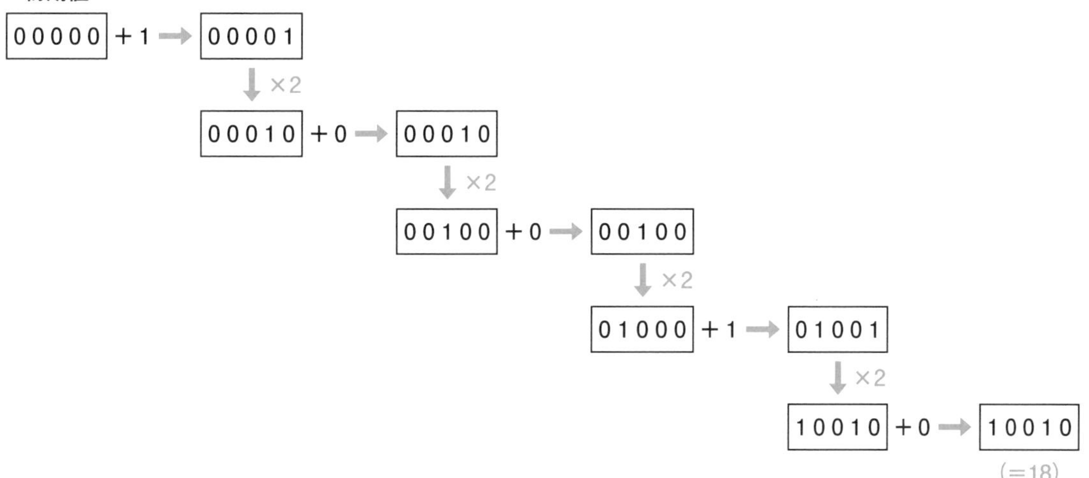

このように，binary に格納された 2 進数を 10 進数に変換するには，「result の値を 2 倍して，binary の i 文字目の値を加算」する処理を繰り返せばよいことがわかります。これを擬似言語のプログラムで表すと，次のようになります。

```
for (i を 1 から length まで 1 ずつ増やす)
  result ← result × 2 ＋ int(binary の i 文字目の文字)
endfor
```

以上から，正解は エ です。

解答

問02 エ

問 03　次のプログラム中の[ ]に入れる正しい答えを，解答群の中から選べ。ここで，配列の要素番号は 1 から始まる。

図 1 に示すグラフの頂点には，1 から順に整数で番号が付けられている。グラフは無向グラフであり，各頂点間には高々一つの辺がある。一つの辺は両端の頂点の番号を要素にもつ要素数 2 の整数型の配列で表現できる。例えば，{1, 3} は頂点 1 と頂点 3 を端点とする辺を表す。グラフ全体は，グラフに含まれる辺を表す要素数 2 の配列を全て格納した配列（以下，辺の配列という）で表現できる。辺の配列の要素数はグラフの辺の個数と等しい。図 1 のグラフは整数型配列の配列 {{1, 3}, {1, 4}, {3, 4}, {2, 4}, {4, 5}} と表現できる。

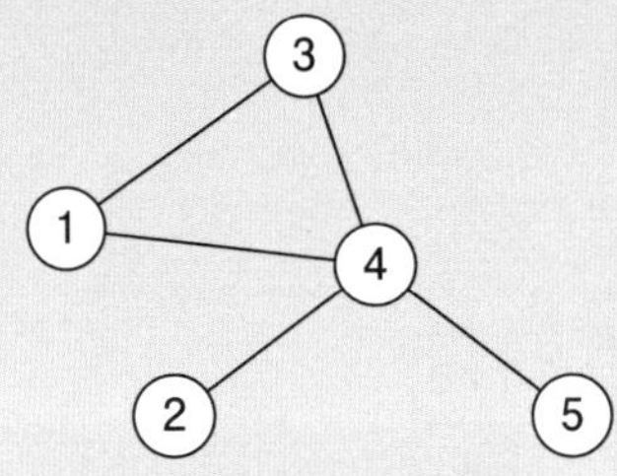

図 1　グラフの例

関数 edgesToMatrix は，辺の配列を隣接行列に変換する。隣接行列とは，グラフに含まれる頂点の個数と等しい行数及び列数の正方行列で，i 行 j 列の成分は頂点 i と頂点 j を結ぶ辺があるときに 1 となり，それ以外は 0 となる。行列の対角成分は全て 0 で，無向グラフの場合は対称行列になる。図 1 のグラフを表現する隣接行列を図 2 に示す。

$$\begin{pmatrix} 0 & 0 & 1 & 1 & 0 \\ 0 & 0 & 0 & 1 & 0 \\ 1 & 0 & 0 & 1 & 0 \\ 1 & 1 & 1 & 0 & 1 \\ 0 & 0 & 0 & 1 & 0 \end{pmatrix}$$

図 2　図 1 のグラフを表現する隣接行列

関数 edgesToMatrix は，引数 edgeList で辺の配列を，引数 nodeNum でグラフの頂点の個数をそれぞれ受け取り，隣接行列を表す整数型の二次元配列を返す。

〔プログラム〕

```
○整数型の二次元配列: edgesToMatrix(整数型配列の配列: edgeList,
                                    整数型: nodeNum)
  整数型の二次元配列: adjMatrix ← {nodeNum行nodeNum列の 0}
  整数型: i, u, v
  for (i を 1 から edgeListの要素数 まで 1 ずつ増やす)
    u ← edgeList[i][1]
    v ← edgeList[i][2]
    [          ]
  endfor
  return adjMatrix
```

解答群

ア adjMatrix[u, u] ← 1

イ adjMatrix[u, u] ← 1
　 adjMatrix[v, v] ← 1

ウ adjMatrix[u, v] ← 1

エ adjMatrix[u, v] ← 1
　 adjMatrix[v, u] ← 1

オ adjMatrix[v, u] ← 1

カ adjMatrix[v, v] ← 1

合格のカギ

グラフは比較的高度なアルゴリズムですが，出題範囲なので基本を押さえておく必要があります。とくに，有向グラフや無向グラフをプログラムでどのように表すかを理解しておくことが重要です。

プログラム・ノート

```
○整数型の二次元配列: edgesToMatrix(整数型配列の配列: edgeList,
                                    整数型: nodeNum)
  整数型の二次元配列: adjMatrix ← {nodeNum行nodeNum列の 0}   <--- 隣接行列
  整数型: i, u, v
  for (i を 1 から edgeListの要素数 まで 1 ずつ増やす)
    u ← edgeList[i][1]  ┐
    v ← edgeList[i][2]  │ 辺の配列の要素を隣接行列に設定する
    [          ]        │
  endfor                ┘
  return adjMatrix
```

1 グラフ

グラフは，複数の頂点を辺で結んだデータ構造です。2 つの頂点を結ぶ**辺**（エッジ）に，始点と終点の区別がある場合は**有向グラフ**，始点と終点の区別がない場合は**無向グラフ**といいます。本問で扱っているのは無向グラフです。

2 グラフの表し方

本問のプログラムは，グラフを①**辺の配列**と②**隣接行列**の 2 種類の形式で表しています。

辺の配列 edgeList は，1 つの辺を {1, 3} のような両端の頂点の番号の組み（要素数 2 の配列）で表し，グラフを構成するすべての辺を要素とする配列で表します。

辺の配列： {{1, 3}, {1, 4}, {3, 4}, {2, 4}, {4, 5}}

一方，隣接行列 adjMatrix は，頂点の個数と等しい行数と列数をもつ二次元配列で，頂点 i と頂点 j を結ぶ辺があるとき，i 行 j 列の成分を 1 とし，それ以外の成分を 0 とすることで，グラフを表します。

$$\begin{pmatrix} 0 & 0 & 1 & 1 & 0 \\ 0 & 0 & 0 & 1 & 0 \\ 1 & 0 & 0 & 1 & 0 \\ 1 & 1 & 1 & 0 & 1 \\ 0 & 0 & 0 & 1 & 0 \end{pmatrix}$$

1 行 3 列目が 1 なので，頂点 1 と頂点 3 を結ぶ

無向グラフでは，1 行 3 列目が 1 なら，3 行 1 列目も 1 になる

たとえば頂点 1 と頂点 3 を結ぶ辺がある場合は，1 行 3 列の成分を 1 にします。同時に，3 行 1 列の成分も 1 にする必要があることに注意しましょう。このように，無向グラフの隣接行列は対角線をはさんで対称になります。

問題解説

本問のプログラムは，辺の配列で表現されたグラフを，隣接行列に変換します。

たとえば，辺の配列 edgeList の i 番目の要素を {1, 3} としましょう。この辺の 2 つの頂点は，edgeList[i] の 1 番目と 2 番目の要素なので，それぞれ edgeList[i][1]，edgeList[i][2] と表せます。

i 番目の要素

edgeList {…, {1, 3},…}

edgeList[i][1] edgeList[i][2]

プログラムの行番号 06 と行番号 07 では，この 2 つの頂点をそれぞれ変数 u と変数 v に格納しています。

一方，隣接行列 adjMatrix は，頂点 u と頂点 v を結ぶ辺を，u 行 v 列と v 行 u 列の成分を 1 に設定することで表します。この処理は，擬似言語では次のようになります。

```
adjMatrix[u, v] ← 1   // u 行 v 列の成分を 1 に設定
adjMatrix[v, u] ← 1   // v 行 u 列の成分を 1 に設定
```

以上から，正解は ウ です。

問 04

次の記述中の＿＿＿に入れる正しい答えを，解答群の中から選べ。ここで，配列の要素番号は 1 から始まる。

関数 merge は，昇順に整列された整数型の配列 data1 及び data2 を受け取り，これらを併合してできる昇順に整列された整数型の配列を返す。

関数 merge を merge({2, 3}, {1, 4}) として呼び出すと，/*** α ***/ の行は＿＿＿。

〔プログラム〕

```
○整数型の配列: merge(整数型の配列: data1, 整数型の配列: data2)
  整数型: n1 ← data1 の要素数
  整数型: n2 ← data2 の要素数
  整数型の配列: work ← {(n1 + n2) 個の 未定義の値}
  整数型: i ← 1
  整数型: j ← 1
  整数型: k ← 1

  while ((i ≦ n1) and (j ≦ n2))
    if (data1[i] ≦ data2[j])
      work[k] ← data1[i]
      i ← i + 1
    else
      work[k] ← data2[j]
      j ← j + 1
    endif
    k ← k + 1
  endwhile

  while (i ≦ n1)
    work[k] ← data1[i]
    i ← i + 1
    k ← k + 1
  endwhile

  while (j ≦ n2)
    work[k] ← data2[j] /*** α ***/
    j ← j + 1
    k ← k + 1
  endwhile

  return work
```

解答群

ア 実行されない

イ 1 回実行される

ウ 2 回実行される

エ 3 回実行される

合格のカギ

関数 merge は，2 つの整列済みの配列を併合し，1 つの整列済み配列を作成します。この関数は整列アルゴリズムの 1 つであるマージソートに使われます。本問自体はマージソートについての知識がなくても解けますが，マージソートについて理解しておくことが重要です。

プログラム・ノート

```
○整数型の配列： merge(整数型の配列： data1, 整数型の配列： data2)
  整数型： n1 ← data1の要素数
  整数型： n2 ← data2の要素数
  整数型の配列： work ← {(n1 + n2)個の 未定義の値}
  整数型： i ← 1
  整数型： j ← 1
  整数型： k ← 1
```

data1[i] と data2[j] のうち，小さい方の値を work の末尾に追加する

```
  while ((i ≦ n1) and (j ≦ n2))
    if (data1[i] ≦ data2[j])
      work[k] ← data1[i]
      i ← i + 1
    else
      work[k] ← data2[j]
      j ← j + 1
    endif
    k ← k + 1
  endwhile
```

data1 の残りを work の末尾に追加する

```
  while (i ≦ n1)
    work[k] ← data1[i]
    i ← i + 1
    k ← k + 1
  endwhile
```

data2 の残りを work の末尾に追加する

```
  while (j ≦ n2)
    work[k] ← data2[j] /*** α ***/
    j ← j + 1
    k ← k + 1
  endwhile

  return work
```

1 マージソート

マージソートのアルゴリズムの基本的なアイデアは，2 つの整列済み配列を併合（マージ）して，1 つの整列済み配列を作ることです。この処理を実行するのが，本問のプログラムである関数 merge です。

マージソートでは，整列前に配列を半分に分割します。その半分をさらに半分に分割し，その半分をさらに半分に分割し……のように分割していくと，最後にはすべてが要素数1の配列になります。要素数1の配列は整列済み配列とみなせるので，関数 merge で併合して，要素数2の整列済み配列にします。これをもう半分の整列済み配列と併合し……のように，今度は併合を繰り返していくと，最終的に配列全体が整列済みになります。

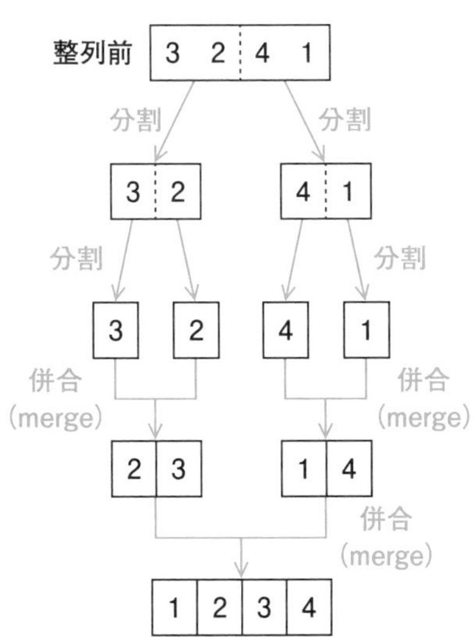

擬似言語を使ったマージソートのプログラム例を示します。

```
○整数型の配列: sort(整数型の配列: data)
  整数型: len ← data の要素数
  整数型: n1 ← len ÷ 2 の商, n2 ← len − n1
  整数型: i, j
  整数型の配列: data1 ← { n1 個の未定義の値 }
  整数型の配列: data2 ← { n2 個の未定義の値 }

  if (len ≦ 1)
    return data
  endif
  for (i を 1 から n1 まで 1 ずつ増やす)
    data1[i] ← data[i]
  endfor
  for (j を 1 から n2 まで 1 ずつ増やす)
    data2[j] ← data[n1 + j]
  endfor
  data1 ← sort(data1)
  data2 ← sort(data2)
  return merge(data1, data2)
```

このプログラムでは，最後の行で本問の関数 merge を呼び出しています。マージソートは，一般に再帰的なプログラムになります。

問題解説

merge({2, 3}, {1, 4}) を呼び出した場合を例に，関数 merge が整列済み配列を併合する手順を見てみましょう。

①行番号 08 ～ 17

data1[i] と data2[j] を比較し，小さいほうの値を配列 work に追加します。data1[i] を追加した場合は i，data2[j] を追加した場合は j を 1 増やします。この処理を，どちらかの配列の要素をすべて追加するまで繰り返します。

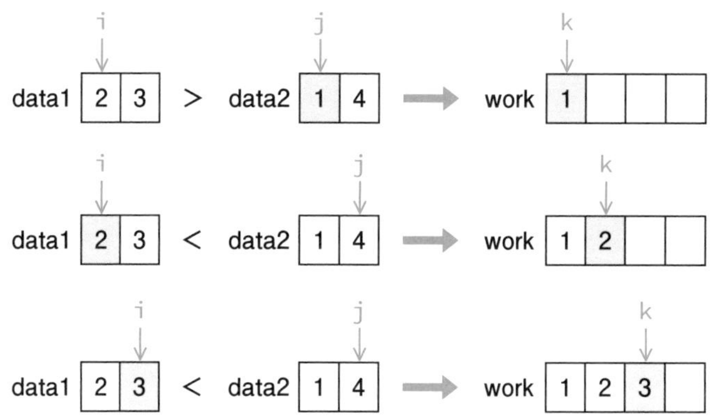

②行番号 18 ～ 22

data1 にまだ追加していない要素が残っている場合は，配列 work に追加します。本問のケースでは，data1 の要素はすべて追加済みになるので，このブロックは実行されません。

③行番号 23 ～ 27

data2 にまだ追加していない要素が残っている場合は，配列 work に追加します。本問のケースでは，data2 の要素が 1 つだけ work に追加されます。したがって，/*** α ***/ の行は 1 回だけ実行されます。

以上から，正解は イ です。

解答
問04 イ

□
□
問 05 次のプログラム中の [a] ～ [c] に入れる正しい答えの組合せを，解答群の中から選べ。ここで，配列の要素番号は 1 から始まる。

一度の注文で購入された商品のリストを，注文ごとに記録した注文データがある。表に，注文データの例を示す。

表　注文データの例

注文番号	購入された商品のリスト
1	A，B，D
2	A，D
3	A
4	A，B，E
5	B
6	C，E

注文データから，商品 x と商品 y とが同一の注文で購入されやすい傾向を示す関連度 L_{xy} を，次の式で計算する。

$$L_{xy} = \frac{M_{xy} \times 全注文数}{K_x \times K_y}$$

ここで，M_{xy} は商品 x と商品 y とが同一の注文で購入された注文数，K_x は商品 x が購入された注文数，K_y は商品 y が購入された注文数を表す。表の例では，M_{AB} が 2，全注文数が 6，K_A が 4，K_B が 3 であるので，商品 A と商品 B の関連度 L_{AB} は，$(2 \times 6) / (4 \times 3) = 1.0$ である。

手続 putRelatedItem は，大域変数 orders に格納された注文データを基に，引数で与えられた商品との関連度が最も大きい商品のうちの一つと，その関連度を出力する。プログラムでは，商品は文字列で表し，注文は購入された商品の配列，注文データは注文の配列で表している。注文データには 2 種類以上の商品が含まれるものとする。また，注文データにある商品以外の商品が，引数として与えられることはないものとする。

〔プログラム〕

```
// 注文データ（ここでは表の例を与えている）
大域: 文字列型配列の配列: orders ← {{"A", "B", "D"}, {"A", "D"}, {"A"},
                                   {"A", "B", "E"}, {"B"}, {"C", "E"}}

○ putRelatedItem(文字列型: item)
  文字列型の配列: allItems ← orders に含まれる文字列を
                             重複なく辞書順に格納した配列
                             // 表の例では {"A", "B", "C", "D", "E"}

  文字列型の配列: otherItems ← allItems の複製から値が item である
                               要素を除いた配列
  整数型: i, itemCount ← 0
  整数型の配列: arrayK ← {otherItems の要素数個の 0}
  整数型の配列: arrayM ← {otherItems の要素数個の 0}
  実数型: valueL, maxL ← −∞
  文字列型の配列: order
  文字列型: relatedItem

  for (order に orders の要素を順に代入する)
    if (order のいずれかの要素の値が item の値と等しい)
      itemCount の値を 1 増やす
    endif
    for (i を 1 から otherItems の要素数まで 1 ずつ増やす)
      if (order のいずれかの要素の値が otherItems[i] の値と等しい)
        if (order のいずれかの要素の値が item の値と等しい)
          [ a ] の値を 1 増やす
        endif
        [ b ] の値を 1 増やす
      endif
    endfor
  endfor
  for (i を 1 から otherItems の要素数まで 1 ずつ増やす)
    valueL ← (arrayM[i] × [ c ]) ÷ (itemCount × arrayK[i])
                                          /* 実数として計算する */
    if (valueL が maxL より大きい)
      maxL ← valueL
      relatedItem ← otherItems[i]
    endif
  endfor
  relatedItem の値と maxL の値をこの順にコンマ区切りで出力する
```

解答群

	a	b	c
ア	arrayK[i]	arrayM[i]	allItems の要素数
イ	arrayK[i]	arrayM[i]	orders の要素数
ウ	arrayK[i]	arrayM[i]	otherItems の要素数
エ	arrayM[i]	arrayK[i]	allItems の要素数
オ	arrayM[i]	arrayK[i]	orders の要素数
カ	arrayM[i]	arrayK[i]	otherItems の要素数

合格のカギ

科目Ｂの試験では，本問のような統計指数を計算する問題もよく出題されています。このような問題では，問題文の説明にある指数の数式が，プログラムでどのように実現されているかを確認しましょう。数式の各項が，プログラムのどの変数に当たるのかを見定めてください。

プログラム・ノート

```
// 注文データ（ここでは表の例を与えている）
大域： 文字列型配列の配列： orders ← {{"A", "B", "D"}, {"A", "D"}, {"A"},
                                      {"A", "B", "E"}, {"B"}, {"C", "E"}}

○ putRelatedItem(文字列型： item)
  文字列型の配列： allItems ← orders に含まれる文字列を
                              重複なく辞書順に格納した配列
                              // 表の例では {"A", "B", "C", "D", "E"}

  文字列型の配列： otherItems ← allItems の複製から値が item である
                                要素を除いた配列
  整数型： i, itemCount ← 0
  整数型の配列： arrayK ← {otherItems の要素数個の 0}
  整数型の配列： arrayM ← {otherItems の要素数個の 0}
  実数型： valueL, maxL ← −∞
  文字列型の配列： order
  文字列型： relatedItem

  for (order に orders の要素を順に代入する)
    if (order のいずれかの要素の値が item の値と等しい)
      itemCount の値を 1 増やす    <---- Kx を求める
    endif
```

```
18        for (i を 1 から otherItems の要素数まで 1 ずつ増やす)
19          if (order のいずれかの要素の値が otherItems[i] の値と等しい)
20            if (order のいずれかの要素の値が item の値と等しい)
21              [  a  ] の値を 1 増やす
22            endif
23            [  c  ] の値を 1 増やす
24          endif
25        endfor
26      endfor
27      for (i を 1 から otherItems の要素数まで 1 ずつ増やす)
28        valueL ← (arrayM[i] × [  c  ]) ÷ (itemCount × arrayK[i])
29                                             /* 実数として計算する */
30        if (valueL が maxL より大きい)
31          maxL ← valueL
32          relatedItem ← otherItems[i]
33        endif
34      endfor
35      relatedItem の値と maxL の値をこの順にコンマ区切りで出力する
```

（18〜25行：M_{xy}とK_yを求める）
（30〜33行：関連度が最大の商品を見つける）

1 拡張 for 文

行番号 14 の「for (order に orders の要素を順に代入する)」は，Python や Java などのプログラム言語にある拡張 for 文の構文です。

```
構文：for ( [変数名] に [配列名] の要素を順に代入する )
          [繰返し処理]
      endfor
```

[配列名]の要素を，1 つずつ[変数名]に代入して，[配列名]の要素数と同じ回数だけ，[繰返し処理]を実行します。

本問のプログラムでは，文字列型の配列の配列である orders の要素が，次のように順に文字列型の配列 order に代入されます。

繰返し回数	orders の要素
1 回目	order ← {"A", "B", "D"}
2 回目	order ← {"A", "D"},
3 回目	order ← {"A"}
⋮	⋮

問題解説

手続 putRelatedItem は，引数で与えられた商品と，それ以外の商品との関連度を計算し，関連度が最も高い商品とその関連度を出力します。たとえば「putRelatedItem("A")」を実行すると，商品 A と商品 B，商品 A と商品 C，…，商品 A と商品 E の関連度をそれぞれ計算し，そのうち最も高いものを出力します。関連度 L_{xy} は次の式で求めます。

$$L_{xy} = \frac{M_{xy} \times 全注文数}{K_x \times K_y}$$

プログラムでは，行番号 28 で次のように関連度を求めています。

```
valueL ← (arrayM[i] × [ c ]) ÷ (itemCount × arrayK[i])
```

上の式と照合すると，arrayM[i] が M_{xy}，**空欄 c** が全注文数，itemCount が K_x，arrayK[i] が K_y になります。プログラムは，商品 item とその他の商品（配列 otherItems の各要素）との関連度を 1 つずつ求めるので，M_{xy} と K_y は otherItems の要素数だけ，配列で用意します。

arrayM[i] は，「**商品** item **と商品** otherItems[i] **の両方が購入された注文数**」を表します。一方，arrayK[i] は，「**商品** otherItems[i] **が購入された注文数**」を表します。これらは，以下のような処理で求められています。

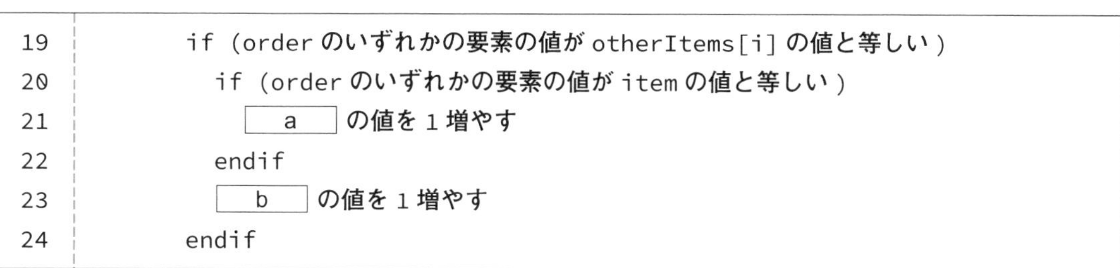

```
19        if (order のいずれかの要素の値が otherItems[i] の値と等しい)
20          if (order のいずれかの要素の値が item の値と等しい)
21            [ a ] の値を 1 増やす
22          endif
23          [ b ] の値を 1 増やす
24        endif
```

空欄 a は，注文 order の中に「**商品** otherItems[i] **が含まれ（行番号 19）**」かつ「item **が含まれる（行番号 20）**」場合に 1 増える項目なので，item と otherItem[i] の両方が購入された注文数 arrayM[i] が入ります。

空欄 b は，注文 order の中に「**商品** otherItems[i] が含まれている場合に 1 増えるので，otherItem[i] の注文数 arrayK[i] が入ります。

また，**空欄 c** は全注文数なので，「orders の要素数」が入ります。

以上から，**a** が「arrayM[i]」，**b** が「arrayK[i]」，**c** が「orders **の要素数**」の組合せの オ が正解です。

解答

問05 オ

問 06

A 社は従業員450名の商社であり，昨年から働き方改革の一環として，在宅でのテレワークを推進している。A 社のシステム環境を**図 1** に示す。

・従業員には，一人に1台デスクトップ PC（以下，社内 PC という）を貸与している。
・従業員が利用するシステムには，自社で開発し A 社に設置している業務システムのほかに，次の二つの SaaS（以下，二つの SaaS を A 社利用クラウドサービスという）がある。
　1. メール機能，チャット機能及びクラウドストレージ機能をもつグループウェア（以下，A 社利用グループウェアという）
　2. オンライン会議サービス
・テレワークでは，従業員の個人所有 PC（以下，私有 PC という）の業務利用（BYOD）を許可している。
・テレワークでは，社内 PC 及び私有 PC のそれぞれに専用のアプリケーションソフトウェア（以下，専用アプリという）を導入し，社内 PC のデスクトップから私有 PC に画面転送を行うリモートデスクトップ方式を採用している。
・専用アプリには，リモートデスクトップから PC へのファイルのダウンロード及びファイル，文字列，画像などのコピー＆ペーストを禁止する機能（以下，保存禁止機能という）があり，A 社では私有 PC に対して当該機能を有効にしている。
・業務システムには，社内 PC のデスクトップから利用者 ID 及びパスワードを入力してログインしている。
・A 社利用クラウドサービスへのログインは，A 社利用クラウドサービス側の設定によって A 社の社内ネットワークからだけ可能になるように制限している。ログインには利用者 ID 及びパスワードを用いている。

図 1　A 社のシステム環境（抜粋）

テレワークの定着が進むにつれて，社内 PC からインターネットへの接続が極端に遅くなり，業務に支障をきたしているので改善できないかと，従業員から問合せがあった。A 社の社内ネットワークとインターネットとの間の通信量を調査したところ，テレワーク導入前に比べ，業務時間帯で顕著に増加していることが判明した。そのため，情報システム部では，テレワークで A 社利用クラウドサービスに接続する場合には，A 社の社内ネットワークも社内 PC も介さずに直接接続することを可能にするネットワークの設定変更を実施することにした。

設定変更に当たり，情報セキュリティ上の問題がないかを A 社の情報セキュリティリーダーであるBさんが検討したところ，幾つか問題があることが分かった。その一つは，A 社利用クラウドサービスへの不正アクセスのリスクが増加することである。 そこでBさんは，リスクを低減するために，情報システム部に対策を依頼することにした。

設問　次の対策のうち，情報システム部に依頼することにしたものはどれか。解答群のうち，最も適切なものを選べ。

解答群

ア　A社の社内ネットワークからA社利用クラウドサービスへの通信を監視する。

イ　A社の社内ネットワークとA社利用クラウドサービスとの間の通信速度を制限する。

ウ　A社利用クラウドサービスにA社外から接続する際の認証に2要素認証を導入する。

エ　A社利用クラウドサービスのうち，A社利用グループウェアだけを直接接続の対象とする。

オ　専用アプリの保存禁止機能を無効にする。

合格のカギ

基本情報処理技術者試験の科目Bは，全20問中4問がセキュリティ問題です。難易度はそれほど高くありませんが，長文の問題が多いので，時間配分に注意しないと読む時間が足りなくなります。問題文中の用語の意味を基礎知識として押さえておきましょう。

用語解説

1 SaaS（Software as a Service）

アプリケーションの機能を利用者に提供するクラウドサービスの形態をSaaSといいます。利用者はインターネット上のサーバにアクセスして，用意された機能を利用します。

2 BYOD（By Your Own Device）

従業員の私物の機器を業務に利用することをBYODといいます。従業員にとっては使い慣れた機器を利用でき，企業側は機器の購入コストを削減できます。一方，ウイルス対策や運用基準の徹底が難しいため，セキュリティ上のリスクが増加します。

3 リモートデスクトップ

リモートデスクトップとは，遠隔地からPCに接続して操作することです。一般に，PCと利用者との間では画面上の情報だけをやり取りし，ファイルなどの送受信は行われません。

問題解説

A社のテレワーク導入後のシステムは，以下のようになります。

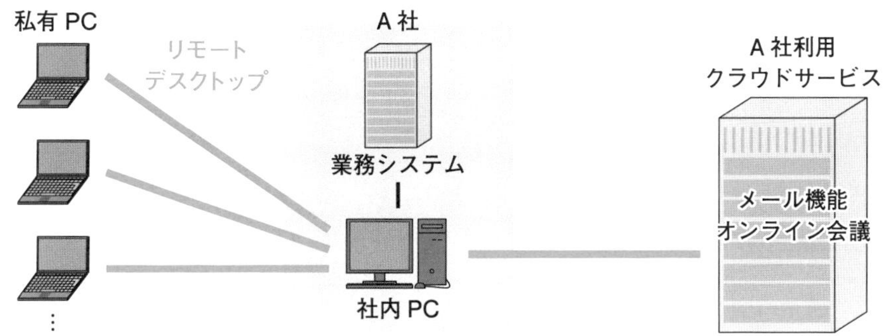

社内ネットワークとインターネットとの間の通信量が増加したのは，在宅の従業員と社内ネットワークとの間のリモートデスクトップによるものと考えられます。

そこで対策として，在宅からA社利用クラウドサービスへの接続は，社内PCを介さずに直接行う方式に設定変更することになりました。

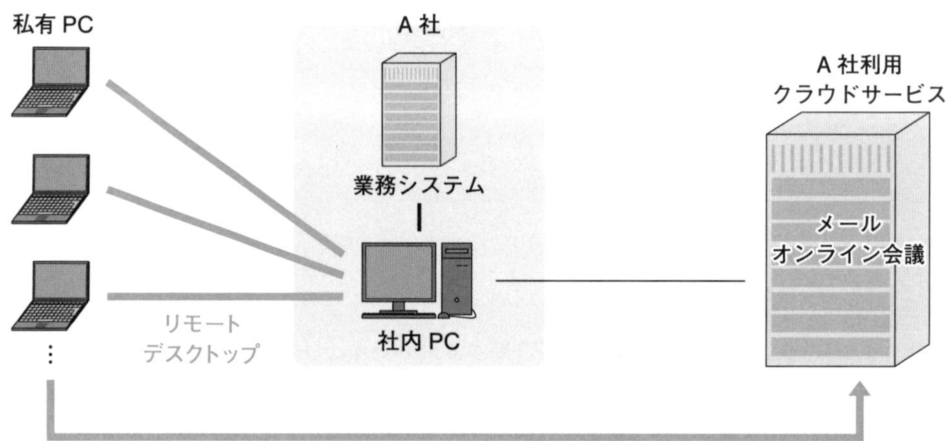

A社利用クラウドサービスには，これまで社内ネットワークからしか接続できませんでしたが，設定変更後はインターネットを介して直接利用できるようになるため，不正アクセスのリスクが増加します。このリスクを低減するために有効な対策を，解答群から選びます。

A社利用クラウドサービスには，利用者IDとパスワードを用いてログインします。設定変更後はインターネットを介して不特定多数のアクセスが可能になるため，利用者IDとパスワードが漏えいすると，誰でもサービスを利用できてしまいます。これを防ぐためには，**2要素認証**の導入が有効です。

2要素認証は，認証の際にパスワードとスマートフォンでの承認（本人のスマートフォンを所持しているかどうかを確認する）といった2つの要素を用いる認証方式です。①知識情報（パスワードなど），②所持情報（スマートフォン，カードなど），③生体情報（指紋，顔など）の3種類の中から，種類が異なる2要素を使って認証します。

× ア 監視が必要なのは，社内ネットワーク外部からA社利用クラウドサービスへの通信です。
× イ 通信速度を制限しても不正アクセスのリスクは低減しません。
○ ウ 正解です。
× エ A社利用グループウェアにはメールやクラウドストレージ機能が含まれており，直接接続によるリスクが高いため，対策が必要です。
× オ 保存禁止機能を無効にすると，セキュリティ上のリスクはかえって増加します。

基本情報技術者

令和5年度公開問題

※実際の試験は科目 A60 問，科目 B20 問で構成されています。公開問題は，そのうち科目 A から 20 問，科目 B から 6 問を公開したものです。

基本情報技術者試験 令和5年度公開問題 科目A

問01

16進小数0.Cを10進小数に変換したものはどれか。

ア 0.12　　イ 0.55　　ウ 0.75　　エ 0.84

問02

双方向のポインタをもつリスト構造のデータを表に示す。この表において新たな社員Gを社員Aと社員Kの間に追加する。追加後の表のポインタa～fの中で追加前と比べて値が変わるポインタだけを全て列記したものはどれか。

表

アドレス	社員名	次ポインタ	前ポインタ
100	社員A	300	0
200	社員T	0	300
300	社員K	200	100

追加後の表

アドレス	社員名	次ポインタ	前ポインタ
100	社員A	a	b
200	社員T	c	d
300	社員K	e	f
400	社員G	x	y

ア a, b, e, f　　イ a, e, f　　ウ a, f　　エ b, e

問03

コンピュータの高速化技術の一つであるメモリインタリーブに関する記述として，適切なものはどれか。

ア 主記憶と入出力装置，又は主記憶同士のデータの受渡しをCPU経由でなく直接やり取りする方式

イ 主記憶にデータを送り出す際に，データをキャッシュに書き込み，キャッシュがあふれたときに主記憶へ書き込む方式

ウ 主記憶のデータの一部をキャッシュにコピーすることによって，レジスタと主記憶とのアクセス速度の差を縮める方式

エ 主記憶を複数の独立して動作するグループに分けて，各グループに並列にアクセスする方式

解説

問01 16進小数 40%

10進数の0.1は，10進分数で1/10です。同様に，16進数の0.1は，10進分数では1/16になります。また，16進数のCは10進数で12のため，

$$0.C = C \times 0.1 = 12 \times \frac{1}{16} = \frac{3}{4} = 0.75$$

（0.C：16進数，C × 0.1：16進数，$\frac{3}{4}$：10進数）

となります。以上から，正解は ウ です。

問02 双方向連結リスト 30%

社員Gを社員Aと社員Kの間に追加する手順は，次のようになります。

①社員Gの次ポインタに社員Kのアドレス，社員Gの前ポインタに社員Aのアドレスを設定（xに300，yに100を設定）。

②社員Kの前ポインタを，社員Gのアドレスに変更（fに400を設定）。

③社員Aの次ポインタを，社員Gのアドレスに変更（aに400を設定）。

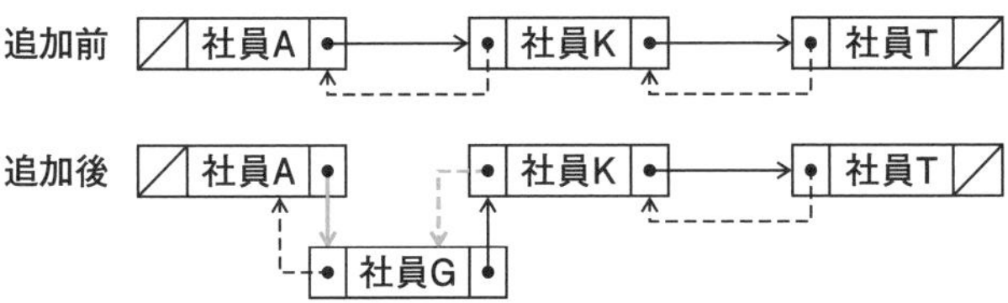

アドレス	社員名	次ポインタ	前ポインタ
100	社員A	400	0
200	社員T	0	300
300	社員K	200	400
400	社員G	300	100

以上から，追加前と値が変わったポインタは，a～fのうちaとfです。正解は ウ です。

問03 メモリインタリーブ 10%

メモリインタリーブは，主記憶をバンクと呼ばれる複数のグループに分け，それぞれのバンクに並列的にアクセスすることで，主記憶へのアクセスを高速化する方法です。

× ア DMA（Direct Memory Access）の説明です。

× イ ライトバックと呼ばれるキャッシュメモリへのアクセス方式の説明です。

× ウ ライトスルーと呼ばれるキャッシュメモリへのアクセス方式の説明です。

○ エ 正解です。

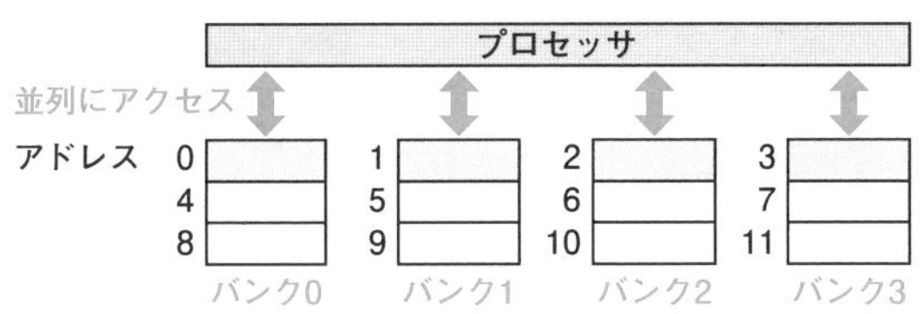

16進小数→10進小数 問01

16進数	0.1	0.01	0.001
10進数	$\frac{1}{16}$	$\frac{1}{16^2}$	$\frac{1}{16^3}$

例：$0.ABC = 10 \times \frac{1}{16} + 11 \times \frac{1}{16^2} + 12 \times \frac{1}{16^3}$

連結リスト 問02

値とポインタを一組にした要素によって，複数のデータを管理するデータ構造。次の要素へのポインタのみをもつものを単方向リスト，次の要素と前の要素へのポインタをもつものを双方向リストという。

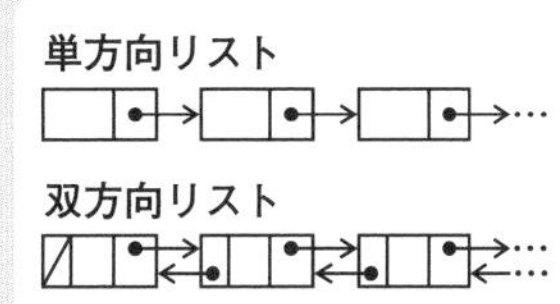

令和5年度 公開問題 科目A

問04 エッジコンピューティングの説明として，最も適切なものはどれか。

ア 画面生成やデータ処理をクライアント側で実行することによって，Web アプリケーションソフトウェアの操作性や表現力を高めること

イ データが送信されてきたときだけ必要なサーバを立ち上げて，処理が終わり次第サーバを停止してリソースを解放すること

ウ 複数のサーバや PC を仮想化して統合することによって一つの高性能なコンピュータを作り上げ，並列処理によって処理能力を高めること

エ 利用者や機器に取り付けられたセンサなどのデータ発生源に近い場所にあるサーバなどでデータを一次処理し，処理のリアルタイム性を高めること

問05 3 次元グラフィックス処理におけるクリッピングの説明はどれか。

ア CG 映像作成における最終段階として，物体のデータをディスプレイに描画できるように映像化する処理である。

イ 画像表示領域にウィンドウを定義し，ウィンドウの外側を除去し，内側の見える部分だけを取り出す処理である。

ウ スクリーンの画素数が有限であるために図形の境界近くに生じる，階段状のギザギザを目立たなくする処理である。

エ 立体感を生じさせるために，物体の表面に陰影を付ける処理である。

問06 次の関数従属を満足するとき，成立する推移的関数従属はどれか。ここで，“$A \rightarrow B$”は B が A に関数従属していることを表し，“$A \rightarrow \{B, C\}$”は，“$A \rightarrow B$”かつ“$A \rightarrow C$”が成立することを表す。

〔関数従属〕

{注文コード，商品コード} → {顧客注文数量，注文金額}
注文コード → {注文日，顧客コード，注文担当者コード}
商品コード → {商品名，仕入先コード，商品販売価格}
仕入先コード → {仕入先名，仕入先住所，仕入担当者コード}
顧客コード → {顧客名，顧客住所}

ア 仕入先コード → 仕入担当者コード → 仕入先住所

イ 商品コード → 仕入先コード → 商品販売価格

ウ 注文コード → 顧客コード → 顧客住所

エ 注文コード → 商品コード → 顧客注文数量

解説

問04 エッジコンピューティング シラバス9.0 10%

合格のカギ

エッジコンピューティングは，IoT デバイスなどのデータ発生源に近い場所

にサーバを配置し，そこでデータの分析やフィードバックを行うことで，処理のリアルタイム性を高めることをいいます。

× ア リッチクライアントの説明です。
× イ サーバレスコンピューティングの説明です。
× ウ グリッドコンピューティングの説明です。
○ エ 正解です。

問05 クリッピング 30%

クリッピングとは，ウィンドウと呼ばれる枠の外側にはみ出している映像をカットし，内側から見える映像だけを取り出す処理です。

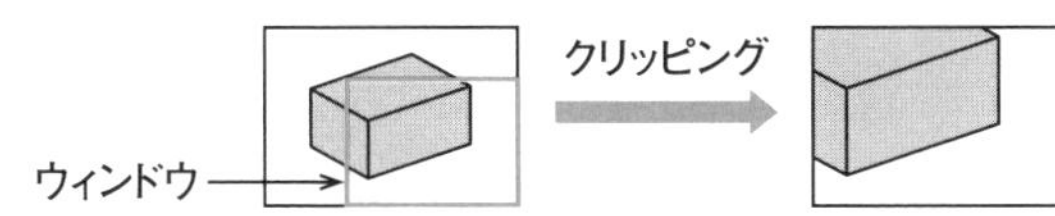

× ア レンダリングの説明です。
○ イ 正解です。
× ウ アンチエイリアシングの説明です。
× エ シェーディングの説明です。

問06 関数従属 20%

関係データベースにおける**関数従属**とは，ある項目の値によって，他の項目の値が一意に決まる関係をいいます。推移的関数従属とは，“$A \rightarrow B \rightarrow C$”のように，関数従属が連なって成り立つことをいいます。この例では，C が B に関数従属し，B が A に関数従属するので，A の値が決まれば，B をたどって C の値も一意に決まります。

問題文の〔関数従属〕は，次のような5つの関数従属関係を表しています。

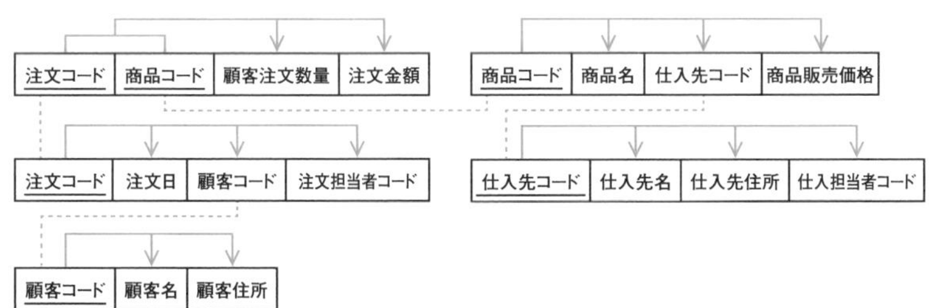

× ア 仕入先住所は仕入担当者コードに関数従属していないので，「仕入担当者コード→仕入先住所」の部分が成立しません。
× イ 商品販売価格は仕入先コードに関数従属していないので，「仕入先コード→商品販売価格」の部分が成立しません。
○ ウ 顧客コードは注文コードに関数従属し，顧客住所は顧客コードに関数従属するので，「注文コード→顧客コード→顧客住所」は成立します。
× エ 「注文コード→商品コード」も「商品コード→顧客注文数量」も成立しません。

合格のカギ

IoT 問04
Internet of Things：モノのインターネット。PCや情報端末ばかりでなく，センサを搭載した様々なモノに通信機能をもたせ，インターネットを介して情報を収集·解析して，様々なサービスや機能を実現する。

解答
問04 エ　問05 イ
問06 ウ

問07 トランザクションが，データベースに対する更新処理を完全に行うか，全く処理しなかったかのように取り消すか，のどちらかの結果になることを保証する特性はどれか。

ア 一貫性（consistency）　イ 原子性（atomicity）
ウ 耐久性（durability）　エ 独立性（isolation）

問08 IPv4 ネットワークにおいて，ネットワークの疎通確認に使われるものはどれか。

ア BOOTP　イ DHCP　ウ MIB　エ ping

問09 ドライブバイダウンロード攻撃に該当するものはどれか。

ア PC から物理的にハードディスクドライブを盗み出し，その中のデータを Web サイトで公開し，ダウンロードさせる。
イ 電子メールの添付ファイルを開かせて，マルウェアに感染した PC のハードディスクドライブ内のファイルを暗号化し，元に戻すための鍵を攻撃者のサーバからダウンロードさせることと引換えに金銭を要求する。
ウ 利用者が悪意のある Web サイトにアクセスしたときに，Web ブラウザの脆弱性を悪用して利用者の PC をマルウェアに感染させる。
エ 利用者に気付かれないように無償配布のソフトウェアに不正プログラムを混在させておき，利用者の操作によって PC にダウンロードさせ，インストールさせることでハードディスクドライブから個人情報を収集して攻撃者のサーバに送信する。

解説

問07 ACID 特性

50%

データベース管理システム（DBMS）がデータベースの更新処理について保証すべき4つの特性（原子性，一貫性，独立性，耐久性）をまとめてACID特性といいます。このうち，トランザクションの結果が，データベースに対する更新処理を完全に行うか，まったく処理しないかのどちらかになることを保証する特性は，原子性（atomicity）です。

× ア 一貫性（consistency）は，トランザクションの実行前後で，データベースの整合性を維持することを保証します。

○ イ 正解です。

× ウ 耐久性（durability）は，いったんトランザクションが完了した後は，その結果が失われないことを保証します。

× エ 独立性（isolation）は，トランザクション実行中の操作の過程が外部から隠ぺいされ，他の処理の干渉を受けないことを保証します。

問08 ネットワークの疎通確認

10%

IPネットワークで疎通確認（端末同士が正常に接続されていることを確認すること）を行うには，pingというツールが一般に使われます。pingは，ICMPというプロトコルを利用して相手先にechoパケットを送り，返信が戻ってくるかどうかで，相手先とパケットを送受信できるかを確認します。

× ア，イ BOOTPとDHCPは，どちらもネットワークに接続したコンピュータに，IPアドレスを自動的に割り当てるためのプロトコルです。現在の主流はDHCPで，BOOTPはあまり使われていません。

× ウ MIB（Management Information Base）は，SNMPというネットワーク管理プロトコルで，管理対象となる機器が保持する管理情報データベースのことです。

○ エ 正解です。

問09 ドライブバイダウンロード攻撃

20%

ドライブバイダウンロード攻撃とは，利用者がWebサイトを閲覧しただけで，勝手にウイルスなどのマルウェアをPCにダウンロードさせる攻撃です。主にOSやWebブラウザの脆弱性をついた攻撃手法で，利用者が気付かないうちにマルウェアがインストールされてしまいます。

× ア ドライブバイダウンロード攻撃は物理的な窃盗ではありません。

× イ ランサムウェアに該当します。

○ ウ 正解です。

× エ トロイの木馬に該当します。

合格のカギ

覚えよう！ 問07

ACID特性といえば

- 原子性（atomicity）
- 一貫性（consistency）
- 独立性（isolation）
- 耐久性（durability）

トランザクション 問07

データベースの更新処理の単位。1つのトランザクションによって，複数の表が更新される場合もある。

DHCP 問08

Dynamic Host Configuration Protocol：LANに接続した端末にIPアドレスを自動的に割り当てるためのプロトコル。

ランサムウェア 問09

感染したPC上に保存されているファイルを暗号化し，復旧させることと引換えに身代金（ランサム）を要求するマルウェア。

解答

問07 イ　問08 エ
問09 ウ

問10

図のような構成と通信サービスのシステムにおいて，Web アプリケーションの脆弱性対策のための WAF の設置場所として，最も適切な箇所はどこか。ここで，WAF には通信を暗号化したり，復号したりする機能はないものとする。

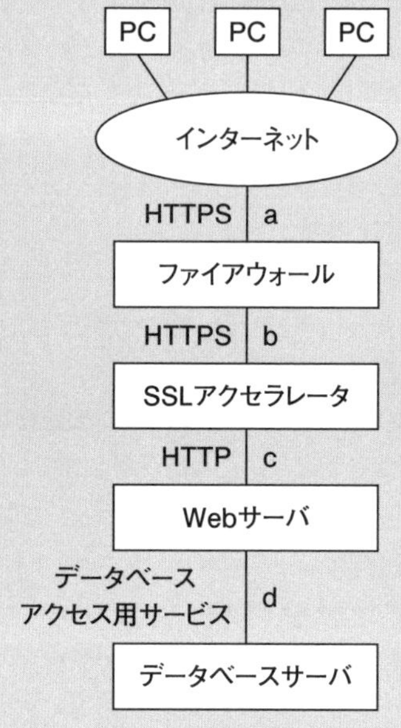

ア a　　イ b　　ウ c　　エ d

問11

次の流れ図において，

①→②→③→⑤→②→③→④→②→⑥

の順に実行させるために，①において m と n に与えるべき初期値 a と b の関係はどれか。ここで，a，b はともに正の整数とする。

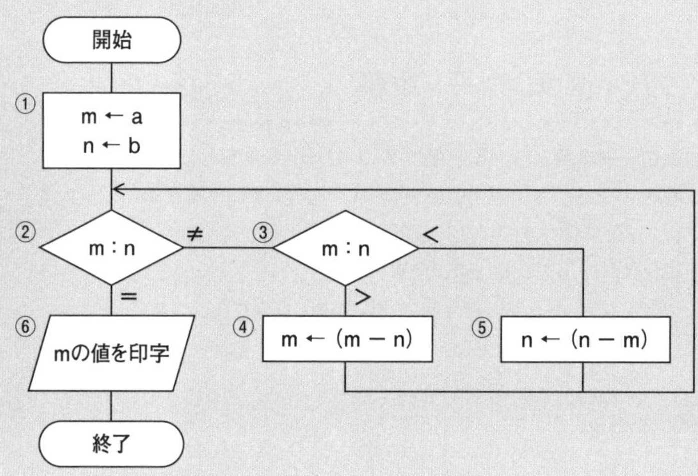

ア a = 2b　　イ 2a = b　　ウ 2a = 3b　　エ 3a = 2b

解説

問10 WAFの設置場所

.ıl 20%

WAF（Webアプリケーションファイアウォール）は，Webサーバ宛てに届いたパケットのデータ内容をチェックし，攻撃とみなされるパターンを検知して，アクセスを遮断するファイアウォールです。通常のファイアウォールはパケットの送信元アドレスやポート番号をチェックするだけで，データ内容（ペイロード）はチェックしないため，SQLインジェクションなどの攻撃は遮断できません。こうしたWebアプリケーションへの攻撃を遮断するためには，WAFが必要になります。

× ア　ファイアウォールの手前には，Webサーバへのアクセス以外の通信も含まれます。また，HTTPSはパケットを暗号化しているため，復号機能のないWAFでは解析できません。

× イ　SSLアクセラレータは，HTTPSによる通信の暗号化や復号を高速化する機器です。SSLアクセラレータの手前にあるパケットはまだ復号されていないので，復号機能のないWAFでは解析できません。

○ ウ　正解です。cの位置は，Webサーバの手前で復号されたパケットの内容を監視できるので，WAFの設置場所として適切です。

× エ　dの位置にはインターネットから送信された通信は届かないので不適切です。

問11 流れ図のトレース

.ıl 40%

変数m，nの値をトレースすると，次のようになります。

処理	m	n	
①m ← a，n ← b	a	b	
②m : n	a	b	← m ≠ n
③m : n	a	b	← m ＜ n
⑤n ← (n − m)	a	b − a	
②m : n	a	b − a	← m ≠ n
③m : n	a	b − a	← m ＞ n
④m ← (m − n)	a − (b − a) = 2a − b	b − a	
②m : n	2a − b	b − a	← m = n
⑥mの値を印字	2a − b	b − a	

m = nのとき，変数mの値は2a − b，変数nの値はb − aなので，次の式が成り立ちます。

$$2a - b = b - a \Rightarrow 3a = 2b$$

以上から，正解は エ です。

合格のカギ

覚えよう！ 問10

WAFといえば
- Webアプリケーションへの通信内容を監視
- SQLインジェクションなどの攻撃を検知して遮断

HTTPS 問10

HTTP通信に暗号化や認証の機能を加え，セキュリティを高めた規格。暗号化や認証にはSSL/TLSプロトコルが使われる。

SSLアクセラレータ 問10

SSL/TLSによる暗号化や復号の処理を，Webサーバに代わって行う専用のネットワーク機器。

問11

参考 2つの数の最大公約数を求める「ユークリッドの互除法」と呼ばれるアルゴリズムの流れ図だよ。

解答

問10 ウ　問11 エ

問12 アジャイル開発手法のスクラムにおいて，開発チームの全員が1人ずつ“昨日やったこと”，“今日やること”，“障害になっていること”などを話し，全員でプロジェクトの状況を共有するイベントはどれか。

ア スプリントプランニング　　イ スプリントレビュー
ウ デイリースクラム　　エ レトロスペクティブ

問13 図に示すとおりに作業を実施する予定であったが，作業Aで1日の遅れが生じた。 各作業の費用増加率を表の値とするとき，当初の予定日数で終了するために掛かる増加費用を最も少なくするには，どの作業を短縮すべきか。ここで，費用増加率とは，作業を1日短縮するために要する増加費用のことである。

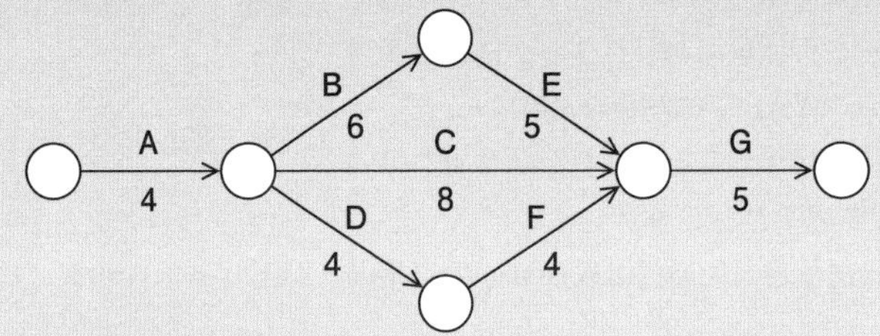

作業名	費用増加率
A	4
B	6
C	3
D	2
E	2.5
F	2.5
G	5

ア B　　イ C　　ウ D　　エ E

問14 A社では，従業員が自宅のPCからインターネット経由で自社のネットワークに接続して仕事を行うテレワーキングの実施を計画している。A社が定めたテレワーキング運用規程について，情報セキュリティ管理基準（平成28年）に従って監査を実施した。判明した事項のうち，監査人が，指摘事項として監査報告書に記載すべきものはどれか。

ア テレワーキング運用規程に従うことを条件に，全ての従業員が利用できる。
イ テレワーキングで従業員が使用するPCは，A社から支給されたものに限定する。
ウ テレワーキングで使用するPCへのマルウェア対策ソフト導入の要不要は，従業員それぞれが判断する。
エ テレワーキングで使用するPCを，従業員の家族に使用させない。

解説

合格のカギ

問12 スクラム シラバス9.0

50%

スクラムとは，少人数のチームによって進められるアジャイル開発の手法の

1つで，スプリントと呼ばれる1週間から1か月の期間で達成できるゴールを定め，スプリントを反復しながら段階的に開発を進めていきます。各スプリントで行う会議をスクラムイベントといいます。開発チームの各メンバーがその日の作業の前に“昨日やったこと”“今日やること”などを話し，プロジェクトの状況を共有するスクラムイベントは，デイリースクラムです。

× ア　スプリントプランニングは，スプリントの開始前に，そのスプリントのゴールを決定するイベントです。

× イ　スプリントレビューは，スプリントの終了時に，関係者を集めて成果物のレビューを行うイベントです。

○ ウ　正解です。

× エ　レトロスペクティブ（スプリントレトロスペクティブ）は，スプリントの終了後に，今回のスプリントを振り返り，改善点などを話し合うイベントです。

問13 アローダイアグラム　80%

プロジェクト全体の作業日数を短縮するには，クリティカルパス上にあるいずれかの作業を短縮する必要があります。そこでまず，アローダイアグラムからクリティカルパスを求めます。アローダイアグラムの開始から終了までの各経路の作業日数の合計を求めると次のようになります。

A→B→E→G：4＋6＋5＋5＝20日
A→C→G：4＋8＋5＝17日
A→D→F→G：4＋4＋4＋5＝17日

このうち，作業日数の最も多いA→B→E→Gがクリティカルパスです。作業Aが1日遅れたので，予定日数でプロジェクトを終了するには，クリティカルパス上のB，E，Gのいずれかの作業を1日短縮する必要があります。費用増加率は作業Bが6，作業Eが2.5，作業Gが5なので，増加費用が最も少ないのは，作業Eの短縮です。以上から正解は エ です。

問14 テレワーキング運用規定の監査　10%

従業員が自宅のPCを使ってテレワーキングを行う場合に，セキュリティ上問題がある運用規定の事項を探します。

× ア　運用規定に従うことをテレワーキングの利用条件とすることに問題はありません。

× イ　運用規定には，テレワーキングに利用するPCに関する事項を含める必要があります。従業員が使用するPCを，支給したPCに限定する規定を定めることに問題はありません。

○ ウ　マルウェア対策を従業員それぞれの判断に任せるのは問題があります。運用規定には，マルウェア対策に関する事項を定める必要があります。

× エ　運用規定には，従業員の家族や自宅への訪問者がシステムにアクセスするのを制限する事項を定める必要があります。家族に使用させない規定を定めることに問題はありません。

合格のカギ

アジャイル開発　問12
プロジェクトを小さな単位に分割し，小単位で設計・開発・テストの工程を反復しながらプロジェクトを進めていく開発手法。スクラムやエクストリームプログラミング（XP）などの種類がある。

アローダイアグラム　問13
プロジェクトを達成するのに必要な作業を矢線で，作業の結合点を○で表した図。所要日数を示して日程計画を立てるのに用いる。

クリティカルパス　問13
開始から終了までの各作業のうち，時間的余裕のない一連の作業経路。クリティカルパス上にある各作業の所要日数の合計が，プロジェクト全体の所要日数となる。

テレワーキング　問14
ITを活用し，時間や場所にとらわれずに働く働き方のこと。自宅で働く在宅勤務，移動中などに行うモバイルワーク，サテライトオフィスを利用するサテライトオフィス勤務などの形態がある。

問14
参考「情報セキュリティ管理基準」の内容は知らなくても，情報セキュリティ上問題があるかどうかで解答できるね。

解答
問12 ウ　問13 エ
問14 ウ

令和5年度 公開問題 科目A

問15 ハイブリッドクラウドの説明はどれか。

ア クラウドサービスが提供している機能の一部を，自社用にカスタマイズして利用すること

イ クラウドサービスのサービス内容を，消費者向けと法人向けの両方を対象とするように構成して提供すること

ウ クラウドサービスのサービス内容を，有償サービスと無償サービスとに区分して提供すること

エ 自社専用に使用するクラウドサービスと，汎用のクラウドサービスとの間でデータ及びアプリケーションソフトウェアの連携や相互運用が可能となる環境を提供すること

問16 ダイバーシティマネジメントの説明はどれか。

ア 従業員が仕事と生活の調和を図り，やりがいをもって業務に取り組み，組織の活力を向上させることである。

イ 性別や年齢，国籍などの面で従業員の多様性を尊重することによって，組織の活力を向上させることである。

ウ 自ら設定した目標の達成を目指して従業員が主体的に業務に取り組み，その達成度に応じて評価が行われることである。

エ 労使双方が労働条件についての合意を形成し，協調して収益の増大を目指すことである。

問17 ERP を説明したものはどれか。

ア 営業活動に IT を活用して営業の効率と品質を高め，売上・利益の大幅な増加や，顧客満足度の向上を目指す手法・概念である。

イ 卸売業・メーカが小売店の経営活動を支援することによって，自社との取引量の拡大につなげる手法・概念である。

ウ 企業全体の経営資源を有効かつ総合的に計画して管理し，経営の効率向上を図るための手法・概念である。

エ 消費者向けや企業間の商取引を，インターネットなどの電子的なネットワークを活用して行う手法・概念である。

解説

問15 ハイブリッドクラウド

.ıll 10%

クラウドサービスのサービスモデルは，一般に以下の4種類に分類されます。

パブリッククラウド	不特定多数の利用者にサービスを提供する。
プライベートクラウド	特定の利用者がサービスを専有する。
コミュニティクラウド	特定の業種や団体など，限られたコミュニティ向けにサービスを提供する。
ハイブリッドクラウド	パブリッククラウドとプライベートクラウドを組み合わせてサービスを提供する。

以上から，ハイブリッドクラウドに該当する説明は エ になります。「自社専用に使用するクラウドサービス」はプライベートクラウド，「汎用のクラウドサービス」はパブリッククラウドのことです。

問16 ダイバーシティマネジメント

.ıll 10%

ダイバーシティ（diversity）とは「多様性」という意味です。ダイバーシティマネジメントは，性別，年齢，国籍などの異なる多様な人材を活用して，組織の活性化や新たな価値の創造を図る経営手法です。

× ア ワークライフバランスの説明です。
○ イ 正解です。
× ウ MBO（Management By Objectives：目標による管理）の説明です。
× エ 労使協調の説明です。

問17 ERP

.ıll 10%

ERP（Enterprise Resource Planning）とは，企業全体の経営資源（ヒト・モノ・カネ・情報など）を総合的に管理し，経営の効率化を図る経営手法のことです。

× ア SFA（Sales Force Automation）の説明です。
× イ リテールサポートの説明です。
○ ウ 正解です。
× エ EC（Electronic Commerce：電子商取引）の説明です。

合格のカギ

クラウドコンピューティング 問15
業者が保有するサーバやストレージなどのITリソースを，インターネットを介して利用するコンピューティング環境のこと。クラウドコンピューティング環境を提供するサービスをクラウドサービスという。

覚えよう！ 問15
クラウドサービスのサービスモデルといえば
- パブリッククラウド：不特定多数が利用
- プライベートクラウド：1つの組織専用
- コミュニティクラウド：コミュニティのメンバー専用
- ハイブリッドクラウド：パブリック＋プライベートの組合せ

ERP 問17
Enterprise Resource Planning：企業全体の資源（ヒト・モノ・カネ・情報）を総合的に管理し，有効活用して経営の効率化を図る手法。ERPを実現するための業務システムをERPパッケージという。

解答
問15 エ 問16 イ
問17 ウ

問18

イノベータ理論では，消費者を新製品の購入時期によって，イノベータ，アーリーアダプタ，アーリーマジョリティ，レイトマジョリティ，ラガードの五つに分類する。アーリーアダプタの説明として，適切なものはどれか。

ア　新しい製品及び新技術の採用には懐疑的で，周囲の大多数が採用している場面を見てから採用する層

イ　新商品，サービスなどを，リスクを恐れず最も早い段階で受容する層

ウ　新商品，サービスなどを早期に受け入れ，消費者に大きな影響を与える層であり，流行に敏感で，自ら情報収集を行い判断する層

エ　世の中の動きに関心が薄く，流行が一般化してからそれを採用することが多い層であり，場合によっては不採用を貫く，最も保守的な層

問19

CIOの説明はどれか。

ア　経営戦略の立案及び業務執行を統括する最高責任者

イ　資金調達，財務報告などの財務面での戦略策定及び執行を統括する最高責任者

ウ　自社の技術戦略や研究開発計画の立案及び執行を統括する最高責任者

エ　情報管理，情報システムに関する戦略立案及び執行を統括する最高責任者

問20

ボリュームライセンス契約の説明はどれか。

ア　企業などソフトウェアの大量購入者向けに，インストールできる台数をあらかじめ取り決め，ソフトウェアの使用を認める契約

イ　使用場所を限定した契約であり，特定の施設の中であれば台数や人数に制限なく使用が許される契約

ウ　ソフトウェアをインターネットからダウンロードしたとき画面に表示される契約内容に同意するを選択することによって，使用が許される契約

エ　標準の使用許諾条件を定め，その範囲で一定量のパッケージの包装を解いたときに，権利者と購入者との間に使用許諾契約が自動的に成立したとみなす契約

解説

問18 イノベータ理論 10%

イノベータ理論は，新しい商品やサービスが普及する過程を，以下の5つの消費者タイプに分類して説明するものです。

イノベータ（革新者）	リスクを恐れず，新製品を最も早い段階で受容する層。
アーリーアダプタ（初期採用者）	流行に敏感で，新製品を早期に受け入れ，消費者に大きな影響を与える層。
アーリーマジョリティ（前期追随者）	アーリーアダプタより慎重だが，新製品に対する関心は高い層。新製品を市場に浸透させる役割をもつ。
レイトマジョリティ（後期追随者）	新製品に対して懐疑的で，大多数が受け入れるのを確認してから採用する層。
ラガード（遅滞者）	世の中の動きに関心が薄く，流行が一般化するまでは採用しない，最も保守的な層。

以上から，アーリーアダプタの説明に該当するのは，ウです。アはレイトマジョリティ，イはイノベータ，エはラガードの説明です。

問19 CIO（最高情報責任者） 50%

アメリカの企業では，取締役会の指揮下で会社経営を統括する役員を執行役員（Officer）といいます。CIO（Chief Information Officer）は，執行役員のうち，企業全体の情報資源の管理や，情報システムに関する戦略立案と執行を担当する，情報資源やITの最高責任者です。

× ア CEO（Chief Executive Officer：最高経営責任者）の説明です。
× イ CFO（Chief Financial Officer：最高財務責任者）の説明です。
× ウ CTO（Chief Technical Officer：最高技術責任者）の説明です。
○ エ 正解です。

問20 ボリュームライセンス契約 10%

企業や学校などで，同じソフトウェアを複数のコンピュータにインストールして利用する場合は，複数のライセンスを一括して購入できるボリュームライセンス契約やサイトライセンス契約が便利です。ボリュームライセンス契約は，インストールできる許諾数をあらかじめ取り決めておき，許諾した数だけ利用できる契約です。

○ ア 正解です。
× イ サイトライセンス契約の説明です。
× ウ クリックオン契約（クリックラップ契約）の説明です。
× エ シュリンクラップ契約の説明です。

合格のカギ

覚えよう！ 問19

執行役員の種類
- CEO：最高経営責任者
- COO：最高執行責任者
- CFO：最高財務責任者
- CIO：最高情報責任者
- CTO：最高技術責任者

解答

問18 ウ 問19 エ
問20 ア

基本情報技術者試験 令和5年度公開問題 科目B

問 01

次のプログラム中の[a]と[b]に入れる正しい答えの組合せを，解答群の中から選べ。ここで，配列の要素番号は 1 から始まる。

関数 findPrimeNumbers は，引数で与えられた整数以下の，全ての素数だけを格納した配列を返す関数である。ここで，引数に与える整数は 2 以上である。

〔プログラム〕

```
○ 整数型の配列： findPrimeNumbers(整数型： maxNum)
  整数型の配列： pnList ← {} // 要素数 0 の配列
  整数型： i, j
  論理型： divideFlag
  for (i を 2 から [ a ] まで 1 ずつ増やす)
    divideFlag ← true

    /* i の正の平方根の整数部分が 2 未満のときは，繰返し処理を実行しない */
    for (j を 2 から i の正の平方根の整数部分 まで 1 ずつ増やす) // α
      if ([ b ])
        divideFlag ← false
        α の行から始まる繰返し処理を終了する
      endif
    endfor
    if (divideFlag が true と等しい)
      pnList の末尾 に i の値 を追加する
    endif
  endfor
  return pnList
```

解答群

	a	b
ア	maxNum	i ÷ j の余り が 0 と等しい
イ	maxNum	i ÷ j の商 が 1 と等しくない
ウ	maxNum ＋ 1	i ÷ j の余り が 0 と等しい
エ	maxNum ＋ 1	i ÷ j の商 が 1 と等しくない

この令和５年度の公開問題「科目Ｂ」は，実際に出題された科目Ｂ問題の中から，試験センターが６問をピックアップして公開したものです（科目Ｂの実際の試験は 20 問）。やや難易度の高い問題が多くピックアップされているため，本問は実際の試験の「問１」より難易度が高めです。科目Ｂの実際の出題傾向については，サンプル問題や模擬問題１～３を参照してください。

プログラム・ノート

```
○整数型の配列： findPrimeNumbers(整数型： maxNum)
  整数型の配列： pnList ← {} // 要素数 0 の配列
  整数型： i, j
  論理型： divideFlag
  for (i を 2 から [ a ] まで 1 ずつ増やす)
    divideFlag ← true

    /* i の正の平方根の整数部分が 2 未満のときは，繰返し処理を実行しない */
    for (j を 2 から i の正の平方根の整数部分 まで 1 ずつ増やす) // α
      if ( [ b ] )
        divideFlag ← false
        α の行から始まる繰返し処理を終了する
      endif
    endfor
    if (divideFlag が true と等しい)
      pnList の末尾 に i の値 を追加する
    endif
  endfor
  return pnList
```

1 素数判定

素数とは，１より大きい自然数のうち，１とその数自身でしか割り切れない数のことです。整数 i が素数かどうかを調べる最も単純な方法は，i ÷ 2，i ÷ 3，i ÷ 4，…のように順に割り算をして，割り切れるかどうかを試してみることでしょう。2 から i − 1 までのどの数でも割り切れなければ，i は素数とみなすことができます。

11 ÷ 2 ＝ 5 余り 1
11 ÷ 3 ＝ 3 余り 2
11 ÷ 4 ＝ 2 余り 3
11 ÷ 5 ＝ 2 余り 1
11 ÷ 6 ＝ 1 余り 5
11 ÷ 7 ＝ 1 余り 4
11 ÷ 8 ＝ 1 余り 3
11 ÷ 9 ＝ 1 余り 2
11 ÷ 10 ＝ 1 余り 1

} 2 ～ 10 までのどの数でも割り切れない→ 11 は素数

ただし，上の計算にはかなり無駄が多いことに気づいた人も多いでしょう。たとえば，ある数が2で割り切れなければ，4，6，8などの2の倍数でも割り切れないことは明らかです。このような無駄を省いた方法として，「エラトステネスの篩」と呼ばれるアルゴリズムがよく知られていますが，本問のプログラムでは採用されていません。

また，上の11の例では割り切れるかどうかを2～10まで順に試していますが，実際には3以下の数で割り切れる数がなければ，割り切れる数はありません（2と3で割り切れないことは確認済みであり，3×4は11を超えてしまうため）。一般に，iが素数かどうかは，2から「iの平方根の整数部分」までの数で割り切れるかどうかを試せばよく，本問のプログラムでも採用されています。

問題解説

空欄a：プログラムは，変数iの値を2から1ずつ順に増やしながら，素数かどうかを判定します。関数findPrimeNumbersは，「引数で与えられた整数以下」のすべての素数をリストアップするので，素数判定の処理は変数iが引数で与えられた整数maxNumの値になるまで繰り返します。したがって行番号05のfor文は

```
05    for (i を 2 から maxNum まで 1 ずつ増やす)
```

となります。

空欄b：行番号14～16では，変数divideFlagがtrueのとき，iの値を配列pnListに格納しています。

```
14      if (divideFlag が true と等しい)
15        pnListの末尾 に iの値 を追加する
16      endif
```

以上から，iの値が素数ならdivideFlagをtrueに，素数でなければfalseに設定すればよいことがわかります。行番号09～12では，

```
09        if ( b )
10          divideFlag ← false
11          αの行から始まる繰返し処理を終了する
12        endif
```

のように，**空欄b**の条件式が真のときdivideFlagにfalseを設定しているので，**空欄b**には「変数iが素数ではない」ことを表す条件式が入ります。

変数iが素数でないということは，変数iは何らかの数で割り切れることを意味します。これは，変数iをある数で割った余りが0になるということです。解答群の中で同様の意味をもつ条件式は

i ÷ j の余りが 0 と等しい

となります。

以上から，**空欄a**が「maxNum」，**空欄b**が「i ÷ j の余りが 0 と等しい」の組合せの ア が正解です。

問 02 次の記述中の[   ]に入れる正しい答えを，解答群の中から選べ。

次のプログラムにおいて，手続 proc2 を呼び出すと，[   ]の順に出力される。

〔プログラム〕

```
○ proc1()
  "A" を出力する
  proc3()

○ proc2()
  proc3()
  "B" を出力する
  proc1()

○ proc3()
  "C" を出力する
```

解答群

ア “A”，“B”，“B”，“C”
イ “A”，“C”
ウ “A”，“C”，“B”，“C”
エ “B”，“A”，“B”，“C”
オ “B”，“C”，“B”，“A”
カ “C”，“B”
キ “C”，“B”，“A”
ク “C”，“B”，“A”，“C”

合格のカギ

手続の呼出し関係を確認する問題です。難易度は高くありませんが，類題の出題頻度は高いと予想されるので，しっかり確認しておきましょう。

プログラム・ノート

```
○ proc1()
  "A" を出力する
   proc3()

○ proc2()
  proc3()
  "B" を出力する
  proc1()

○ proc3()
  "C" を出力する
```

1 手続の宣言

先頭に○記号のついた行は，**関数**や**手続**の宣言です。関数と手続はよく似ていますが，情報処理試験の擬似言語では，戻り値のあるものを関数，戻り値のないものを手続と呼んでいます。

○ 手続名 (引数の型名 : 引数名 , …)
　手続の処理

キーワード	説明
手続名	手続の名前（本問では proc1，proc2，proc3 の 3 つの手続が定義されている）
引数の型名	手続に指定する引数の型名（本問では省略）
引数名	手続に指定する引数。引数は複数指定できる。また，引数がない場合は省略できる（本問では省略）

2 手続の呼び出し

手続は，プログラム中で，

手続名 (引数 , …)

のように呼び出します。手続を呼び出すと，定義された手続の処理がその場所で実行されます。

問題解説

手続 proc2 は，手続 proc3 を呼び出した後，“B”を出力し，手続 proc1 を呼び出して終了します。手続 proc3 は“C”を出力します。また，手続 proc1 は“A”を出力した後，proc3 を呼び出します。

これらを図にすると，次のようになります。

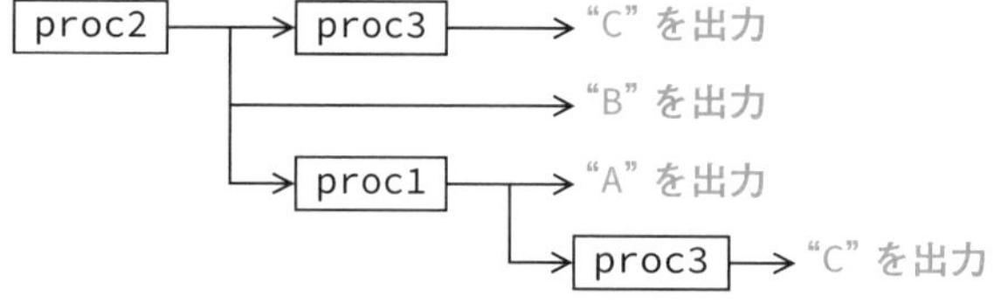

以上から，出力は順に“C”“B”“A”“C”となります。正解は ク です。

解答
問02 ク

問 03 次の記述中の［　　］に入れる正しい答えを，解答群の中から選べ。ここで，配列の要素番号は 1 から始まる。

次の手続 sort は，大域の整数型の配列 data の，引数 first で与えられた要素番号から引数 last で与えられた要素番号までの要素を昇順に整列する。ここで，first ＜ last とする。手続 sort を sort(1, 5) として呼び出すと，/*** α ***/ の行を最初に実行したときの出力は“［　　］”となる。

〔プログラム〕

```
大域： 整数型の配列： data ← {2, 1, 3, 5, 4}

○sort( 整数型： first, 整数型： last)
  整数型： pivot, i, j
  pivot ← data[(first ＋ last) ÷ 2 の商]
  i ← first
  j ← last

  while (true)
    while (data[i] ＜ pivot)
      i ← i ＋ 1
    endwhile
    while (pivot ＜ data[j])
      j ← j − 1
    endwhile
    if (i ≧ j)
      繰返し処理を終了する
    endif
    data[i] と data[j] の値を入れ替える
    i ← i ＋ 1
    j ← j − 1
  endwhile
  data の全要素の値を要素番号の順に空白区切りで出力する /*** α ***/
  if (first ＜ i − 1)
    sort(first, i − 1)
  endif
  if (j ＋ 1 ＜ last)
    sort(j ＋ 1, last)
  endif
```

解答群

ア　1 2 3 4 5　　　イ　1 2 3 5 4

ウ　2 1 3 4 5　　　エ　2 1 3 5 4

クイックソートと呼ばれる整列アルゴリズムの問題です。整列アルゴリズムには様々な種類があるので，基本的なものについては理解しておきましょう。とくに出題される可能性の高いものは，バブルソート，選択ソート，挿入ソート，クイックソート，マージソートです（本書にも類題を掲載しています→模擬①問 10，模擬③問 10）。

本問はクイックソートについての知識がなくても正解はできますが，プログラムの内容についてもひととおり理解しておくことが重要です。

プログラム・ノート

```
大域： 整数型の配列： data ← {2, 1, 3, 5, 4}

○ sort( 整数型： first, 整数型： last)
  整数型： pivot, i, j
  pivot ← data[(first ＋ last) ÷ 2 の商 ]  ←— 基準値を設定
  i ← first
  j ← last

  while (true)
    while (data[i] ＜ pivot)     } 配列の左半分から，基準値以上の要素を見つける
      i ← i ＋ 1
    endwhile
    while (pivot ＜ data[j])     } 配列の右半分から，基準値以下の要素を見つける
      j ← j － 1
    endwhile
    if (i ≧ j)
      繰返し処理を終了する
    endif
    data[i] と data[j] の値を入れ替える
    i ← i ＋ 1
    j ← j － 1
  endwhile
  data の全要素の値を要素番号の順に空白区切りで出力する /*** α ***/
  if (first ＜ i － 1)
    sort(first, i － 1)
  endif
  if (j ＋ 1 ＜ last)
    sort(j ＋ 1, last)
  endif
```

クイックソートのプログラムはやや複雑ですが，考え方自体はそれほど難しいものではありません。まず，配列から要素を1つ選び，その値（pivot）を基準値とします。次に，基準値より小さいデータを配列の左側に，基準値より大きいデータを配列の右側に振り分けます。そして，配列の左側と右側とを，それぞれクイックソートを用いて整列します。

これ以上分割できなくなるまでこの作業を繰り返せば，配列全体が整列されます。

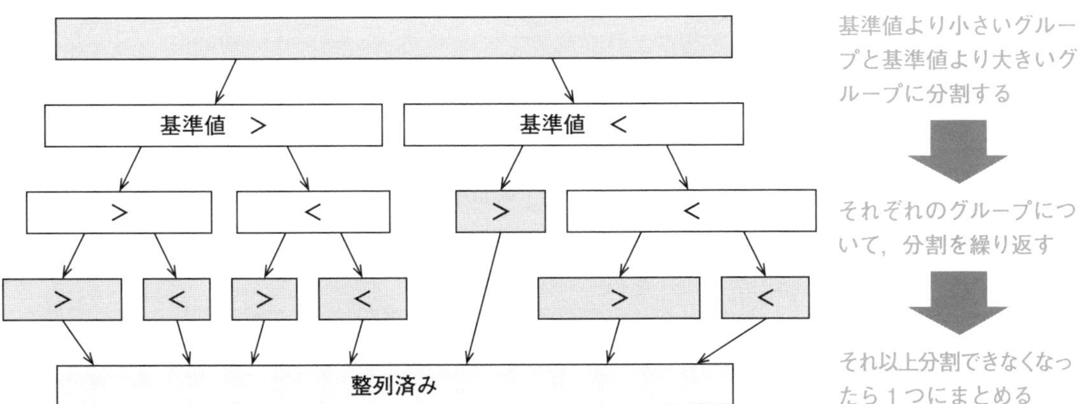

では，プログラムを細かくみていきましょう。このプログラムでは，配列の真ん中の要素 data[(first + last) ÷ 2 の商] の値を基準値 pivot とします（行番号04）。

次に，配列を左端から中央に向かって順に調べ，値が pivot 以上の要素を見つけます（行番号08 ～ 10）。一方，右端から中央に向かっても調べて，値が pivot 以下の要素を見つけます（行番号11 ～ 13）。そして，見つかった2つの要素の値を交換します（行番号17）。

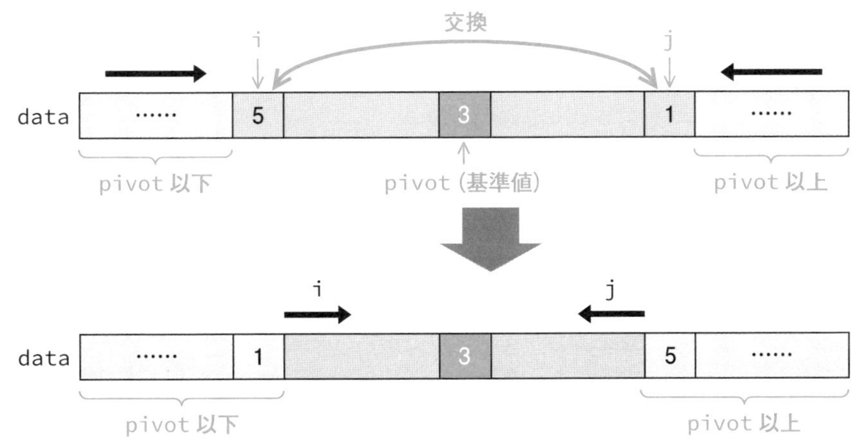

左側の i の位置と右側の j の位置が交差するまでこの作業を続けると，pivot より値が小さい要素は左側へ，大きい要素は右側に振り分けられます。

この後，振り分けた2つの部分に対して，それぞれクイックソートを実行します（行番号22 ～ 27）。このプログラムでは，手続 sort を再帰的に呼び出してこの作業を行っています。

問題解説

プログラムを順に追いながら，配列 data の内容の変化をトレースしてみましょう。

行番号 04 ～ 06：手続 sort(1, 5) を呼び出すと，引数 first に 1，引数 last に 5 が設定されます。

行番号 04 ～ 06 で，変数 pivot には data[3] の値 3 が，変数 i と j にはそれぞれ 1 と 5 が設定されます。

```
04      pivot ← data[(first + last) ÷ 2 の商]
05      i ← first
06      j ← last
```

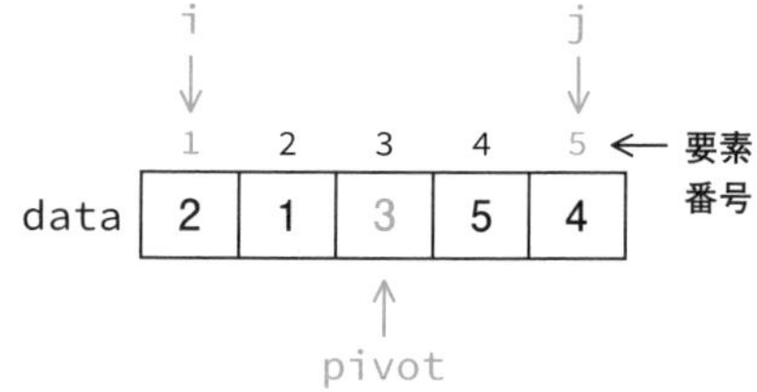

行番号 08 ～ 13：配列を左端から順に調べて，data[i] の値が pivot 以上の要素になるまで，i の値を増やします。data[3] の値が pivot の値と等しいので，i の値は 3 になります。

次に，今度は配列を右端から順に調べて，data[j] の値が pivot 以下の要素になるまで，j の値を減らします。data[3] の値が pivot の値と等しいので，j の値も 3 になります。

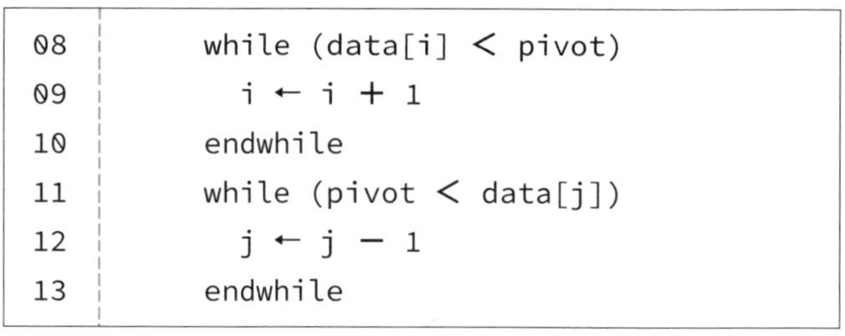

```
08      while (data[i] < pivot)
09        i ← i + 1
10      endwhile
11      while (pivot < data[j])
12        j ← j − 1
13      endwhile
```

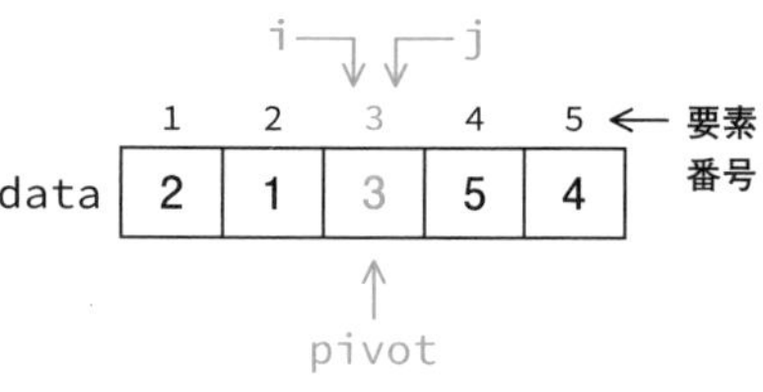

行番号 14 ～ 16：変数 i の値が変数 j の値以上になったら，繰返し処理を終了します。i = 3，j = 3 なので，繰返し処理を終了し，行番号 21 に移ります。

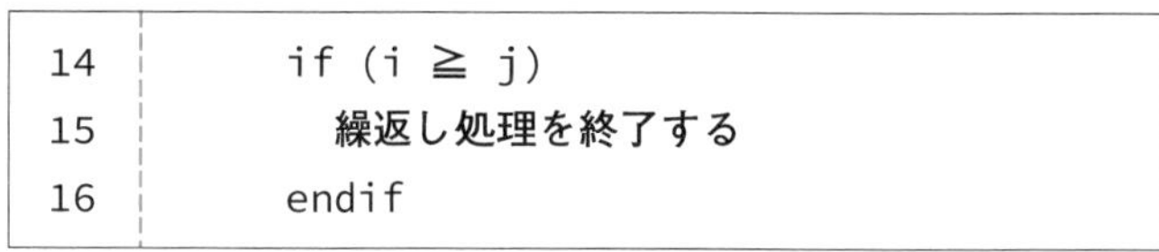

```
14      if (i ≧ j)
15        繰返し処理を終了する
16      endif
```

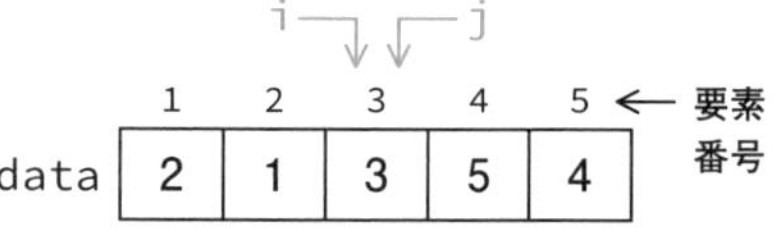

行番号 21：ここまでの処理で，配列 data の内容は次のようになります。正解は エ です。

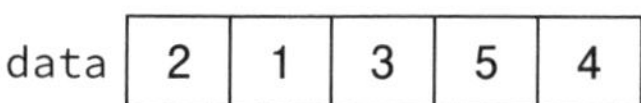

配列 data の内容は最初の状態から変わっていませんが，pivot より左側には pivot より小さい値が，右側には pivot より大きい値が格納されています。この後，行番号 22 ～ 27 で，sort(1, 2) と sort(4, 5) が実行され，配列 data は右図のように整列されます。

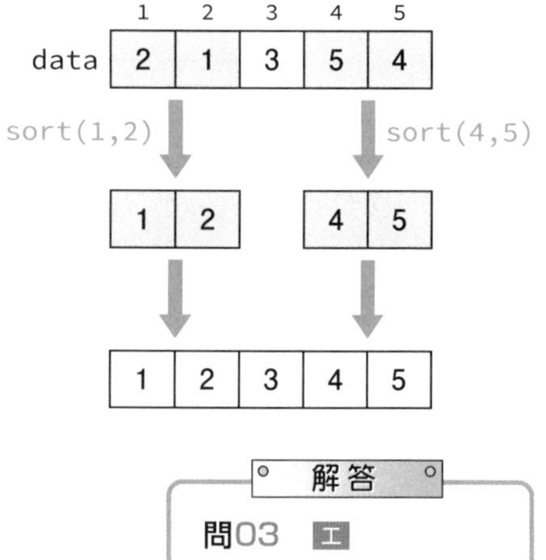

解答

問03 エ

初歩的な整列アルゴリズム

整列アルゴリズムにはいくつかの種類がありますが，ここでは最も初歩的なものを2つ紹介します。

■バブルソート

配列を末尾から先頭方向に向かって調べ，1つ前の要素のほうが大きければ場所を交換します。この操作を先頭まで繰り返すと，最も小さい値が配列の先頭にきます。この操作を繰り返して，配列を昇順に整列します。

■選択ソート

配列を先頭から末尾まで順に調べて，最も小さい値を見つけて先頭に置きます。次に，2番目に小さい値を見つけて配列の2番目に置きます。この操作を繰り返して，昇順に整列します。

次のプログラムは，配列 data を昇順に整列する手続の例です。手続 bubbleSort はバブルソート，手続 selectionSort は選択ソートを用いています。

〔プログラム〕

```
大域： 整数型の配列： data

○ bubbleSort()
  整数型： i, j
  for (i を 2 から data の要素数 まで 1 ずつ増やす )
    for (j を data の要素数 から i まで 1 ずつ減らす )
      if (data[j-1] ＞ data[j])
        data[j] と data[j − 1] の値を交換する
      endif
    endfor
  endfor

○ selectionSort()
  整数型： i, j, min
  for (i を 1 から data の要素数− 1 まで 1 ずつ増やす )
    min ← i
    for (j を i ＋ 1 から data の要素数 まで 1 ずつ増やす )
      if (data[min] ＞ data[j])
        min ← j
      endif
    endfor
    data[i] と data[min] の値を交換する
  endfor
```

問 04

次の記述中の［　　］に入れる正しい答えを，解答群の中から選べ。ここで，配列の要素番号は 1 から始まる。

関数 add は，引数で指定された正の整数 value を大域の整数型の配列 hashArray に格納する。格納できた場合は true を返し，格納できなかった場合は false を返す。 ここで，整数 value を hashArray のどの要素に格納すべきかを，関数 calcHash1 及び calcHash2 を利用して決める。

手続 test は，関数 add を呼び出して，hashArray に正の整数を格納する。手続 test の処理が終了した直後の hashArray の内容は，［　　］である。

〔プログラム〕

```
大域： 整数型の配列： hashArray

○論理型： add(整数型： value)
  整数型： i ← calcHash1(value)
  if (hashArray[i] ＝ −1)
    hashArray[i] ← value
    return true
  else
    i ← calcHash2(value)
    if (hashArray[i] ＝ −1)
      hashArray[i] ← value
      return true
    endif
  endif
  return false

○整数型： calcHash1(整数型： value)
  return (value mod hashArrayの要素数) ＋ 1

○整数型： calcHash2(整数型： value)
  return ((value ＋ 3) mod hashArrayの要素数) ＋ 1

○test()
  hashArray ← {5個の −1}
  add(3)
  add(18)
  add(11)
```

解答群

ア {－1, 3, －1, 18, 11}

イ {－1, 11, －1, 3, －1}

ウ {－1, 11, －1, 18, －1}

エ {－1, 18, －1, 3, 11}

オ {－1, 18, 11, 3, －1}

合格のカギ

ハッシュテーブルに値を格納するプログラムです。ハッシュテーブルへの値の格納方法については，科目Aでも出題されるので知識として理解しておく必要があります。①ハッシュ関数による格納位置の計算方法（関数 calcHash1，calcHash2 の戻り値）と，②ハッシュ値の衝突が起こった場合の対処方法をプログラムから読み取ってください。

プログラム・ノート

```
大域： 整数型の配列： hashArray

○論理型： add(整数型： value)
  整数型： i ← calcHash1(value)   <---- 格納位置を求める
  if (hashArray[i] ＝ －1)         ┐
    hashArray[i] ← value          │ 値を格納
    return true                   ┘
  else
    i ← calcHash2(value)          ┐
    if (hashArray[i] ＝ －1)       │ 衝突が発生した場合は別の格納位置に格納する
      hashArray[i] ← value        ┘
      return true
    endif
  endif
  return false  <---------------- 格納失敗

○整数型： calcHash1(整数型： value)
  return (value mod hashArrayの要素数) ＋ 1

○整数型： calcHash2(整数型： value)
  return ((value ＋ 3) mod hashArrayの要素数) ＋ 1

○test()
  hashArray ← {5個の －1}
  add(3)
  add(18)
  add(11)
```

1 ハッシュテーブルとは

ハッシュテーブルは，複数の値をまとめて格納しておくデータ構造の1つです。ハッシュテーブルの特徴は，値の格納位置が，その値を使って計算した**ハッシュ値**によって決まることです。関数 calcHash1，calcHash2 は，いずれも値からハッシュ値を計算する関数です。このような関数を**ハッシュ関数**といいます。

ハッシュテーブルは，値の格納位置が計算によって求まるので，値の探索にかかる計算量が少なく済むのが特徴です。

2 ハッシュ値の衝突

ハッシュ関数は，異なる値から，同じハッシュ値を算出してしまう場合があります。この現象を，ハッシュ値の**衝突**（コリジョン）といいます。

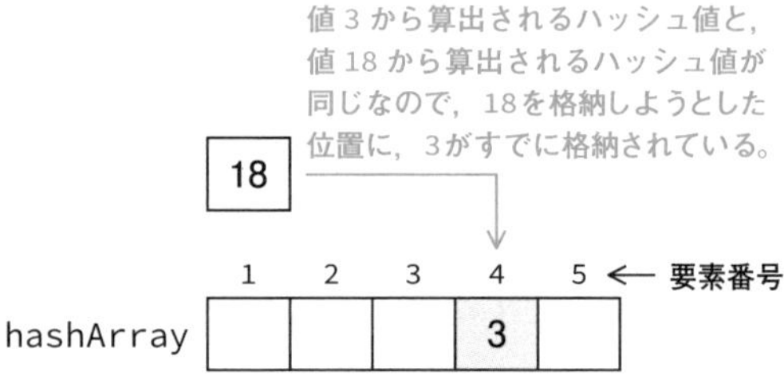

3 ハッシュテーブルへの値の格納

本問のプログラムでは，ハッシュテーブルへの値の格納を，関数 add によって行います。関数 add は，引数に指定した値 value をハッシュテーブルに格納します。

格納位置は，ハッシュ関数 calcHash1 によって求めます。その格納位置にすでに別の値が格納されていた場合（ハッシュ値の衝突）は，別のハッシュ関数 calcHash2 によって，代わりの格納位置を求めます。calcHash2 によって求めた格納位置にも値が格納されていた場合は格納失敗となり，false を返します。

問題解説

手続 test は，要素数5の配列 hashArray をハッシュテーブルとして使用し，3，18，11 の順に値を格納します。それぞれの値の格納位置を求めてみましょう。

値3を追加：calcHash1(3) の戻り値は，

```
(3 mod 5) + 1 → 4
 ↑      ↑
value   └hashArray の要素数
```

となるので，要素番号4に値3が格納されます。

値18を追加：calcHash1(18) の戻り値は，

```
(18 mod 5) + 1 → 4
 ↑       ↑
value    └hashArray の要素数
```

となります。しかし，要素番号4には値3がすでに格納されています。そのため，calcHash2(18) を実行して次の格納位置を求めます。

```
((18+3) mod 5) + 1  →  2
  ↑          ↑
 value       └─hashArray の要素数
```

calcHash2(18) の戻り値は 2 となるので，要素番号 2 に値 18 が格納されます。

値 11 を追加：calcHash1(11) の戻り値は，

```
(11 mod 5) + 1  →  2
 ↑       ↑
value    └─hashArray の要素数
```

となります。しかし，要素番号 2 には値 18 がすでに格納されています。そのため，calcHash2(11) を実行して次の格納位置を求めます。

```
((11+3)mod 5) + 1  →  5
  ↑         ↑
 value      └─hashArray の要素数
```

calcHash2(11) の戻り値は 5 となるので，要素番号 5 に値 11 が格納されます。

以上から，配列 hashArray の内容は {-1, 18, -1, 3, 11} となります。正解は エ です。

解答

問04 エ

問 05 次のプログラム中の［ a ］と［ b ］に入れる正しい答えの組合せを，解答群の中から選べ。ここで，配列の要素番号は 1 から始まる。

コサイン類似度は，二つのベクトルの向きの類似性を測る尺度である。関数calcCosineSimilarityは，いずれも要素数がn（n ≧ 1）である実数型の配列vector1とvector2を受け取り，二つの配列のコサイン類似度を返す。配列vector1が｛a_1，a_2，…，a_n｝，配列vector2が｛b_1，b_2，…，b_n｝のとき，コサイン類似度は次の数式で計算される。ここで，配列vector1と配列vector2のいずれも，全ての要素に0が格納されていることはないものとする。

$$\frac{a_1b_1 + a_2b_2 + \cdots + a_nb_n}{\sqrt{a_1^2 + a_2^2 + \cdots + a_n^2}\ \sqrt{b_1^2 + b_2^2 + \cdots + b_n^2}}$$

〔プログラム〕

```
○実数型: calcCosineSimilarity(実数型の配列: vector1,
                               実数型の配列: vector2)
  実数型: similarity, numerator, denominator, temp ← 0
  整数型: i
  numerator ← 0

  for (i を 1 から vector1の要素数 まで 1 ずつ増やす)
    numerator ← numerator + [ a ]
  endfor

  for (i を 1 から vector1の要素数 まで 1 ずつ増やす)
    temp ← temp + vector1[i] の2乗
  endfor
  denominator ← temp の正の平方根

  temp ← 0
  for (i を 1 から vector2の要素数 まで 1 ずつ増やす)
    temp ← temp + vector2[i] の2乗
  endfor
  denominator ← [ b ]

  similarity ← numerator ÷ denominator
  return similarity
```

解答群

	a	b
ア	(vector1[i] × vector2[i]) の正の平方根	denominator × (temp の正の平方根)
イ	(vector1[i] × vector2[i]) の正の平方根	denominator ＋ (temp の正の平方根)
ウ	(vector1[i] × vector2[i]) の正の平方根	temp の正の平方根
エ	vector1[i] × vector2[i]	denominator × (temp の正の平方根)
オ	vector1[i] × vector2[i]	denominator ＋ (temp の正の平方根)
カ	vector1[i] × vector2[i]	temp の正の平方根
キ	vector1[i] の 2 乗	denominator × (temp の正の平方根)
ク	vector1[i] の 2 乗	denominator ＋ (temp の正の平方根)
ケ	vector1[i] の 2 乗	temp の正の平方根

合格のカギ

プログラムを読むときに，大いに参考になるのが変数名です。変数名には，一般にその内容を表すような名前を採用するので，処理の内容を理解する助けになります。

本問の場合，numerator と denominator はそれぞれ「分子」「分母」という意味なので，問題文の数式の分子と分母の値が入る変数だと推測できます。また，similarity は「類似度」という意味なので，コサイン類似度の値がこの変数に格納されることがわかります。

プログラム・ノート

```
01  ○実数型: calcCosineSimilarity(実数型の配列: vector1,
02                                  実数型の配列: vector2)
03    実数型: similarity, numerator, denominator, temp ← 0
04    整数型: i
05    numerator ← 0

06    for (i を 1 から vector1の要素数 まで 1 ずつ増やす)   } コサイン類似度の分子
07      numerator ← numerator + [  a  ]                       } を求める
08    endfor

09    for (i を 1 から vector1の要素数 まで 1 ずつ増やす)   }
10      temp ← temp + vector1[i]の2乗                       }
11    endfor                                                 }
12    denominator ← tempの正の平方根                         }
                                                             } コサイン類似度の分母
13    temp ← 0                                               } を求める
14    for (i を 1 から vector2の要素数 まで 1 ずつ増やす)   }
15      temp ← temp + vector2[i]の2乗                       }
16    endfor                                                 }
17    denominator ← [  b  ]                                  }

18    similarity ← numerator ÷ denominator  <--- コサイン類似度を求める
19    return similarity
```

1 ベクトルとは

ベクトルとは「方向と大きさをもつ量」のような説明を聞いたことがあるかも知れませんが，ここでいうベクトルとは「複数の数値を1列または1行に並べたもの」のことで，プログラムでは配列で表現します。

2 コサイン類似度の計算

関数 calcCosineSimilarity は，引数で与えられた2つの配列から，問題文にある式のとおりにコサイン類似度を計算して返します。

プログラムの流れは，大まかに次のようになります。

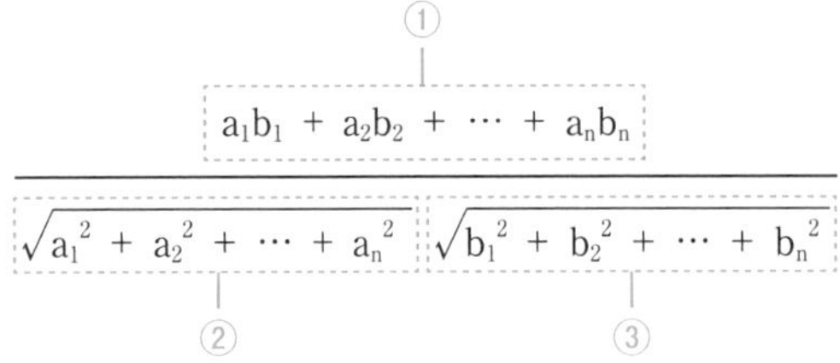

$$\frac{a_1b_1 + a_2b_2 + \cdots + a_nb_n}{\sqrt{a_1^2 + a_2^2 + \cdots + a_n^2}\ \sqrt{b_1^2 + b_2^2 + \cdots + b_n^2}}$$

行番号 06 ～ 08：式の①の部分を求め，変数 numerator に格納する

行番号 09 ～ 12：式の②の部分を求め，変数 denominator に格納する。
行番号 13 ～ 17：式の③の部分を求め，②×③を変数 denominator に格納する。
行番号 18：コサイン類似度を numerator ÷ denominator で求め，変数 similarity に格納する。

問題解説

空欄 a：変数 numerator には，コサイン類似度の計算式の分子に当たる部分が入ります。コサイン類似度の計算式の分子は，

$$a_1b_1 + a_2b_2 + \cdots + a_nb_n$$

で，このうち a_1，a_2，…，a_n は配列 vector1 に，b_1，b_2，…，b_n は配列 vector2 に格納されているので，次のように求められます。

vector1[1] × vector2[1] ＋ vector1[2] × vector2[2] ＋…＋ vector1[n] × vector2[n]

この計算は，変数 i を 1 から n（配列の要素数）まで 1 ずつ増やしながら

vector1[i] × vector2[i]

を足し合わせていくことで求められます。これを行っているのが行番号 06 ～ 08 の処理です。

```
06    for (i を 1 から vector1 の要素数 まで 1 ずつ増やす)
07      numerator ← numerator + vector1[i] × vector2[i]
08    endfor
```

以上から，**空欄 a** には「vector1[i] × vector2[i]」が入ります。

空欄 b：変数 denominator には，コサイン類似度の計算式の分母に当たる部分が入ります。コサイン類似度の計算式の分母は，

$$\sqrt{a_1^2 + a_2^2 + \cdots + a_n^2}\ \sqrt{b_1^2 + b_2^2 + \cdots + b_n^2}$$

ですが，プログラムはこのうちの「$a_1^2 + a_2^2 + \cdots a_n^2$」の部分を行番号 09 ～ 11 で計算し，行番号 12 でその平方根を変数 denominator に格納します。

次に，「$b_1^2 + b_2^2 + \cdots b_n^2$」の部分を行番号 14 ～ 16 で計算し，変数 temp に格納します。

以上から，コサイン類似度の分母は，

denominator × (temp の正の平方根)

で求められます。この値を再度変数 denominator に格納しているのが行番号 17 の処理です。

```
17      denominator ← denominator × (temp の正の平方根 )
```

以上から，**空欄 b** には「denominator × (temp の正の平方根)」が入ります。**空欄 a** が「vector1[i] × vector2[i]」，**空欄 b** が「denominator × (temp の正の平方根)」の組合せなので，正解は エ です。

解答

問05 エ

□□ 問 06

A 社は，放送会社や運輸会社向けに広告制作ビジネスを展開している。A 社は，人事業務の効率化を図るべく，人事業務の委託を検討することにした。A 社が委託する業務（以下，B 業務という）を**図 1** に示す。

・採用予定者から郵送されてくる入社時の誓約書，前職の源泉徴収票などの書類を PDF ファイルに変換し，ファイルサーバに格納する。 (省略)

図 1　B 業務

委託先候補の C 社は，B 業務について，次のように A 社に提案した。

・B 業務だけに従事する専任の従業員を割り当てる。
・B 業務では，**図 2** の複合機のスキャン機能を使用する。

・スキャン機能を使用する際は，従業員ごとに付与した利用者 ID とパスワードをパネルに入力する。 ・スキャンしたデータを PDF ファイルに変換する。 ・PDF ファイルを従業員ごとに異なる鍵で暗号化して，電子メールに添付する。 ・スキャンを実行した本人宛てに電子メールを送信する。 ・PDF ファイルが大きい場合は，PDF ファイルを添付する代わりに，自社の社内ネットワーク上に設置したサーバ（以下，B サーバという）1) に自動的に保存し，保存先の URL を電子メールの本文に記載して送信する。

注 1)　B サーバにアクセスする際は，従業員ごとの利用者 ID とパスワードが必要になる。

図 2　複合機のスキャン機能（抜粋）

A 社は，C 社と業務委託契約を締結する前に，秘密保持契約を締結した。その後，C 社に質問表を送付し，回答を受けて，業務委託での情報セキュリティリスクの評価を実施した。その結果，**図 3** の発見があった。

・複合機のスキャン機能では，電子メールの差出人アドレス，件名，本文及び添付ファイル名を初期設定 1) の状態で使用しており，誰がスキャンを実行しても同じである。 ・複合機のスキャン機能の初期設定情報はベンダーの Web サイトで公開されており，誰でも閲覧できる。

注 1)　複合機の初期設定は C 社の情報システム部だけが変更可能である。

図 3　発見事項

そこで，A社では，初期設定の状態のままではA社にとって情報セキュリティリスクがあり，初期設定から変更するという対策が必要であると評価した。

設問　対策が必要であるとA社が評価した情報セキュリティリスクはどれか。解答群のうち，最も適切なものを選べ。

解答群

ア　B業務に従事する従業員が，攻撃者からの電子メールを複合機からのものと信じて本文中にあるURLをクリックし，フィッシングサイトに誘導される。その結果，A社の採用予定者の個人情報が漏えいする。

イ　B業務に従事する従業員が，複合機から送信される電子メールをスパムメールと誤認し，電子メールを削除する。その結果，再スキャンが必要となり，B業務が遅延する。

ウ　攻撃者が，複合機から送信される電子メールを盗聴し，添付ファイルを暗号化して身代金を要求する。その結果，A社が復号鍵を受け取るために多額の身代金を支払うことになる。

エ　攻撃者が，複合機から送信される電子メールを盗聴し，本文に記載されているURLを使ってBサーバにアクセスする。その結果，A社の採用予定者の個人情報が漏えいする。

合格のカギ

情報システムの運用状況から，セキュリティ上の欠点を読み取る問題で，類似した問題の出題頻度は高いと考えられます。漠然と欠点を探すのではなく，どんな欠点を探せばよいかを問題文から絞り込みましょう。

本問の場合は，図3の発見事項「電子メールの差出人アドレス，件名，本文及び添付ファイル名を初期設定の状態で使用して」いることによって生じるセキュリティリスクを解答群から探します。

問題解説

B業務で使用するスキャン機能では，複合機がスキャンしたデータを電子メールに添付して従業員宛に送信します。**図3**の発見事項では，この電子メールの差出人アドレスや件名，本文，添付ファイル名が，複合機の初期設定のままであることが問題視されています。

複合機の初期設定は，ベンダーのWebサイトで公開されているので，誰でも閲覧できる状態にあります。もし，攻撃者がこの複合機の初期設定と同じ差出人アドレスや件名の電子メールを，C社の従業員宛に送るとどうなるでしょうか？　従業員は，届いた電子メールが複合機からのものと誤認してしまう可能性が高いでしょう。

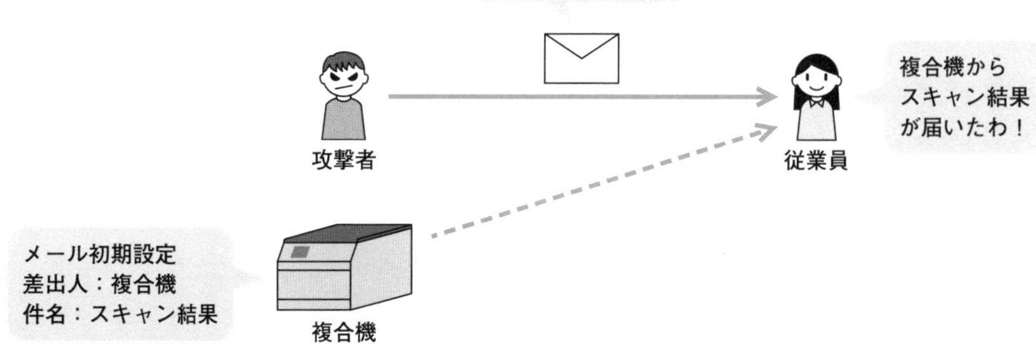

従業員が，届いた電子メールの添付ファイルを開いてマルウェアに感染したり，本文のURLをクリックしたりしてフィッシングサイトに誘導されるといったリスクが考えられます。対策としては，複合機の設定を変更し，差出人アドレスや件名などを外部からのメールと区別できるものにすればよいでしょう。

解答群のうち，同様のリスクを指摘している選択肢は ア の「**B業務に従事する従業員が，攻撃者からの電子メールを複合機からのものと信じて本文中にあるURLをクリックし，フィッシングサイトに誘導される。その結果，A社の採用予定者の個人情報が漏えいする。**」です。以上から，正解は ア です。

その他の選択肢についても検討しておきましょう。

× イ　初期設定のままでも，差出人アドレスや件名などから，複合機から送信される電子メールであることは判別できるので，スパムメールと誤認するおそれはありません。
× ウ　電子メールに添付されたPDFファイルは，従業員ごとに異なる鍵で暗号化されているので，盗聴されても情報が漏えいするおそれはありません。また，添付ファイルが復号できない場合はスキャンし直せばよいだけなので，万一暗号化されても，身代金を支払う必要はありません。
× エ　Bサーバにアクセスする際には従業員ごとの利用者IDとパスワードが必要になるため，URLが盗聴されても外部の第三者がアクセスすることはできません。

基本情報技術者

精選模擬問題①

問01 16 進数の小数 0.248 を 10 進数の分数で表したものはどれか。

ア $\frac{31}{32}$　イ $\frac{31}{125}$　ウ $\frac{31}{512}$　エ $\frac{73}{512}$

問02 桁落ちの説明として，適切なものはどれか。

ア 値がほぼ等しい浮動小数点数同士の減算において，有効桁数が大幅に減ってしまうことである。

イ 演算結果が，扱える数値の最大値を超えることによって生じるエラーのことである。

ウ 浮動小数点数の演算結果について，最小の桁よりも小さい部分の四捨五入，切上げ又は切捨てを行うことによって生じる誤差のことである。

エ 浮動小数点数の加算において，一方の数値の下位の桁が結果に反映されないことである。

問03 ある工場では，同じ製品を独立した二つのライン A，B で製造している。ライン A では製品全体の 60%を製造し，ライン B では 40%を製造している。ライン A で製造された製品の 2%が不良品であり，ライン B で製造された製品の 1%が不良品であることが分かっている。いま，この工場で製造された製品の一つを無作為に抽出して調べたところ，それは不良品であった。その製品がライン A で製造された確率は何%か。

ア 40　イ 50　ウ 60　エ 75

問04 サンプリング周波数 40kHz，量子化ビット数 16 ビットで A/D 変換したモノラル音声の 1 秒間のデータ量は，何 k バイトとなるか。ここで，1k バイトは 1,000 バイトとする。

ア 20　イ 40　ウ 80　エ 640

解説

問01 16進数の小数 40%

10進数の小数は，0.1が$\frac{1}{10}$，0.01が$\frac{1}{100}$，0.001が$\frac{1}{1000}$を表しています。これと同様に，16進数の小数は，0.1が$\frac{1}{16}$，0.01が$\frac{1}{16^2}$，0.001が$\frac{1}{16^3}$を表します。

したがって16進数0.248は，10進数では次のようになります。

$$2\times\frac{1}{16}+4\times\frac{1}{16^2}+8\times\frac{1}{16^3}=\frac{2}{16}+\frac{4}{16^2}+\frac{8}{16^2\times16}=\frac{2}{16}+\frac{4}{16^2}+\frac{1}{16^2\times2}$$

$$=\frac{2\times16\times2+4\times2+1}{16^2\times2}=\frac{64+8+1}{512}=\frac{73}{512}$$

正解は エ です。

問02 桁落ち キホン！ 20%

値がほぼ等しい浮動小数点数同士を引き算すると，演算結果が小さすぎるために，有効桁数が減ってしまいます。このために生じる誤差を**桁落ち**といいます。

○ ア 正解です。
× イ オーバフローの説明です。
× ウ 丸め誤差の説明です。
× エ 情報落ちの説明です。

有効数字
1.41421356237309…
− 1.4142134
0.0000001 ➡ 0.1 × 10^{-6}
桁落ち

問03 ベイズの定理 20%

ラインAで製造した製品60%のうちの2%と，ラインBで製造した製品40%のうちの1%が不良品となります。

ラインAの不良品：60%× 2%＝1.2%

ラインBの不良品：40%× 1%＝0.4%

ラインAの不良品＋ラインBの不良品＝1.6%のうち，1.2%がラインAで製造したものですから，不良品がラインAで製造された確率は，1.2 ÷ 1.6 ＝ 0.75 → 75%になります。正解は エ です。

$$\frac{\text{ラインAである確率×ラインAの製品のうち不良品である確率}}{\text{製品全体のうち不良品である確率}}=\frac{60\%\times2\%}{1.2\%+0.4\%}=0.75$$

問04 A/D変換 20%

サンプリング周波数は，アナログデータを1秒間に何回サンプリング（標本化）するかを表します。40kHzなら1秒間に40,000回サンプリングするので，40,000個のデータが得られます。

量子化ビット数は，サンプリングデータ1個当たりのサイズです。16ビットなら，1個当たりのサイズは16 ÷ 8 ＝ 2バイトになります。

以上から，1秒間のデータ量は，40,000 × 2 ＝ 80,000バイト＝ 80 × 1,000バイト＝ 80kバイトになります。正解は ウ です。

合格のカギ

覚えよう！ 問02

桁落ちといえば
- ほぼ同じ数同士の減算で有効桁数が減ってしまうことによる誤差

オーバフローといえば
- 演算結果が，処理できる数値の最大値を超えてしまうこと

丸め誤差といえば
- 四捨五入や切捨て，切上げによる誤差

情報落ちといえば
- 大きな数と小さな数を加算したとき，小さな数が演算結果に反映されないことによる誤差

ベイズの定理 問03

製品が不良品である確率を P(E)，ラインAで製造されたものである確率を P(A)，ラインAで製造されたもののうち，不良品である確率を $P_A(E)$ とする。不良品のうち，ラインAで製造されたものである確率 $P_E(A)$ は，次のようなベイズの定理で求めることができる。

$$P_E(A)=\frac{P(A)\,P_A(E)}{P(E)}$$

覚えよう！ 問04

サンプリング周波数といえば
- アナログデータを1秒間に何回サンプリングするか

- **量子化ビット**といえば サンプリングデータ1個当たりのサイズ

解答

問01	エ	問02	ア
問03	エ	問04	ウ

精選模擬問題 1 科目A

□□ 問 **05** 表は，文字列を検査するための状態遷移表である。検査では，初期状態を a とし，文字列の検査中に状態が e になれば不合格とする。

解答群で示される文字列のうち，不合格となるものはどれか。ここで，文字列は左端から検査し，解答群中の△は空白を表す。

		文字				
		空白	数字	符号	小数点	その他
現在の状態	a	a	b	c	d	e
	b	a	b	e	d	e
	c	e	b	e	d	e
	d	a	e	e	e	e

ア　＋0010　　イ　－1　　ウ　12.2　　エ　9.△

□□ 問 **06** 図の線上を，点 P から点 R を通って，点 Q に至る最短経路は何通りあるか。

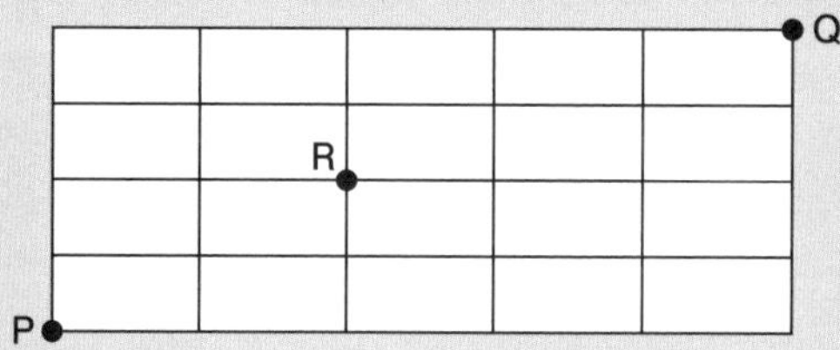

ア　16　　イ　24　　ウ　32　　エ　60

□□ 問 **07** AI におけるディープラーニングの特徴はどれか。

ア　“A ならば B である”というルールを人間があらかじめ設定して，新しい知識を論理式で表現したルールに基づく推論の結果として，解を求めるものである。

イ　厳密な解でなくてもなるべく正解に近い解を得るようにする方法であり，特定分野に特化せずに，広範囲で汎用的な問題解決ができるようにするものである。

ウ　人間の脳神経回路を模倣して，認識などの知能を実現する方法であり，ニューラルネットワークを用いて，人間と同じような認識ができるようにするものである。

エ　判断ルールを作成できる医療診断などの分野に限定されるが，症状から特定の病気に絞り込むといった，確率的に高い判断ができる。

解説

問05 状態遷移表 キホン！

20%

初期状態 a から開始します。たとえば「＋0010」の場合，1 文字目は符号な

合格のカギ

ので，現在の状態 a の“符号”の列をみます。すると c とあるので，状態 c に遷移します。2 文字目は数字なので，現在の状態 c の“数字”の列を見ます。すると b とあるので，状態 b に遷移します。以下同様にして，状態 e に遷移するものを探します。

× ア
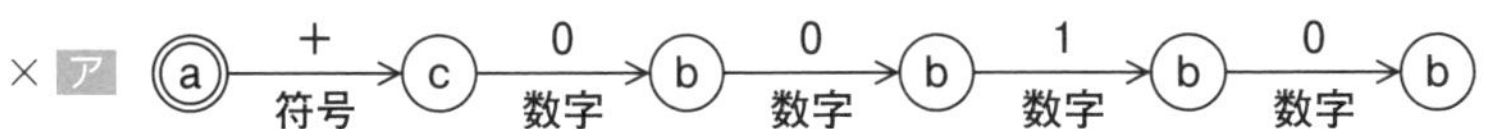

× イ　ⓐ —(− 符号)→ c —(1 数字)→ b

○ ウ　ⓐ —(1 数字)→ b —(2 数字)→ b —(. 小数点)→ d —(2 数字)→ e

× エ　ⓐ —(9 数字)→ b —(. 小数点)→ d —(△ 空白)→ a

問06 最短経路の組合せ

.ıl 20%

点 P から点 R までの最短経路は，必ず横に 2 回，縦に 2 回の移動になります。横に進む順番と縦に進む順番は任意なので，

横横縦縦，横縦横縦，横縦縦横，縦横横縦，縦横縦横，縦縦横横

の 6 通りです。これは「4 回の移動のうち，どの 2 回を横（または縦）にするか」という組合せなので，次のような計算式で表せます。

$${}_4C_2 = \frac{4 \times 3}{2 \times 1} = 6 \text{ 通り}$$

点 R から点 Q への移動も同様に考えます。最短距離は 5 回の移動のうち，横に 3 回，縦に 2 回の移動になります。横に進む順番と縦に進む順番は任意なので，「5 回の移動のうち，どの 2 回を縦にするか」という組合せです。

$${}_5C_2 = \frac{5 \times 4}{2 \times 1} = 10 \text{ 通り}$$

点 P から点 R までの経路が 6 通り，点 R から点 Q までが 10 通りなので，全体では **6 × 10 ＝ 60 通り**となります。正解は エ です。

問07 ディープラーニング

.ıl 50%

ディープラーニング（深層学習）とは，ニューラルネットワークを用いた機械学習によって，コンピュータに人間と同じような認識ができるようにする技術です。ニューラルネットワークの階層を深くすることにより，識別するための特徴をデータから自動的に学習でき，認識精度を高めることができます。最近では音声認識や画像認識などへの応用が進んでいます。

× ア ルールベースシステムの説明です。

× イ メタヒューリスティックの説明です。

○ ウ 正解です。

× エ エキスパートシステムの説明です。

合格のカギ

覚えよう！ 問06

順列といえば
- n 個から r 個選んで順番に並べる並べ方

$${}_nP_r = \frac{n!}{(n-r)!}$$

組合せといえば
- n 個から並び順を考慮しないで r 個選ぶ選び方

$${}_nC_r = \frac{{}_nP_r}{r!} = \frac{n!}{r!(n-r)!}$$

ニューラルネットワーク 問07

人間の脳神経のネットワークをモデル化したもの。

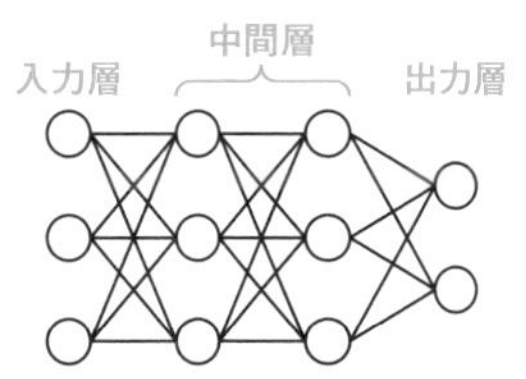

一般に，中間層を 2 層以上に多層化したモデルをディープラーニングという。

機械学習 問07

テキスト，画像，音声などのデータから，コンピュータが知識やルールを自動的に学習する技術のこと。

解答

問05 ウ　問06 エ
問07 ウ

問08

リストを二つの1次元配列で実現する。配列要素 box[i] と next[i] の対がリストの一つの要素に対応し，box[i] に要素の値が入り，next[i] に次の要素の番号が入る。配列が図の状態の場合，リストの3番目と4番目との間に値がHである要素を挿入したときの next[8] の値はどれか。ここで，next[0] がリストの先頭（1番目）の要素を指し，next[i] の値が 0 である要素はリストの最後を示し，next[i] の値が空白である要素はリストに連結されていない。

	0	1	2	3	4	5	6	7	8	9
box		A	B	C	D	E	F	G	H	I

	0	1	2	3	4	5	6	7	8	9
next	1	5	0	7		3		2		

ア 3　　イ 5　　ウ 7　　エ 8

問09

次の関数 f(n, k) がある。f(4, 2) の値は幾らか。

$$f(n,k)=\begin{cases}1 & (k=0),\\ f(n-1,k-1)+f(n-1,k) & (0<k<n),\\ 1 & (k=n).\end{cases}$$

ア 3　　イ 4　　ウ 5　　エ 6

問10

動作クロック周波数が700MHzのCPUで，命令実行に必要なクロック数及びその命令の出現率が表に示す値である場合，このCPUの性能は約何MIPSか。

命令の種別	命令実行に必要なクロック数	出現率（%）
レジスタ間演算	4	30
メモリ・レジスタ間演算	8	60
無条件分岐	10	10

ア 10　　イ 50　　ウ 70　　エ 100

解説

問08 リスト構造

30%

リストは，要素の値と次の要素へのポインタを一組として，各要素を連結するものです。問題文では，要素の値を box[i]，次の要素へのポインタを next[i] に格納し，box[i] と next[i] を一組の要素とみなし

	box[i]	next[i]
要素	A	5

ます。先頭の要素を指す next[0] の値は 1，next[1] の値は 5，next[5] の値は 3，next[3] の値は 7，next[7] の値は 2，next[2] の値は 0 です。next[i] の値が 0 である要素はリストの最後を示すので，このリストは 1→5→3→7→2 の順番に連結されています。

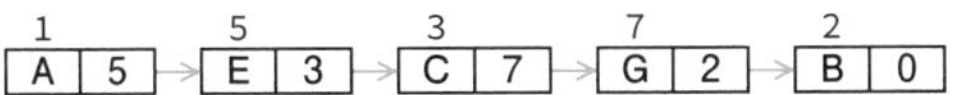

3 番目の要素である C と，4 番目の要素である G の間に H を挿入します。H は box[8] に格納されているので，まず next[8] に G の要素番号 7 を設定します。これで，H の次の要素が G になります。次に，C の次の要素を H にするため，next[3] の値を 8 に書き換えます。以上で，C と G の間に H が挿入されます。

次の図のように，next[8] の値は 7 になるので，正解は ウ です。

1 A 5 → 5 E 3 → 3 C 8 → 8 H 7 → 7 G 2 → 2 B 0

問09 再帰的関数 キホン！

60%

関数 f（n，k）は，k＝0 または k＝n のとき値 1 を返し，それ以外のときは f（n－1，k－1）＋f（n－1，k）を再帰的に呼び出す**再帰的関数**です。f（4，2）の計算式を展開すると，次のようになります。

```
f(4, 2) = f(4−1, 2−1) + f(4−1, 2)
        =   f(3, 1)   +   f(3, 2)
        = f(2, 0) + f(2, 1) + f(2, 1) + f(2, 2)
        = 1 + f(1, 0) + f(1, 1) + f(1, 0) + f(1, 1) + 1
        = 1 +    1    +    1    +    1    +    1    + 1
        = 6
```

（k＝0，k＝n の箇所は値 1）

以上から，正解は エ です。

問10 MIPS 計算 キホン！

40%

MIPS は，コンピュータが 1 秒間に何百万個の命令を実行できるかを表します。問題文の表から，1 命令に必要なクロック数の平均は，

$$4 \times 0.3 + 8 \times 0.6 + 10 \times 0.1 = 1.2 + 4.8 + 1 = 7 \text{ クロック}$$

（4 × 0.3：レジスタ間演算，8 × 0.6：メモリ・レジスタ間演算，10 × 0.1：無条件分岐）

となります。動作クロック周波数が 700MHz の場合，1 秒間のクロック数は 700×10^6 クロックになるので，1 秒間に実行できる命令は，

$$700 \times 10^6 \div 7 = 100 \times 10^6 \text{ 命令} \quad \leftarrow 10^6 = 100\text{万}$$

となります。以上から，CPU の性能は 100MIPS です。正解は エ です。

リスト 問08

各要素は値とポインタの組で構成され，各要素のポインタに次の要素のアドレスが格納されているデータの集合（線形リストともいう）。ポインタをたどっていくことで各要素に順番にアクセスできる。要素の挿入や削除はポインタを書き換えるだけでできるが，要素を検索するときは要素を先頭から順にたどっていく必要があるため効率が悪い。

再帰的関数 問09

処理の中で自分自身を呼び出す関数。再帰的関数の定義には，必ず底入れの規定が含まれる（問9の場合は，k＝0 と k＝n の場合）。この規定がないと，自分自身を無限に呼び出してしまい，計算が終わらない。

MIPS 問10

Million Instructions Per Second の略。プロセッサが 1 秒間に実行する命令数を百万単位で表したもの。

解答

問08 ウ　問09 エ
問10 エ

問11

x と y を自然数とするとき，流れ図で表される手続を実行した結果として，適切なものはどれか。

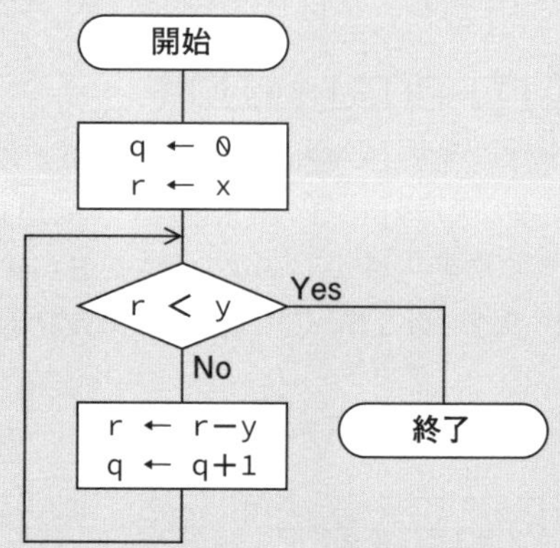

	q の値	r の値
ア	x ÷ y の余り	x ÷ y の商
イ	x ÷ y の商	x ÷ y の余り
ウ	y ÷ x の余り	y ÷ x の商
エ	y ÷ x の商	y ÷ x の余り

問12

AI における教師あり学習での交差検証に関する記述はどれか。

ア 過学習を防ぐために，回帰モデルに複雑さを表すペナルティ項を加え，訓練データへ過剰に適合しないようにモデルを調整する。

イ 学習の精度を高めるために，複数の異なるアルゴリズムのモデルで学習し，学習の結果は組み合わせて評価する。

ウ 学習モデルの汎化性能を高めるために，単一のモデルで関連する複数の課題を学習することによって，課題間に共通する要因を獲得する。

エ 学習モデルの汎化性能を評価するために，データを複数のグループに分割し，一部を学習に残りを評価に使い，順にグループを入れ替えて学習と評価を繰り返す。

問13

内部割込みに分類されるものはどれか。

ア 商用電源の瞬時停電などの電源異常による割込み

イ ゼロで除算を実行したことによる割込み

ウ 入出力が完了したことによる割込み

エ メモリパリティエラーが発生したことによる割込み

解説

問11 流れ図 キホン！

40%

例として，x＝10，y＝3として流れ図をトレースし，qとrの値がどのように変化するかを見てみましょう。

手続が終了すると，qには3（10÷3の商）が，rには1（10÷3の余り）が入ります。以上から，正解は イ です。

位置	q	r	備考
開始	－	－	x=10，y=3
①	0	10	q←0，r←x
②	0	10	r<y ➡ 10<3 は No
③	1	7	q←0+1，r←10−3
②	1	7	r<y ➡ 7<3 は No
③	2	4	q←1+1，r←7−3
②	2	4	r<y ➡ 4<3 は No
③	3	1	q←2+1，r←4−3
②	3	1	r<y ➡ 1<3 は Yes
終了	3	1	

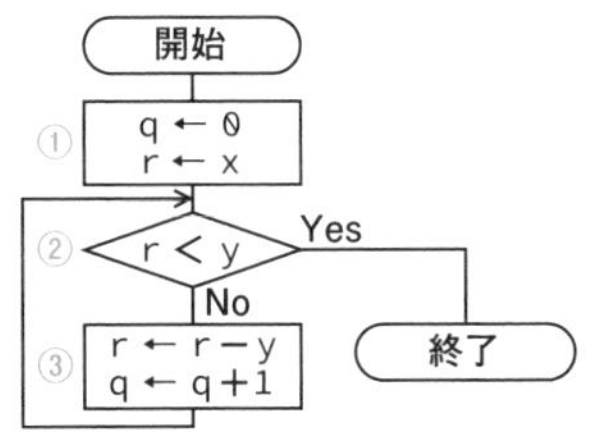

問12 交差検証 シラバス9.0

20%

機械学習で準備するデータには，学習を行うための学習データと，未知のデータに対する性能（汎化性能）を評価するためのテストデータとがあります。**交差検証**は，準備したデータを複数のグループに分割し，そのうちの1つをテストデータ，残りを学習データとして，グループを入れ替えながら学習と評価を繰り返す手法です。

× ア **正則化**に関する記述です。
× イ **アンサンブル学習**に関する記述です。
× ウ **マルチタスク学習**に関する記述です。
○ エ 正解です。

問13 内部割込み

40%

実行中のプログラムを中断し，CPUに強制的に別の処理を実行させることを**割込み**といいます。割込みには**内部割込み**と**外部割込み**があります。外部割込みが周辺機器などのハードウェアによって発生するのに対し，内部割込みはプログラムの実行によって発生します。

× ア 外部割込みの一種（機械チェック割込み）です。
○ イ 正解です。
× ウ 外部割込みの一種（入出力割込み）です。
× エ 外部割込みの一種（機械チェック割込み）です。

合格のカギ

問11

参考 変数に実際の値をあてはめて流れを追ってみよう。

教師あり学習 問12
機械学習の手法で，あらかじめ正解を付した学習データを用いて学習し，回帰や分類などに利用する。

過学習 問12
機械学習において，学習データに適応し過ぎたために，未知のデータに対する精度が低くなってしまう現象。

覚えよう！ 問13

内部割込みといえば
- プログラムによって発生

外部割込みといえば
- ハードウェアによって発生

入出力割込み	入出力処理の完了やエラーで発生
タイマー割込み	タイマーによって発生
機械チェック割込み	ハードウェアの障害などによって発生
コンソール割込み	割込みスイッチの操作で発生

解答

問11 イ　問12 エ
問13 イ

問14

コンピュータを2台用意しておき，現用系が故障したときは，現用系と同一のオンライン処理プログラムをあらかじめ起動して待機している待機系のコンピュータに速やかに切り替えて，処理を続行するシステムはどれか。

ア　コールドスタンバイシステム
イ　ホットスタンバイシステム
ウ　マルチプロセッサシステム
エ　マルチユーザシステム

問15

三つのタスクの優先度と，各タスクを単独で実行した場合のCPUと入出力(I/O)装置の動作順序と処理時間は，表のとおりである。優先度方式のタスクスケジューリングを行うOSの下で，三つのタスクが同時に実行可能状態になってから，全てのタスクの実行が終了するまでの，CPUの遊休時間は何ミリ秒か。ここで，CPUは1個であり，1CPUは1コアで構成され，I/Oは競合せず，OSのオーバヘッドは考慮しないものとする。また，表中の（　）内の数字は処理時間を示すものとする。

優先度	単独実行時の動作順序と処理時間（ミリ秒）
高	CPU(3) → I/O(5) → CPU(2)
中	CPU(2) → I/O(6) → CPU(2)
低	CPU(1) → I/O(5) → CPU(1)

ア　2　　イ　3　　ウ　4　　エ　5

問16

東京と福岡を結ぶ実線の回線がある。東京と福岡の間の信頼性を向上させるために，大阪を経由する破線の迂回回線を追加した。迂回回線追加後における，東京と福岡の間の稼働率は幾らか。ここで，回線の稼働率は，東京と福岡，東京と大阪，大阪と福岡の全てが0.9とする。

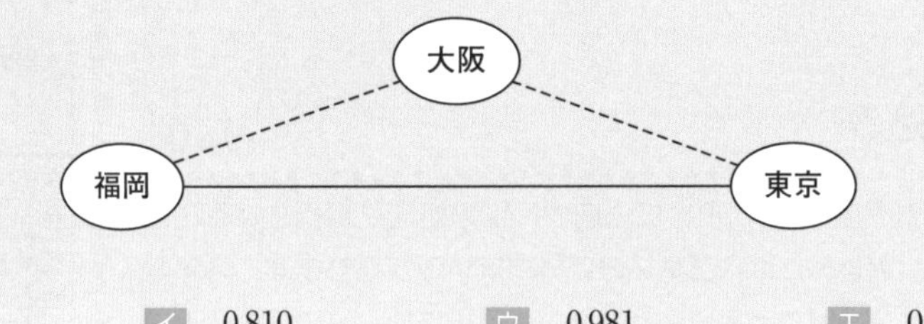

ア　0.729　　イ　0.810　　ウ　0.981　　エ　0.999

解説

問14 デュプレックスシステム

30%

現用系と待機系の2系統を用意したシステムをデュプレックスシステムといいます。このうち，待機系のコンピュータに普段から現用系と同じプログラムを起動させておく方式をホットスタンバイ，待機系に普段は別の処理をさせておく方式をコールドスタンバイといいます。

× ア　コールドスタンバイシステムでは，待機系は普段は現用系と別の処理を実行します。

○ イ　正解です。

× ウ　マルチプロセッサシステムは，1台のコンピュータに複数のCPUを搭載したシステムです。

× エ　マルチユーザシステムは，1台のコンピュータを複数のユーザが同時に利用できるシステムです。

問15 タスクスケジューリング　キホン！

70%

優先度「高」のタスクは，必要なときはいつでも優先的にCPUを使用できます。優先度「中」のタスクは，優先度「高」のタスクが使用していないときに限って，CPUを使用できます。優先度「低」のタスクは，他のタスクが使用していないときだけ，CPUを使用できます。

3つのタスクのCPUとI/Oのスケジュールは次のようになります。なお，各タスクのI/Oは競合しないので，各タスクが重複してもかまいません。

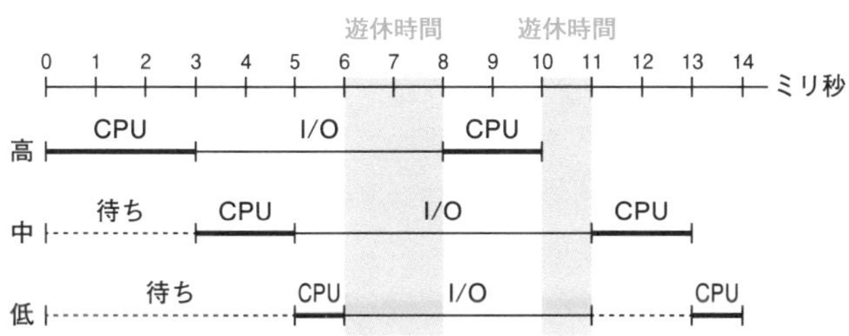

CPUが使用されていない遊休時間は，図から6～8ミリ秒と，10～11秒の合計3ミリ秒になります。正解は イ です。

問16 回線の稼働率　キホン！

90%

大阪を経由する破線の迂回回線は，東京－大阪間，大阪－福岡間が直列に接続されています。したがって，迂回回線の稼働率は次のように求められます。

0.9 × 0.9 ＝ 0.81

東京－福岡間の回線は，実線の回線と破線の迂回回線が並列に接続されています。したがって，稼働率は次のように求められます。

1 －（1 － 0.9）×（1 － 0.81）＝ 1 － 0.1 × 0.19 ＝ 1 － 0.019 ＝ 0.981

以上から，正解は ウ です。

合格のカギ

覚えよう！ 問14

ホットスタンバイシステム といえば

- 待機系が現用系と同時に稼働

コールドスタンバイシステムといえば

- 待機系は普段は現用系と違う処理を担当

スケジューリング 問15

システムに投入されたタスクやジョブの実行順序を，その特性や優先順位に応じて決定すること。ラウンドロビン，優先度順などの方式がある。

覚えよう！ 問16

直列システムの稼働率

$a \times b$ ―[a]―[b]―

並列システムの稼働率

$1-(1-a)\times(1-b)$ （a と b の並列接続）

稼働率 問16

ある期間中に，装置やシステムが正常に稼働している割合のこと。稼働時間÷全運用時間で求められる。

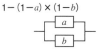

解答

問14 イ　問15 イ
問16 ウ

精選模擬問題 1 科目A

問17

A，Bという名の複数のディレクトリが，図に示す構造で管理されている。“¥B¥A¥B”がカレントディレクトリになるのは，カレントディレクトリをどのように移動した場合か。ここで，ディレクトリの指定は次の方法によるものとし，→は移動の順序を示す。

〔ディレクトリ指定方法〕

(1) ディレクトリは，“ディレクトリ名¥…¥ディレクトリ名”のように，経路上のディレクトリを順に“¥”で区切って並べた後に，“¥”とディレクトリ名を指定する。
(2) カレントディレクトリは，“.”で表す。
(3) 1階層上のディレクトリは，“..”で表す。
(4) 始まりが“¥”のときは，左端にルートディレクトリが省略されているものとする。
(5) 始まりが“¥”，“.”，“..”のいずれでもないときは，左端に“.¥”が省略されているものとする。

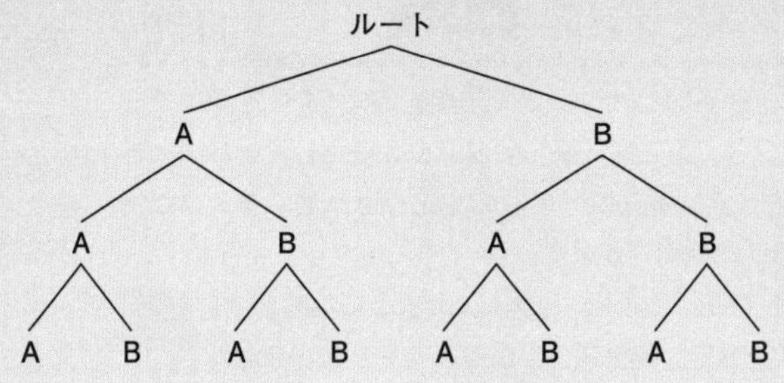

ア ¥A → ..¥B → .¥A¥B
イ ¥B → .¥B¥A → ..¥B
ウ ¥B → ¥A → ¥B
エ ¥B¥A → ..¥B

問18

リンカの機能として，適切なものはどれか。

ア 作成したプログラムをライブラリに登録する。
イ 実行に先立ってロードモジュールを主記憶にロードする。
ウ 相互参照の解決などを行い，複数の目的モジュールなどから一つのロードモジュールを生成する。
エ プログラムの実行を監視し，ステップごとに実行結果を記録する。

解説

問17 ディレクトリの指定

20%

ディレクトリとは，ディスク上に記録されているファイルの登録簿のことですが，一般には「ファイルの入れ物」と考えるとイメージしやすいでしょう。Windowsなどでは，ディレクトリをフォルダのアイコンで表示します。

ファイルを階層構造で管理するシステムでは，ディレクトリの中に，さらにディレクトリを作成できます。このような構造を**階層ディレクトリ構造**といいます。また，一番上位のディレクトリを**ルートディレクトリ**，現在開いているディレクトリを**カレントディレクトリ**といいます。

始まりが“¥”記号のときは，左端にルートディレクトリが省略されているとみなします。したがってディレクトリ“¥B¥A¥B”は，

ルートディレクトリ→B→A→B

の順にディレクトリをたどることを表します。下図の◎のついたディレクトリが，“¥B¥A¥B”です。

○ ア ¥A→..¥B→.¥A¥Bは，「ルートの下のA→1つ上に戻り（..），その下のB→その下のAの下のB」を表します。カレントディレクトリは“¥B¥A¥B”になります。

× イ ¥B→.¥B¥A→..¥Bは，「ルートの下のB→その下のBの下のA→1つ上に戻り（..），その下のB」を表します。カレントディレクトリは，“¥B¥B¥B”になります。

× ウ ¥B→¥A→¥Bは，「ルートの下のB→ルートの下のA→ルートの下のB」を表します。カレントディレクトリは“¥B”になります。

× エ ¥B¥A→..¥Bは，「ルートの下のBの下のA→1つ上に戻り（..），その下のB」を表します。カレントディレクトリは“¥B¥B”になります。

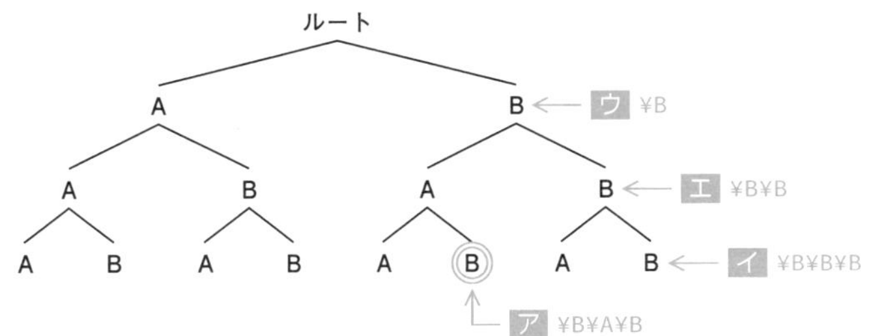

問18 リンカの機能 キホン！ 20%

コンパイラによって生成された目的モジュール（オブジェクトコード）は，プログラムから呼び出す他のモジュールが含まれていなかったり，参照先アドレスが未解決のままだったりするため，そのままでは実行できません。**リンカ**（リンケージエディタ）は，複数の目的モジュールを結合（リンク）して，実行可能なロードモジュールを生成するツールです。

× ア **ライブラリ**は，汎用性の高い目的モジュールを集めて他のプログラムから利用できるようにしたモジュール集です。プログラムをライブラリに登録するには，アーカイバなどのツールを利用します。

× イ ロードモジュールを主記憶にロードするツールは**ローダ**です。

○ ウ 正解です。

× エ **トレーサ**の説明です。

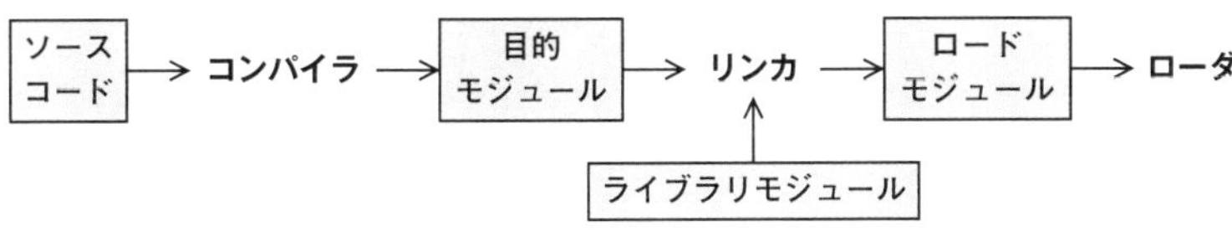

問17

対策 “¥A¥B”が「ルートディレクトリ→A→B」を表すのに対し，“.¥A¥B”は「カレントディレクトリ→A→B」を表す。違いに注意しよう。

解答

問17 ア 問18 ウ

問19

分解能が8ビットのD/A変換器に，デジタル値0を入力したときの出力電圧が0Vとなり，デジタル値128を入力したときの出力電圧が2.5Vとなるとき，最下位の1ビットの変化によるこのD/A変換器の出力電圧の変化は何Vか。

ア　2.5／128　　イ　2.5／255　　ウ　2.5／256　　エ　2.5／512

問20

DRAMの説明として，適切なものはどれか。

ア　1バイト単位でデータの消去及び書込みが可能な不揮発性のメモリであり，電源遮断時もデータ保持が必要な用途に用いられる。
イ　不揮発性のメモリでNAND型又はNOR型があり，SSDに用いられる。
ウ　メモリセルはフリップフロップで構成され，キャッシュメモリに用いられる。
エ　リフレッシュ動作が必要なメモリであり，PCの主記憶として用いられる。

問21

関係XとYを自然結合した後，関係Zを得る関係代数演算はどれか。

X

学生番号	氏名	学部コード
1	山田太郎	A
2	情報一郎	B
3	鈴木花子	A
4	技術五郎	B
5	小林次郎	A
6	試験桃子	A

Y

学部コード	学部名
A	工学部
B	情報学部
C	文学部

Z

学部名	学生番号	氏名
情報学部	2	情報一郎
情報学部	4	技術五郎

ア　射影と和　　イ　選択　　ウ　選択と射影　　エ　選択と和

解説

問19 D/A変換器

.ıl 20%

D/A変換器は，デジタル信号（D）をアナログ信号（A）に変換する装置です。分解能が8ビットなので，2^8＝256段階の変化に対応しています。デジタル値128のときの出力が2.5Vですから，出力電圧の変化は1段階につき2.5／128Vとなることがわかります。正解はアです。

問20 メモリの種類 キホン!

.ıl 80%

DRAM（Dynamic RAM）は，電源を切ると内容が消えてしまう揮発性メモリの一種です。構造が単純なので大容量化・高集積化が簡単にでき，ビット当たりの単価を安くできます。そのため，主に主記憶装置に用いられています。DRAMは，電源が入っている間は，内容を保持するために定期的な再書込みが必要です。この動作をリフレッシュといいます。

× ア EEPROMの説明です。

× イ フラッシュメモリの説明です。

× ウ SRAM（Static RAM）の説明です。SRAMはDRAMと同じく電源を切ると内容が消えてしまう揮発性メモリですが，リフレッシュ動作が不要で高速なのが特徴です。ただし，フリップフロップ回路は構造が複雑なので価格が高く，大容量には向きません。そのため主にPCのキャッシュメモリに用いられています。

○ エ 正解です。

問21 関係代数演算 キホン!

.ıl 50%

関係XとYを結合した結果は，次のようになります。

XとYを結合した表

学生番号	氏名	学部コード	学部名
1	山田太郎	A	工学部
2	情報一郎	B	情報学部
3	鈴木花子	A	工学部
4	技術五郎	B	情報学部
5	小林次郎	A	工学部
6	試験桃子	A	工学部

関係Zは，上の表から「学部名」「学生番号」「氏名」の列だけを取り出しています。このように，表から特定の列だけを取り出す関係演算を射影といいます。

また，関係Zは，上の表から学部名が“情報学部”の行だけを取り出しています。このように，表から特定の行だけを取り出す関係演算を選択といいます。

以上から，関係Zを得る関係代数演算はウの選択と射影です。

覚えよう！ 問20

DRAMといえば
- 構造が単純で安価
- リフレッシュ動作が必要
- 主記憶装置に用いる

SRAMといえば
- リフレッシュ動作が不要
- 高速だが構造が複雑で高価
- キャッシュメモリに用いる

EEPROM 問20
電気的に書換え・消去が可能な不揮発性メモリ。主に電源遮断時でも保持しておく必要がある設定情報などの記録に用いられている。

フラッシュメモリ 問20
ブロック単位でデータの書換え・消去が可能な不揮発性メモリ。NAND型とNOR型があり，デジタルカメラの記憶媒体やUSBメモリ，SSDなどに用いられている。

SSD 問20
ソリッドステートドライブ。半導体メモリを用いた記憶装置のこと。読み書きの速度が速く，省電力，小型・軽量の上，衝撃にも強い。ただし，現時点では，HDD（ハードディスクドライブ）と比べ，容量当たりの単価が高い。

覚えよう！ 問21

関係演算といえば
- **射影**：特定の列を取り出す
- **選択**：特定の行を取り出す
- **結合**：複数の表を共通の項目をキーにして結合する

解答

問19 ア　問20 エ
問21 ウ

問22 関係データベースの説明として，適切なものはどれか。

ア　属性単位に，属性値とその値をもつレコード格納位置を組にして表現する。索引として利用される。
イ　データを表として表現する。表間は相互の表中の列の値を用いて関連付けられる。
ウ　レコード間の関係を，ポインタを用いたデータ構造で表現する。木構造の表現に制限される。
エ　レコード間の関係を，リンクを用いたデータ構造で表現する。木構造や網構造も表現できる。

問23 データベースの更新前や更新後の値を書き出して，データベースの更新記録として保存するファイルはどれか。

ア　ダンプファイル　　イ　チェックポイントファイル
ウ　バックアップファイル　　エ　ログファイル

問24 本社と工場との間を専用線で接続してデータを伝送するシステムがある。このシステムでは2,000バイト／件の伝票データを2件ずつまとめ，それに400バイトのヘッダ情報を付加して送っている。伝票データは，1時間に平均100,000件発生している。回線速度を1Mビット／秒としたとき，回線利用率はおよそ何%か。

ア　6.1　　イ　44　　ウ　49　　エ　53

問25 プライベートIPアドレスをもつ複数の端末が，一つのグローバルIPアドレスを使ってインターネット接続を利用する仕組みを実現するものはどれか。

ア　DHCP　　イ　DNS　　ウ　NAPT　　エ　RADIUS

解説

問22 関係データベース

20%

関係データベースは，複数の属性を一組にして1件のデータとし，各属性を列，各データを行とする表の形式にまとめたものです。

表同士は，共通する列の値をキーにして関連付けることができます。

NO	品名	NO
001	A	10
002	B	15
003	A	20
004	C	30

品名	単価
A	1000
B	1500
C	2000

× ア インデックス（索引）ファイルの説明です。
○ イ 正解です。
× ウ 階層型データベースの説明です。
× エ ネットワーク型データベースの説明です。

問23 データベースの更新記録 キホン！ 20%

データベースの更新履歴を記録したファイルを，ログファイルまたはジャーナルファイルといいます。

× ア ダンプファイルは，データベースの現在の内容を書き出したものです。
× イ チェックポイントファイルは，メモリ上に記憶されている更新内容を，一定期間ごとにディスク上に書き出したものです。システム障害によってメモリ上の内容が失われた場合は，チェックポイントファイルを使って直前のチェックポイントの状態に復元し，さらにログファイルによって障害前の状態に復元します。
× ウ バックアップファイルは，データベースの内容を別の媒体に保管したものです。
○ エ 正解です。

問24 回線利用率の計算 30%

伝票データ2件につき400バイトのヘッダ情報が付くので，伝票データ1件当たりの送信データは，2,000＋(400 ÷ 2)＝2,200バイトになります。伝票データは1時間(3,600秒)に100,000件発生するので，1秒当たりのデータ量は，

$2,200 \times 8 \times 100,000 \div 3,600 \fallingdotseq 4.9 \times 10^5$ ビット／秒

↑ビットに換算するために8を掛ける

となります。回線速度1Mビット／秒＝10^6ビット／秒より，回線利用率は，$4.9 \times 10^5 \div 10^6 = 0.49 = 49\%$となります。正解は ウ です。

問25 プライベートIPアドレスの変換 30%

LANに接続されている端末からインターネットを利用するには，各端末のプライベートIPアドレスを，グローバルIPアドレスに変換します。この機能をNAT（Network Address Translation）といいます。さらに，IPアドレスとポート番号を組み合わせ，1つのグローバルIPアドレスで，LAN上の各端末が同時にインターネットを利用できるようにする仕組みをNAPT（Network Address Port Translation：IPマスカレード）といいます。

× ア DHCP（Dynamic Host Configuration Protocol）は，LANに接続した端末にIPアドレスを自動的に割り当てるためのプロトコルです。
× イ DNS（Domain Name System）は，インターネットのドメイン名とIPアドレスを変換するための仕組みです。
○ ウ 正解です。
× エ RADIUSは，ネットワークを介してアクセスするサーバ利用者を認証するためのプロトコルです。

チェックポイント 問23

メモリ上に記憶されている更新内容を，ディスク上に記録されているデータベースに反映する時点のこと。チェックポイント後に更新された内容はディスク上に反映されていないため，システム障害によって失われてしまう。最近のチェックポイントから，データベースを最新の状態に復元するために，ログファイル（ジャーナルファイル）を利用する。

プライベートIPアドレス 問25

LANに接続されている各端末に割り当てられる，そのLAN内部で利用するためのIPアドレス。

グローバルIPアドレス 問25

インターネット上で一意に割り当てられるIPアドレス。

覚えよう！ 問25

NATといえば
- プライベートIPアドレスとグローバルIPアドレスを相互に変換
- グローバルIPアドレスをLAN上の複数の端末が共有することで，インターネットのIPアドレス不足を解消できる
- グローバルIPアドレスは同時に接続する数だけ必要

NAPT（IPマスカレード）といえば
- 1つのグローバルIPアドレスで，複数の端末が同時にインターネットを利用できるようにNAT機能を拡張したもの

解答

問22	イ	問23	エ
問24	ウ	問25	ウ

精選模擬問題 1 科目A

問26

OSI 基本参照モデルのトランスポート層以上が異なる LAN システム相互間でプロトコル交換を行う機器はどれか。

ア ゲートウェイ　イ ブリッジ　ウ リピータ　エ ルータ

問27

次の IP アドレスとサブネットマスクをもつ PC がある。この PC のネットワークアドレスとして，適切なものはどれか。

IP アドレス：　10.170.70.19
サブネットマスク：255.255.255.240

ア 10.170.70.0　イ 10.170.70.16　ウ 10.170.70.31　エ 10.170.70.255

問28

インターネットにおける電子メールの規約で，ヘッダフィールドの拡張を行い，テキストだけでなく，音声，画像なども扱えるようにしたものはどれか。

ア HTML　イ MHS　ウ MIME　エ SMTP

問29

SQL インジェクション攻撃の説明はどれか。

ア Webアプリケーションに問題があるとき，悪意のある問合せや操作を行う命令文をWebサイトに入力して，データベースのデータを不正に取得したり改ざんしたりする攻撃
イ 悪意のあるスクリプトを埋め込んだ Web ページを訪問者に閲覧させて，別の Web サイトで，その訪問者が意図しない操作を行わせる攻撃
ウ 市販されている DBMS の脆弱性を悪用することによって，宿主となるデータベースサーバを探して感染を繰り返し，インターネットのトラフィックを急増させる攻撃
エ 訪問者の入力データをそのまま画面に表示する Web サイトを悪用して，悪意のあるスクリプトを訪問者の Web ブラウザで実行させる攻撃

解説

問26 LAN 間接続装置

80%

OSI 基本参照モデルは，データ通信を 7 つの層に切り分けて，それぞれの層での機能を規定しています。LAN 間接続装置も，OSI 基本参照モデルのどの層の通信を中継するかによって役割が異なります。

トランスポート層以上でプロトコルが異なるネットワーク同士を接続する機器は，ゲートウェイです。

○ ア　正解です。

× イ　ブリッジは，データリンク層（第 2 層）でデータを中継する装置です。

× ウ　リピータは，物理層（第 1 層）でデータを中継する装置です。

× エ　ルータは，ネットワーク層（第 3 層）でデータを中継する装置です。

問27 ネットワークアドレス キホン！　.ıl 50%

ネットワークアドレスを求めるには，IP アドレスとサブネットマスクを 2 進数に変換し，両者の論理積（AND）を求めます。

なお，サブネットマスク「255.255.255.240」の上位 24 ビット（255.255.255 の部分）は，2 進数ではすべて 1 なので，ネットワークアドレスの上位 24 ビットは IP アドレスと同じになります。したがってこの問題では，下位 8 ビットだけを 2 進数に変換すれば解答できます。

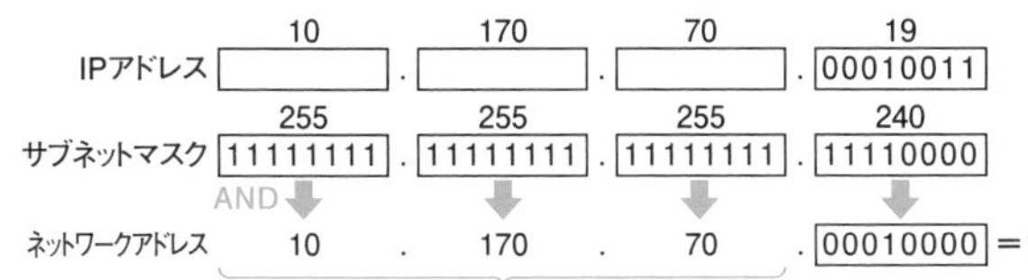

以上から，ネットワークアドレスは「10.170.70.16」です。正解は イ です。

問28 電子メールの規約 キホン！　.ıl 20%

インターネットの電子メールで，テキスト以外にも様々なデータをやり取りするための規格を MIME（Multipurpose Internet Mail Extensions）といいます。

× ア　HTML（HyperText Markup Language）は，インターネットの Web ページを記述するためのマークアップ言語です。

× イ　MHS（Message Handling System）は，OSI 基本参照モデルに基づく電子メールサービスの国際規格です。

○ ウ　正解です。

× エ　SMTP（Simple Mail Transfer Protocol）は，インターネットの電子メールの送信プロトコルです

問29 SQL インジェクション攻撃　.ıl 50%

SQL インジェクションとは，Web アプリケーションの入力データに，データベースへの悪意ある命令文を埋め込んで実行させ，データベースを改ざんしたり，情報を不正入手したりする攻撃です。

○ ア　正解です。

× イ　クロスサイトリクエストフォージェリ攻撃の説明です。

× ウ　SQL Slammer と呼ばれるコンピュータウイルスの説明です。

× エ　クロスサイトスクリプティング攻撃の説明です。

覚えよう！ 問26

OSI基本参照モデルとLAN間接続装置

OSI基本参照モデル	LAN間接続装置
第4～7層 その他	ゲートウェイ
第3層 ネットワーク層	ルータ
第2層 データリンク層	ブリッジ，レイヤ2スイッチ
第1層 物理層	リピータハブ，リピータ

ネットワークアドレス 問27

IP アドレスをネットワーク部とホスト部に分け，ホスト部のビットをすべて 0 にしたアドレス。同一のネットワーク内にある IP アドレスは，すべて共通のネットワークアドレスをもつ。

サブネットマスク 問27

IP アドレスのネットワーク部とホスト部の境界を指定するもの。サブネットマスクを 2 進数に変換したとき，1 のビットの範囲がネットワーク部，0 のビットの範囲がホスト部になる。

論理積（AND） 問27

入力が両方とも 1 のとき 1，それ以外は 0 になる論理演算。

解答

問26	ア	問27	イ
問28	ウ	問29	ア

模擬問題 精選 1 科目A

問30 ディープフェイクを悪用した攻撃に該当するものはどれか。

ア AI技術によって加工したCEOの音声を使用して従業員に電話をかけ，指定した銀行口座に送金するよう指示した。

イ 企業のPCをランサムウェアに感染させ，暗号化したデータを復号するための鍵と引き換えに，指定した方法で暗号資産を送付するよう指示した。

ウ 企業の秘密情報を含むデータを不正に取得したと誤認させる電子メールを従業員に送付し，不正に取得したデータを公開しないことと引き換えに，指定した方法で暗号資産を送付するよう指示した。

エ ディープウェブにて入手した認証情報でCEOの電子メールアカウントに不正にログインして偽りの電子メールを従業員に送付し，指定した銀行口座に送金するよう指示した。

問31 暗号方式に関する記述のうち，適切なものはどれか。

ア AESは公開鍵暗号方式，RSAは共通鍵暗号方式の一種である。

イ 共通鍵暗号方式では，暗号化及び復号に同一の鍵を使用する。

ウ 公開鍵暗号方式を通信内容の秘匿に使用する場合は，暗号化に使用する鍵を秘密にして，復号に使用する鍵を公開する。

エ デジタル署名に公開鍵暗号方式が使用されることはなく，共通鍵暗号方式が使用される。

問32 送信者Aからの文書ファイルと，その文書ファイルのデジタル署名を受信者Bが受信したとき，受信者Bができることはどれか。ここで，受信者Bは送信者Aの署名検証鍵Xを保有しており，受信者Bと第三者は送信者Aの署名生成鍵Yを知らないものとする。

ア デジタル署名，文書ファイル及び署名検証鍵Xを比較することによって，文書ファイルに改ざんがあった場合，その部分を判別できる。

イ 文書ファイルが改ざんされていないこと，及びデジタル署名が署名生成鍵Yによって生成されたことを確認できる。

ウ 文書ファイルがマルウェアに感染していないことを認証局に問い合わせて確認できる。

エ 文書ファイルとデジタル署名のどちらかが改ざんされた場合，どちらが改ざんされたかを判別できる。

解説

合格のカギ

問30 ディープフェイク シラバス9.0

20%

ディープフェイクとは，生成AIを利用して人物の映像や音声を合成し，本人の言動のように見せかける偽の動画や音声のことです。AI 技術によってCEO そっくりの音声を合成し，従業員に送金などの指示をするのは，ディープフェイクを悪用した攻撃に該当します。

○ ア　正解です。

× イ　ランサムウェアは，システムに侵入して保存されているファイルを勝手に暗号化し，復号するための鍵と引き換えに暗号資産などの金銭を要求するマルウェアです。ディープフェイクは関係ありません。

× ウ　ばらまき型の脅迫メールで，ディープフェイクによるものではありません。

× エ　不正アクセスによるなりすましメールで，ディープフェイクによるものではありません。

問31 暗号方式

.ıl 20%

共通鍵暗号方式は，暗号化と復号に同一の鍵を使用する暗号方式です。共通鍵暗号方式では，第三者に鍵が漏えいすると暗号が解読されてしまうため，鍵を厳重に秘密にしなければなりません。これに対し**公開鍵暗号方式**は，暗号化用の鍵と復号用の鍵とを分離して，暗号化用の鍵を公開できるようにした暗号方式です。

× ア　**AES** は米国政府によって規格化された標準の共通鍵暗号方式，**RSA** は大きな数の素因数分解が困難なことを利用した公開鍵暗号方式の一種です。

○ イ　正解です。

× ウ　公開鍵暗号方式では，暗号化に使用する鍵を公開して，復号に使用する鍵を秘密にします。

× エ　デジタル署名では，公開鍵暗号方式の秘密鍵を署名用の鍵とし，公開鍵を署名検証用の鍵として使用します。

問32 デジタル署名

.ıl 20%

送信者 A は，文書ファイルから生成したメッセージダイジェスト（ハッシュ値）を，送信者 A の秘密鍵（署名生成鍵 Y）によって暗号化します。これが受信者 B に送信する**デジタル署名**になります。

受信者 B は，受け取った署名を送信者 A の公開鍵（署名検証鍵 X）によって復号します。復号に成功すれば，その署名が送信者 A の署名生成鍵 Y によって生成されたものであると確認できます。また，復号した署名と文書ファイルから生成したメッセージダイジェストとを照合することで，文書ファイルが改ざんされていないことが確認できます。

× ア　改ざんされた部分を特定することはできません。

○ イ　正解です。

× ウ　認証局はマルウェアに感染しているかどうかは確認できません。

× エ　署名が改ざんされた場合は，文書が改ざんされたかどうかも判別できません。

覚えよう！ 問31

公開鍵暗号方式といえば
- 受信者の公開鍵で暗号化し，受信者の秘密鍵で復号
- RSA，楕円曲線暗号など

共通鍵暗号方式といえば
- 暗号化用と復号用に共通の鍵を使用
- DES，AES など

覚えよう！ 問32

デジタル署名といえば
- **送信者**：メッセージのハッシュ値を送信者の秘密鍵で暗号化
- **受信者**：送信者の公開鍵で署名を復号

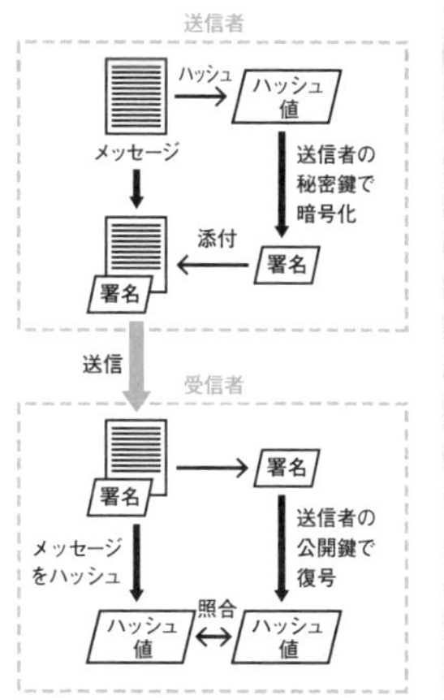

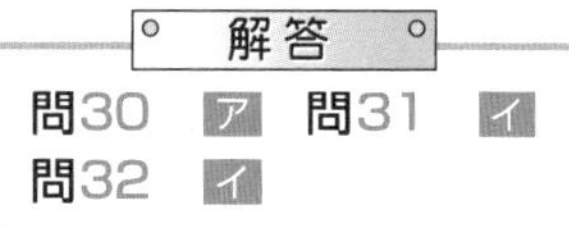

精選模擬問題 1　科目A

問33 リスクベース認証の特徴はどれか。

ア　Webブラウザに格納しているパスワード情報が使用できず，かつ，利用者が認証情報を忘れても，救済することによって，普段どおりにシステムが利用できる。

イ　いかなる環境からの認証の要求においても認証方法を変更せずに，同一の手順によって普段どおりにシステムが利用できるように利便性を高める。

ウ　ハードウェアトークンとパスワードを併用させるなど，認証要求元の環境によらず二つの認証方式を併用することによって，安全性を高める。

エ　普段と異なる環境からのアクセスと判断した場合，追加の本人認証をすることによって，一定の利便性を保ちながら，不正アクセスに対抗し安全性を高める。

問34 JIS Q 27000:2019（情報セキュリティマネジメントシステム－用語）において，“エンティティは，それが主張するとおりのものであるという特性”と定義されているものはどれか。

ア　真正性　　イ　信頼性　　ウ　責任追跡性　　エ　否認防止

問35 WAFの説明はどれか。

ア　Webサイトに対するアクセス内容を監視し，攻撃とみなされるパターンを検知したときに当該アクセスを遮断する。

イ　Wi-Fiアライアンスが認定した無線LANの暗号化方式の規格であり，AES暗号に対応している。

ウ　様々なシステムの動作ログを一元的に蓄積，管理し，セキュリティ上の脅威となる事象をいち早く検知，分析する。

エ　ファイアウォール機能を有し，ウイルス対策，侵入検知などを連携させ，複数のセキュリティ機能を統合的に管理する。

解説

問33 リスクベース認証

.ıl 20%

リスクベース認証とは，利用者がアクセスした端末のIPアドレスや位置情報，アクセス時間などから，普段と異なる環境からアクセスしている（=不正アクセスの可能性が高い）と判断した場合に，追加の認証を求める認証方法です。インターネットバンキングなどでよく利用されています。

× ア パスワードリマインダの説明です。オンラインショップなどでは，顧客が会員IDのパスワードを忘れても，パスワードを再設定できる救済策が用意されています。

× イ リスクベース認証とは正反対の考え方にもとづく認証方式です。

× ウ 多要素認証（二要素認証）の説明です。

○ エ 正解です。

問34 情報セキュリティの拡張要素

.ıl 30%

一般に情報セキュリティとは，情報の機密性，完全性，可用性を維持することと定義されますが，JIS Q 27000ではこの3要素に加えて，真正性，責任追跡性，否認防止，信頼性の4つの特性の維持を情報セキュリティに含めることもできると定義しています。

このうち，サーバ，利用者，文書などのセキュリティの管理対象（エンティティ）がなりすましや偽物ではなく，「私は○○です」と主張しているとおりの本物であることを真正性といいます。

○ ア 正解です。

× イ 信頼性とは，システムが正常に稼働して，期待した処理を確実に行っている特性です。

× ウ 責任追跡性とは，情報に対して操作を行った利用者を特定でき，過去にさかのぼって追跡できる特性です。

× エ 否認防止とは，情報に対して操作が行われた事実を，後になって否認されないようにする特性です。

問35 WAF

.ıl 20%

WAF（Webアプリケーションファイアウォール）は，クライアントとWebサイトとの間に設置して，Webサイトに対するアクセス内容を監視し，攻撃とみなされるパターンを検知すると，そのアクセスを遮断するファイアウォールです。

○ ア 正解です。

× イ WPA（Wi-Fi Protected Access）の説明です。

× ウ SIEM（Security Information and Event Management）の説明です。

× エ UTM（Unified Threat Management）の説明です。

合格のカギ

多要素認証 問33

複数の要素を用いて利用者を認証する方式。一般に，知識情報（パスワードなど），所持情報（ICカード，スマートフォンなど），生体情報（指紋，顔など）の3つのカテゴリから，異なる2つの要素を使って認証する。

覚えよう！ 問34

情報セキュリティの要素 といえば

- **機密性**：機密が保たれること
- **完全性**：情報が正確なこと
- **可用性**：必要なときに利用できること

覚えよう！ 問35

WAF といえば

- Webアプリケーションへの通信内容を監視
- SQLインジェクションなどの攻撃を検知して遮断

解答

問33 エ 問34 ア
問35 ア

問36

社内ネットワークとインターネットの接続点に，ステートフルインスペクション機能をもたない，静的なパケットフィルタリング型のファイアウォールを設置している。このネットワーク構成において，社内のPCからインターネット上のSMTPサーバに電子メールを送信できるようにするとき，ファイアウォールで通過を許可するTCPパケットのポート番号の組合せはどれか。ここで，SMTP通信には，デフォルトのポート番号を使うものとする。

	送信元	宛先	送信元ポート番号	宛先ポート番号
ア	PC	SMTPサーバ	25	1024以上
	SMTPサーバ	PC	1024以上	25
イ	PC	SMTPサーバ	110	1024以上
	SMTPサーバ	PC	1024以上	110
ウ	PC	SMTPサーバ	1024以上	25
	SMTPサーバ	PC	25	1024以上
エ	PC	SMTPサーバ	1024以上	110
	SMTPサーバ	PC	110	1024以上

問37

シャドーITに該当するものはどれか。

ア　IT製品やITを活用して地球環境への負荷を低減する取組
イ　IT部門の許可を得ずに，従業員又は部門が業務に利用しているデバイスやクラウドサービス
ウ　攻撃対象者のディスプレイやキータイプを物陰から盗み見て，情報を盗み出す行為
エ　ネットワーク上のコンピュータに侵入する準備として，侵入対象の弱点を探るために組織や所属する従業員の情報を収集すること

問38

E-R図の説明はどれか。

ア　オブジェクト指向モデルを表現する図である。
イ　時間や行動などに応じて，状態が変化する状況を表現する図である。
ウ　対象とする世界を実体と関連の二つの概念で表現する図である。
エ　データの流れを視覚的に分かりやすく表現する図である。

解説

合格のカギ

問36 パケットフィルタリング キホン！ 30%

ファイアウォールを通過するパケットのIPアドレスやポート番号を調べて，

通信の許可／不許可を判断することをパケットフィルタリングといいます。

社内のPCからSMTPサーバにアクセスするには，**PCからSMTPサーバへの通信**と，**SMTPサーバからPCへの通信**の両方を許可する必要があります。

SMTPサーバは，標準のポート番号としては25番ポートを使用します。したがって，PCからSMTPサーバへの送信は，宛先ポート番号に**25**を指定します。また，PC側の送信元ポート番号は，電子メールソフトが**1024以上**の番号を適宜割り当てます。

送信元	宛先	送信元 ポート番号	宛先 ポート番号
PC	SMTPサーバ	1024以上	25

一方，SMTPサーバからPCへの送信では，SMTPサーバが送信元になるので，送信元ポート番号に**25**を指定します。

送信元	宛先	送信元 ポート番号	宛先 ポート番号
SMTPサーバ	PC	25	1024以上

以上から，ポート番号の組合せは，ウです。

問37 シャドーIT

20%

シャドーITとは，組織内で正規の手続きを経ずに業務に利用されているIT機器やサービスのことです。従業員が自分の所有するIT機器を業務に利用することをBYOD（Bring Your Own Device）といいますが，BYODが管理部門の承認を受けているのに対し，シャドーITは承認を経ていないため，より重大なセキュリティ上のリスクとなります。

× ア グリーンITに関する記述です。
○ イ 正解です。
× ウ ショルダーハッキングに関する記述です。
× エ フットプリンティングに関する記述です。

問38 E-R図 キホン!

20%

E-R図は，対象とする世界を実体（エンティティ）と実体間の関連（リレーションシップ）によってモデル化した図です。データベースの構造設計などに用いられています。

× ア UML（統一モデリング言語）などの説明です。
× イ 状態遷移図の説明です。
○ ウ 正解です。
× エ DFD（データフローダイアグラム）の説明です。

合格のカギ

ステートフルインスペクション 問36

ファイアウォールがパケットの内容を検査して，パケットを通過させるかどうかを動的に判断する機能。サーバとクライアントのやり取りで，問合せに対する応答を自動的に通過させるといった機能がある。

E-R図の例 問38

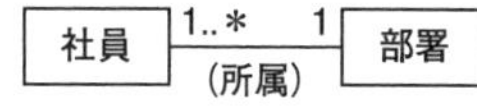

1つの部署には複数の社員が所属し，各社員は1つの部署に所属することを示す。

解答

問36 ウ　問37 イ
問38 ウ

問39
オブジェクト指向におけるクラスとインスタンスとの関係のうち，適切なものはどれか。

ア　インスタンスはクラスの仕様を定義したものである。
イ　クラスの定義に基づいてインスタンスが生成される。
ウ　一つのインスタンスに対して，複数のクラスが対応する。
エ　一つのクラスに対して，インスタンスはただ一つ存在する。

問40
レスポンシブWebデザインを実現するに当たって，単一のHTML文書を用いて，Webコンテンツを各種端末のディスプレイの大きさに合わせた型式で表示するために使用する機能はどれか。

ア　User-Agent　　イ　WebSocket
ウ　マッシュアップ　　エ　メディアクエリ

問41
ブラックボックステストに関する記述のうち，適切なものはどれか。

ア　テストデータの作成基準として，命令や分岐の網羅率を使用する。
イ　被テストプログラムに冗長なコードがあっても検出できない。
ウ　プログラムの内部構造に着目し，必要な部分が実行されたかどうかを検証する。
エ　分岐命令やモジュールの数が増えると，テストデータが急増する。

問42
ソフトウェア開発の活動のうち，アジャイル開発においても重視されているリファクタリングはどれか。

ア　ソフトウェアの品質を高めるために，2人のプログラマが協力して，一つのプログラムをコーディングする。
イ　ソフトウェアの保守性を高めるために，外部仕様を変更することなく，プログラムの内部構造を変更する。
ウ　動作するソフトウェアを迅速に開発するために，テストケースを先に設定してから，プログラムをコーディングする。
エ　利用者からのフィードバックを得るために，提供予定のソフトウェアの試作品を早期に作成する。

解説

合格のカギ

問39 クラスとインスタンスの関係 キホン！ 20%

オブジェクトが備える属性や振る舞い（メソッド）を定義したものがクラス

です。また，クラスの定義に基づいて生成されるオブジェクトを**インスタンス**といいます。クラスを設計図とすれば，インスタンスは設計図に基づいて作られた製品に当たります。

× ア　インスタンスの仕様を定義したものがクラスです。
○ イ　正解です。
× ウ　原則として，1つのインスタンスには1つのクラスが対応します。
× エ　1つのクラスには複数のインスタンスが存在できます。

問40 レスポンシブWebデザイン シラバス9.0 20%

レスポンシブWebデザインとは，Webページの表示を利用者の端末やブラウザの種類に応じて調整することで，どのような端末で表示しても最適に表示されるWebデザインのことです。利用者の使用端末に応じてスタイルシートを切り替える機能を**メディアクエリ**といいます。

× ア　**User-Agent**とは，WebブラウザがWebサーバに送信する端末やブラウザなどの識別情報です。
× イ　**WebSocket**とは，WebブラウザとWebサーバとの間で双方向の通信を行うためのプロトコルです。
× ウ　**マッシュアップ**とは，公開されている既存のWebサービスを複数組み合わせて，新しいWebサービスを作成する手法です。
○ エ　正解です。

問41 ブラックボックステスト 30%

ブラックボックステストは，プログラムが仕様通りに動作するかどうかを，入力に対する出力に着目してテストします。出力が正しければ内部構造については考慮しないので，冗長なコードかどうかは検出できません。以上から，正解は イ です。

ブラックボックステストに対して，プログラム内部のロジックが正しいかどうかを検証するテストを，**ホワイトボックステスト**といいます。ア，ウ，エ はいずれもホワイトボックステストに関する記述です。

問42 リファクタリング 20%

リファクタリングとは，外側から見える仕様は変更せずに，プログラムの内部構造を変更するソフトウェア開発手法です。主に，処理速度を高速化したり，ソフトウェアの保守性を高めるために行います。

× ア　**ペアプログラミング**の説明です。
○ イ　正解です。
× ウ　**テスト駆動開発**の説明です。
× エ　**プロトタイピング**の説明です。

合格のカギ

オブジェクト指向 問39
オブジェクトと呼ばれる構成部品を基に，プログラムを開発していく開発手法のこと。

覚えよう！ 問41

ブラックボックステスト といえば
- プログラムの外部仕様に基づいてテスト
- 同値分割法，限界値分析などの方式がある

ホワイトボックステスト といえば
- プログラムの内部構造に基づいてテスト
- 条件網羅，条件判定網羅，分岐網羅などの方式がある

アジャイル開発 問42
開発対象を小さな機能に分割し，短期間に1つの機能を開発する工程を反復しながら，全体を開発していく開発手法。エクストリームプログラミング(XP)，スクラムなどの種類がある。

解答

問39	イ	問40	エ
問41	イ	問42	イ

精選模擬問題 1 科目A

問 43

図に示すプロジェクト活動のクリティカルパスはどれか。

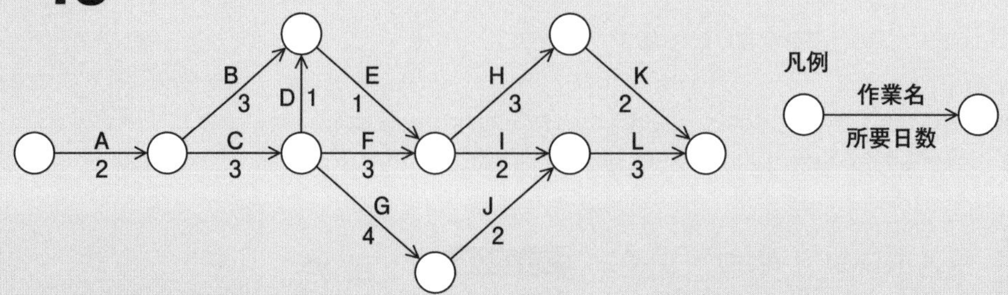

ア　A→B→E→I→L　　イ　A→C→D→E→H→K

ウ　A→C→F→I→L　　エ　A→C→G→J→L

問 44

あるソフトウェアにおいて，機能の個数と機能の複雑度に対する重み付け係数は表のとおりである。このソフトウェアのファンクションポイント値は幾らか。ここで，ソフトウェアの全体的な複雑さの補正係数は 0.75 とする。

ユーザファンクションタイプ	個数	重み付け係数
外部入力	1	4
外部出力	2	5
内部論理ファイル	1	10

ア　18　　イ　24　　ウ　30　　エ　32

問 45

次の条件で IT サービスを提供している。SLA を満たすことができる，1 か月のサービス時間帯中の停止時間は最大何時間か。ここで，1 か月の営業日数は 30 日とし，サービス時間帯中は，保守などのサービス計画停止は行わないものとする。

〔SLA の条件〕

・サービス時間帯は，営業日の午前 8 時から午後 10 時までとする。
・可用性を 99.5%以上とする。

ア　0.3　　イ　2.1　　ウ　3.0　　エ　3.6

解説

問43 クリティカルパス

.ıll 80%

開始から終了までの各作業のうち，時間的余裕のない一連の作業経路を，クリティカルパスといいます。クリティカルパス上にある作業が1日でも遅れると，プロジェクト全体の遅れにつながります。

アローダイアグラムでは，開始から終了に至る複数の作業経路のうち，合計の所要日数が最も多くなる経路がクリティカルパスになります。したがって，ア～エのうち，所要日数の合計が最も多い経路が正解です。

× ア 2日＋3日＋1日＋2日＋3日＝11日
× イ 2日＋3日＋1日＋1日＋3日＋2日＝12日
× ウ 2日＋3日＋3日＋2日＋3日＝13日
○ エ 2日＋3日＋4日＋2日＋3日＝14日

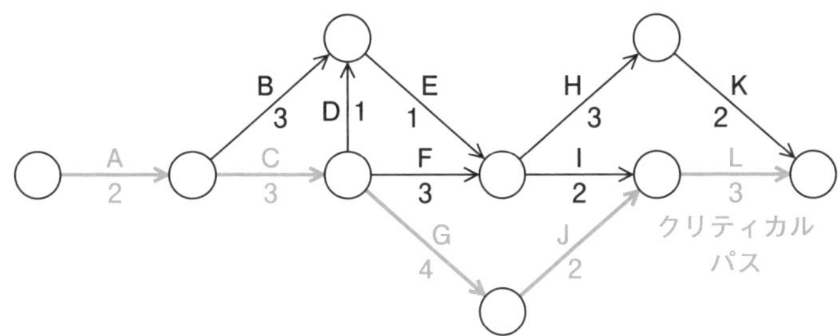

問44 ファンクションポイント法 キホン！

.ıll 60%

システムの機能の個数に，難易度による重み付けをして点数を求め，システム開発のコストや規模を見積もる手法をファンクションポイント法といいます。

問題文の表から，点数の合計は次のように求められます。

	個数		重み		点数	
外部入力	1	×	4	＝	4	合計：24
外部出力	2	×	5	＝	10	
内部論理ファイル	1	×	10	＝	10	

ファンクションポイント値は，合計点数（未調整FP）に，複雑さの補正係数0.75を掛け，**24 × 0.75 ＝18** になります。正解は ア です。

問45 SLA キホン！

.ıll 20%

可用性（アベイラビリティ）とは，サービスがいつでも利用できる状態にあることをいいます。可用性の大きさは稼働率で表します。稼働率は，全サービス時間中，サービスが停止せずに利用可能な時間の割合です。

1日のサービス時間は午前8時から午後10時までの14時間，1か月の営業日数は30日なので，1か月のサービス時間は14 × 30 ＝ 420時間です。可用性を99.5%以上とするには，停止時間を全サービス時間の100 － 99.5 ＝ 0.5%以下におさえなければなりません。したがって，停止時間は最大で420 × 0.005 ＝ 2.1時間となります。正解は イ です。

合格のカギ

アローダイアグラム 問43
プロジェクトを達成するのに必要な作業を矢線で，作業の結合点を○で表した図。所要日数を示して日程計画を立てるのに用いる。

覚えよう！ 問44

ファンクションポイント法 といえば
- 入出力，画面，ファイルなどの機能の個数によって開発規模を見積もる
- 個々の機能を開発の難易度に応じて点数化する

SLA 問45
Service Level Agreement：サービス品質保証契約。ITサービスの利用者と提供者とが，サービスの品質について取り交わす合意のこと。

解答
問43 エ 問44 ア
問45 イ

問46 プロジェクトマネジメントにおいてパフォーマンス測定に使用するEVMの管理対象の組みはどれか。

ア　コスト，スケジュール
イ　コスト，リスク
ウ　スケジュール，品質
エ　品質，リスク

問47 システム監査実施体制のうち，システム監査人の独立性の観点から最も**避けるべきもの**はどれか。

ア　監査チームメンバに任命された総務部のAさんが，他のメンバと一緒に，総務部の入退室管理の状況を監査する。
イ　監査部のBさんが，個人情報を取り扱う業務を委託している外部企業の個人情報管理状況を監査する。
ウ　情報システム部の開発管理者から5年前に監査部に異動したCさんが，マーケティング部におけるインターネットの利用状況を監査する。
エ　法務部のDさんが，監査部からの依頼によって，外部委託契約の妥当性の監査において，監査人に協力する。

問48 事業継続計画（BCP）について監査を実施した結果，適切な状況と判断されるものはどれか。

ア　従業員の緊急連絡先リストを作成し，最新版に更新している。
イ　重要書類は複製せずに1か所で集中保管している。
ウ　全ての業務について，優先順位なしに同一水準のBCPを策定している。
エ　平時にはBCPを従業員に非公開としている。

問49 エンタープライズアーキテクチャの“四つの分類体系”に含まれるアーキテクチャは，ビジネスアーキテクチャ，テクノロジアーキテクチャ，アプリケーションアーキテクチャともう一つはどれか。

ア　システムアーキテクチャ
イ　ソフトウェアアーキテクチャ
ウ　データアーキテクチャ
エ　バスアーキテクチャ

解説

問46 EVM

.ıll 20%

EVM（Earned Value Management）は，進行中の作業を金額に置き換えることで，プロジェクトのコストとスケジュールを定量的に管理する手法です。以上から，ア が正解です。

問47 システム監査人の独立性 キホン！

.ıll 30%

システム監査人は，独立・公正な立場で監査を実施するため，被監査主体（監査される側）と身分上密接な利害関係をもたないようにしなければなりません。これをシステム監査人の独立性といいます。

○ ア 総務部に所属する人が総務部を監査するので，問題があります。
× イ 監査部は委託先企業から独立しているので，問題ありません。
× ウ 監査対象はマーケティング部であり，C さんが以前に所属していた部署ではないので，問題ありません。
× エ 監査に協力するだけなので，監査人の独立性とは関係ありません。

問48 事業継続計画（BCP）の監査

.ıll 20%

事業継続計画（BCP）とは，災害など不測の事態が発生した場合に，必要な業務を早期に復旧・再開できるように立てておく計画のことです。

○ ア 正解です。緊急連絡先リストは緊急時に利用できるよう，常に最新のものに更新しておかなければなりません。
× イ 重要書類が複製も分散管理もせずに保管されていると，災害時にすべて失われ，復元できないおそれがあります。
× ウ 災害時にすべての業務を継続するのは困難な場合もあるので，重要度に応じて優先順位をつけるべきです。
× エ BCP は普段から従業員に周知しておかなければ，いざというとき計画通りに行動できません。

問49 エンタープライズアーキテクチャ

.ıll 40%

エンタープライズアーキテクチャ（EA）とは，組織全体の業務と情報システムを統一的にモデル化し，組織の最適化を図る手法です。エンタープライズアーキテクチャのモデル化には，①ビジネスアーキテクチャ（業務機能），②データアーキテクチャ（業務機能に使われる情報），③アプリケーションアーキテクチャ（業務機能を実現するサービス），④テクノロジアーキテクチャ（各サービスを実現するための技術）の 4 つの分類体系があります。正解は ウ です。

合格のカギ

覚えよう！ 問47

監査人の独立性といえば
- 監査人が，監査される側と利害関係をもたないこと

覚えよう！ 問47

監査人の独立性の観点から避けるべきことといえば
①自分が所属している部署の業務を監査する。
②監査人の上司を監査する。
③納入したシステムを納入業者自身が監査する。
といったケースは，システム監査人の独立性の観点から避けるべきである。

BCP 問48
Business Continuity Plan の略。

覚えよう！ 問49

エンタープライズアーキテクチャといえば

ビジネスアーキテクチャ
データアーキテクチャ
アプリケーション アーキテクチャ
テクノロジ アーキテクチャ

解答

問46	ア	問47	ア
問48	ア	問49	ウ

問50 BPOを説明したものはどれか。

ア 自社ではサーバを所有せずに，通信事業者などが保有するサーバの処理能力や記憶容量の一部を借りてシステムを運用することである。

イ 自社ではソフトウェアを所有せずに，外部の専門業者が提供するソフトウェアの機能をネットワーク経由で活用することである。

ウ 自社の管理部門やコールセンタなど特定部門の業務プロセス全般を，業務システムの運用などと一体として外部の専門業者に委託することである。

エ 自社よりも人件費が安い派遣会社の社員を活用することによって，ソフトウェア開発の費用を低減させることである。

問51 SaaSを説明したものはどれか。

ア インターネット経由でアプリケーションソフトウェアの機能を，利用者が必要なときだけ利用するサービスのこと

イ 企業の経営資源を有効に活用するために，基幹業務を統合的に管理するためのソフトウェアパッケージのこと

ウ 既存の組織やビジネスプロセスを抜本的に見直し，職務，業務フロー，管理機構，情報システムを再設計すること

エ 発注者とサービス提供者との間で，サービスの品質の内容について合意した文書のこと

問52 企業経営で用いられるベンチマーキングを説明したものはどれか。

ア 企業全体の経営資源の配分を有効かつ総合的に計画して管理し，経営の効率向上を図ることである。

イ 競合相手又は先進企業と比較して，自社の製品，サービス，オペレーションなどを定性的・定量的に把握することである。

ウ 顧客視点から業務のプロセスを再設計し，情報技術を十分に活用して，企業の体質や構造を抜本的に変革することである。

エ 利益をもたらすことができる，他社より優越した自社独自のスキルや技術に経営資源を集中することである。

問53 政府は，IoTを始めとする様々なICTが最大限に活用され，サイバー空間とフィジカル空間とが融合された“超スマート社会”の実現を推進してきた。必要なものやサービスが人々に過不足なく提供され，年齢や性別などの違いにかかわらず，誰もが快適に生活することができるとされる“超スマート社会”実現への取組は何と呼ばれているか。

ア e-Gov　イ Society 5.0　ウ Web 2.0　エ ダイバーシティ社会

解説

問50 BPO

.ıl 20%

BPO (Business Process Outsourcing) とは，自社の業務プロセスを，情報システムの運用業務ごと外部業者に委託（アウトソーシング）することです。

× ア ホスティングサービス（レンタルサーバ）の説明です。
× イ ASP（Application Service Provider）の説明です。
○ ウ 正解です。
× エ 人材派遣サービスの説明です。

問51 SaaS キホン！

.ıl 20%

SaaS（Software as a Service）とは，サービスプロバイダが提供するアプリケーションソフトウェアの機能を，利用者が必要なときにインターネット経由で利用するサービスです。必要な機能を利用したいとき，従来のようにソフトウェアを PC にインストールするのではなく，オンラインサービスとして利用できるのが特徴です。

○ ア 正解です。
× イ ERPパッケージの説明です。
× ウ BPR（Business Process Reengineering）の説明です。
× エ SLA（Service Level Agreement）の説明です。

問52 ベンチマーキング

.ıl 20%

ベンチマーキングは，自社の製品やサービス，業務プロセスを優良な競合企業と比較することで，経営戦略の立案に役立てる手法です。

× ア ERP（Enterprise Resource Planning）の説明です。
○ イ 正解です。
× ウ BPR（Business Process Reengineering）の説明です。
× エ コアコンピタンス経営の説明です。

問53 超スマート社会の実現

.ıl 20%

サイバー空間（仮想空間）とフィジカル空間（現実空間）を高度に融合させたシステムにより，経済発展と社会的課題の解決を両立させた未来の社会として，日本政府が提唱する社会は Society 5.0 です。

× ア e-Gov（イーガブ）とは，各府省のオンライン申請・届出などの窓口サービスや，行政情報の検索・案内サービスを提供するポータルサイトです。
○ イ 正解です。
× ウ Web 2.0 とは，利用者が情報を受け取るだけでなく，情報発信も可能なウェブのことです。代表的なサービスにブログや SNS があります。
× エ ダイバーシティ社会とは，多様な背景や価値観をもつ人々を包含し受容する社会のことです。

合格のカギ

アウトソーシング 問50
自社の業務の一部を，外部の専門業者に委託すること。

ASP 問50
汎用的なアプリケーションシステムの機能をネットワーク経由で複数の顧客に提供するサービス。

覚えよう！ 問51
SaaS といえば
- ソフトウェアの機能をサービスとして提供
- 利用者はインターネットを介して必要な機能だけを利用

覚えよう！ 問52
ベンチマーキング といえば
- 優秀な競争相手と比較する

コアコンピタンス経営 といえば
- 自社独自のスキルに経営資源を集中する

Society 5.0 問53
IoT などの技術を駆使してサイバー空間とフィジカル空間とが融合した社会。狩猟社会(1.0)，農耕社会(2.0)，工業社会(3.0)，情報社会(4.0)に続く新たな社会なので Society 5.0 という。

解答

問50	ウ	問51	ア
問52	イ	問53	イ

精選模擬問題 1 科目A

□□ 問54 プロダクトライフサイクルにおける成長期の特徴はどれか。

ア 市場が製品の価値を理解し始める。製品ラインもチャネルも拡大しなければならない。この時期は売上も伸びるが，投資も必要である。

イ 需要が大きくなり，製品の差別化や市場の細分化が明確になってくる。競争者間の競争も激化し，新品種の追加やコストダウンが重要となる。

ウ 需要が減ってきて，撤退する企業も出てくる。この時期の強者になれるかどうかを判断し，代替市場への進出なども考える。

エ 需要は部分的で，新規需要開拓が勝負である。特定ターゲットに対する信念に満ちた説得が必要である。

□□ 問55 生成AIのビジネス活用において，独自のデータを学習させることにより基盤モデルを自社の業務やサービスに特化したモデルへとカスタマイズすることを何と呼ぶか。

ア アノテーション　　イ クラスタリング

ウ ファインチューニング　　エ プロンプトエンジニアリング

□□ 問56 表から，期末在庫品を先入先出法で評価した場合の期末の在庫評価額は何千円か。

摘要		数量（個）	単価（千円）
期首在庫		10	10
仕入	4月	1	11
	6月	2	12
	7月	3	13
	9月	4	14
期末在庫		12	

ア 132　　イ 138　　ウ 150　　エ 168

解説

問54 プロダクトライフサイクル

.ıll 30%

プロダクトライフサイクルとは，製品の売上の変遷を，①**導入期**→②**成長期**→③**成熟期**→④**衰退期**という4つの段階にモデル化したものです。成長期は製品が市場に認知され，売上が伸びていく段階です。

○ ア 正解です。
× イ 成熟期の説明です。
× ウ 衰退期の説明です。
× エ 導入期の説明です。

問55 生成AIのビジネス活用 シラバス9.0

.ıll 50%

生成AIには大量の学習データが必要となるため，はじめに大規模な学習データによって学習を終えた学習済みモデル（基盤モデル）を作成し，それに少量の専門データを再学習させて，様々な業務やサービスに特化したモデルを作成します。この工程をファインチューニングといいます。

× ア アノテーションとは，教師あり学習のために，学習データに情報を付加する作業のことです。
× イ クラスタリングとは，教師なし学習の手法で，複数のデータをグループ分けすることです。
○ ウ 正解です。
× エ プロンプトエンジニアリングとは，AIから望ましい出力を得るために，指示や命令を設計する技術のことです。

問56 先入先出法 キホン！

.ıll 40%

先入先出法は，「先に仕入れたものから先に出庫する」と考えて在庫評価額を計算する方法です。

期首在庫は**10個**，期間中の仕入は**1＋2＋3＋4＝10個**なので，入庫数量は全部で**20個**です。一方，期末在庫は12個なので，期間中に**20－12＝8個**を出庫したことになります。この8個は，仕入れが最も早い期首在庫10個の中から出庫されたとみなします（残りの期首在庫は**10－8＝2個**）。

期末在庫の構成は次のようになります。

	数量	単価 数量	在庫評価額
期首在庫	2個	10 × 2 ＝	20千円
4月仕入分	1個	11 × 1 ＝	11千円
6月仕入分	2個	12 × 2 ＝	24千円
7月仕入分	3個	13 × 3 ＝	39千円
9月仕入分	4個	14 × 4 ＝	56千円
合計	12個		150千円

以上から，在庫評価額は**150千円**です。正解は ウ です。

合格のカギ

覚えよう！ 問54

プロダクトライフサイクル といえば

- 導入期→成長期→成熟期→衰退期

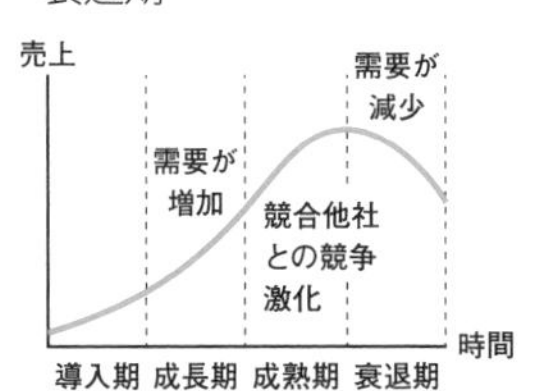

生成AI 問55

与えられた指示に従って，新しい文章や画像，動画，音声などのコンテンツを作成するAI。

解答

問54 ア　問55 ウ
問56 ウ

問57 マトリックス組織を説明したものはどれか。

ア 業務遂行に必要な機能と利益責任を，製品別，顧客別又は地域別にもつことによって，自己完結的な経営活動が展開できる組織である。

イ 構成員が，自己の専門とする職能部門と特定の事業を遂行する部門の両方に所属する組織である。

ウ 購買・生産・販売・財務など，仕事の専門性によって機能分化された部門をもつ組織である。

エ 特定の課題の下に各部門から専門家を集めて編成し，期間と目標を定めて活動する一時的かつ柔軟な組織である。

問58 不良品の個数を製品別に集計すると表のようになった。ABC 分析を行って，まず A 群の製品に対策を講じることにした。A 群の製品は何種類か。ここで，A 群は 70%以上とする。

製品	P	Q	R	S	T	U	V	W	X	合計
個数	182	136	120	98	91	83	70	60	35	875

ア 3　　イ 4　　ウ 5　　エ 6

問59 キャッシュフロー計算書において，営業活動によるキャッシュフローに該当するものはどれか。

ア 株式の発行による収入
イ 商品の仕入による支出
ウ 短期借入金の返済による支出
エ 有形固定資産の売却による収入

問60 A 社は，B 社と著作物の権利に関する特段の取決めをせず，A 社の要求仕様に基づいて，販売管理システムのプログラム作成を B 社に委託した。この場合のプログラム著作権の原始的帰属はどれか。

ア A 社と B 社が話し合って決定する。
イ A 社と B 社の共有となる。
ウ A 社に帰属する。
エ B 社に帰属する。

解説

合格のカギ

問57 マトリックス組織 キホン！ 20%

マトリックス組織とは，構成員が職能別の部門と特定の事業を遂行する部門の両方に所属する組織形態です。縦割りの組織と横断的な組織が格子（マトリックス）状に交差することから，マトリックス組織といいます。

× ア 事業部制組織の説明です。

○ イ 正解です。

× ウ 職能別組織の説明です。

× エ プロジェクト組織の説明です。

問58 ABC分析 キホン！

20%

ABC分析は，製品群を売上などの大きい順にA，B，Cの3グループに分類し，重点的に管理する製品などを決定する分析手法です。

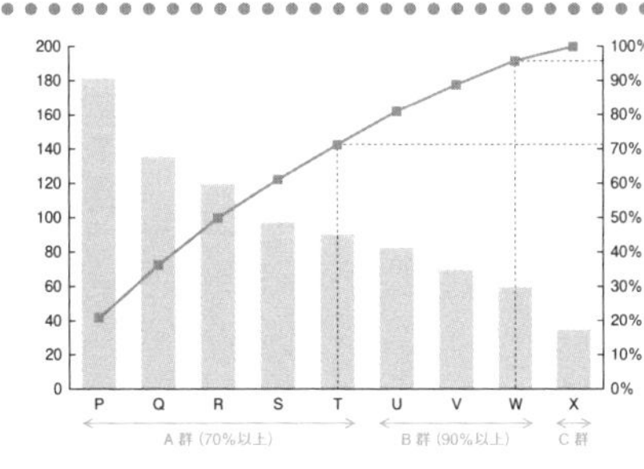

不良品の合計は875個です。このうちの70%以上をA群とするので，A群の個数は **875 × 0.7 = 612.5個**となります。不良品の個数が多い順に個数を足していくと，P，Q，R，Sの4製品の合計が **182 + 136 + 120 + 98 = 536個**，P，Q，R，S，Tの5製品の合計が **536 + 91 = 627個**となり，5製品で612.5個を超え，70%以上となることがわかります。

以上から，A群の製品は5種類です。正解は ウ です。

問59 キャッシュフロー計算書

20%

キャッシュフロー計算書は，ある会計期間におけるキャッシュ（現金・預金）の増減を，①**営業活動**によるキャッシュフロー，②**投資活動**によるキャッシュフロー，③**財務活動**によるキャッシュフローの3項目に分類して表したものです。このうち，営業活動によるキャッシュフローは，本業で得た収入から支出を差し引いたもので，選択肢の中では「商品の仕入による支出」がこれに該当します。

× ア 株式発行による収入は，財務活動によるキャッシュフローに該当します。

○ イ 正解です。

× ウ 短期借入金の返済による支出は，財務活動によるキャッシュフローに該当します。

× エ 有形固定資産の売却による収入は，投資活動によるキャッシュフローに該当します。

問60 プログラム著作権 キホン！

20%

コンピュータのプログラムは，**著作権法**で保護される著作物です。著作権の帰属について特段の取決めをせず，A社がB社にプログラム作成を委託した場合，プログラムの著作権はA社ではなく，開発を行ったB社に帰属します。正解は エ です。

覚えよう！ 問58

ABC分析といえば

- 商品全体を，全売上高の70%を占めるAグループ，残り20%を占めるBグループ（A + B = 90%），残り10%のCグループに分類
- 分析にはパレート図が使われる
- 主力商品を重点的に管理できる

キャッシュフロー計算書 問59

一会計期間におけるキャッシュ（現金・預金など）の収支の状況を表示したもの。以下の3項目がある。

- 営業活動によるキャッシュフロー
- 投資活動によるキャッシュフロー
- 財務活動によるキャッシュフロー

覚えよう！ 問60

著作権法で保護される著作物

- プログラム，マニュアル，データベース→**保護される**
- プログラム言語，規約，アルゴリズム→**保護されない**

解答

問57	イ	問58	ウ
問59	イ	問60	エ

問 01 次のプログラム中の [ ] に入れる正しい答えを，解答群の中から選べ。

ある施設の入場料は，0 歳から 3 歳までは 100 円，4 歳から 9 歳までは 300 円，10 歳以上は 500 円である。関数 fee は，年齢を表す 0 以上の整数を引数として受け取り，入場料を返す。

〔プログラム〕

```
○整数型： fee( 整数型： age)
  整数型： ret
  if (age が 3 以下 )
    ret ← 100
  elseif ([          ])
    ret ← 300
  else
    ret ← 500
  endif
  return ret
```

解答群

- ア (age が 4 以上) and (age が 9 より小さい)
- イ (age が 4 と等しい) or (age が 9 と等しい)
- ウ (age が 4 より大きい) and (age が 9 以下)
- エ age が 4 以上
- オ age が 4 より大きい
- カ age が 9 以下
- キ age が 9 より小さい

※令和 4 年 4 月公表サンプル問題より

合格のカギ

空欄に条件分岐のための適切な条件式を入れる問題で，類似の問題がよく出題されています。問題文に「0 歳から 3 歳までは 100 円，4 歳から 9 歳までは 300 円」とあるので，空欄には「4 歳以上 9 歳以下」を表す条件式を入れたくなりますが，該当する条件式が解答群にありません。代わりの条件式としてどれが適当かを考えるときに，if ～ elseif ～ else 構文の働きを正しく理解していることが重要になります。

プログラム・ノート

```
○整数型： fee(整数型： age)        ← 1 関数の宣言
  整数型： ret                     ← 2 変数の宣言
  if (age が 3 以下)               ┐
    ret ← 100                      │
  elseif (          )              │
    ret ← 300                      ├ 3 if～elseif～else構文
  else                             │
    ret ← 500                      │
  endif                            ┘
  return ret                       ← 4 return文
```

1 関数の宣言

先頭に○記号のついた行は，関数や手続の宣言です。情報処理試験の擬似言語では，関数を次のように定義します。

○ 戻り値の型名 : 関数名 (引数の型名 : 引数名, …)
　関数の処理

キーワード	説明
戻り値の型名	関数の戻り値のデータ型を指定（本問では整数型）。
関数名	関数の名前（本問では fee）。
引数の型名	関数に指定する引数の型名（本問では整数型）。
引数名	関数に指定する引数（本問では age）。引数は複数指定できる。また，引数がない場合は省略できる。

2 変数の宣言

関数の処理の中で使用する変数は，

型名 : 変数名

の形式で宣言します。本問では`ret`という整数型の変数を1つだけ宣言しています。

3 if～elseif～else構文

この構文では，条件式を上から順番に評価し，最初に真（`true`）になった条件式に対応する処理を実行します。真になった条件式以降の条件式は評価せず，対応する処理も実行しません。条件式がどれも真にならなかったときは，`else`に対応する処理 $n+1$ を実行します。

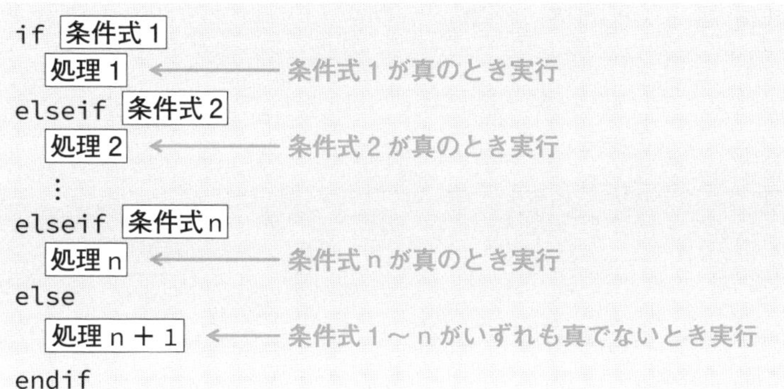
if 条件式1
処理1 ← 条件式1が真のとき実行
elseif 条件式2
処理2 ← 条件式2が真のとき実行
⋮
elseif 条件式n
処理n ← 条件式nが真のとき実行
else
処理n＋1 ← 条件式1～nがいずれも真でないとき実行
endif

else と処理の組は，最後に 1 つだけ記述することができます。また必要なければ省略することもできます。

4 return文

return 文は戻り値を関数の呼び出し元のプログラムに返し，関数の処理を終了します。本問では，変数 ret の値を**戻り値**として返します。

```
return 戻り値
```

このプログラムで定義された関数 fee を使用するには，別のプログラムで

```
sum ← fee(8) + fee(12)
```

のように関数 fee を呼び出します（8 歳の入場料と 12 歳の入場料の合計を，変数 sum に代入する例）。

問題解説

行番号 03，04：条件式「age が 3 以下」が真のとき，変数 ret に数値 100 を代入します。この処理は，施設の入場料が「0 歳から 3 歳までは 100 円」であることに対応します。

```
03  if (age が 3 以下)
04      ret ← 100
```

行番号 05，06：空欄の条件式が真のとき，変数 ret に数値 300 を代入します。この処理は，施設の入場料が「4 歳から 9 歳までは 300 円」であることに対応します。したがって空欄に入る条件式は，年齢が 4 歳以上 9 歳以下であることを表すものになるはずです。たとえば，次のような条件式が考えられます。

```
(age が 4 以上) and (age が 9 以下)
```

← この条件式は解答群の ア に近いですが，よく見ると 2 つ目の条件式が違います。

ただし，この条件式が評価されるのは，行番号 03 の条件式「age が 3 以下」が真でなかったとき（=age が 4 以上のとき）に限られます。つまり，「age が 4 以上」であることは明らかなので，条件式としては「age が 9 以下」のみで十分です。

```
05  elseif (age が 9 以下) ← 空欄
06    ret ← 300
```

以上から，本問は カ が正解となります。

行番号 07，08：3 行目，5 行目の条件式がいずれも真でなかったとき，すなわち age の値が 10 以上のとき，変数 ret に数値 500 を代入します。この処理は，施設の入場料が「10 歳以上は 500 円」であることに対応します。

```
07  else
08    ret ← 500
```

問 02 次のプログラム中の［ a ］と［ b ］に入る正しい答えの組合せを，解答群の中から選べ。ここで，配列の要素は 1 から始まる。

次のプログラムは，整数型の配列 array の要素を 1 つずつ左にずらし，先頭の要素を配列の末尾に移動するプログラムである。

〔プログラム〕

```
整数型の配列： array ← {1, 2, 3, 4, 5}
整数型： i, tmp

tmp ← array[1]
for (i を 1 から [ a ] まで 1 ずつ増やす )
  [ b ]
endfor
array[array の要素数 ] ← tmp
```

解答群

	a	b
ア	array の要素数	array[i] ← array[i ＋ 1]
イ	array の要素数	array[i ＋ 1] ← array[i]
ウ	(array の要素数 -1)	array[i] ← array[i ＋ 1]
エ	(array の要素数 -1)	array[i ＋ 1] ← array[i]

※オリジナル問題

合格のカギ

配列の要素を 1 つずつ右または左にずらす処理は，実際のプログラムでもよくあります。左にずらす場合は配列の先頭から，右にずらす場合は配列の末尾から順にずらすことに注意します。

左にずらす場合

①②③④ 先頭から順にずらす

1	2	3	…	n

```
for(i を 1 から n－1 まで 1 ずつ増やす)
  array[i] ← array[i+1]
endfor
```

右にずらす場合

④③②① 末尾から順にずらす

1	2	3	…	n

```
for(i を n から 2 まで 1 ずつ減らす )
  array[i] ← array[i－1]
endfor
```

プログラム・ノート

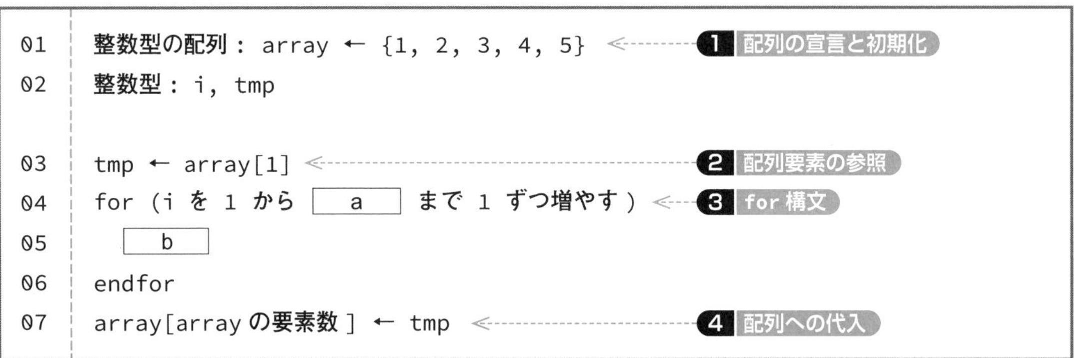

```
01  整数型の配列 : array ← {1, 2, 3, 4, 5}      ← 1 配列の宣言と初期化
02  整数型 : i, tmp

03  tmp ← array[1]                             ← 2 配列要素の参照
04  for (i を 1 から [ a ] まで 1 ずつ増やす)     ← 3 for 構文
05    [ b ]
06  endfor
07  array[array の要素数] ← tmp                ← 4 配列への代入
```

1 配列の宣言と初期化

配列とは，複数の値をまとめて格納しておく値の入れ物です。1 つの配列には，同じデータ型の値しか格納できません。

配列の宣言では，格納する値のデータ型と配列名を次のように記述します。

> **[データ型] の配列 : [配列名]**

行番号 01 では，整数型の値を格納する array という名前の配列を宣言しています。

また，行番号 01 では，配列の宣言と同時に値の代入も行っています。配列の内容は，

> { 値 1, 値 2, 値 3, …}

のように，{ } 内に値をカンマで区切って記述します。

2 配列要素の参照

行番号 03 では，配列 array の先頭の要素 array[1] の内容を，変数 tmp に格納しています。

配列の中の要素を指定するには，

> **配列名 [[要素番号]]**

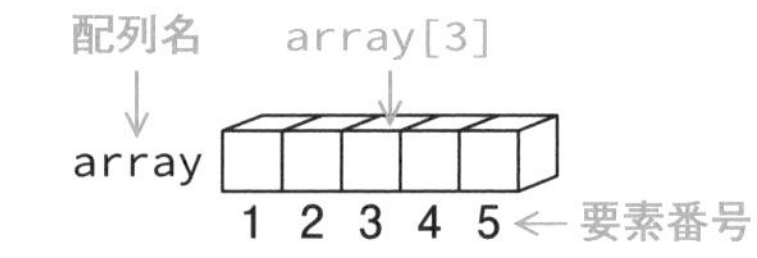

のように，配列名の後に要素番号を [ ] で囲んで記述します。

要素番号は，実際のプログラム言語では 0 から始まるのが一般的ですが，**擬似言語では基本的に 1 から始まります**。問題文に断り書きがあるので必ず確認しましょう。

3 for 構文

for 構文は，for ～ endfor の間の処理を，指定した条件に従って繰り返します。行番号 04 では次のようになります。

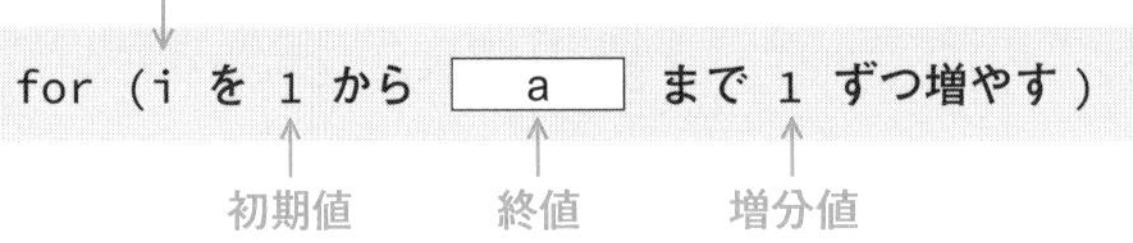

繰返し 1 回ごとに，変数 i の値を 1，2，3…のように 1 ずつ増やしていきます。i の値が [a] の値になったときが最後の繰返しになります。つまり，繰返し回数は全部で [a] 回になります。

4 配列への代入

配列要素に値を代入するには，配列名の後に代入先の要素番号を［　］で囲んで指定します。ここでは要素番号として「array の要素数」を指定しています。

本問では配列の要素番号が 1 から始まるため，array[array **の要素数**] は配列 array の末尾の要素を意味します。配列の要素番号が 0 から始まる場合，末尾の要素は array[array **の要素数－** 1] になることに注意してください。

問題解説

行番号 04：図のように，配列の要素数が 5 個の場合，値を左に移す処理は全部で（要素数－ 1 ＝）4 回必要です。

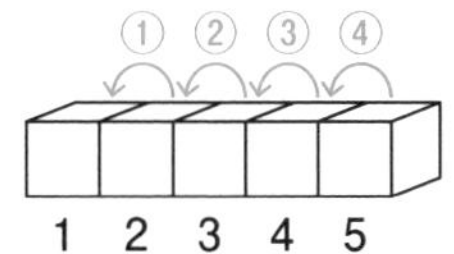

行番号 04 は，

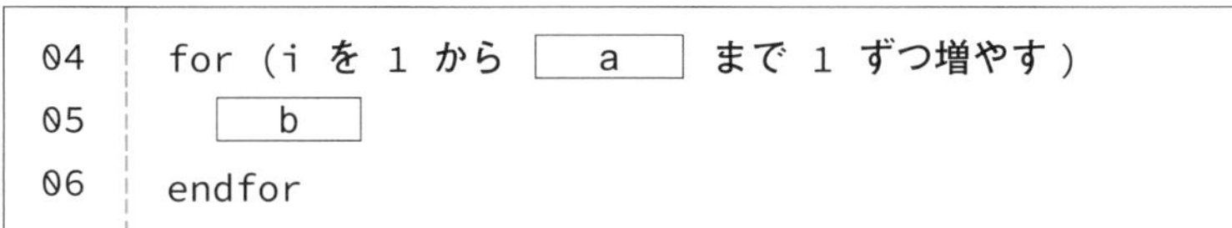

```
04 | for (i を 1 から [ a ] まで 1 ずつ増やす)
05 |   [ b ]
06 | endfor
```

のように，i が 1 から [a] になるまで [a] 回繰り返すので，**空欄 a** には「array の要素数－ 1」が入ります。

行番号 05：たとえば 1 回目の繰返しでは，array の要素番号 2 の値を，array の要素番号 1 に移動します。変数 i ＝ 1 を使って表すと，i 回目に array[i ＋ 1] の値を array[i] に移動するので，**空欄 b** の処理は次のようになります。

```
05 | array[i] ← array[i ＋ 1]
```

以上から，本問は**空欄 a** が「array **の要素数－** 1」，**空欄 b** が「array[i] ← array[i ＋ 1]」の組合せ ウ が正解となります。

> array[i] の値を array[i ＋ 1] に移動すると，配列の全要素が array[1] の値になってしまうよ。

解答

問02 ウ

問03 次のプログラム中の [a] と [b] に入れる正しい答えの組合せを，解答群の中から選べ。

関数 calcX と関数 calcY は，引数 inData を用いて計算を行い，その結果を戻り値とする。関数 calcX を calcX(1) として呼び出すと，関数 calcX の変数 num の値が，1→3→7→13 と変化し，戻り値は 13 となった。関数 calcY を calcY(1) として呼び出すと，関数 calcY の変数 num の値が，1→5→13→25 と変化し，戻り値は 25 となった。プログラム中の [a]，[b] に入れる字句の適切な組合せはどれか。

〔プログラム 1〕

```
○整数型： calcX(整数型： inData)
  整数型： num, i
  num ← inData
  for (i を 1 から 3 まで 1 ずつ増やす)
    num ← [ a ]
  endfor
  return num
```

〔プログラム 2〕

```
○整数型： calcY(整数型： inData)
  整数型： num, i
  num ← inData
  for ([ b ])
    num ← [ a ]
  endfor
  return num
```

解答群

	a	b
ア	2 × num ＋ i	i を 1 から 7 まで 3 ずつ増やす
イ	2 × num ＋ i	i を 2 から 6 まで 2 ずつ増やす
ウ	num ＋ 2 × i	i を 1 から 7 まで 3 ずつ増やす
エ	num ＋ 2 × i	i を 2 から 6 まで 2 ずつ増やす

※出典：令和4年度ITパスポート試験公表問題

プログラムの処理に応じて，変数の値がどのように変化するのかを追跡することをトレースといいます。変数の変化は，繰返し 1 回ごとに表にするとわかりやすくなります。たとえば，プログラム 1 の行番号 05 の変数 num と変数 i の変化をトレースすると，右図のようになります。

i	num → 計算後のnum
1	1 → 3
2	3 → 7
3	7 → 13

プログラム・ノート

〔プログラム 1〕

```
01  ○整数型： calcX(整数型： inData)
02    整数型： num, i
03    num ← inData
04    for (iを1から3まで1ずつ増やす)
05      num ← [ a ]
06    endfor
07    return num
```

〔プログラム 2〕

```
08  ○整数型： calcY(整数型： inData)
09    整数型： num, i
10    num ← inData
11    for ([ b ])
12      num ← [ a ]
13    endfor
14    return num
```

1 関数の呼び出し

数学で習う関数は，$y = f(x)$ のように，x の値に応じて，対応する y の値が決まるというものでした。関数 $f(x)$ が「$f(x) = x + 2$」なら，$x = 1$ のとき，対応する y の値は $y = f(1) = 1 + 2 = 3$ となります。

プログラムで使う関数も，基本的には数学の関数と同じ働きをします。プログラムでは，x を引数，y を戻り値といいます。引数には複数の値を指定できますが，戻り値は 1 つしかありません。

本問のプログラムでは，calcX，calcY という 2 つの関数が定義されています。問題文に，

「関数 calcX の引数に 1 を指定すると（中略）戻り値は 13 となった」
「関数 calcY の引数に 1 を指定すると（中略）戻り値は 25 となった」

とあるので，たとえば，

```
x ← calcX(1)
y ← calcY(1)
```

のようなプログラムを実行すると，変数 x には 13，変数 y には 25 が格納されます。

問題解説

行番号 05：プログラム 1 は，行番号 05 の処理を 3 回繰り返します。

```
04    for (i を 1 から 3 まで 1 ずつ増やす)
05      num ← [ a ]
06    endfor
```

繰返しごとに，変数 i の値は 1 ずつ増えます。また，num の値は 1 → 3 → 7 → 13 と変化します。num の増分は 2，4，6 のように 2 の倍数になっているので，次のような処理が行われていると考えられます。

1 + 2 → 3
3 + 4 → 7
7 + 6 → 13
のように，増分が 2 ずつ増えています。

```
                 num       i
                  ↓        ↓
繰返し 1 回目：   1 + 2 × 1 →  3
繰返し 2 回目：   3 + 2 × 2 →  7
繰返し 3 回目：   7 + 2 × 3 → 13
```

以上から，**空欄 a** には「num ＋ 2 × i」が入ります。

```
04    for (i を 1 から 3 まで 1 ずつ増やす)
05      num ← num + 2 × i
06    endfor          └ 空欄 a
```

行番号 11：プログラム 2 の**空欄 a** には，プログラム 1 と同じものが入ります。

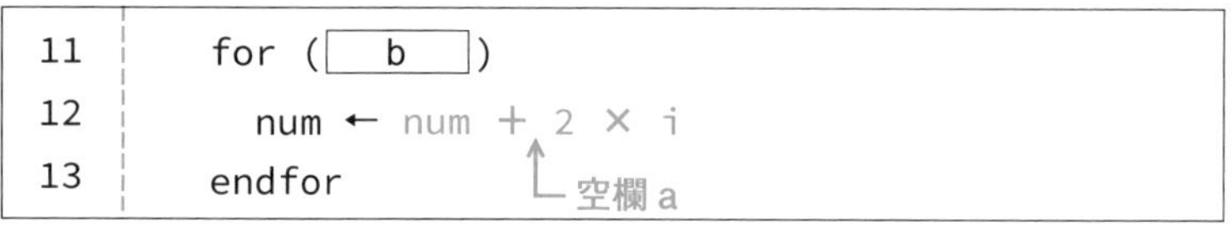

```
11    for (  b  )
12      num ← num + 2 × i
13    endfor          └ 空欄 a
```

プログラム 2 では，変数 num の値は 1 → 5 → 13 → 25 のように変化します。この変化をトレースしてみましょう。

①行番号 12 の右辺「num ＋ 2 × i」に num ＝ 1 を代入します。

```
num ← 1 + 2 × i
```

このとき左辺の num は 5 になるので，i の値は 2 とわかります。 ← 1 ＋ 2 × i ＝ 5 より，i ＝ (5 － 1) ÷ 2 ＝ 2

②「num ＋ 2 × i」に num ＝ 5 を代入すると，

```
num ← 5 + 2 × i
```

このとき左辺の num は 13 になるので，i の値は 4 とわかります。 ← 5 ＋ 2 × i ＝ 13 より，i ＝ (13 － 5) ÷ 2 ＝ 4

③「num ＋ 2 × i」に num ＝ 13 を代入すると，

```
num ← 13 + 2 × i
```

このとき左辺の num は 25 になるので，i の値は 6 とわかります。 ← 13 ＋ 2 × i ＝ 25 より，i ＝ (25 － 13) ÷ 2 ＝ 6

以上の結果をまとめると，次のようになります。

```
                 num       i
                  ↓        ↓
繰返し 1 回目：   1 + 2 × 2 →  5
繰返し 2 回目：   5 + 2 × 4 → 13
繰返し 3 回目：  13 + 2 × 6 → 25
```

i の値は 2 から 6 まで 2 ずつ増えているので，**空欄 b** は次のようになります。

```
for (i を 2 から 6 まで 2 ずつ増やす) ← 空欄 b
```

以上から，正解の組合せは エ となります。

解答

問03 エ

問 04 次のプログラム中の［　　　］に入れる正しい答えを，解答群の中から選べ。ここで，配列の要素番号は 1 から始まるものとする。

関数 multinominal は，$n+2$ 個（$n \geqq 1$）の数値 x，a_1，a_2，…，a_{n+1} を引数として受け取り，n 次の多項式

$$a_1x^n + a_2x^{n-1} + \cdots + a_nx + a_{n+1}$$

を計算する。a_1，a_2，…，a_{n+1} は，実数型の配列で表現する。

〔プログラム〕

```
○実数型: multinominal(実数型: x, 実数型の配列: a)
  実数型: ret
  整数型: n
  ret ← a[1]
  for (n を 1 から (a の要素数 -1) まで 1 ずつ増やす)
    ret ← [　　　]
  endfor
  return ret
```

解答群

ア　ret + (a[n+1] × x)　　イ　ret × (a[n+1] + x)

ウ　(ret + x) × a[n+1]　　エ　(ret × x) + a[n+1]

オ　(ret + a[n+1]) × x　　カ　(ret × a[n+1]) + x

※オリジナル問題

合格のカギ

本問ではホーナー法を使ったアルゴリズムを取り上げていますが，ホーナー法を知らないと問題が解けないということはありません。たとえば，1 次式 $a_1x + a_2$ の計算をこのプログラムに当てはめると，行番号 04 で変数 ret に a_1 の値が格納されるので，行番号 06 では「ret × x + a_2」を求めればよいことがわかります。このように，単純な実例をプログラムに当てはめてみて，必要な処理を考えるのが問題を解くコツになります。

プログラム・ノート

```
01  ○実数型： multinominal(実数型： x, 実数型の配列： a)
02    実数型： ret
03    整数型： n
04    ret ← a[1]
05    for (n を 1 から (a の要素数 -1) まで 1 ずつ増やす)
06      ret ← □
07    endfor
08    return ret
```

1 ホーナー法

たとえば，4 次の多項式

$$a_1x^4 + a_2x^3 + a_3x^2 + a_4x + a_5$$

を計算することを考えてみましょう。各項をそれぞれ計算して足し合わせると，

$$a_1 \times x \times x \times x \times x + a_2 \times x \times x \times x + a_3 \times x \times x + a_4 \times x + a_5$$

のように，掛け算が 10 回，足し算が 4 回必要になります。この式を次のように変形します。

$$\begin{aligned} a_1x^4 + a_2x^3 + a_3x^2 + a_4x + a_5 &= (a_1x^3 + a_2x^2 + a_3x + a_4)\,x + a_5 \\ &= ((a_1x^2 + a_2x + a_3)\,x + a_4)\,x + a_5 \\ &= (((a_1x + a_2)\,x + a_3)\,x + a_4)\,x + a_5 \end{aligned}$$

変形後の式では，掛け算が 4 回，足し算が 4 回で済みます。このような多項式の計算方法を**ホーナー法**といいます。

問題解説

行番号 06：本問のプログラムでは，行番号 06 の繰返しごとに

1 回目：$a_1x + a_2$
2 回目：$(a_1x + a_2)\,x + a_3$
3 回目：$((a_1x + a_2)\,x + a_3)\,x + a_4$
4 回目：$(((a_1x + a_2)\,x + a_3)\,x + a_4)\,x + a_5$
⋮

カッコの中に，前回の繰返し処理の計算結果が入るよ。

を計算します。n 回目の繰返しごとに，n 次の多項式の計算結果が変数 ret に格納されます。上記のように，n 次の多項式は，

$$(n-1\text{ 次の多項式}) \times x + a_{n+1}$$

で求めることができるので，行番号 06 は次のようになります。

```
ret ← (ret × x) + a[n + 1]
```

以上から，正解は エ です。

解答
問04 エ

問 05 次のプログラム中の［a］と［b］に入れる正しい答えの組合せを，解答群の中から選べ。

関数 gcd は，いずれも引数で与えられた二つの正の整数 num1 と num2（num1 ＞ num2）の最大公約数を，次の性質を利用して求める。

(1) num1 ÷ num2 の余りが 0 のとき，num1 と num2 の最大公約数は num2 である。
(2) num1 が num2 より大きいとき，num1 と num2 の最大公約数は，num2 と（num1 ÷ num2 の余り）の最大公約数に等しい。

〔プログラム〕

```
○整数型： gcd(整数型： num1, 整数型： num2)
  整数型： x ← num1
  整数型： y ← num2
  整数型： r ← x ÷ y の余り
  while ( [  a  ] )
    x ← y
    y ← r
    r ← x ÷ y の余り
  endwhile
  return [  b  ]
```

解答群

	a	b
ア	r ＝ 0	x
イ	r ＝ 0	y
ウ	r ≠ 0	x
エ	r ≠ 0	y

※オリジナル問題

合格のカギ

本問のプログラムは，ユークリッドの互除法と呼ばれるアルゴリズムを用いて，２つの整数の最大公約数を求めます。ユークリッドの互除法は科目Ａの流れ図の問題としてもよく出題されるので覚えておきましょう。

もっとも「ユークリッドの互除法」という名前を知らなくても，アルゴリズムの具体的な手順は問題文に説明があります。「問題文の説明を擬似言語のプログラムで表す」ことが，プログラム問題を攻略するうえで非常に重要になります。試験対策としては，アルゴリズムの種類をたくさん覚えるより，問題をたくさん解くほうが有効です。

プログラム・ノート

```
○整数型: gcd(整数型: num1, 整数型: num2)
  整数型: x ← num1
  整数型: y ← num2
  整数型: r ← x ÷ y の余り
  while ( [ a ] )
    x ← y
    y ← r
    r ← x ÷ y の余り
  endwhile
  return [ b ]
```

1 ユークリッドの互除法

本問のプログラムは，**ユークリッドの互除法**と呼ばれるアルゴリズムを用いて，2つの整数x，y (x > y) の最大公約数を求めます。このプログラムは，

①x ÷ y の余りrを求める
②xをyの値に，yをrの値に置き換える

という手順を繰り返すと，rが0になったときのyの値が最大公約数になるというものです。割り算ではなく引き算を使うアルゴリズムもよく知られていますが，考え方は同じです。

たとえば，x = 176，y = 99の場合は，次のようになります。

```
  x      y          r
176 ÷ 99 = 1 余り 77
 99 ÷ 77 = 1 余り 22
 77 ÷ 22 = 3 余り 11
 22 ÷ 11 = 2 余り  0
       ↑
    最大公約数
```

2 while ～ endwhile 構文と do ～ while 構文

while ～ endwhile と do ～ while は，どちらも条件式が真の間，処理を繰り返し実行します。

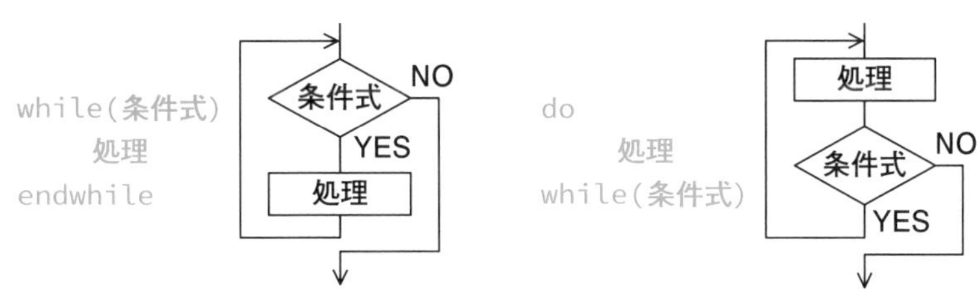

2つの構文の違いは，while ～ endwhile が繰返し処理の入口で条件式を評価するのに対し，do ～ while は，繰返し処理の出口で条件式を評価することです。そのため，while ～ endwhile では繰返し処理が1度も実行されないことがあるのに対し，do ～ while では最低1回は必ず繰返し処理が実行されます。

一般に，do ～ while は while ～ endwhile に書き替えることができます。そのためプログラム言語によっては，do ～ while に当たる構文がないものもあります（Python など）。

問題解説

空欄 a には，繰返し処理の継続条件が入ります。このアルゴリズムでは，2つの整数 x，y の割り算 x ÷ y の余りが 0 になるまで割り算を繰り返すので，「余りが 0 でない」間は，繰返し処理を継続します。x ÷ r の余りは変数 r に格納されているので，**空欄 a** に入る条件式は「r ≠ 0」のようになります。

```
    while (r ≠ 0)
```

空欄 b には，関数 gcd の戻り値が入ります。x ÷ y の余りが 0 のとき，x と y の最大公約数は y に等しくなるので，次のようになります。

```
    return y
```

以上から，**空欄 a** が「r ≠ 0」，**空欄 b** が「y」の組合せの エ が正解です。

問 06

次の記述中の［　　　］に入れる正しい答えを，解答群の中から選べ。

関数 fibo は，正の整数 num を引数にとり，整数を返す関数である。関数 fibo を fibo(5) として呼び出したとき，戻り値は［　　　］となる。

〔プログラム〕

```
○整数型： fibo(整数型： num)
  if (num ≦ 2)
    return 1
  else
    return fibo(num - 2) + fibo(num - 1)
  endif
```

解答群

ア 4　　イ 5　　ウ 6　　エ 7

※オリジナル問題

合格のカギ

本問は，具体的な引数を指定したときの関数の戻り値を考える問題です。プログラムから，fibo(5) は「fibo(3) + fibo(4)」に分解でき，fibo(3) は「fibo(1) + fibo(2)」に分解でき……のように，問題を細分化して考えます。

本問のように，関数が処理中に自分自身を呼び出すプログラムを**再帰的関数**といいます。再帰的関数は，科目 A でも科目 B でもよく出題されるので，本書で解き方をマスターしておきましょう。

プログラム・ノート

```
○整数型： fibo(整数型： num)
  if (num ≦ 2)
    return 1
  else
    return fibo(num - 2) + fibo(num - 1)
  endif
```

1 再帰的関数

関数 a の処理中に関数 a が呼び出され，その処理中にさらに関数 a が呼び出され…のように，関数が処理中に自分自身を呼び出すプログラムを**再帰的関数**といいます。

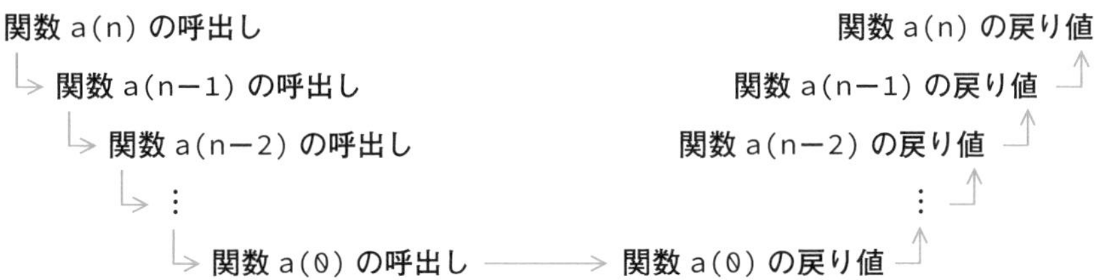

再帰的関数には，「これ以上は自分自身を呼び出さない」ための条件が必ず設定されています。本問の関数 `fibo` の場合，引数に指定した `num` が 2 以下の場合は，自分自身を呼び出さないで 1 を返しています。自分自身を無限に呼び出さないために，この設定が必要になります。

問題解説

関数 `fibo` を `fibo(5)` のように呼び出したときの戻り値は，行番号 05 より，

```
fibo(5 − 2) + fibo(5 − 1) → fibo(3) + fibo(4)
```

となります。このうち，`fibo(3)` はやはり行番号 05 より，

```
fibo(3 − 2) + fibo(3 − 1) → fibo(1) + fibo(2)
```

となります。同様に `fibo(4)` は

```
fibo(4 − 2) + fibo(4 − 1) → fibo(2) + fibo(3)
```

となります。`fibo(1)`，`fibo(2)` は，引数が 2 以下なので，行番号 03 より 1 を返します。以上をまとめると，次のようになります。

```
fibo(5) = fibo(3) + fibo(4)
        = fibo(1) + fibo(2) + fibo(2) + fibo(3)
        = 1       + 1       + 1       + fibo(1) + fibo(2)
        = 1       + 1       + 1       + 1       + 1
        = 5
```

以上から，`fibo(5)` は 5 を返します。正解は イ です。

関数 `fibo` の戻り値を `fibo(1)`，`fibo(2)`，`fibo(3)`…のように順番に並べると，次のような数列ができます。この数列を**フィボナッチ数列**といいます。

```
1, 1, 2, 3, 5, 8, 13, 21, 34, 55, …
```

解答

問06 イ

問07 次のプログラムの説明中の[　　　]に入れる正しい答えを，解答群の中から選べ。ここで，配列の要素番号は1から始まる。

関数calcは，後置記法（逆ポーランド記法）で表現された数式を引数で受け取り，計算結果を返す。使用する演算子は，＋（足し算），－（引き算），×（掛け算），÷（割り算）の4種類とする。数式は文字列型の配列で表す。

数式の解析にスタックを用いる。スタックはクラスStackを用いて表現する。クラスStackの説明を図に示す。Stack型の変数は，クラスStackのインスタンスへの参照を格納する。

メソッド	説明
push(整数型： num)	整数numをスタックに格納する。
整数型： pop()	スタックから整数を1つ取り出し，その整数を返す。

コンストラクタ	説明
Stack()	スタックを生成する。スタックの大きさは十分あるものとする。

図　クラスStackの説明

関数calcに次のような引数を指定して呼び出したとき，プログラムのαの行が1回目に実行した直後のスタックの内容は[　　　]である。

```
calc({"12", "3", "4", "×", "＋", "8", "÷"})
```

〔プログラム〕

```
○整数型： calc(文字列型の配列： array)
  整数型： i, num1, num2, ans
  文字列型： tmp
  Stack: stack ← Stack()

  for (i を 1 から array の要素数 まで 1 ずつ増やす)
    tmp ← array[i]
    if (tmp が数字のみからなる文字列)
      stack.push(tmp を整数値に変換した値)
    else
      num2 ← stack.pop()
```

```
      num1 ← stack.pop()
      if (tmp が "＋")
        ans ← num1 + num2
      elseif (tmp が "－")
        ans ← num1 － num2
      elseif (tmp が "×")
        ans ← num1 × num2
      elseif (tmp が "÷")
        ans ← num1 ÷ num2の商
      endif
      stack.push(ans)   ←――――――― α
    endif
  endfor
  return stack.pop()
```

解答群

ア　12

イ　12, 3

ウ　12, 3, 4

エ　12, 12

オ　24

カ　空

※オリジナル問題

合格のカギ

スタックは基本的なデータ構造なので，プログラム問題ではよく出題されると予想されます。また，後置記法で記述された数式をスタックを使って計算するプログラムは，アルゴリズムの解説書でもよく取り上げられる題材です。スタックの応用例として覚えておきましょう。

プログラム・ノート

```
○整数型: calc(文字列型の配列: array)
  整数型: i, num1, num2, ans
  文字列型: tmp
  Stack: stack ← Stack()

  for (i を 1 から array の要素数 まで 1 ずつ増やす)
    tmp ← array[i]
    if (tmp が数字のみからなる文字列)
      stack.push(tmp を整数値に変換した値)  ←数値はスタックにプッシュ
    else
      num2 ← stack.pop()  ┐ ←＋－×÷だった場合は，スタックから数値を
      num1 ← stack.pop()  ┘   2個取り出す
      if (tmp が "＋")
        ans ← num1 ＋ num2
      elseif (tmp が "－")
        ans ← num1 － num2
      elseif (tmp が "×")
        ans ← num1 × num2
      elseif (tmp が "÷")
        ans ← num1 ÷ num2 の商
      endif
      stack.push(ans)  ◀━━ α ←計算結果をスタックにプッシュ
    endif
  endfor
  return stack.pop()  ←最後に計算結果を取り出す
```

1 スタック

スタックとは，**プッシュ**と**ポップ**という，2つの基本操作をもったデータ構造です。プッシュはスタックにデータを格納する操作，ポップはスタックからデータを取り出す操作です。このとき重要なのは，後に格納したデータから先に取り出されるという，**後入れ先出し**（LIFO：Last In First Out）の原則です。

たとえば，データを1，2，3の順にスタックにプッシュします。次にスタックからデータをポップすると，取り出されるデータは3，2，1の順になります。格納するときはデータを一番上に積み上げ，取り出すときは一番上から取り出すイメージです。

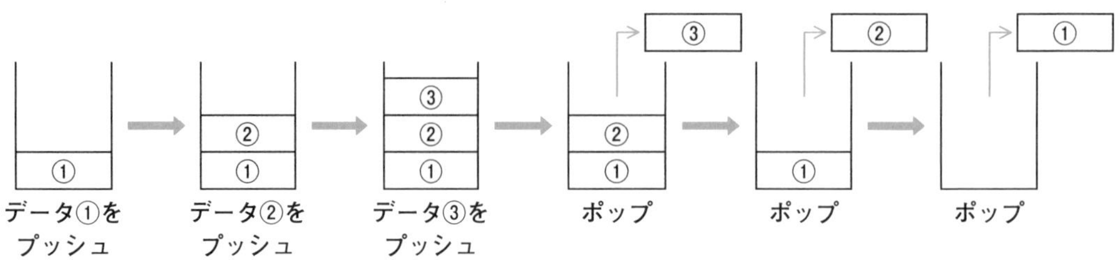

2 後置記法（逆ポーランド記法）

日常的に使っている「**3 + 2**」のような数式は，演算子を 2 つの数値の間に置くことから，**中置記法**と呼ばれることがあります。これに対し，「**32 +**」のように，演算子を 2 つの数値の後に置く表記法を**後置記法（逆ポーランド記法）**といいます。

中置記法には「＋－より×÷を先に計算する」「カッコで囲んだ部分を先に計算する」といったルールがありますが，後置記法にはこのようなルールはありません。単に，演算子を左から順に処理していけばよいだけです。

	中置記法		後置記法
例：	(1 ＋ 2) × (5 － 3)	➡	12 ＋ 53 －×

3 後置記法とスタック

後置記法による数式は，次のようにスタックを利用するとうまく計算できるという特徴があります。数式を左から順に調べて，

①数値の場合はスタックにプッシュする
②演算子（＋－×÷）の場合はスタックから数値を 2 個ポップして式を計算し，結果をスタックにプッシュする

この操作を数式の最後まで繰り返すと，最後にスタックに残った数値が式全体の計算結果になります。

先ほどの例「12 ＋ 53 －×」をスタックを使って計算すると，次のようになります。

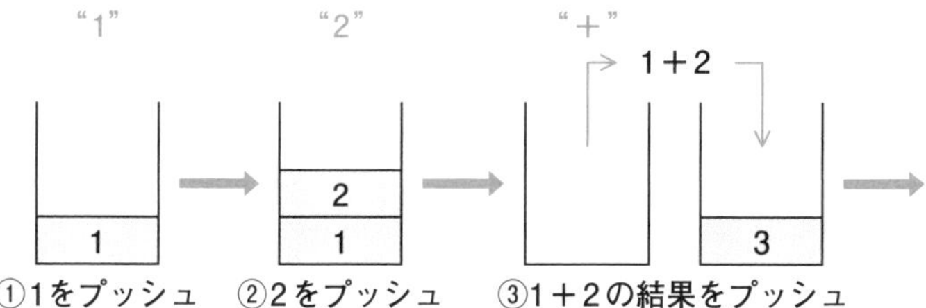

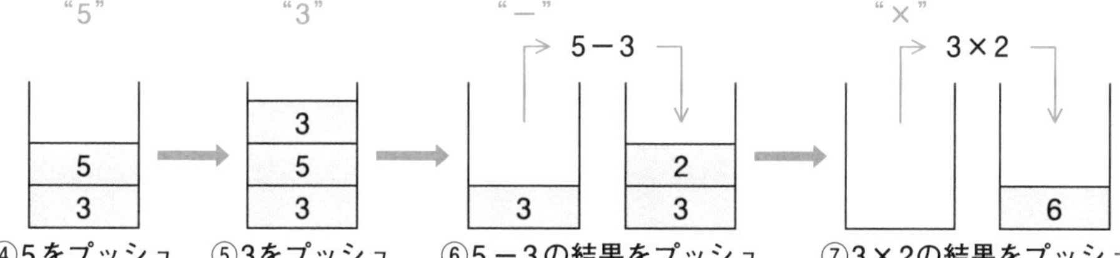

問題解説

行番号 21 のαの行は，変数 ans に格納された数値をスタックにプッシュします。変数 ans には，演算子の種類によって，＋－×÷のいずれかの計算結果が格納されます。したがって，この行が 1 回目に実行されるのは，数式の 1 回目の演算子が処理されたときです。

そこで，関数 calc に指定された引数の数式をみると，

```
calc({“12”, “3”, “4”, “×”, “＋”, “8”, “÷”})
```

となっており，最初の 3 つは数値が続きます。これらは順番にスタックにプッシュされます。

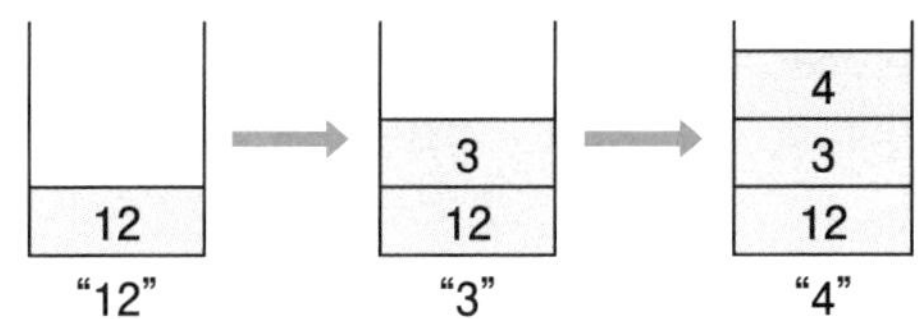

次に，演算子“×”がくるので，上の 2 つの数値がポップされ，3 × 4 の計算結果が変数 ans に格納されます。

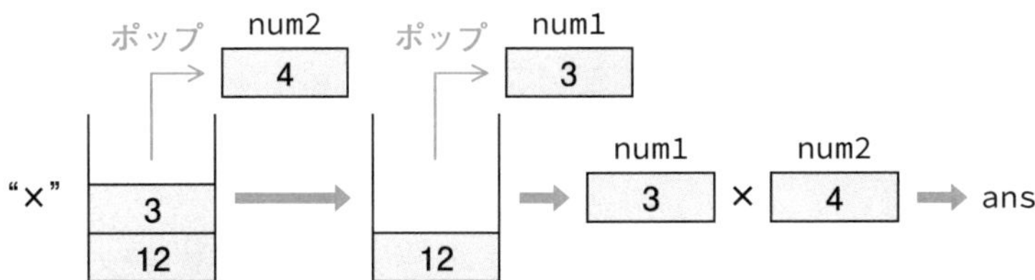

1 回目の α の行では，この値をスタックにプッシュします。したがって，スタックの内容は次のようになります。

以上から，正解は エ です。

問 08 次のプログラム中の[a]と[b]に入れる正しい答えの組合せを，解答群の中から選べ。

手続 append は，引数で与えられた文字を単方向リストに追加する手続である。単方向リストの各要素は，クラス ListElement を用いて表現する。クラス ListElement の説明を図に示す。ListElement 型の変数はクラス ListElement のインスタンスの参照を格納するものとする。大域変数 listHead は，単方向リストの先頭の要素の参照を格納する。リストが空のときは，listHead は未定義である。

メンバ変数	型	説明
val	文字型	リストに格納する文字。
next	ListElement	リストの次の文字を保持するインスタンスの参照。 初期状態は未定義である。

コンストラクタ	説明
ListElement(文字型：qVal)	引数 qVal でメンバ変数 val を初期化する。

図　クラス ListElement の説明

〔プログラム〕

```
大域：ListElement: listHead ← 未定義の値

○append(文字型：qVal)
  ListElement: prev, curr
  curr ← ListElement(qVal)
  if (listHead が [ a ])
    listHead ← curr
  else
    prev ← listHead
    while (prev.next が 未定義でない)
      prev ← prev.next
    endwhile
    prev.next ← [ b ]
  endif
```

解答群

	a	b
ア	未定義	curr
イ	未定義	curr.next
ウ	未定義	listHead
エ	未定義でない	curr
オ	未定義でない	curr.next
カ	未定義でない	listHead

※令和4年4月公表サンプル問題より

合格のカギ

複数のデータをまとめて扱う方法として，もっとも単純なデータ構造は配列ですが，リストも非常によく利用されます。要素の追加のほか，要素の挿入や削除をよく取り上げられると考えられます。本書に類題を掲載しているので，あわせて理解しておきましょう（→模擬③問 6，サンプル問 10）。

プログラム・ノート

```
大域：ListElement: listHead ← 未定義の値

○append(文字型：qVal)
  ListElement: prev, curr
  curr ← ListElement(qVal)
  if (listHead が [  a  ])
    listHead ← curr
  else
    prev ← listHead
    while (prev.next が 未定義でない)
      prev ← prev.next
    endwhile
    prev.next ← [  b  ]
  endif
```

1 単方向リスト

単方向リスト（線形リスト）は，リストを構成する個々の要素（データの入れ物）を数珠つなぎにして，複数のデータをひと連なりにまとめたデータ構造です。個々の要素は，

①データを格納する部分（val）
②次の要素の参照を格納する部分（next）

で構成されています。前の要素の next に，次の要素の参照を格納し，次の要素の next にまた次の要素の参照を格納し……という操作を繰り返して，複数の要素をつないでいきます。

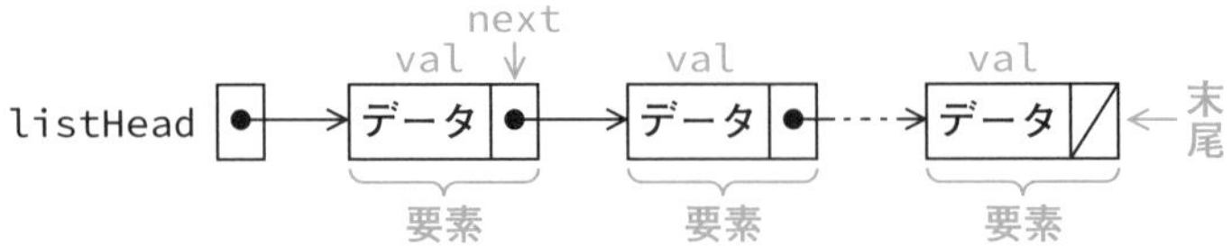

単方向リストに含まれる要素を参照するには，先頭要素から次の要素へと，目的の要素に到達するまでリストを順にたどっていきます。

2 クラスの定義

単方向リストの要素のような構造をもったデータは，整数型，文字型といった通常のデータ型では表現できません。そのため本問では，ListElement というクラスを用いてリストの要素を表現しています。

クラスとは，本来はオブジェクト指向プログラムの用語ですが，ここでは複数のメンバ変数とメソッドを備えたデータ型の一種と考えてかまいません。クラスを定義するための構文は擬似言語には用意されて

いないので，使用するクラスについては問題文に説明があります。

クラスを使用するには，通常のデータ型と同様に，

クラス名 : **変数名**

のように変数を宣言します。本問のプログラムでは，行番号03でprev，currという2つのListElement型の変数を宣言しています。

クラスの変数は参照を格納するだけなので，クラスの実体（オブジェクト）を作成する場合は**コンストラクタ**を使い，

変数名 ← コンストラクタ()

のように変数を初期化する必要があります。本問のプログラムでは，行番号04でListElementクラスのコンストラクタを実行し，参照を変数currに格納しています。コンストラクタによって作成されるクラスの実体（オブジェクト）を**インスタンス**といいます。

問題解説

単方向リストに新しい要素を追加するには，リストの末尾の要素を取得し，その要素のメンバ変数nextに，追加する要素への参照を格納します。

行番号04：リストの新しい要素を作成し，引数に指定された文字列qValを格納します。作成した要素への参照は，変数currに設定しておきます。

```
04  curr ← ListElement(qVal)
```

行番号05，06：現在のリストが空の場合は作成した要素がリストの先頭要素になります。6行目で，先頭要素への参照を格納する大域変数listHeadに，作成した要素への参照currを格納しているので，5行目のif文の条件式には「リストが空の場合」に真となる条件式が入ります。リストが空のとき，listHeadは未定義なので，次のようになります。

```
05  if (listHead が 未定義)   ←― リストが空のとき
06    listHead ← curr        ←― 追加要素を先頭要素に設定
```

行番号08～11：現在のリストが空でない場合は，else以下の処理を実行します。まず，変数prevをリストの先頭要素に設定してから，nextが未定義になるまで，リストを順番にたどります。この処理が終わると，変数prevにリストの末尾の要素が設定されます。

```
08  prev ← listHead   ←― prevに先頭要素を設定
09  while (prev.next が 未定義でない)   ←― 次の要素が存在する間，処理を繰り返す
10    prev ← prev.next   ←― prevに次の要素を設定
11  endwhile
```

行番号12：変数prevにリストの末尾の要素が設定されたら，そのnextに，追加する要素への参照を格納します。

```
12  prev.next ← curr ←― 末尾要素のnextに，追加要素への参照を格納する
```

以上から，**空欄a**には「**未定義**」，**空欄b**には「curr」が入ります。

正解は ア です。

問 09　次のプログラム中の［　　　］に入れる正しい答えの組合せを，解答群の中から選べ。

手続 traverse は，2分木の各節を走査し，節の値を出力する。2分木の各節はクラス Node によって表現する。クラス Node の説明を**図1**に示す。Node 型の変数は，クラス Node のインスタンスへの参照を格納するものとする。

メンバ変数	説明
文字型： val	節の値を格納する。
Node: left	節の左の子の参照を格納する。左の子がない場合は未定義となる。
Node: right	節の右の子の参照を格納する。右の子がない場合は未定義となる。

図1　クラス Node の説明

図2に示す2分木の根への参照を引数に指定し，手続 traverse を実行したところ，出力結果は“CBDAFEG”となった。

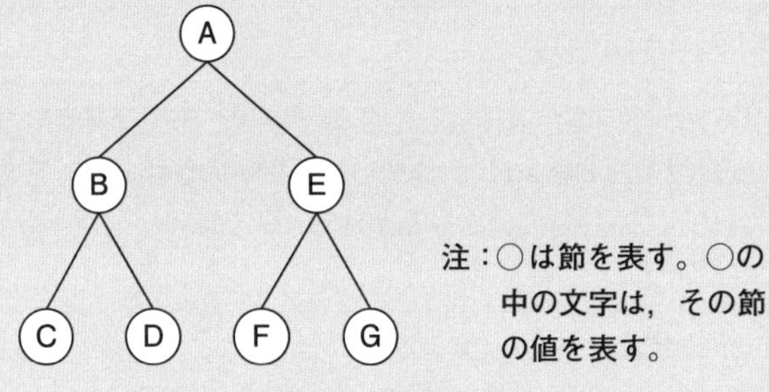

図2　2分木の例

〔プログラム〕

```
○ traverse (Node: node)
  if (node が 未定義 )
    return
  else
    [          ]
  endif
```

解答群

ア
```
node.val を 1 文字出力する
traverse(node.left)
traverse(node.right)
```

イ
```
node.val を 1 文字出力する
traverse(node.right)
traverse(node.left)
```

ウ
```
traverse(node.left)
node.val を 1 文字出力する
traverse(node.right)
```

エ
```
traverse(node.right)
node.val を 1 文字出力する
traverse(node.left)
```

オ
```
traverse(node.left)
traverse(node.right)
node.val を 1 文字出力する
```

カ
```
traverse(node.right)
traverse(node.left)
node.val を 1 文字出力する
```

※オリジナル問題

合格のカギ

2分木の各節を漏れなく訪れることを，2分木の走査といいます。2分木の走査には①前順走査，②間順走査，③後順走査の3種類があり，出力結果の“CBDAFEG”が，このうちどの走査の結果であるかを考えます。2分木の走査はよく出題されると考えられるので，3つの走査の違いを理解しておきましょう。

プログラム・ノート

```
○traverse (Node: node)
  if (node が 未定義)
    return ←── node が空のときは何もしない
  else
    [          ]


  endif
```

1 2分木

複数の節（ノード）をツリー状に接続したデータ構造を**木構造**といいます。下位に接続された節を**子**，上位に接続された節を**親**といい，木構造の頂点にあるもっとも上位の節を**根**といいます。

木構造のうち，3つ以上の子をもたないものをとくに**2分木**といいます。

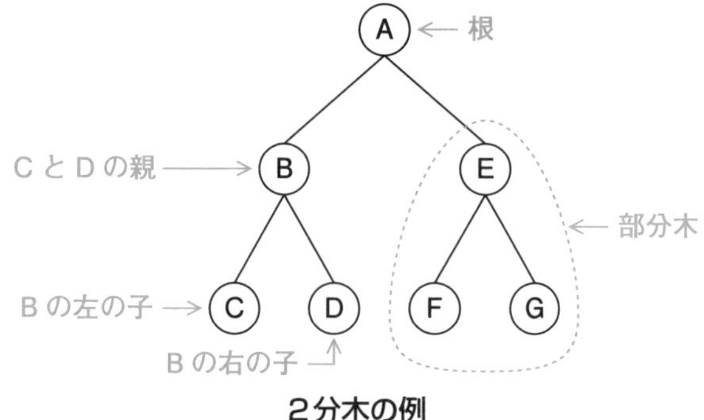

2分木の例

2 2分木の走査

2分木を構成する各節を漏れなく訪ねることを**走査**といいます。2分木の走査には，①**間順走査**，②**前順走査**，③**後順走査**の3種類があります。ここでは間順走査について説明しましょう。

間順走査は，次のような順序で行います。

①現在の節の左側の子を根とする部分木を走査する（左側の子がない場合は何もしない）
②現在の節の値を出力する
③現在の節の右側の子を根とする部分木を走査する（右側の子がない場合は何もしない）

手順①と③は再帰的な手続きになっていることに注意しましょう。**図2**の2分木を上の手順に沿って走査すると，次のようになります。

① "A" の節の左側の子を根とする部分木を走査する
　① "B" の節の左側の子を根とする部分木を走査する
　　① "C" の節の左側の子はないので何もしない
　　② "C" を出力する
　　③ "C" の節の右側の子はないので何もしない
　② "B" を出力する
　③ "B" の節の右側の子を根とする部分木を走査する
　　① "D" の節の左側の子はないので何もしない
　　② "D" を出力する
　　③ "D" の節の右側の子はないので何もしない

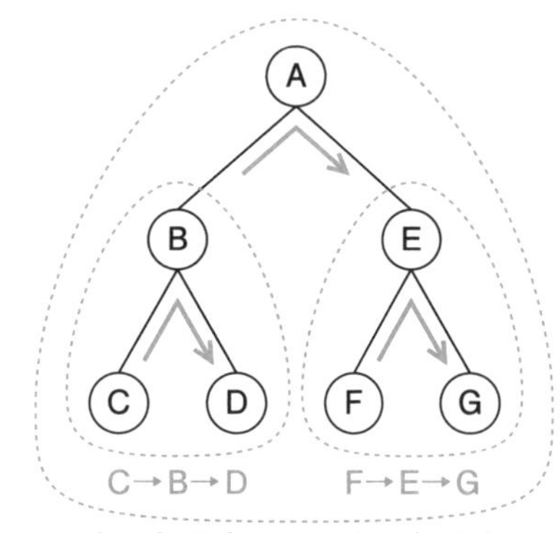

② “A” を出力する。
③ “A” の節の右側の子を根とする部分木を走査する
　① “E” の節の左側の子を根とする部分木を走査する
　　① “F” の節の左側の子はないので何もしない
　　② “F” を出力する
　　③ “F” の節の右側の子はないので何もしない
　② “E” を出力する
　③ “E” の節の右側の子を根とする部分木を走査する
　　① “G” の節の左側の子はないので何もしない
　　② “G” を出力する
　　③ “G” の節の右側の子はないので何もしない

以上から，値が出力される順序はC→B→D→A→F→E→Gとなります。

問題解説

出力結果“CBDAFEG”を，次のように分けて考えます。

```
((CBD) A (FEG))
```

(CBD)と(FEG)は，**図2**の2分木の部分をそれぞれ左の子→親→右の子の順に出力したものです。さらに，(CBD)→A→(FEG)という順序も，“A”の節を親として，左の子→親→右の子の順になっています。

したがって空欄の処理は，

```
traverse (node.left)       ⬅左の子を走査
node.val を 1 文字出力する  ⬅この節の値を出力
traverse (node.right)      ⬅右の子を走査
```

のような間順走査となります。正解は ウ です。

なお，前順走査と後順走査は，次のようになります。

前順走査
①現在の節の値を出力する
②現在の節の左側の子を根とする部分木を走査する
③現在の節の右側の子を根とする部分木を走査する

根を出力するタイミングによって，「行きかけ順」「通りがけ順」「帰りがけ順」ともいうよ。

後順走査
①現在の節の左側の子を根とする部分木を走査する
②現在の節の右側の子を根とする部分木を走査する
③現在の節の値を出力する

図2の2分木を前順走査すると，出力結果は“ABCDEFG”となります。また，後順走査した場合は“CDBFGEA”となります。

なお，前順走査はあまり使われません。後順走査と間順走査を覚えておきましょう。

解答	
問09	ウ

問 10

次の記述中の[　　]に入れる正しい答えを，解答群の中から選べ。ここで，配列の要素番号は 1 から始まる。

次のプログラムは，整数型の配列 array を，挿入ソートで昇順に整列する。このプログラムを実行したとき，αの行を 2 回目に実行した直後の配列 array の内容は，[　　]である。

〔プログラム〕

```
整数型の配列：array ＝ {3, 2, 1, 5, 4}

整数型：i, j, tmp
for (i を 2 から array の要素数 まで 1 ずつ増やす)
  tmp ← array[i]
  j ← i
  while ((j ＞ 1) and (array[j - 1] ＞ tmp))
    array[j] ← array[j - 1]
    j ← j － 1
  endwhile
  array[j] ← tmp    ← α
endfor
```

解答群

ア {1, 2, 3, 5, 4}

イ {1, 2, 3, 4, 5}

ウ {2, 1, 3, 5, 4}

エ {2, 3, 1, 5, 4}

オ {3, 1, 2, 5, 4}

カ {3, 2, 1, 5, 4}

※オリジナル問題

合格のカギ

挿入ソートと呼ばれる整列アルゴリズムの問題です。整列アルゴリズムには様々な種類があるので，基本的なものについては理解しておきましょう。とくに出題される可能性の高いものとしては，バブルソート，選択ソート，挿入ソート，クイックソート，マージソートなどがあります（本書にも類題を掲載しています→令和 5 年問 3，模擬③問 10）。

プログラム・ノート

```
整数型の配列： array ＝ {3, 2, 1, 5, 4}

整数型： i, j, tmp
for (i を 2 から array の要素数 まで 1 ずつ増やす )
  tmp ← array[i]  ⟵ 未整列の要素を変数 tmp に格納
  j ← i  ⟵ 変数 j は tmp の挿入位置
  while ((j > 1) and (array[j - 1] > tmp))
    array[j] ←array[j - 1]  ⟵ tmp より大きい要素を右側にずらす
    j ← j − 1
  endwhile
  array[j] ← tmp  ⟸ α
endfor
```

1 挿入ソート

データを昇順や降順に整列するためのアルゴリズムを，**整列アルゴリズム**（ソートアルゴリズム）といいます。本問では，代表的なソートアルゴリズムの1つである**挿入ソート**を取り上げます。

挿入ソートでは，配列を整列済みの部分と未整列の部分とに分け，未整列の部分から要素を1つ選んで，整列済みの部分の適切な位置に挿入します。この作業を繰り返して整列済みの部分を増やしていき，未整列の部分がなくなると整列が完了します。

本問のプログラムでは，配列 array の先頭から要素番号 i の手前までを整列済みの部分とします。array[i] の値（変数 tmp に格納）が適切な挿入位置になるまで整列済みの要素を1つずつ右にずらしていき，見つかった場所（array[j]）にその値を格納します。

①array[i] の値を tmp に格納する。

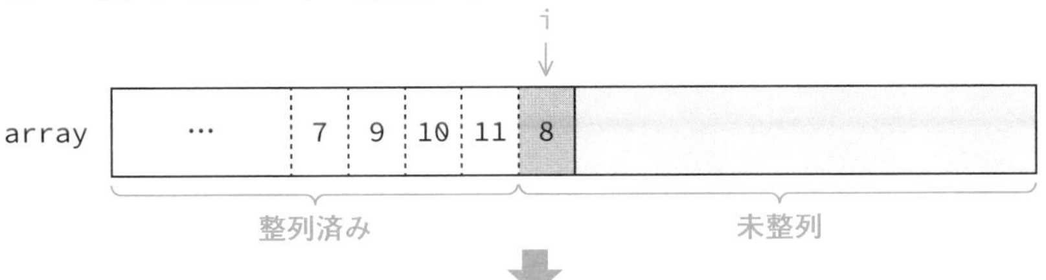

②配列を１つずつずらして挿入箇所に空きを作る。

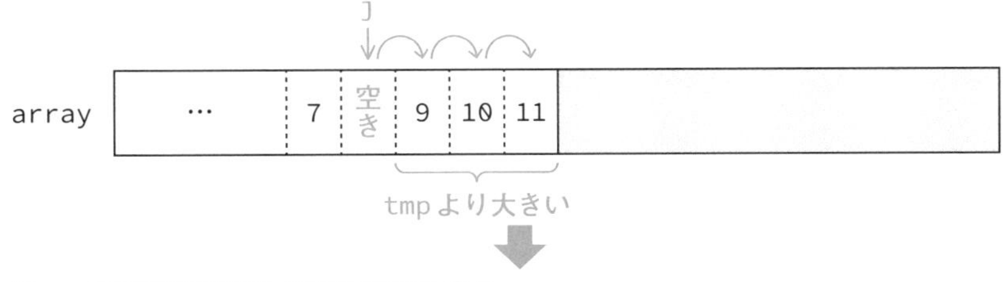

③tmpの値を整列済みの部分に挿入する。

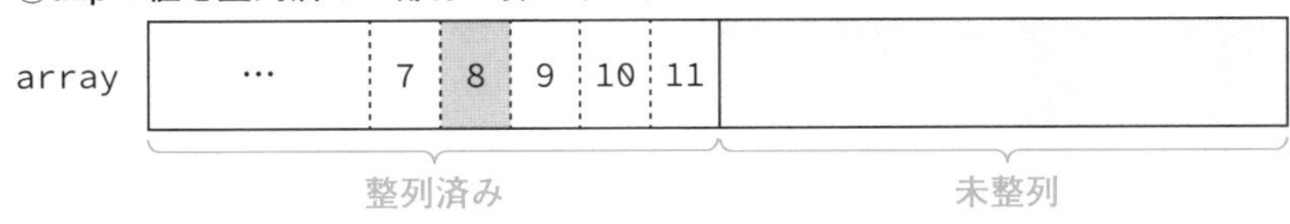

問題解説

αの行は，変数 tmp に格納された値を，整列済みの部分に挿入する処理です。この行は，行番号 03 の for ～ endfor 構文によって，（array の要素数－1）回繰り返されます。

配列の変化をトレースすると，次のようになります。

以上から，2 回目のαの行を実行後の配列の内容は，{1, 2, 3, 5, 4} になります。正解は ア です。

□□ 問 11 次のプログラム中の［　　　］に入れる正しい答えを，解答群の中から選べ。ここで，配列の要素番号は 1 から始まる。

関数 checkDigit は，10 進 9 桁の整数の各桁の数字が上位の桁から順に格納された整数型の配列 originalDigit を引数として，次の手順で計算したチェックディジットを戻り値とする。

〔手順〕

(1) 配列 originalDigit の要素番号 1 ～ 9 の要素の値を合計する。

(2) 合計した値が 9 より大きい場合は，合計した値を 10 進の整数で表現したときの各桁の数字を合計する。この操作を，合計した値が 9 以下になるまで繰り返す。

(3) (2) で得られた値をチェックディジットとする。

〔プログラム〕

```
○ 整数型： checkDigit( 整数型の配列： originalDigit)
  整数型： i, j, k
  j ← 0
  for (i を 1 から originalDigit の要素数 まで 1 ずつ増やす )
    j ← j ＋ originalDigit[i]
  endfor
  while (j が 9 より大きい )
    k ← j ÷ 10 の商 /* 10 進 9 桁の数の場合 , j が 2 桁を超えることはない */
    ［　　　］
  endwhile
  return j
```

解答群

ア j ← j − 10 × k

イ j ← k ＋ (j − 10 × k)

ウ j ← k ＋ (j − 10) × k

エ j ← k ＋ j

※出典：令和 4 年度 IT パスポート試験公表問題を改変

本問では，チェックディジットを計算する問題文の手順（1）～（3）とプログラムの各行に，

手順（1） ⇔ 行番号 03 ～ 06
手順（2） ⇔ 行番号 07 ～ 10
手順（3） ⇔ 行番号 11

のような明確な対応があります。したがって，問題文の記述とプログラムを照合すれば，空欄に必要な処理がわかるようになっています。試験では問題文の記述通りに動作するプログラムを組み立てられるかどうかが問われます。

プログラム・ノート

```
01  ○整数型： checkDigit(整数型の配列： originalDigit)
02    整数型： i, j, k
03    j ← 0
04    for (i を 1 から originalDigit の要素数 まで 1 ずつ増やす)
05      j ← j + originalDigit[i]
06    endfor
07    while (j が 9 より大きい)
08      k ← j ÷ 10 の商 /* 10 進 9 桁の数の場合，j が 2 桁を超えることはない */
09      [          ]
10    endwhile
11    return j
```

1 チェックディジット

チェックディジットとは，コード番号などの数字の一連の並びを基に，ある一定の手順で計算した数字で，そのコードが正しく入力されているかどうかを確認するために使います。

入力したコードに誤りがあると，そのコードから計算したチェックディジットが一致しないので，誤っていることがわかる仕組みです。

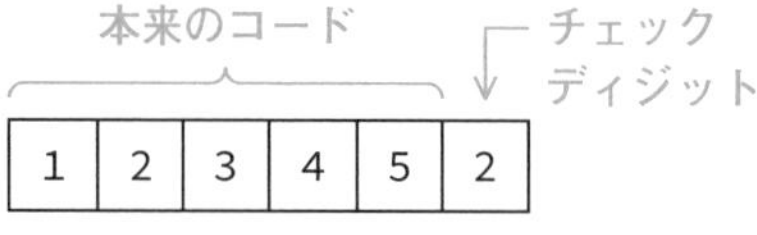

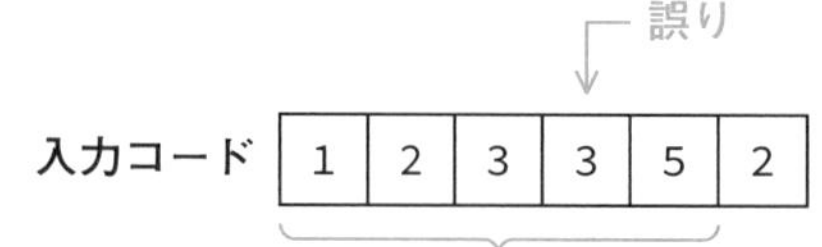

入力されたコードに誤りがあると，それらを使って求めたチェックディジットが一致しないので，誤りがあることがわかる。

問題解説

プログラムは，問題文の計算手順（1）～（3）に従っています。手順とプログラムとの対応を確認しましょう。

（1） 配列 originalDigit の要素番号 1 ～ 9 の要素の値を合計する。

配列 originalDigit の各要素の合計を求めます。プログラムでは，この処理を次のような繰返し処理によって行います。

```
03  j ← 0
04  for (iを1からoriginalDigitの要素数まで1ずつ増やす)
05    j ← j + originalDigit[i]
06  endfor
```

以上で，変数 j に配列 originalDigit の各要素の合計が格納されます。

(2)　合計した値が 9 より大きい場合は，合計した値を 10 進の整数で表現したときの各桁の数字を合計する。この操作を，合計した値が 9 以下になるまで繰り返す。

「この操作を，合計した値が 9 以下になるまで繰り返す」とあるので，この処理がプログラムの次の部分に対応していることがわかります。

```
07    while (j が 9 より大きい)
        ⋮
10    endwhile
```

while ～ endwhile の間で実行する処理の内容は，「合計した値を 10 進の整数で表現したときの各桁の数字を合計する」というものです。合計した値は変数 j に格納されています。この値から，10 進整数で表したときの 10 の位の数と 1 の位の数を取り出して足し合わせます。たとえば変数 j の値が「78」であれば，7 と 8 を取り出し，7 + 8 = 15 を求めればよいわけです。

行番号 08 は，10 の位の数を求めて変数 k に格納する処理です。

```
08    k ← j ÷ 10 の商
```

1 の位の数を求めるにはどうすればよいでしょうか。たとえば 78 の 1 の位の数「8」を取り出すには，78 から 70 を引けばよいでしょう。プログラムでは，j から k × 10 を引けばよいことがわかります。

```
j − k × 10
```

ここで必要なのは，10 の位の数と 1 の位の数の合計ですから，空欄の処理は次のようになります。

```
j ← k + (j − 10 × k)
```

以上から，正解は イ です。

解答

問11　イ

問 12

次のプログラム中の [a] と [b] に入る正しい答えの組合せを，解答群の中から選べ。ここで，配列の要素は 1 から始まる。

ある学年の生徒全員のテストの点数が，整数型の配列 points に格納されている。テストは 100 点満点である。点数の分布を見るために，ヒストグラムを作成するプログラムである。ヒストグラムの階級は，“0 点以上 10 点未満”，“10 点以上 20 点未満”，…，“90 点以上”の 10 個に区分し，階級ごとに人数分の個数の“⋆”を出力する。生徒数が 150 人の場合の出力結果の例を図に示す。

```
 0 ～  9：
10 ～ 19：⋆
20 ～ 29：⋆⋆⋆
30 ～ 39：⋆⋆⋆⋆⋆⋆⋆⋆⋆
40 ～ 49：⋆⋆⋆⋆⋆⋆⋆⋆⋆⋆⋆⋆
50 ～ 59：⋆⋆⋆⋆⋆⋆⋆⋆⋆⋆⋆⋆⋆⋆⋆⋆⋆⋆⋆⋆⋆⋆⋆⋆⋆⋆⋆⋆⋆⋆⋆⋆⋆⋆⋆⋆
60 ～ 69：⋆⋆⋆⋆⋆⋆⋆⋆⋆⋆⋆⋆⋆⋆⋆⋆⋆⋆⋆⋆⋆⋆⋆⋆⋆⋆⋆⋆⋆⋆⋆
70 ～ 79：⋆⋆⋆⋆⋆⋆⋆⋆⋆⋆⋆⋆⋆⋆⋆⋆⋆⋆⋆⋆⋆⋆⋆⋆⋆⋆⋆⋆⋆⋆⋆⋆⋆⋆⋆⋆⋆⋆⋆⋆⋆
80 ～ 89：⋆⋆⋆⋆⋆⋆⋆⋆⋆⋆⋆⋆⋆
90 ～   ：⋆⋆⋆⋆⋆⋆⋆
```

図　出力結果の例

注：階級はプログラムでは出力しない。

〔プログラム〕

```
整数型の配列： points /* 生徒全員の点数が格納されている */
整数型の配列： count ← {0,0,0,0,0,0,0,0,0,0}

for (i を 1 から points の要素数 まで 1 ずつ増やす)
  if (points[i] が [ a ])
    num ← 10
  else
    num ← [ b ]
  endif
  count[num] ← count[num] + 1
endfor
for (j を 1 から count の要素数 まで 1 ずつ増やす)
  count[j] 個の "⋆" を出力する
endfor
```

解答群

	a	b
ア	100 以下	(points[i] ÷ 10 の商) + 1
イ	100 以下	(points[i] ÷ 10 の商) − 1
ウ	100 に等しい	(points[i] ÷ 10 の商)
エ	100 に等しい	(points[i] ÷ 10 の商) + 1
オ	100 以上	(points[i] ÷ 10 の商) − 1
カ	100 以上	(points[i] ÷ 10 の商)

※オリジナル問題

合格のカギ

プログラミングで，端の数（配列の両端の要素番号や，繰返し処理の初期値と終値）をどう処理するかはデリケートな問題です。条件式では「以上」とするか「より大きい」とするのか，配列の要素番号に＋１や－１が必要かどうかなどが間違いやすいポイントになります。

とくに擬似言語では，配列の要素番号が１から始まる場合が多いため注意が必要です。

●配列の要素番号が１から始まる場合

```
  n ← array の要素数
  i ← 1
× while (i が n より小さい)
    array[i] を参照
    i ← i+1
  endwhile
```

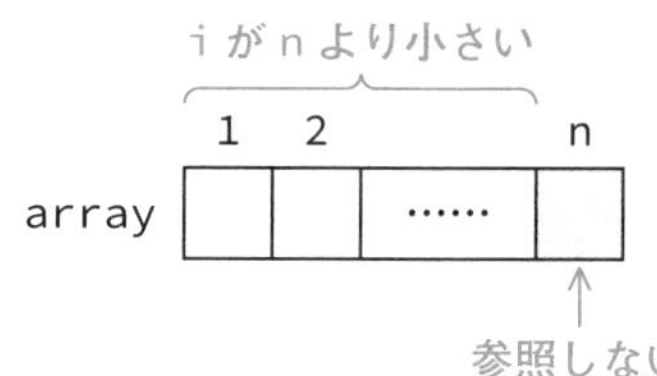

●配列の要素番号が０から始まる場合

```
  n ← array の要素数
  i ← 0
○ while (i が n より小さい)
    array[i] を参照
    i ← i+1
  endwhile
```

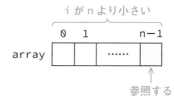

i が n より小さい

0　1　……　n−1

array

参照する

プログラム・ノート

```
01  整数型の配列： points /* 生徒全員の点数が格納されている */
02  整数型の配列： count ← {0,0,0,0,0,0,0,0,0,0}
03  for (i を 1 から points の要素数 まで 1 ずつ増やす)
04    if (points[i] が [    a    ])
05      num ← 10
06    else
07      num ← [    b    ]
08    endif
09    count[num] ← count[num] + 1
10  endfor
11  for (j を 1 から count の要素数 まで 1 ずつ増やす)
12    count[j] 個の "*" を出力する
13  endfor
```

プログラムは，0以上100以下の範囲のデータを，“0点以上10点未満”，“10点以上20点未満”，…，“90点以上”の10個に区分して集計します。集計は，

> **データが 0 以上 10 未満なら count[1] を 1 増やす**
> **データが 10 以上 20 未満なら count[2] を 1 増やす**
> ⋮

のように，配列 count の該当する要素ごとに行います。たとえばデータが75点であれば，集計先の要素番号は8になります。これは，

> **(データ ÷ 10 の商) + 1**

で計算できます。

ただしこの計算では，データが100点満点の場合の要素番号が11になってしまいます。そのため，データが100の場合は例外として，要素番号10に集計するように調整する必要があります。

問題解説

行番号 04：if 文の条件式が真の場合，集計先の配列 count の要素番号を10にします。これは，データが100点満点だった場合の例外措置です。したがって，**空欄 a** には「**100 に等しい**」が入ります。

```
04    if (points[i] が 100 に等しい)        ← 空欄 a
05      num ← 10  ← 100点満点の場合は要素番号10に集計
```

行番号 07：データが100点満点以外の場合は，「データの10の位の数＋1」が集計先の要素番号になります。この値は次のように計算できます。

```
07      num ← (point[i] ÷ 10 の商) + 1
                ↑ 空欄 b
```

以上から，**空欄 a** が「**100 に等しい**」，**空欄 b** が「**(points[i] ÷ 10 の商) ＋ 1**」の組合せの エ が正解です。

解答
問12 エ

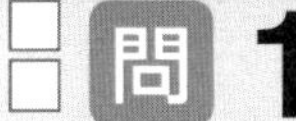

問 13　次の記述中の［　　　］に入る正しい答えを，解答群の中から選べ。

関数 nuron は，引数として与えられた 0 または 1 の整数 x，y に応じて，0 または 1 の値を返す。引数と戻り値の組合せは，図のとおりである。

x	y	戻り値
0	0	
0	1	
1	0	
1	1	

図　引数と戻り値の組合せ

〔プログラム〕

```
○ 整数型： nuron( 整数型 :x, 整数型： y)
  実数型： tmp, bias
  実数型の配列： w ← {0.6, 0.6}
  bias ← −0.7
  tmp ← x × w[1] + y × w[2] + bias
  if (tmp ＞ 0.0)
    return 0
  else
    return 1
  endif
```

解答群

ア	イ	ウ	エ	オ
0	0	1	1	0
0	1	1	0	1
0	1	1	0	1
1	1	0	0	0

※オリジナル問題

合格のカギ

パーセプトロンと呼ばれるモデルを用いて，論理回路を実装する問題です。解答群から，AND 回路や OR 回路などができることがわかります。引数に指定した入力値の組合せごとに変数 tmp の値を計算して，出力値を求めてみましょう。

パーセプトロンでは，重み（配列 w）やバイアス（変数 bias）の値によって出力パターンを調整できます。

プログラム・ノート

```
○ 整数型： nuron( 整数型：x， 整数型： y)
  実数型： tmp, bias
  実数型の配列： w ← {0.6, 0.6}
  bias ← −0.7
  tmp ← x × w[1] + y × w[2] + bias
  if (tmp > 0.0)
    return 0
  else
    return 1
  endif
```

関数 nuron は，**パーセプトロン**（単純パーセプトロン）を用いて論理回路を実装したものです。

パーセプトロンは，機械学習で用いられる脳の神経回路をモデルとした回路で，複数の入力信号を受け取り，1 つの信号を出力します。

パーセプトロンで出力信号を得るには，まず入力信号に**重み**を掛けて足し合わせ，**バイアス**を加えた値を計算します。本問では，2 つの入力信号に対応する重みは実数型の配列 w に，バイアスは変数 bias に格納されているので，次のようになります。

```
tmp ← x × w[1] + y × w[2] + bias
```

関数 nuron では，変数 tmp に格納された値が 0.0 より大きい場合は 0，0.0 以下の場合は 1 を出力信号とします。この 0.0 を**閾値**といいます。

問題解説

引数に指定した入力信号ごとに，変数 tmp の値を計算してみましょう。w ＝ {0.6, 0.6}，bias ＝ −0.7 より，入力信号ごとの変数 tmp の値は次のようになります。

x	y	tmp
0	0	0 × 0.6 ＋0 × 0.6 − 0.7 → −0.7
0	1	0 × 0.6 ＋1 × 0.6 − 0.7 → −0.1
1	0	1 × 0.6 ＋0 × 0.6 − 0.7 → −0.1
1	1	1 × 0.6 ＋1 × 0.6 − 0.7 → 0.5

以上から，変数 tmp の値は x ＝ 1，y ＝ 1 のときのみ 0 より大きく，それ以外の場合は 0 以下となります。したがって出力信号（戻り値）は，次のような NAND 回路になります。正解は ウ です。

x	y	戻り値
0	0	1
0	1	1
1	0	1
1	1	0

なお，関数 nuron の配列 w と bias の値をそれぞれ次のようにすると，AND 回路や OR 回路が作れます（ただし，XOR 回路は作れません）。

AND 回路：

```
w ← {−0.5, −0.5}
bias ← 0.7
```

OR 回路：

```
w ← {−0.5, −0.5}
bias ← 0.3
```

解答

問13 ウ

問 14 次のプログラム中の[ ]に入れる正しい答えを，解答群の中から選べ。ここで，配列の要素番号は 1 から始まる。

複数の項目をカンマ（“,”）で区切って並べたレコードがある。手続 comma2space は，引数に指定されたレコードを読み込み，カンマ（“,”）を 1 文字以上のスペースに変換して出力する。スペースの文字数は，レコードの先頭を 1 桁目として，次の項目の 1 文字目が（10の倍数＋1）桁目になるよう調整するものとする。引数に指定したレコードと出力結果の例を図に示す。各項目の文字数は 9 文字以下とする。

入力レコード：| F | E | - | 1 | 0 | 0 | 1 | , | W | H | I | T | E | , | 1 | 2 | 3 | , | Y |

出力結果　：| F | E | - | 1 | 0 | 0 | 1 | ␣ | ␣ | ␣ | W | H | I | T | E | ␣ | ␣ | ␣ | ␣ | ␣ | 1 | 2 | 3 | ␣ | ␣ | ␣ | ␣ | ␣ | ␣ | ␣ | Y |
（1，11，21，31（桁目））

図　入力レコードと出力結果の例

〔プログラム〕

```
○ comma2space( 文字列型： rec)
  文字列型： str ← ""
  整数型： count ← 1, i
  for (i を 1 から rec の要素数まで 1 ずつ増やす)
    if (rec の i 番目の文字が "," に等しい)
      do
        str の末尾に " " を追加する
        count ← count + 1
      while ([          ])
    else
      str の末尾に rec の i 番目の文字を追加する
      count ← count + 1
    endif
  endfor
  str を出力する
```

解答群

ア (count mod 10) が 0 に等しい

イ (count mod 10) が 0 に等しくない

ウ (count mod 10) が 0 以上

エ (count mod 10) が 1 に等しい

オ (count mod 10) が 1 に等しくない

カ (count mod 10) が 1 以上

※オリジナル問題

文字列データは，文字列型のインスタンスとして扱う場合と，文字型の配列として扱う場合があります。文字列を 1 文字ずつ処理する場合は，文字型の配列として考えます。

プログラム・ノート

```
01 ○ comma2space( 文字列型 : rec)
02   文字列型 : str ← ""
03   整数型 : count ← 1, i
04   for (i を 1 から rec の要素数まで 1 ずつ増やす)
05     if (rec の i 番目の文字が "," に等しい)
06       do
07         str の末尾に " " を追加する
08         count ← count + 1
09       while (          )
10     else
11       str の末尾に rec の i 番目の文字を追加する
12       count ← count + 1
13     endif
14   endfor
15   str を出力する
```

カンマ区切りのレコードを，固定長（10 桁）のスペース区切りに変換して出力するプログラムです。

カンマ（“,”）を読み込んだら，そのときの桁位置に応じて 1 文字以上のスペースを出力し，次の項目の先頭が 10 の倍数＋1 桁目になるように調整します。

問題解説

プログラムは，現在の桁数を変数 count で管理しており，スペース文字を出力（行番号 07）したときや，項目の文字を出力（行番号 12）したときに 1 加算します。

1 つの項目を出力した後，次の項目を出力するには，変数 count の値がちょうど 10 の倍数になるまでスペースを出力します。この処理を行っているのが次の部分です。

```
06 do
07   str の末尾に " " を追加する
08   count ← count + 1
09 while (          )
```

たとえば，10 桁目（count ＝ 10）にスペースを出力すると，行番号 08 で count に 1 が加算され，11 になります。11 桁目には次の項目の先頭文字を出力するので，繰返し処理を抜けます。この判定は，変数 count を 10 で割った余りが 1 かどうかで行うことができます。

変数 count を 10 で割った余りが 1 でなければ，繰返しを継続します。do ～ while の条件式には，繰返しの継続条件を記述するので，次のようになります。

```
09 while (count mod 10 が 1 に等しくない)
```

以上から，正解は オ です。

解答

問14 オ

問 15

次の記述中の [a] と [b] に入れる正しい答えの組合せを，解答群の中から選べ。ここで，配列の要素番号は 1 から始まるものとする。

関数 median は，引数として与えられた配列に格納された整列済みデータの中央値（メディアン）を返す。関数 median を median({5, 5, 7, 7, 7, 9, 11, 13, 13}) として呼び出したときの戻り値は 7 となる。また，関数 median を median({4, 5, 5, 6, 7, 9, 9, 10, 11, 12}) として呼び出したときの戻り値は 8 となる。

〔プログラム〕

```
○実数型： median(実数型の配列： data)
  整数型： k
  実数型： ret
  k ← [ a ]
  if ((data の要素数 mod 2) が 0 に等しい)
    ret ← [ b ]  /* 実数値 */
  else
    ret ← data[k]
  endif
  return ret
```

解答群

	a	b
ア	(data の要素数 ÷ 2 の商)	(data[k] ＋ data[k＋1]) ÷ 2
イ	(data の要素数 ÷ 2 の商)	(data[k－1] ＋ data[k]) ÷ 2
ウ	(data の要素数 ÷ 2 の商)＋1	(data[k] ＋ data[k＋1]) ÷ 2
エ	(data の要素数 ÷ 2 の商)＋1	(data[k－1] ＋ data[k]) ÷ 2
オ	(data の要素数 ÷ 2 の商)－1	(data[k] ＋ data[k＋1]) ÷ 2
カ	(data の要素数 ÷ 2 の商)－1	(data[k－1] ＋ data[k]) ÷ 2

※オリジナル問題

合格のカギ

配列の真ん中の要素番号は，おおまかに「要素数÷2」で求められることはすぐわかりますが，＋1 が必要かどうかは場合によります（要素番号が 1 から始まる場合は必要）。要素が 5 個のとき，9 個のとき…のように，具体的な値を当てはめて確認しましょう。

プログラム・ノート

```
01 ○実数型: median(実数型の配列: data)
02   整数型: k
03   実数型: ret
04   k ← [  a  ]
05   if ((dataの要素数 mod 2) が 0 に等しい)
06     ret ← [  b  ] /* 実数値 */
07   else
08     ret ← data[k]
09   endif
10   return ret
```

1 中央値とは

複数のデータの代表となる値として，平均値，中央値，最頻値などがあります。このうち**中央値**（メディアン）とは，データを昇順または降順に整列したときに中央に位置する値のことです。ただし，データの個数が偶数の場合は，中央に位置する値が2個あるため，それらの平均値を中央値とします。

中央値の計算は，データがあらかじめ整列済みであれば比較的簡単です。まず，データの個数が偶数かどうかを調べ，偶数であれば真ん中の2個の値の平均値を求めます（行番号06）。データの個数が奇数でなければ，真ん中の値をそのまま返すだけです。

問題解説

行番号04：行番号04では，配列の真ん中の要素の要素番号を計算します。たとえば，配列の要素数が5個の場合，真ん中の要素の要素番号は3です。これは，5÷2の商2に1を足して求めます。したがって，**空欄a**は次のようになります。

```
04   k ← (dataの要素数 ÷ 2の商) + 1
```

要素番号が0から始まる場合は，「+ 1」は不要だよ。

行番号06：行番号06では，データの個数が偶数だった場合の中央値を求めます。たとえば，配列の要素数が10個の場合，真ん中の要素の要素番号は5と6です。行番号04で求めた変数kには，10÷2＋1＝6が格納されているので，真ん中の要素はdata[k − 1]とdata[k]となります。この2つの要素の値の平均値を中央値とします。

```
06   ret ← (data[k-1] + data[k]) ÷ 2
```

以上から，**空欄a**が「(dataの要素数 ÷ 2の商) ＋ 1」，**空欄b**が「(data[k − 1] ＋ data[k]) ÷ 2」の組合せの エ が正解です。

解答

問15 エ

問 16 次の記述中の [a] ～ [c] に入れる正しい答えの組合せを，解答群の中から選べ。ここで，配列の要素番号は 1 から始まる。

要素の多くが0の行列を疎行列という。次のプログラムは，二次元配列に格納された行列のデータ量を削減するために，疎行列の格納に適したデータ構造に変換する。

関数 transformSparseMatrix は，引数 matrix で二次元配列として与えられた行列を，整数型配列の配列に変換して返す。関数 transformSparseMatrix を transformSparseMatrix({{3,0,0,0,0}, {0,2,2,0,0}, {0,0,0,1,3}, {0,0,0,2,0}, {0,0,0,0,1}}) として呼び出したときの戻り値は，{{ [a] },{ [b] }, { [c] }} である。

〔プログラム〕

```
○ 整数型配列の配列： transformSparseMatrix( 整数型の二次元配列： matrix)
  整数型： i, j
  整数型配列の配列： sparseMatrix
  sparseMatrix ← {{}, {}, {}} /* 要素数 0 の配列を三つ要素にもつ配列 */
  for (i を 1 から matrix の行数 まで 1 ずつ増やす)
    for (j を 1 から matrix の列数 まで 1 ずつ増やす)
      if (matrix[i, j] が 0 でない)
        sparseMatrix[1] の末尾 に i の値 を追加する
        sparseMatrix[2] の末尾 に j の値 を追加する
        sparseMatrix[3] の末尾 に matrix[i, j] の値を追加する
      endif
    endfor
  endfor
  return sparseMatrix
```

解答群

	a	b	c
ア	1,2,2,3,3,4,5	1,2,3,4,5,4,5	3,2,2,1,2,3,1
イ	1,2,2,3,3,4,5	1,2,3,4,5,4,5	3,2,2,1,3,2,1
ウ	1,2,3,4,5,4,5	1,2,2,3,3,4,5	3,2,2,1,2,3,1
エ	1,2,3,4,5,4,5	1,2,2,3,3,4,5	3,2,2,1,3,2,1

※令和4年4月公表サンプル問題より

合格のカギ

二次元配列は，一般的なプログラム言語では「配列の配列」として表しますが，情報処理試験の擬似言語では二次元配列と配列の配列を区別しています。二次元配列の要素はmatrix[i, j]のように表しますが，配列の配列はmatrix[i][j]となることに注意してください。また，擬似言語の配列の配列では，要素数が異なる配列の配列も作れます。

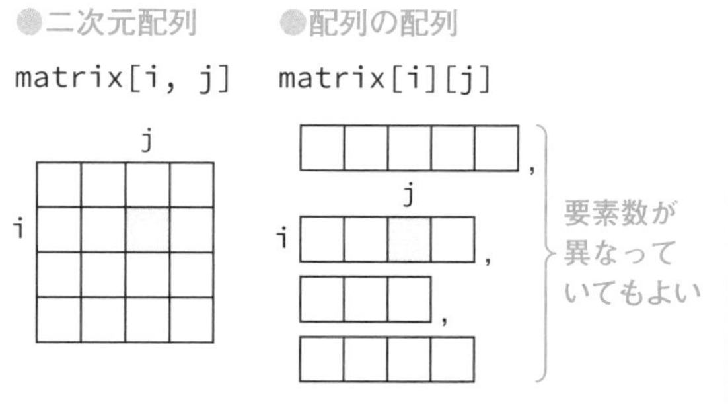

プログラム・ノート

```
○整数型配列の配列: transformSparseMatrix(整数型の二次元配列: matrix)
  整数型: i, j
  整数型配列の配列: sparseMatrix
  sparseMatrix ← {{}, {}, {}}
  for (i を 1 から matrixの行数 まで 1 ずつ増やす)
    for (j を 1 から matrixの列数 まで 1 ずつ増やす)
      if (matrix[i, j] が 0 でない)
        sparseMatrix[1]の末尾に iの値 を追加する
        sparseMatrix[2]の末尾に jの値 を追加する
        sparseMatrix[3]の末尾に matrix[i, j]の値 を追加する
      endif
    endfor
  endfor
  return sparseMatrix
```

1 二次元配列

右図のように，データを入れる区画を行方向と列方向に格子状に設けた配列を，**二次元配列**といいます。擬似言語では，二次元配列の行列を

配列名[行番号,列番号]

のように指定します。

1 2 3 4 5 ← 列番号
matrix 1 2 3 4 5 ↑ 行番号
← matrix[2,4]

2 疎行列の圧縮表現

二次元配列を扱うには，データが格納されているかどうかに関わりなく，行数×列数の記憶領域が必要になります。そのため，要素の多くが0の疎行列の場合には，無駄な領域が多くなってしまいます。そこで本問では，データ構造を次のように変換して，データ量を圧縮しています。

```
      if (matrix[i, j] が 0 でない)
        sparseMatrix[1] の末尾に i の値 を追加する    } 行番号と列番号を登録
        sparseMatrix[2] の末尾に j の値 を追加する    }
        sparseMatrix[3] の末尾に matrix[i, j] の値 を追加する ← 値を登録
      endif
    endfor
```

二次元配列の 0 でない 1 個の要素は，sparseMatrix の 3 個の要素に変換されます。そのため，0 でない要素が多くなると，かえってデータ量が増えてしまいます。たとえば，5 行 5 列の二次元配列の場合は，0 でない個数が 9 個以上になると，sparseMatrix のほうがデータ量が多くなります。

問題解説

本問の二次元配列 matrix の内容は，次のとおりです。

	1	2	3	4	5
1	3	0	0	0	0
2	0	2	2	0	0
3	0	0	0	1	3
4	0	0	0	2	0
5	0	0	0	0	1

この配列を sparseMatrix に変換します。なお，プログラムが matrix の要素を調べる順番に注意しましょう。0 でない要素は次の 7 個です。

データの格納場所	値
matrix[1, 1]	3
matrix[2, 2]	2
matrix[2, 3]	2
matrix[3, 4]	1
matrix[3, 5]	3
matrix[4, 4]	2
matrix[5, 5]	1

sparseMatrix[1] と sparseMatrix[2] には，上記のうち，matrix の行番号（i の値）と列番号（j の値）が順に格納されます。

```
sparseMatrix[1] ： {1, 2, 2, 3, 3, 4, 5}
sparseMatrix[2] ： {1, 2, 3, 4, 5, 4, 5}
```

また，sparseMatrix[3] には，対応する matrix の要素の値が順に格納されます。

```
sparseMatrix[3] ： {3, 2, 2, 1, 3, 2, 1}
```

以上から，正解は イ です。

解答
問16 イ

問 17

製造業のA社では，ECサイト（以下，A社のECサイトをAサイトという）を使用し，個人向けの製品販売を行っている。Aサイトは，A社の製品やサービスが検索可能で，ログイン機能を有しており，あらかじめAサイトに利用登録した個人（以下，会員という）の氏名やメールアドレスといった情報（以下，会員情報という）を管理している。Aサイトは，B社のPaaSで稼働しており，PaaS上のDBMSとアプリケーションサーバを利用している。

A社は，Aサイトの開発，運用をC社に委託している。A社とC社との間の委託契約では，Webアプリケーションプログラムの脆弱性対策は，C社が実施するとしている。

最近，A社の同業他社が運営しているWebサイトで脆弱性が悪用され，個人情報が漏えいするという事件が発生した。そこでA社は，セキュリティ診断サービスを行っているD社に，Aサイトの脆弱性診断を依頼した。脆弱性診断の結果，対策が必要なセキュリティ上の脆弱性が複数指摘された。**図1**にD社からの指摘事項を示す。

（一）Aサイトで利用しているDBMSに既知の脆弱性があり，脆弱性を悪用した攻撃を受けるおそれがある。
（二）Aサイトで利用しているアプリケーションサーバのOSに既知の脆弱性があり，脆弱性を悪用した攻撃を受けるおそれがある。
（三）ログイン機能に脆弱性があり，Aサイトのデータベースに蓄積された情報のうち，会員には非公開の情報を閲覧されるおそれがある。

図1　D社からの指摘事項

設問　次の記述を読んで，図1中の項番（一）～（三）それぞれに対処する組織の適切な組合せを，解答群の中から選べ。

解答群

	(一)	(二)	(三)
ア	A社	A社	A社
イ	A社	A社	C社
ウ	A社	B社	B社
エ	B社	B社	B社
オ	B社	B社	C社
カ	B社	C社	B社
キ	B社	C社	C社
ク	C社	B社	B社
ケ	C社	B社	C社
コ	C社	C社	B社

※令和4年4月公表サンプル問題より

クラウド上のシステムの責任範囲の分担に関する問題です。責任範囲はクラウドサービスが SaaS か PaaS か IaaS かによって異なります。本問では PaaS を利用していますが，これが IaaS であれば正解が異なります。したがって，3 つの違いをよく理解しておく必要があります。

用語解説

1 SaaS，PaaS，IaaS

情報システムの構築に必要な環境やソフトウェアを，インターネットを介して提供するサービスを**クラウドサービス**といいます。クラウドサービスには提供するリソース（資源）の違いにより，SaaS，PaaS，IaaS の 3 種類に分類できます。

SaaS（Software as a Service）：アプリケーションの機能を利用者に提供
PaaS（Platform as a Service）：アプリケーションの稼働環境を利用者に提供
IaaS（Infrastructure as a Service）：システムを構築するためのハードウェアやネットワーク環境のみを提供

障害やサポートなどに対する責任は，クラウドサービスを提供する業者と利用者とで分担します。ただし，分担する範囲は SaaS，PaaS，IaaS によって異なります。

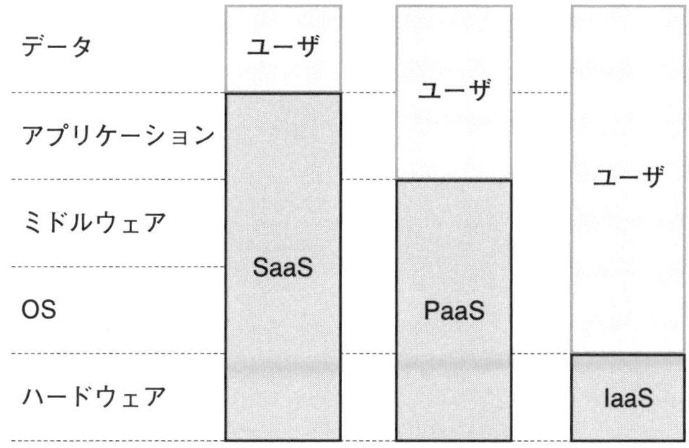

SaaS，PaaS，IaaS
事業者の管理範囲

問題解説

脆弱性診断の結果，A サイトには 3 つの脆弱性（セキュリティ上の欠点）が見つかりました。これらの脆弱性に対処すべき組織を，A サイトに関係のある A 社，B 社，C 社からそれぞれ選択する問題です。

3 つの脆弱性を 1 つずつ検討していきましょう。

（一）A サイトで利用している DBMS に既知の脆弱性があり，脆弱性を悪用した攻撃を受けるおそれがある。

A サイトは B 社の **PaaS** で稼働しており，PaaS 上の DBMS とアプリケーションサーバを使用しています。

PaaS とは，Platform as a Service の略で，アプリケーションを実行するために必要な環境（プラットフォーム）を，インターネットを介して利用者に提供するサービスです。

具体的には，OSやDBMS（データベース管理システム），アプリケーションサーバなど，自社サイトを構築するために必要なシステムを提供します。指摘事項（一）はDBMSの脆弱性であり，DBMSはB社が提供するプラットフォームの一部ですから，B社が対処すべきです。

（二）Aサイトで利用しているアプリケーションサーバのOSに既知の脆弱性があり，脆弱性を悪用した攻撃を受けるおそれがある。

アプリケーションサーバはB社が提供するプラットフォームの一部であり，OSはそのアプリケーションサーバが稼働する基盤ですから，OSの脆弱性についてはB社が対処すべきです。

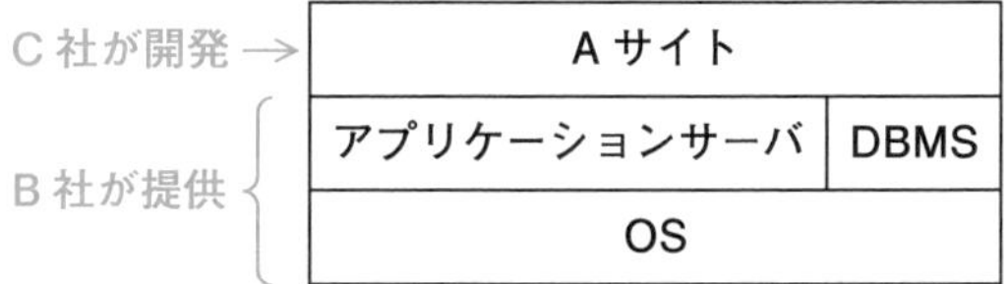

（三）ログイン機能に脆弱性があり，Aサイトのデータベースに蓄積された情報のうち，会員には非公開の情報を閲覧されるおそれがある。

ログイン機能は，Aサイトの機能の一部です。A社はC社と委託契約を結んでおり，AサイトのWebアプリケーションプログラムの脆弱性対策はC社が実施することになっています。したがって，ログイン機能の脆弱性はC社が対処しなければなりません。

以上から，（一）と（二）がB社，（三）がC社の オ が正解です。

解答

問17 オ

問 18

A 社は，関東の N 事業所で利用している営業支援システムを，関西の M 事業所でも利用するために，IPsec を利用した VPN の導入を検討している。

VPN の実現には，VPN ルータを利用する。IPsec では，VPN ルータ間で暗号化に利用する鍵を端末間で安全に交換する仕組みの一つとして，Diffie-Hellman 鍵交換法（以下，DH 法という）を利用している。DH 法の例を図に示す。DH 法で作成された鍵（以下，DH 鍵という）を暗号化に利用する。

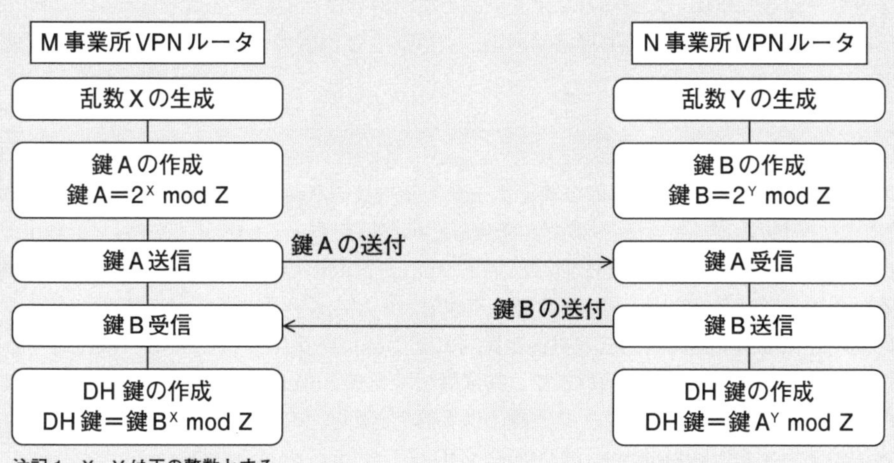

注記 1　X，Y は正の整数とする。
注記 2　2^X は，2 の X 乗を示す。
注記 3　P mod Q は，P の Q による剰余を示す。
注記 4　Z は，M 事業所 VPN ルータ，N 事業所 VPN ルータに事前に設定された素数である。

図　DH 法の例

設問　次の記述中の [　　] に入れる正しい答えを，解答群の中から選べ。

Z = 11，X = 7，Y = 5 の場合，DH 鍵は [　　] である。

解答群

ア 2　　イ 5　　ウ 7　　エ 10　　オ 13

※出典：基本情報技術者試験平成 25 年度秋期午後問題問 4 を改変

合格のカギ

共通鍵暗号方式と公開鍵暗号方式については，科目 A でもよく出題される基本事項です。仕組みを理解しておきましょう。

用語解説

1 共通鍵暗号方式

暗号化と復号に同一の鍵（共通鍵）を用いる方式。公開鍵暗号方式に比べると処理は高速ですが，暗号文の送信元と受信先とで，あらかじめ鍵の受け渡しを行う必要があります。

鍵を安全にやり取りするため，鍵のやり取りだけを公開鍵暗号方式で行ったり，DH 法を使って鍵を生成したりする方法が考案されています。

2 公開鍵暗号方式

暗号化用の鍵と復号用の鍵が異なる方式。暗号文の受信者は，あらかじめ暗号化用の鍵（公開鍵）と復号用の鍵（秘密鍵）のペアを用意しておき，公開鍵だけを送信元に渡します。送信元は，受信者の公開鍵を使ってメッセージを暗号化し，受信者は手元にある秘密鍵を使って暗号を復号します。

復号用の鍵をやり取りしないので共通鍵暗号方式より安全ですが，一般に暗号化・復号の処理に時間がかかります。

問題解説

IPsec は，インターネットでやり取りするデータを暗号技術を用いて安全に送受信するためのプロトコルで，IP パケットの暗号化や認証，改ざん防止などの機能を備えています。**VPN**（Virtual Private Network：仮想専用通信網）は，遠隔地にあるコンピュータ間の専用ネットワークを公衆回線を利用して実現するもので，インターネットによる VPN では IPsec がよく利用されています。

データの暗号化には**公開鍵暗号方式**と**共通鍵暗号方式**がありますが，VPN では一般に暗号化と復号の処理が高速な共通鍵暗号方式が用いられます。共通鍵暗号方式では，データの送信側と受信側とで，事前に共通鍵の受け渡しが必要になるため，共通鍵の送受信をどのように安全に行うかが問題になります。そのための方法の 1 つが **Diffie-Hellman 鍵交換法**（DH 法）です。

DH 法を使用すると，共通鍵そのものを一度も送受信することなく，送信側と受信側とで同一の共通鍵を作成することができます。

問題文の図に従って，Z = 11，X = 7，Y = 5 のときの DH 鍵を作成してみましょう。なお，DH 鍵は，鍵 A から作る方法と鍵 B から作る方法の 2 通りがあります。どちらを使っても同じ値になりますが，ここでは鍵 B から作る方法で説明します。

① 「鍵 B = 2^Y mod Z」に，Y = 5，Z = 11 を代入します。

鍵 B = 2^5 mod 11 = 32 mod 11 ← 32 ÷ 11 の余り

以上から，鍵 B = 10 となります。

② 「DH 鍵 = 鍵 B^X mod Z」に，鍵 B = 10，X = 7，Z = 11を代入します。

DH 鍵 = 10^7 mod 11 = 10000000 mod 11

10000000 ÷ 11 = 909090 余り 10 より，DH 鍵 = 10 となります。以上から，正解は エ です。

解答

問18 エ

問 19

A 社では，定期的に各部署の代表者を集めて，情報セキュリティルール（以下，ルールという）に照らした社内での書類の取扱い事例の適否について意見交換を行っている。この意見交換は，ルールに対する理解の促進と不適切な取扱いの是正を図ることを目的としている。

〔ルール〕

次のルールは，書類の作成時期にかかわらず，現存するすべての書類に適用される。

①書類は，その内容の機密性の度合（以下，機密レベルという）に応じて分類する。機密レベルは高い順に“関係者外秘”，“社外秘”，“その他”とし，書類を作成した部署の責任者，又は社外から書類を入手した部署の責任者が内容を考慮して，該当する機密レベルを判断する。また，“関係者外秘”の書類については，例えば“人事部内”のように開示範囲についても判断する。

②“社外秘”の書類を社外の者に開示したり，“関係者外秘”の書類を開示範囲以外の者に開示してはならない。

③“社外秘”以上の書類は，その機密レベルが分かるように書類のヘッダ部に明記するか，ラベルを貼る（以下，ラベリングという）。ただし，作業の負荷を軽減するために，複数の書類が同じ機密レベルで，かつ，開示範囲が同じ場合には，任意の単位でまとめてラベリングしてもよい。

④“関係者外秘”の書類は，社員が個々に保管せず，開示範囲内の関係者だけが開けられる専用キャビネットに保管する。

⑤“社外秘”以上の書類を廃棄する場合には，シュレッダーで断裁するか，又は定期的に回収に来る廃棄業者に引き渡す。書類を廃棄業者に引き渡すまでは，機密レベルに応じて適切に保管する。

⑥書類のコピーについても①～⑤を適用する。ただし，コピーを取り扱うことができる者を，当該書類の機密レベルで定められた開示範囲内に限定できる場合には，原本とは異なる方法で保管することができる。

なお，社員の机の引き出しには，貸与されている本人以外は開けられないように鍵がついている。さらに，“関係者外秘”の書類用として，暗証番号の入力が必要な専用キャビネットが開示範囲ごとに用意されており，関係者だけが暗証番号を把握している。

設問　以下の事例（一）～（四）のうち，ルールに違反していない事例の組合せはどれとどれか。解答群のうち，最も適切なものを選べ。

〔事例〕

（一）“関係者外秘（営業部内）”の書類が，“関係者外秘（営業部内）”とラベリングされたバインダーに綴じられていたが，その書類自身にはラベリングされていなかった。

（二）“関係者外秘（人事部内）”の書類のコピーが，人事部員の机の引き出しに保管されていた。

（三）ルールが作成される前から保管されている書類の中には，機密レベルが判断されないまま，営業部専用キャビネットに保管されているものがあった。

（四）ある人事部員が，人事部から他部署に異動した同僚に対して，“関係者外秘（人事部内）”の書類を見せた。

解答群

ア （一），（二）	イ （一），（三）	ウ （一），（四）
エ （二），（三）	オ （二），（四）	カ （三），（四）

※出典：初級システムアドミニストレータ試験平成 19 年度春期午後問題問 2 を改変

合格のカギ

科目Ｂの情報セキュリティ問題では，具体的な事例を基にした問題が出題されます。セキュリティ問題では，一般に問題文の中に必ず解答の根拠があるので，その根拠を見つけることができれば正解できます。

問題解説

（一）“関係者外秘（営業部内）”の書類が，“関係者外秘（営業部内）”とラベリングされたバインダーに綴じられていたが，その書類自身にはラベリングされていなかった。

書類にラベリングがないのは，ルール③に違反します。ただし，ルール③には

作業の負荷を軽減するために，複数の書類が同じ機密レベルで，かつ，開示範囲が同じ場合には，任意の単位でまとめてラベリングしてもよい。

という規定があります。事例（一）はバインダーにラベリングされているので，ルール違反にはなりません。

（二）“関係者外秘（人事部内）”の書類のコピーが，人事部員の机の引き出しに保管されていた。

ルール④によれば，“関係者外秘”の書類は専用キャビネットに保管しなければなりません。このルールは書類のコピーにも適用されます（ルール⑥）。ただしルール⑥には

コピーを取り扱うことができる者を，当該書類の機密レベルで定められた開示範囲内に限定できる場合には，原本とは異なる方法で保管することができる。

という例外規定があります。人事部員の机の引き出しに保管しているのであれば，この例外規定に当てはまるので，ルール違反とはならないと考えられます。

（三）ルールが作成される前から保管されている書類の中には，機密レベルが判断されないまま，営業部専用キャビネットに保管されているものがあった。

機密レベルによって分類されていない書類は，ルール①に違反しています。また，ルールは「書類の作成時期にかかわらず，現存するすべての書類に適用される」とあるので，ルール作成前から保管されている書類も，機密レベルに応じて分類しなければなりません。したがって，事例（三）はルール違反です。

（四）ある人事部員が，人事部から他部署に異動した同僚に対して，“関係者外秘（人事部内）”の書類を見せた。

“関係者外秘”の書類を開示範囲以外の者に見せるのは，ルール②に違反します。人事部から他部署に異動した同僚は，現在は人事部員ではないのですから，開示範囲内ではありません。したがって，事例（四）はルール違反です。

以上からルール違反ではない事例は（一）と（二）になります。正解はアです。

解答

問19 ア

問 20

中堅の商社であるA社では，営業員が顧客先で営業活動を行い，自社に戻ってから見積書を作成している。この度，営業員がタブレット端末（以下，タブレットという）を携帯し，顧客先で要求を聞きながら，タブレットを使って見積書を作成し，その場で顧客に提示できる販売支援システムを構築することにした。

営業員は，タブレットのWebブラウザからインターネット経由でHTTP over TLS（以下，HTTPSという）によって販売支援システムにアクセスする。このとき，営業員は，社員IDとパスワードを入力してログインする。

〔販売支援システムの構成〕

(1) 販売支援システムは次のサーバで構成され，A社のネットワークに設置される。
  ① リバースプロキシサーバ（以下，RPサーバという）1台
  ② アプリケーションソフトウェアが稼働するWebサーバ2台
  ③ 見積書作成に必要なデータを格納するデータベースサーバ（以下，DBサーバという）1台
(2) Webサーバ2台はクラスタリング構成にして，1台が故障してもサービスが継続できるようにする。
(3) DBサーバへのアクセスの監視は，PCと同じLANにある監視サーバで行う。
(4) インターネットから販売支援システムへの通信は，RPサーバを経由して行う。RPサーバは，HTTPSをHTTPに変換し，販売支援システムの他のサーバと，HTTPで通信する。

A社のネットワーク構成を**図1**に示す。

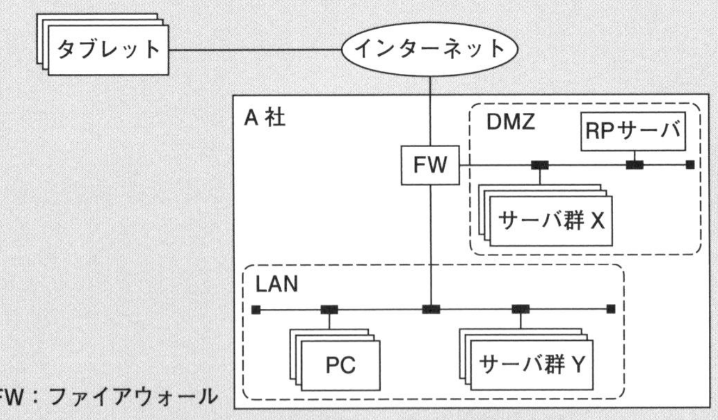

図1　A社のネットワーク構成

販売支援システムに関わる通信経路について，通信経路で利用するプロトコル及び宛先ポート番号を**表1**に示す。また，FWにおけるフィルタリングの設定を**表2**に示す。

表１　通信経路で利用するプロトコル及び宛先ポート番号

通信経路	プロトコル	宛先ポート番号
監視サーバからDBサーバ	監視専用	1600
タブレットからRPサーバ	HTTPS	443
RPサーバからWebサーバ	HTTP	80
WebサーバからDBサーバ	DB専用	1552

表２　FWにおけるフィルタリングの設定

項番	条件			動作
	送信元	宛先	宛先ポート番号	
1	任意	RPサーバ	443	許可
2	任意	DBサーバ	1552	許可
3	任意	任意	任意	拒否

注記　項番が小さいものから順に突き合わせ，最初に一致したものが適用される。

設問　WebサーバとDBサーバについて，図１中の配置場所の組合せとして適切な答えを，解答群の中から選べ。

解答群

	Webサーバ	DBサーバ
ア	サーバ群X	サーバ群X
イ	サーバ群X	サーバ群Y
ウ	サーバ群Y	サーバ群X
エ	サーバ群Y	サーバ群Y

※出典：基本情報技術者試験平成28年度秋期午後問題問１を改変

合格のカギ

情報システムのセキュリティ対策には，「このようなリスクにはこのような対策を講じる」といった定石がいくつかあります。基本情報技術者の試験では，定石から外れた問題はまず出題されません。本問のDMZやファイアウォールの設定も，多くの情報システムで採用されているものです。こうしたセキュリティ対策の定石をしっかりと押さえておきましょう。

問題解説

サーバ群XはDMZ，サーバ群YはLANに配置されています。**DMZ**（DeMilitarized Zone）とは「非武装地帯」のことで，外部とインターネットを介してやり取りするサーバ群を，内部ネットワーク（LAN）から切り離したものです。DMZを設けることで，外部から内部ネットワークへ直接アクセス する必要がなくなるので，外部から内部ネットワークへのアクセスはファイアウォール（FW）ですべて遮断できます。

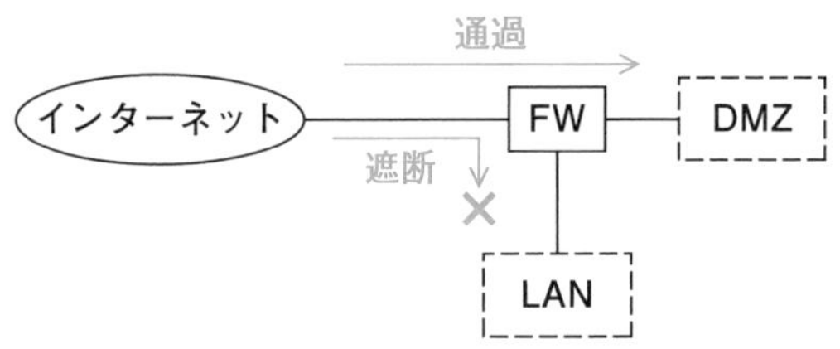

Web サーバは DMZ，DB サーバは LAN 上に配置するのが常識的な構成ですが，この問題でもそうなのかを確認しておきましょう。

販売支援システムは，RP サーバ，Web サーバ，DB サーバで構成され「インターネットから販売支援システムへの通信は，RP サーバを経由して」行います。リバースプロキシサーバ（RP サーバ）とはインターネットとサーバとの間に設置して，外部からのアクセスを代理で受け付け，サーバに中継するサーバです。DB サーバへは Web サーバ上で稼働するアプリケーションからアクセスします。また，DB サーバへのアクセスは「PC と同じ LAN にある監視サーバ」によって監視されます。各通信経路で利用するプロトコルは，**表 1** の「通信経路で利用するプロトコル及び宛先ポート番号」より，次の図のようになります。

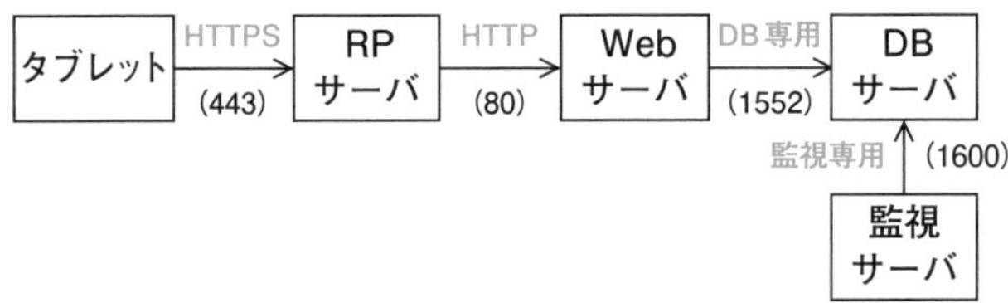

表 2「FW におけるフィルタリングの設定」を見ると，上の図の 4 つの通信経路のうち，ファイアウォールの通過が許可されているのは，宛先ポート番号 443，1552 の 2 つだけです。この 2 つはそれぞれ

- **タブレット→ RP サーバ（443）**
- **Web サーバ→ DB サーバ（1552）**

です（表 1 参照）。他の通信はファイアウォールを通過できないので，

- **RP サーバ→ Web サーバ（80）**
- **監視サーバ→ DB サーバ（1600）**

は，同じゾーン内に配置しなければなりません。

RP サーバは DMZ にあるので，Web サーバも DMZ に配置します。また，監視サーバは LAN にあるので，DB サーバも LAN に配置します。

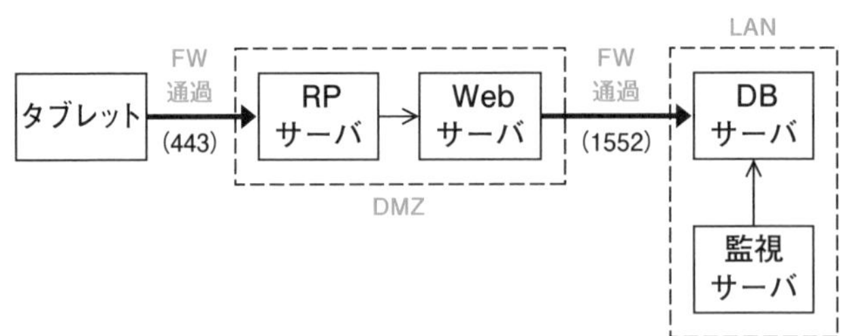

以上から，Web サーバの配置場所はサーバ群 X，DB サーバの配置場所はサーバ群 Y となります。正解は イ です。

解答
問20 イ

基本情報技術者

精選模擬問題②

問01 1バイトのデータで0のビット数と1のビット数が等しいもののうち，符号なしの2進整数としてみたときに最大となるものを，10進整数として表したものはどれか。

ア 120　イ 127　ウ 170　エ 240

問02 16ビットの2進数 n を16進数の各桁に分けて，下位の桁から順にスタックに格納するために，次の手順を4回繰り返す。a，bに入る適切な語句の組合せはどれか。ここで，XXXX_{16} は16進数XXXXを表す。

〔手順〕
(1) [a] を x に代入する。
(2) x をスタックにプッシュする。
(3) n を [b] 論理シフトする。

	a	b
ア	n AND $000F_{16}$	左に4ビット
イ	n AND $000F_{16}$	右に4ビット
ウ	n AND $FFF0_{16}$	左に4ビット
エ	n AND $FFF0_{16}$	右に4ビット

問03 全体集合 S 内に異なる部分集合 A と B があるとき，$\overline{A} \cap \overline{B}$ に等しいものはどれか。ここで，$A \cup B$ は A と B の和集合，$A \cap B$ は A と B の積集合，$\overline{A}$ は S における A の補集合，$A - B$ は A から B を除いた差集合を表す。

ア $\overline{A} - B$　イ $(\overline{A} \cup \overline{B}) - (A \cap B)$
ウ $(S - A) \cup (S - B)$　エ $S - (A \cap B)$

解説

問01 2進数　40%

1バイト＝8ビットなので，0と1のビットがそれぞれ4つずつあれば，0と1のビット数が等しくなります。このような2進数で最大のものは11110000です。これを10進数に変換します。2進数を10進数に変換するには，**2進数の各桁に重みをかけ，それらを足し合わせます**。正解は エ です。

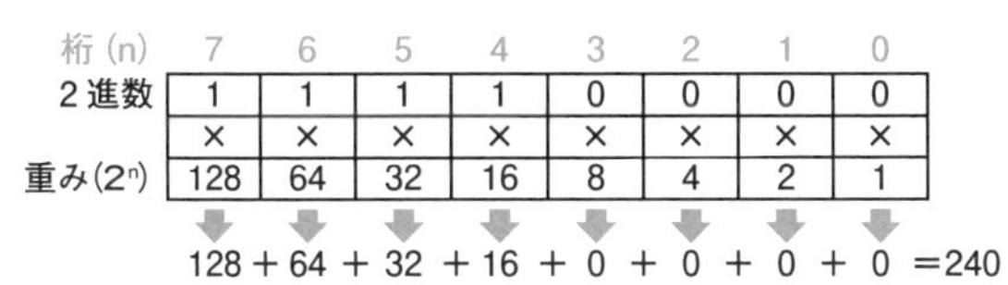

桁 (n)	7	6	5	4	3	2	1	0
2進数	1	1	1	1	0	0	0	0
	×	×	×	×	×	×	×	×
重み(2^n)	128	64	32	16	8	4	2	1

128＋64＋32＋16＋0＋0＋0＋0＝240

問02 AND演算とシフト演算 キホン！ 80%

16 進数の 1 桁は 2 進数の 4 桁分に相当するので，2 進数 n の下位から 4 桁ずつ順番に取り出し，スタックに格納します。

手順（1）は，2 進数 n の下位 4 桁を x に代入する処理です。**空欄 a** には AND 演算が入ります。AND 演算は，対応するビットが両方とも 1 のときだけ 1 になるので，次のようにすれば下位 4 桁だけを取り出せます。

このビットを取り出す

```
    XXXX XXXX XXXX XXXX ←― 2進数 n (X は 0 または 1)
AND 0000 0000 0000 1111 ←― 下位 4 桁が 1，他は 0
-----------------------
    0000 0000 0000 XXXX ←― n の下位 4 桁以外はすべて 0 になる
```

2 進数 0000000000001111 を 16 進数で表すと 000F になります。以上から，**空欄 a** には「n AND $000F_{16}$」が入ります。

手順（3）は，n の桁をずらして，次に取り出す 4 桁を下位に移動する処理です。このような処理をシフト演算といいます。

次に取り出すビット

```
XXXX|XXXX|XXXX|XXXX ←― 2進数 n
0000|XXXX|XXXX|XXXX ←― 次の 4 桁が下位にくるように各桁をずらす
```

上図のように，各桁を「右に 4 ビット」シフトすれば，次に取り出す 4 桁が下位に移動します。

以上から，正解は イ です。

問03 集合演算 20%

$\overline{A} \cap \overline{B}$ は，ベン図で表すと次のようになります。

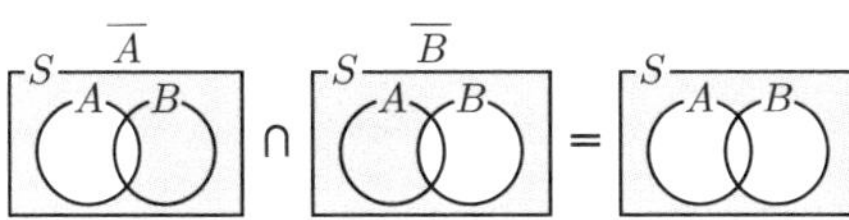

この結果と同様になるものを解答群から選びます。

○ ア 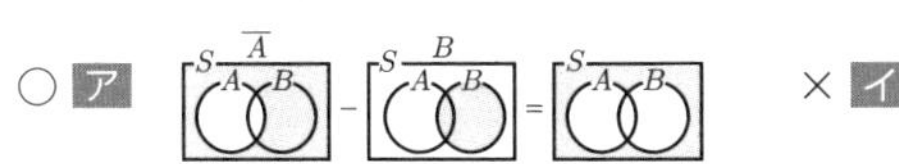

× イ 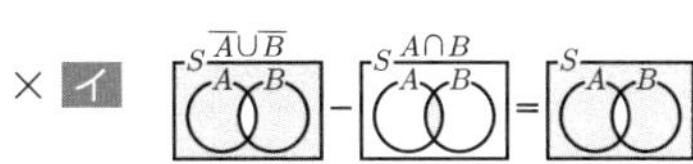

× ウ 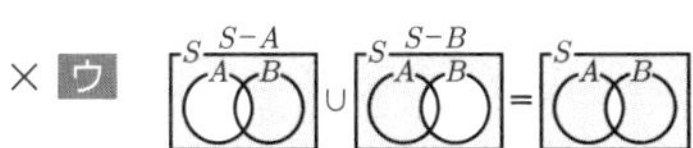

× エ 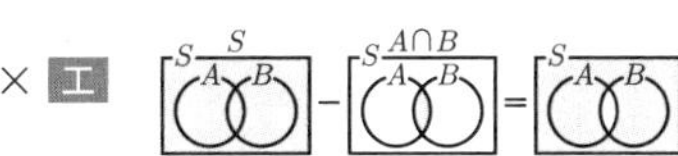

合格のカギ

問01

注意 もし符号付き2進数だったら，左端のビットは符号ビットになるため，01111000（10進整数で120）が最大になるよ。

AND（論理積） 問02

2つのビットが両方とも1のとき1，それ以外は0になる演算。

0 AND 0 ➡ 0
0 AND 1 ➡ 0
1 AND 0 ➡ 0
1 AND 1 ➡ 1

シフト演算 問02

ビット列を右または左にずらす演算。ずらした結果，はみ出たビットは捨てられる。論理シフトは，符号を考慮しない単純なシフト演算。符号を考慮するシフト演算を算術シフトという。

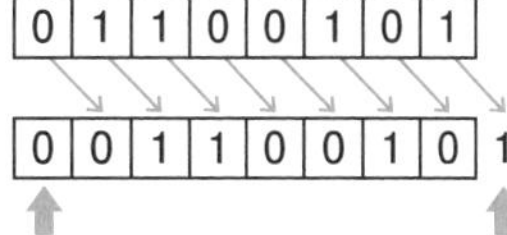

空所には0を補充　　はみ出したビットは捨てる

覚えよう！ 問03

和集合といえば

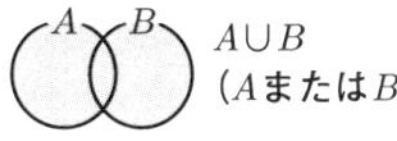

$A \cup B$（AまたはB）

積集合といえば

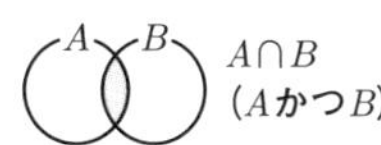

$A \cap B$（AかつB）

解答

問01 エ　問02 イ
問03 ア

模擬問題 精選 2 科目A

問04 相関係数に関する記述のうち，適切なものはどれか。

ア 全ての標本点が正の傾きをもつ直線上にあるときは，相関係数が＋1になる。
イ 変量間の関係が線形のときは，相関係数が0になる。
ウ 変量間の関係が非線形のときは，相関係数が負になる。
エ 無相関のときは，相関係数が－1になる。

問05 3台の機械A，B，Cが良品を製造する確率は，それぞれ60％，70％，80％である。機械A，B，Cが製品を一つずつ製造したとき，いずれか二つの製品が良品で残り一つが不良品になる確率は何％か。

ア 22.4　イ 36.8　ウ 45.2　エ 78.8

問06 標本化，符号化，量子化の三つの工程で，アナログをデジタルに変換する場合の順番として，適切なものはどれか。

ア 標本化，量子化，符号化　イ 符号化，量子化，標本化
ウ 量子化，標本化，符号化　エ 量子化，符号化，標本化

問07 次の二つのスタック操作を定義する。

PUSH　n：スタックにデータ（整数値n）をプッシュする。
POP：スタックからデータをポップする。

空のスタックに対して，次の順序でスタック操作を行った結果はどれか。

PUSH 1 → PUSH 5 → POP → PUSH 7 → PUSH 6 → PUSH 4 → POP → POP → PUSH 3

ア	イ	ウ	エ
1	3	3	6
7	4	7	4
3	6	1	3

解説

合格のカギ

問04 相関係数

20%

相関係数は，2変量間の相関の度合いを表した数値です。相関係数の値は－1から1の範囲で，**正の相関**のときプラス，**負の相関**のときマイナスになります。また，相関の度合いが強いほど±1に近くなり，**無相関**のとき0になります。

○ ア 正解です。相関の度合いは，標本点がすべて直線上にあるとき最大となります。また，直線が正の傾きの場合は正の相関となるので，相関係数は＋1になります。

× イ 変量間の関係が線形（一次式で表せる）ときは，相関があると考えられるので，相関係数は0にはなりません。

× ウ 相関係数が負になるときは，負の相関（直線の傾きが負）がある場合です。変量間の関係は，相関があるとき線形になります。

× エ 無相関のときは，相関係数は0になります。

問05 1つだけ不良品になる確率 20%

2つが良品で，残り1つが不良品になるケースには，①Aが不良品で，B，Cが良品，②Bが不良品で，A，Cが良品，③Cが不良品で，A，Bが良品の3通りあります。それぞれの確率は次のようになります。

①機械Aが不良品で，B，Cが良品となる確率

$(1-0.6)\times 0.7\times 0.8=0.224$

②機械Bが不良品で，A，Cが良品となる確率

$0.6\times(1-0.7)\times 0.8=0.144$

③機械Cが不良品で，A，Bが良品となる確率

$0.6\times 0.7\times(1-0.8)=0.084$

2つが良品で，残り1つが不良品になる確率は，①，②，③のいずれかの確率なので，①＋②＋③＝0.452＝45.2%となります。正解は ウ です。

問06 PCM方式 キホン! 40%

音声などのアナログ信号をデジタルデータに変換する方式として，**PCM方式**があります。PCMの手順は次のとおりです。

①連続するアナログ信号を短い間隔で細かく測定する（**標本化**）

②個々の測定値を数値に変換する（**量子化**）

③数値を決められたビット数の符号に変換する（**符号化**）

以上から，正しい順番は ア **標本化→量子化→符号化**となります。

問07 スタック操作 キホン! 60%

スタックは，格納するときは下から順に積み上げ，取り出すときは上から順に取り出すデータ構造です。スタックにデータを格納することを**プッシュ**，データを取り出すことを**ポップ**といいます。スタック操作の結果は次のとおりです。正解は ウ です。

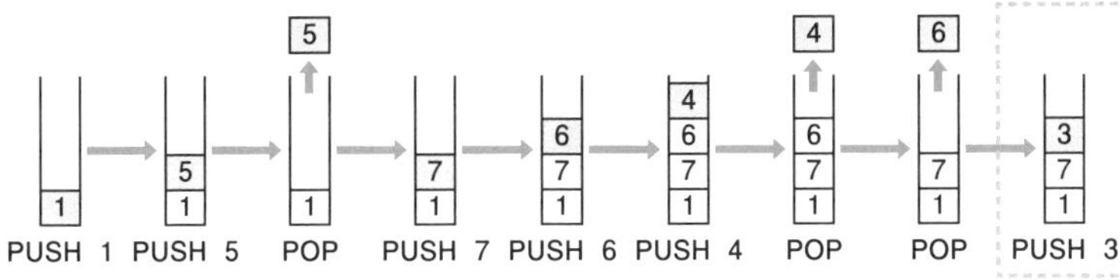

合格のカギ

覚えよう！ 問04

相関係数といえば

- **正の相関のとき**：$0<r\leqq+1$
- **無相関のとき**：0
- **負の相関のとき**：$0>r\geqq-1$

覚えよう！ 問06

PCM方式といえば

①標本化（サンプリング）

②量子化

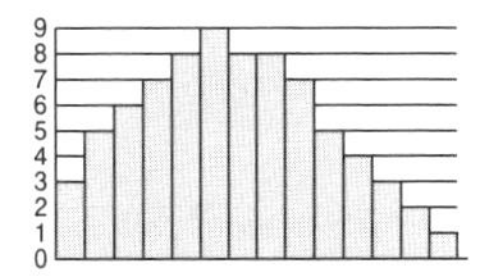

③符号化

011011010110111…

覚えよう！ 問07

スタックといえば

- 最後に格納したデータを最初に取り出す後入れ先出し型のデータ構造
  プッシュ：データをスタックに格納する
  ポップ：スタックからデータを取り出す

解答

問04	ア	問05	ウ
問06	ア	問07	ウ

問08

要素番号が 0 から始まる配列 TANGO がある。n 個の単語が TANGO[1] から TANGO[n] に入っている。図は，n 番目の単語を TANGO[1] に移動するために，TANGO[1] から TANGO[n − 1] の単語を順に一つずつ後ろにずらして単語表を再構成する流れ図である。a に入れる処理として，適切なものはどれか。

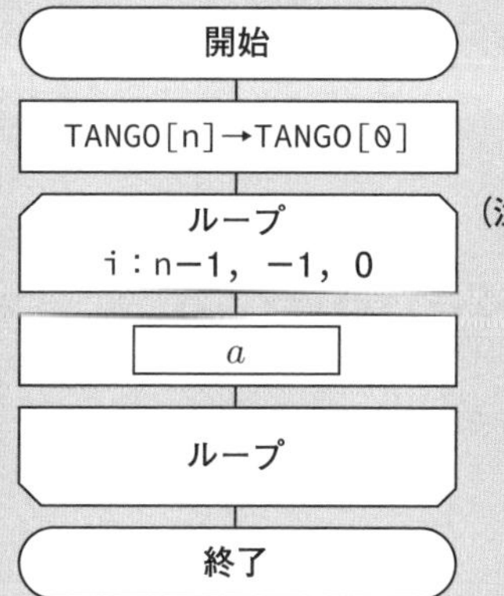

（注）ループにおける条件は，
　変数名：初期値，増分，終値
を示す。

ア　TANGO [i] → TANGO [i ＋1]
イ　TANGO [i] → TANGO [n − i]
ウ　TANGO [i ＋1] → TANGO [n − i]
エ　TANGO [n − i] → TANGO [i]

問09

関数 f(x, y) が次のとおり定義されているとき，f(775, 527) の値は幾らか。ここで，x mod y は x を y で割った余りを返す。

```
f(x, y) : if y = 0 then return x else return f(y, x mod y)
```

ア　0　　イ　31　　ウ　248　　エ　527

問10

外部割込みに分類されるものはどれか。

ア　インターバルタイマーによって，指定時間が経過したときに生じる割込み
イ　演算結果のオーバフローやゼロによる除算で生じる割込み
ウ　仮想記憶管理において，存在しないページへのアクセスによって生じる割込み
エ　ソフトウェア割込み命令の実行によって生じる割込み

解説

問08 流れ図

40%

流れ図の最初の処理で，TANGO[n] の内容を TANGO[0] に移動しています。この結果，配列 TANGO の内容は次のようになります。

上の状態から，配列 TANGO を目的の状態にするには，TANGO[n − 1] の単語を TANGO[n] へ，TANGO[n − 2] の単語を TANGO[n − 1] へ，… TANGO[0] の単語を TANGO[1] へのように，配列の内容を末尾から 1 つずつ順番にずらしていきます。繰返しごとの変数 i の値と，単語をずらしていく処理とは，次のように対応します。

変数 i	処理
n − 1	TANGO[n − 1] → TANGO[n]
n − 2	TANGO[n − 2] → TANGO[n − 1]
…	…　　　…
0	TANGO[0]　　→ TANGO[1]
	↑ i　　　↑ i + 1

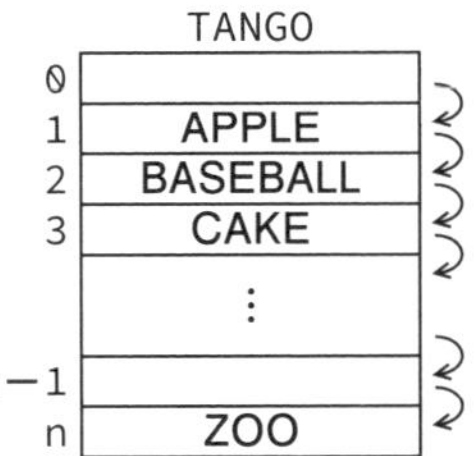

以上から，**空欄 a** に入る処理は「TANGO[i] → TANGO[i + 1]」となります。正解は ア です。

問09 再帰的関数 60%

関数 f(x, y) は，y = 0 のとき x，y ≠ 0 のとき f(y, x mod y) を返す再帰的関数です。戻り値は x と y の最大公約数になります。

①f(775, 527)：y≠0 なので，f(527, 775 mod 527) を返す
　775÷527＝1 余り 248

②f(527, 248)：y≠0 なので，f(248, 527 mod 248) を返す
　527÷248＝2 余り 31

③f(248, 31)：y≠0 なので，f(31, 248 mod 31) を返す
　248÷31＝8 余り 0

④f(31, 0)：y=0 なので，31 を返す

以上から，f(775, 527) は 31 を返します。正解は イ です。

問10 外部割込み キホン! 40%

実行中のプログラムを中断し，CPU に強制的に別の処理を実行させることを**割込み**といいます。割込みには，プログラムによって発生する**内部割込み**と，ハードウェアによって発生する**外部割込み**の 2 種類があります。

○ ア タイマーによる割込みは外部割込み（タイマー割込み）です。

× イ オーバフローやゼロによる除算による割込みは，プログラムのエラーによって生じるので内部割込みです。

× ウ 存在しないページへのアクセス（ページフォールト）は OS によって発生するので内部割込みです。

× エ ソフトウェアによって発生する割込みは内部割込みです。

合格のカギ

問08

注意 ずらしていく順序を，TANGO[0] → TANGO[1]，TANGO[1] → TANGO[2]…，TANGO[n−1] → TANGO[n] の順にすると，結局全部の要素が TANGO[0] の内容になってしまってうまくいかないよ。

再帰的関数 問09
処理の中で自分自身を呼び出す関数。定義の中に，必ず底入れの規定が含まれる。この規定がないと，無限に自分自身を呼び出してしまう。

覚えよう！ 問10

内部割込みといえば
- プログラムによって発生

外部割込みといえば
- ハードウェアによって発生

入出力割込み	入出力処理の完了やエラーで発生
タイマー割込み	タイマーによって発生
機械チェック割込み	ハードウェアの障害などによって発生
コンソール割込み	割込みスイッチの操作により発生

解答
問08 ア　問09 イ
問10 ア

問11 キャッシュメモリに関する記述のうち，適切なものはどれか。

ア キャッシュメモリにヒットしない場合に割込みが生じ，プログラムによって主記憶からキャッシュメモリにデータが転送される。

イ キャッシュメモリは，実記憶と仮想記憶とのメモリ容量の差を埋めるために採用される。

ウ データ書込み命令を実行したときに，キャッシュメモリと主記憶の両方を書き換える方式と，キャッシュメモリだけを書き換えておき，主記憶の書換えはキャッシュメモリから当該データが追い出されるときに行う方式とがある。

エ 半導体メモリのアクセス速度の向上が著しいので，キャッシュメモリの必要性は減っている。

問12 2台のコンピュータを並列に接続して使うシステムがある。それぞれのMTBFとMTTRを次の表に示す。どちらか1台が稼働していればよい場合，システム全体の稼働率は何%か。

	MTBF	MTTR
コンピュータ1	480時間	20時間
コンピュータ2	950時間	50時間

ア 91.2　　イ 95.5　　ウ 96.5　　エ 99.8

問13 コンパイラにおける最適化の説明として，適切なものはどれか。

ア オブジェクトコードを生成する代わりに，インタプリタ用の中間コードを生成する。

イ コンパイルを実施するコンピュータとは異なるアーキテクチャをもったコンピュータで動作するオブジェクトコードを生成する。

ウ ソースコードを解析して，実行時の処理効率を高めたオブジェクトコードを生成する。

エ プログラムの実行時に，呼び出されたサブプログラム名やある時点での変数の内容を表示するようなオブジェクトコードを生成する。

解説

問11 キャッシュメモリ

40%

キャッシュメモリは，CPU が頻繁に読み込むデータを記録しておく高速なメモリです。主記憶から読み出したデータは，キャッシュメモリに蓄えられ，その後 CPU が同じデータを読み出すときはキャッシュメモリから読み出すことで，データ転送を高速化します。

× ア キャッシュメモリにデータがない場合でも割込みは発生せず，CPU が主記憶からデータを読み込みます。

× イ キャッシュメモリは，CPU と主記憶との処理速度の差を埋めるための装置です。

○ ウ 正解です。キャッシュメモリに蓄えられたデータを書き換える場合，キャッシュメモリと主記憶の両方を同時に書き換える方式を**ライトスルー方式**，主記憶の書換えを後回しにする方式を**ライトバック方式**といいます。

× エ CPU も高速化しており，キャッシュメモリの必要性は減っていません。

問12 稼働率の計算 キホン!

90%

コンピュータ 1，コンピュータ 2 の稼働率は，MTBF（平均故障間隔）と MTTR（平均修理時間）からそれぞれ次のように求めることができます。

コンピュータ 1：稼働率$=\dfrac{480}{480+20}=\dfrac{480}{500}=0.96$

コンピュータ 2：稼働率$=\dfrac{950}{950+50}=\dfrac{950}{1000}=0.95$

2 台のコンピュータはどちらか 1 台が稼働していればよいので，**並列システム**と考えます。システム全体の稼働率は次のようになります。

稼働率$=1-(1-0.96)\times(1-0.95)=1-0.04\times0.05$

$=1-0.002=0.998$ ➡ 99.8%

以上から，正解は エ です。

問13 コンパイラの最適化 キホン!

30%

コンパイラは，プログラム言語で記述されたソースコードを，CPU が解釈できる機械語のオブジェクトコードに変換するツールです。コンパイラにおける**最適化**とは，ソースコードを解析して冗長な部分を取り除き，実行時の処理効率を高めたオブジェクトコードを生成する処理をいいます。

× ア バイトコンパイルの説明です。

× イ クロスコンパイルの説明です。

○ ウ 正解です。

× エ オブジェクトコードにデバッグ情報を付加するコンパイラの機能の説明です。

合格のカギ

覚えよう！ 問11

キャッシュメモリといえば

- 主記憶から読み出したデータを蓄え，CPUが後で同じデータを読み出すときのデータ転送を高速化する
- 主記憶へのアクセス速度とCPU の処理速度の差を埋める
- ヒット率が高いほど速度向上効果が大きい
- ライトスルー方式とライトバック方式がある

MTBF 問12

システムが 1 度故障してから次に故障するまでの稼働時間の平均。

MTTR 問12

システムの修理にかかる時間の平均。

稼働率 問12

システムの運用時間全体のうち，実際にシステムが稼働している時間の割合のこと。MTBF と MTTR がわかれば，稼働率は次のように求められる。

$$稼働率=\frac{MTBF}{MTBF+MTTR}$$

覚えよう！ 問12

直列システムの稼働率

$a\times b$ —[a]—[b]—

並列システムの稼働率

$1-(1-a)\times(1-b)$ ([a] と [b] の並列)

デバッグ 問13

プログラムの誤り（バグ）を発見し，修正すること。

解答

問11 ウ　問12 エ
問13 ウ

問14

CPU が 1 台で，入出力装置（I/O）が同時動作可能な場合の二つのタスク A，B のスケジューリングは図のとおりであった。この二つのタスクにおいて，入出力装置が CPU と同様に，一つの要求だけを発生順に処理するように変更した場合，両方のタスクが終了するまでの CPU 使用率はおよそ何%か。

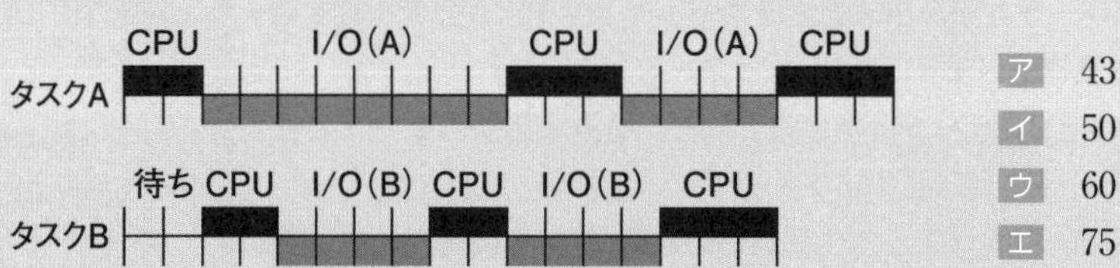

ア 43
イ 50
ウ 60
エ 75

問15

ページング方式の仮想記憶において，ページ置換えアルゴリズムに LRU 方式を採用する。主記憶に割り当てられるページ枠が 4 のとき，ページ 1，2，3，4，5，2，1，3，2，6 の順にアクセスすると，ページ 6 をアクセスする時点で置き換えられるページはどれか。ここで，初期状態では主記憶にどのページも存在しないものとする。

ア 1　　イ 2　　ウ 4　　エ 5

問16

GPL の下で公開された OSS を使い，ソースコードを公開しなかった場合にライセンス違反となるものはどれか。

ア OSS とアプリケーションソフトウェアとのインタフェースを開発し，販売している。
イ OSS の改変を他社に委託し，自社内で使用している。
ウ OSS の入手，改変，販売を全て自社で行っている。
エ OSS を利用して性能テストを行った自社開発ソフトウェアを販売している。

問17

SRAM と比較した場合の DRAM の特徴はどれか。

ア 主にキャッシュメモリとして使用される。
イ データを保持するためのリフレッシュ又はアクセス動作が不要である。
ウ メモリセル構成が単純なので，ビット当たりの単価が安くなる。
エ メモリセルにフリップフロップを用いてデータを保存する。

解説

問14 タスクスケジューリング

70%

入出力装置の同時動作ができない場合，タスク A，B のスケジューリングは，次のように変わります。

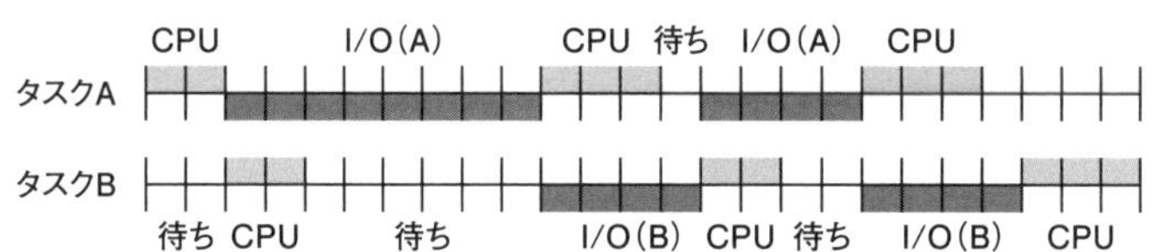

タスク開始から，両方のタスクが終了するまで，全部で25目盛かかります。そのうち，CPUを使用している時間は15目盛分なので，CPUの使用率は15 ÷ 25 = 0.6 → 60%になります。正解は ウ です。

問15 ページ置換えアルゴリズム

.ıll 40%

LRU（Least Recently Used）方式は，ページ枠が足りなくなったとき，最後に参照されてから最も長時間経過したものを新しい内容に置き換える方式です。1 → 2 → 3 → 4 → 5 → 2 → 1 → 3 → 2 → 6の順にアクセスしたときのページ枠の推移は，次のようになります。

1	→	2	→	3	→	4	→	5	→	2	→	1	→	3	→	2	→	6
1		1		1		1		5		5		5		5		5		6
		2		2		2		2		2		2		2		2		2
				3		3		3		3		1		1		1		1
						4		4		4		4		3		3		3

図のように，最後のページ6にアクセスすると，ページ5が置き換えられます。正解は エ です。

問16 OSS

.ıll 20%

OSS（オープンソースソフトウェア）は，ソースコードの公開を条件に，再配布や改変の自由を認めたソフトウェアです。GPL（GNU Public License）は，OSSのライセンスの一種です。

× ア OSS自体を改変・販売しているわけではないので，ライセンス違反ではありません。

× イ 再配布ではないので，ソースコードを公開する義務はありません。

○ ウ 改変したOSSを再配布（販売を含む）する場合には，ソースコードの公開が義務付けられています。公開しないとライセンス違反になります。

× エ OSSは開発に利用しているだけなので，ライセンス違反ではありません。

問17 DRAMとSRAM

.ıll 80%

DRAM（Dynamic RAM）とSRAM（Static RAM）は，どちらも電源を切ると記録されている内容が消えてしまう揮発性メモリの一種です。両者の特徴はそれぞれ次のとおりです。

DRAM	・内容を保持するために定期的なリフレッシュ動作が必要。 ・構造が単純なのでビット当たりの単価が安い。 ・主に主記憶装置に用いられる。
SRAM	・リフレッシュ動作が不要で高速。 ・フリップフロップ回路で構成される。 ・主にキャッシュメモリとして用いられる。

以上から，DRAMの特徴として正しい記述は ウ です。ア，イ，エ はいずれもSRAMの特徴です。

合格のカギ

覚えよう！ 問15

ページ置換えアルゴリズム といえば

- LRU：最後に参照されてから最も長く時間が経過しているページを置き換える
- FIFO：一番古くからあるページを置き換える

覚えよう！ 問16

OSS といえば

- ソースコード公開を条件に，改変・再配布の自由を認める
- 再配布しない場合はソースコードを公開する必要はない

リフレッシュ 問17

DRAMが内容を保持するために，メモリセルの内容を定期的に再書込みすること。

フリップフロップ回路 問17

異なる信号を入力するまで0または1の状態（2つの安定状態）を保持する回路。

解答

問14	ウ	問15	エ
問16	ウ	問17	ウ

問18 図の論理回路と等価な回路はどれか。

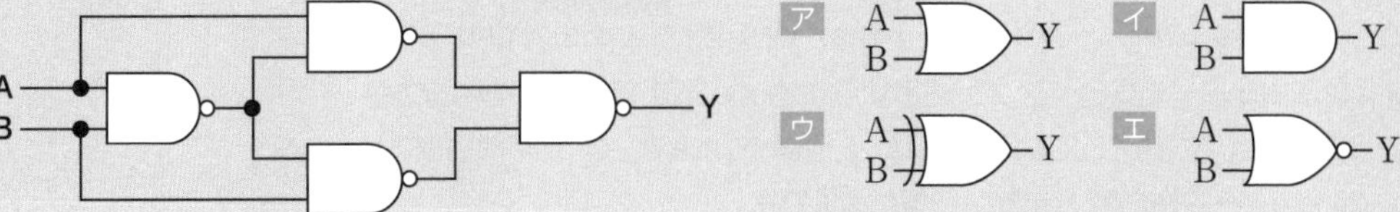

問19 顧客に，A～Zの英大文字26種類を用いた顧客コードを割り当てたい。現在の顧客総数は8,000人であって，毎年2割ずつ顧客が増えていくものとする。3年後まで全顧客にコードを割り当てられるようにするためには，顧客コードは少なくとも何桁必要か。

ア 3　　イ 4　　ウ 5　　エ 6

問20 システムの要件を検討する際に用いるUXデザインの説明として，適切なものはどれか。

ア システム設計時に，システム稼働後の個人情報保護などのセキュリティ対策を組み込む設計思想のこと
イ システムの個々のアプリケーションを利用者が享受するサービスとして捉え，その組合せでシステムを構築する設計思想のこと
ウ システムを利用する際にシステムの機能が利用者にもたらす有効性，操作性などに加え，快適さ，安心感，楽しさなどの体験価値を重視する設計思想のこと
エ 接続仕様や仕組みが公開されている他社のアプリケーションを活用してシステムを構築することによって，システム開発の生産性を高める設計思想のこと

問21 関係データベースの操作のうち，射影（projection）の説明として，適切なものはどれか。

ア ある表の照会結果と，別の表の照会結果を合わせて一つの表にする。
イ 表の中から特定の条件に合致した行を取り出す。
ウ 表の中から特定の列だけを取り出す。
エ 二つ以上の表の組から条件に合致した組同士を合わせて新しい表を作り出す。

解説

問18 論理回路

90%

図は，否定論理積素子（NAND）を4つ組み合わせた論理回路です。各素子の出力を真理値表にまとめると，次のようになります。

A	B	① A NAND B → P	② A NAND P → Q	③ P NAND B → R	④ Q NAND R → Y
0	0	0 NAND 0 → 1	0 NAND 1 → 1	1 NAND 0 → 1	1 NAND 1 → 0
0	1	0 NAND 1 → 1	0 NAND 1 → 1	1 NAND 1 → 0	1 NAND 0 → 1
1	0	1 NAND 0 → 1	1 NAND 1 → 0	1 NAND 0 → 1	0 NAND 1 → 1
1	1	1 NAND 1 → 0	1 NAND 0 → 1	0 NAND 1 → 1	1 NAND 1 → 0

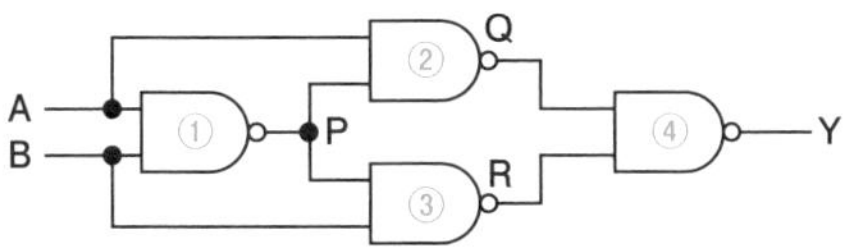

出力Yは，AとBが両方とも0か両方とも1のとき0，それ以外は1になります。この出力は，**排他的論理和（XOR）**の出力と等価です。

× ア **論理和素子**（OR）の図記号です。

× イ **論理積素子**（AND）の図記号です。

○ ウ **排他的論理和素子**（XOR）の図記号です。

× エ **否定論理和素子**（NOR）の図記号です。

問19 顧客コードの割り当て キホン！ 20%

顧客は現在8,000人で，毎年2割ずつ増えているので，**1年後：8,000 × 1.2 = 9,600人。2年後：9,600 × 1.2 = 11,520人。3年後：11,520 × 1.2 = 13,824人。**

3年後には13,824人になります。一方，アルファベット大文字は26種類あるので，顧客コードは1桁で26個，2桁で26^2＝676個，3桁で26^3＝17,576個になります。したがって，3桁あれば3年後の顧客数を上回ります。正解は ア です。

問20 UXデザイン シラバス9.0 30%

UXデザインとは，システムの機能や操作性だけでなく，そのシステムを利用したときに感じる快適さや安心感，楽しさなどの体験価値（User Experience）を重視する設計思想です。

× ア **プライバシーバイデザイン**の説明です。

× イ **SOA（サービス指向アーキテクチャ）**の説明です。

○ ウ 正解です。

× エ **API連携**の説明です。

問21 関係演算 キホン！ 50%

関係データベースに対する操作には，選択，射影，結合などの操作があります。このうち**射影**（projection）は，表から特定の列を得る操作です。

× ア **併合**の説明です。

× イ **選択**の説明です。

○ ウ 正解です。

× エ **結合**の説明です。

合格のカギ

否定論理積(NAND) 問18
2つの入力が1のとき0，その他の場合は1を出力する回路。出力はANDの反対になる。

0 NAND 0 → 1
0 NAND 1 → 1
1 NAND 0 → 1
1 NAND 1 → 0

排他的論理和(XOR) 問18
入力が両方とも同じ値のとき0，異なる値のとき1になる論理演算。

0 XOR 0 → 0
0 XOR 1 → 1
1 XOR 0 → 1
1 XOR 1 → 0

論理和(OR) 問18
入力が両方とも0のとき0，それ以外は1になる論理演算。

0 OR 0 → 0
0 OR 1 → 1
1 OR 0 → 1
1 OR 1 → 1

論理積(AND) 問18
入力が両方とも1のとき1，それ以外は0になる論理演算。

0 AND 0 → 0
0 AND 1 → 0
1 AND 0 → 0
1 AND 1 → 1

否定論理和(NOR) 問18
論理和(OR)の否定。

0 NOR 0 → 1
0 NOR 1 → 0
1 NOR 0 → 0
1 NOR 1 → 0

覚えよう！ 問21

関係演算といえば
- **射影**：特定の列を取り出す
- **選択**：特定の行を取り出す
- **結合**：2つの表を共通の項目をキーにして結合する

解答

問18	ウ	問19	ア
問20	ウ	問21	ウ

□□ **問22** 属性 a の値が決まれば属性 b の値が一意に定まることを，a → b で表す。例えば，社員番号が決まれば社員名が一意に定まるということの表現は，社員番号 → 社員名である。この表記法に基づいて，図の関係が成立している属性 a～j を，関係データベース上の三つのテーブルで定義する組合せとして，適切なものはどれか。

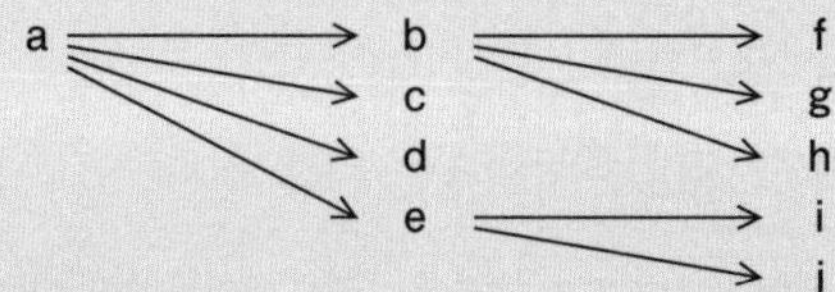

ア テーブル 1 (a)
テーブル 2 (b, c, d, e)
テーブル 3 (f, g, h, i, j)

イ テーブル 1 (a, b, c, d, e)
テーブル 2 (b, f, g, h)
テーブル 3 (e, i, j)

ウ テーブル 1 (a, b, f, g, h)
テーブル 2 (c, d)
テーブル 3 (e, i, j)

エ テーブル 1 (a, c, d)
テーブル 2 (b, f, g, h)
テーブル 3 (e, i, j)

□□ **問23** トランザクション T はチェックポイント取得後に完了したが，その後にシステム障害が発生した。トランザクション T の更新内容をその終了直後の状態にするために用いられる復旧技法はどれか。ここで，チェックポイントの他に，トランザクションログを利用する。

ア 2 相ロック　イ シャドウページ　ウ ロールバック　エ ロールフォワード

□□ **問24** 符号化速度が 192k ビット／秒の音声データ 2.4M バイトを，通信速度が 128k ビット／秒のネットワークを用いてダウンロードしながら途切れることなく再生するためには，再生開始前のデータのバッファリング時間として最低何秒間が必要か。

ア 50　イ 100　ウ 150　エ 250

解説

問22 関数従属 キホン!

20%

ある属性の値によって，他の属性の値が一意に定まる関係を，**関数従属**といいます。図の関係からは，以下の 3 つの関数従属が読み取れます。

①属性 a の値が決まると，属性 b, c, d, e の値が一意に定まる
②属性 b の値が決まると，属性 f, g, h の値が一意に定まる
③属性 e の値が決まると，属性 i, j の値が一意に定まる

これらを3つのテーブルとして定義します。各テーブルは，属性a，b，eをそれぞれ主キーとし，主キーに関数従属する他の属性をそれぞれの項目とします。すると，各テーブルは次のようになります。

テーブル1（a，b，c，d，e）
テーブル2（b，f，g，h）
テーブル3（e，i，j）

以上から，正解は イ です。

問23 データベースの復旧技法 キホン！ 20%

データベースの更新は，ある程度まとまってからディスク上に書き込まれます。この書込み処理を**チェックポイント**といいます。トランザクションTはチェックポイント取得後に終了したので，最後のチェックポイントからトランザクションT終了までの内容を，トランザクションログ（ジャーナル）を利用して復旧しなければなりません。このような復旧技法を**ロールフォワード**といいます。

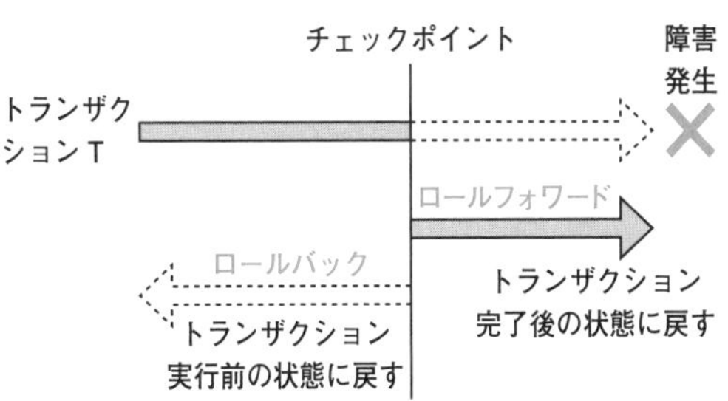

× ア **2相ロック**とは，トランザクション開始後の第1相で，必要な資源のロックを行い，すべての処理が終わってから（第2相）まとめてロックを解除する方式です。

× イ **シャドウページ**とは，ディスク上に変更を加えるために用意される作業用の領域です。

× ウ **ロールバック**は，チェックポイントの取得時点から，トランザクションログを利用してトランザクションの開始前の状態にデータベースを復旧する復旧方法です。

○ エ 正解です。

問24 バッファリング時間の計算 20%

音声データの符号化にかかる時間とダウンロードにかかる時間は，それぞれ次のようになります。

符号化：2.4Mバイト÷192kビット／秒＝2.4×8×1000÷192＝100秒
（1バイト＝8ビット／kビットに換算）

ダウンロード：2.4Mバイト÷128kビット／秒＝2.4×8×1000÷128＝150秒

ダウンロード時間のほうが**150－100＝50秒**長くかかります。したがって，符号化を始める前に，最低50秒間はダウンロードを先行して行わないと，符号化の途中でダウンロード待ちが発生してしまいます。以上から，正解は ア です。

合格のカギ

主キー 問22
関係データベースの各行を一意に識別するための項目のこと。

覚えよう！ 問23

ロールバックといえば
- トランザクション実行前の状態に復元

ロールフォワードといえば
- トランザクション完了後の状態に復元

バッファリング 問24
データの転送速度と処理速度の差を補ったり，エラーによる処理の中断が起こらないように，データを一時的に保存したりすること。

解答
問22 イ　問23 エ
問24 ア

問25

OSI基本参照モデルの各層で中継する装置を，物理層で中継する装置，データリンク層で中継する装置，ネットワーク層で中継する装置の順に並べたものはどれか。

ア　ブリッジ，リピータ，ルータ
イ　ブリッジ，ルータ，リピータ
ウ　リピータ，ブリッジ，ルータ
エ　リピータ，ルータ，ブリッジ

問26

2台のPCにIPv4アドレスを割り振りたい。サブネットマスクが255.255.255.240のとき，両PCのIPv4アドレスが同一サブネットに所属する組合せはどれか。

ア　192.168.1.14 と 192.168.1.17
イ　192.168.1.17 と 192.168.1.29
ウ　192.168.1.29 と 192.168.1.33
エ　192.168.1.33 と 192.168.1.49

問27

ONF（Open Networking Foundation）が標準化を進めているOpenFlowプロトコルを用いたSDN（Software-Defined Networking）の説明として，適切なものはどれか。

ア　管理ステーションから定期的にネットワーク機器のMIB（Management Information Base）情報を取得して，稼働監視や性能管理を行うためのネットワーク管理手法
イ　データ転送機能をもつネットワーク機器同士が経路情報を交換して，ネットワーク全体のデータ転送経路を決定する方式
ウ　ネットワーク制御機能とデータ転送機能を実装したソフトウェアを，仮想環境で利用するための技術
エ　ネットワーク制御機能とデータ転送機能を論理的に分離し，コントローラと呼ばれるソフトウェアで，データ転送機能をもつネットワーク機器の集中制御を可能とするアーキテクチャ

解説

問25 LAN間接続装置

80%

OSI基本参照モデルは，ネットワークプロトコルを7つの階層に分類し，それぞれの役割を規定したものです。ネットワークを中継する装置は，OSI基本参照モデルのどの層のデータを中継するのかによって分類できます。

①リピータはケーブルの伝送距離を延長するために，信号を物理層で中継します。

②ブリッジはMACアドレスを基に，データリンク層でフレームを中継します。

③ルータはIPアドレスを基に，ネットワーク層でパケットを中継します。

以上から，ウの「リピータ，ブリッジ，ルータ」の順が正解です。

問26 IPv4アドレス キホン!

50%

サブネットマスクは，IPv4アドレスから，ネットワークアドレスとして使用する範囲を定義します。サブネットマスク255.255.255.240を2進数で表すと

255		255		255		240
11111111	.	11111111	.	11111111	.	11110000

←ネットワークアドレスの範囲→

です。1のビットが続く上位28ビットの範囲がネットワークアドレスとなります。

同一サブネットに所属するPCは，ネットワークアドレスが同一です。そこでア～エのうち，上位28ビット（色文字の部分）が同じになるIPv4アドレスの組合せを調べます。

× ア 192.168.1.00001110（14） と 192.168.1.00010001（17）

○ イ 192.168.1.00010001（17） と 192.168.1.00011101（29）

× ウ 192.168.1.00011101（29） と 192.168.1.00100001（33）

× エ 192.168.1.00100001（33） と 192.168.1.00110001（49）

問27 SDN

20%

SDNは，データ転送機能とネットワーク制御機能とを分離し，コントローラと呼ばれる制御ソフトウェアが，データ転送機能をもつ複数のネットワーク機器を集中的に制御するネットワークアーキテクチャです。標準的なプロトコルとして，OpenFlowが用いられます。

× ア SNMP（Simple Network Management Protocol）の説明です。

× イ OSPF（Open Shortest Path First）などのルーティングプロトコルの説明です。

× ウ NVF（Network Function Virtualization）の説明です。

○ エ 正解です。

合格のカギ

物理層 問25
OSI基本参照モデルの第1層。信号を物理的に伝送する。

データリンク層 問25
OSI基本参照モデルの第2層。隣り合うノード間でデータ（フレーム）を伝送する。

ネットワーク層 問25
OSI基本参照モデルの第3層。ネットワークを相互に中継し，端末間でデータ（パケット）を伝送する。

覚えよう！ 問25

OSI基本参照モデルとLAN間接続装置

OSI基本参照モデル	LAN間接続装置
第4～7層 その他	ゲートウェイ
第3層 ネットワーク層	ルータ
第2層 データリンク層	ブリッジ，レイヤ2スイッチ
第1層 物理層	リピータハブ，リピータ

問26

対策 上位24ビットはすべて「192.168.1」なので，下位8ビットを2進数に変換すれば解けるよ。

IPv4 問26
Internet Protocol version4の略。ネットワークでは，ネットワークに接続する端末ごとに固有のIPアドレスを割り当てる。IPアドレスの長さは32ビットなので，割当て可能なアドレスは2^{32}個になる。
IPv6ではIPアドレスの長さを128ビットに拡張し，割当て可能なアドレスは一気に2^{128}個に増えた。

解答

問25 ウ　問26 イ
問27 エ

精選模擬問題 2 科目A

□ 問 **28** ディレクトリトラバーサル攻撃に該当するものはどれか。

ア Web アプリケーションの入力データとしてデータベースへの命令文を構成するデータを入力し，想定外の SQL 文を実行させる。

イ Web サイトに利用者を誘導した上で，Webアプリケーションによる HTML 出力のエスケープ処理の欠陥を悪用し，利用者のブラウザで悪意のあるスクリプトを実行させる。

ウ セッション ID によってセッションが管理されるとき，ログイン中の利用者のセッション ID を不正に取得し，その利用者になりすましてサーバにアクセスする。

エ パス名を含めてファイルを指定することによって，管理者が意図していないファイルを不正に閲覧する。

□ 問 **29** リバースブルートフォース攻撃に該当するものはどれか。

ア 攻撃者が何らかの方法で事前に入手した利用者 ID とパスワードの組みのリストを使用して，ログインを試行する。

イ パスワードを一つ選び，利用者 ID として次々に文字列を用意して総当たりにログインを試行する。

ウ 利用者 ID，及びその利用者 ID と同一の文字列であるパスワードの組みを次々に生成してログインを試行する。

エ 利用者 ID を一つ選び，パスワードとして次々に文字列を用意して総当たりにログインを試行する。

□ 問 **30** 公開鍵暗号を利用した電子商取引において，認証局（CA）の役割はどれか。

ア 取引当事者間で共有する秘密鍵を管理する。

イ 取引当事者の公開鍵に対するデジタル証明書を発行する。

ウ 取引当事者のデジタル署名を管理する。

エ 取引当事者のパスワードを管理する。

解説

問28 ディレクトリトラバーサル攻撃

20%

ディレクトリトラバーサル攻撃は，管理者が意図していないパス名を指定して，サーバ内の本来は許されていないファイルにアクセスする攻撃手法です。

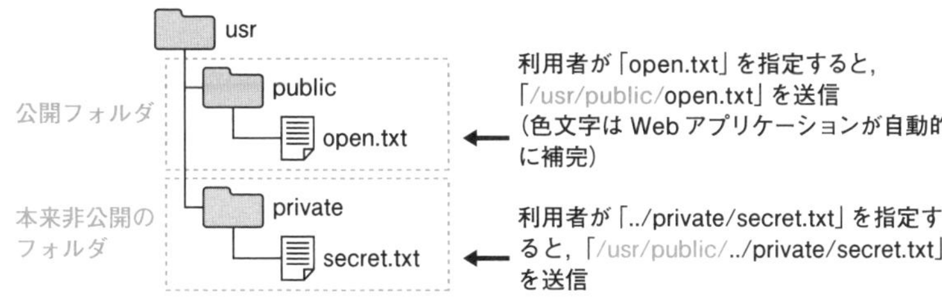

× ア SQL インジェクション攻撃の説明です。

× イ クロスサイトスクリプティング攻撃の説明です。

× ウ セッションハイジャック攻撃の説明です。

○ エ 正解です。

問29 リバースブルートフォース攻撃 30%

リバースブルートフォース攻撃は，よく用いられるパスワードを1つ定めて，それを異なる利用者 ID に次々に試して不正にログインしようとする攻撃です。1つの利用者 ID に対して複数のパスワードを試すブルートフォース攻撃と逆のやり方なので，リバースブルートフォース攻撃といいます。

× ア パスワードリスト攻撃の説明です。

○ イ 正解です。

× ウ ジョーアカウント攻撃の説明です。

× エ ブルートフォース攻撃（総当たり攻撃）の説明です。

問30 認証局（CA）の役割 キホン! 20%

公開鍵暗号では，送信者が通信を暗号化するときに，受信者の公開鍵を使います。しかし，そもそも受信者が身元を偽って公開鍵を作成していたら，通信を暗号化しても意味がありません。そこで，公開鍵が受信者本人のものであることを第三者機関が保証する仕組みになっています。この第三者機関が認証局（CA）です。認証局は，受信者の公開鍵に対するデジタル証明書を発行し，その公開鍵の正当性を保証しています。以上から，正解は イ です。

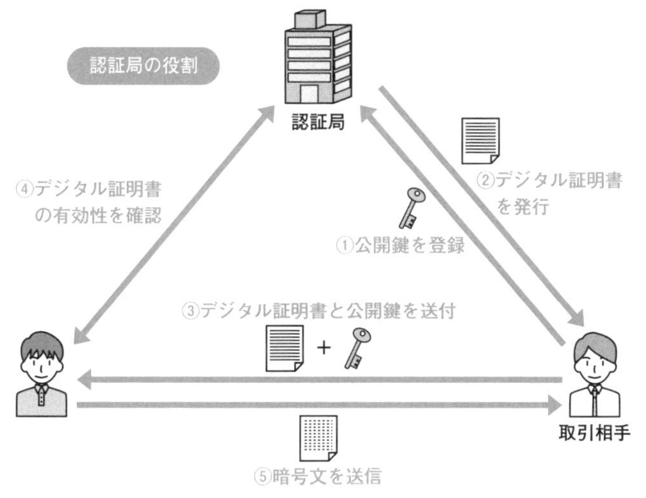

合格のカギ

SQL インジェクション攻撃 問28
Web アプリケーションの入力データに，データベースへの悪意ある命令文を埋め込んで実行させ，データベースを改ざんしたり，情報を不正に入手したりする攻撃手法。

ブルートフォース攻撃 問29
1つの利用者 ID に対して，考えられるパスワードを総当たりで試してみる攻撃手法。

覚えよう！ 問30
公開鍵暗号方式といえば
- 受信者の公開鍵で暗号化
- 受信者の秘密鍵で復号

公開鍵暗号 問30
暗号化用の鍵（公開鍵）と復号用の鍵（秘密鍵）のペアを利用した暗号方式。送信者は，受信者の公開鍵で通信文を暗号化する。暗号文を受け取った受信者は，秘密に管理している秘密鍵で暗号文を復号する。

デジタル証明書 問30
公開鍵が本人のものであることを証明する証明書。認証局（CA）が発行し，公開鍵に添付される。

解答
問28 エ　問29 イ
問30 イ

問31 Xさんは，Yさんにインターネットを使って電子メールを送ろうとしている。電子メールの内容を秘密にする必要があるので，公開鍵暗号方式を使って暗号化して送信したい。そのときに使用する鍵はどれか。

ア　Xさんの公開鍵
イ　Xさんの秘密鍵
ウ　Yさんの公開鍵
エ　Yさんの秘密鍵

問32 PCへの侵入に成功したマルウェアがインターネット上の指令サーバと通信を行う場合に，宛先ポートとしてTCPポート番号80が多く使用される理由はどれか。

ア　DNSのゾーン転送に使用されることから，通信がファイアウォールで許可されている可能性が高い。
イ　WebサイトのHTTPS通信での閲覧に使用されることから，侵入検知システムで検知される可能性が低い。
ウ　Webサイトの閲覧に使用されることから，通信がファイアウォールで許可されている可能性が高い。
エ　ドメイン名の名前解決に使用されることから，侵入検知システムで検知される可能性が低い。

問33 生体認証システムを導入するときに考慮すべき点として，最も適切なものはどれか。

ア　本人のデジタル証明書を，信頼できる第三者機関に発行してもらう。
イ　本人を誤って拒否する確率と他人を誤って許可する確率の双方を勘案して装置を調整する。
ウ　マルウェア定義ファイルの更新が頻繁な製品を利用することによって，本人を誤って拒否する確率の低下を防ぐ。
エ　容易に推測できないような知識量と本人が覚えられる知識量とのバランスが，認証に必要な知識量の設定として重要となる。

問34 WAF（Web Application Firewall）を利用する目的はどれか。

ア　Webサーバ及びWebアプリケーションに起因する脆(ぜい)弱性への攻撃を遮断する。
イ　Webサーバ内でワームの侵入を検知し，ワームの自動駆除を行う。
ウ　Webサーバのコンテンツ開発の結合テスト時にWebアプリケーションの脆弱性や不整合を検知する。
エ　Webサーバのセキュリティホールを発見し，OSのセキュリティパッチを適用する。

解説

問31 公開鍵暗号方式 キホン！

50%

公開鍵暗号方式では，暗号化用の鍵と復号用の鍵をペアで使います。このうち復号用の鍵は，第三者の手に渡ると解読に使われてしまうので，受信者の手元で厳重に保管します（秘密鍵）。

一方，それと対になる受信者の暗号化用の鍵は，自分宛のメッセージを暗号化してもらうために，送信者に公開します（公開鍵）。暗号化用の鍵は暗号化専用なので，公開しても解読に使われる心配はありません。以上から，

暗号化用の鍵＝**受信者の公開鍵**　　復号用の鍵＝**受信者の秘密鍵**

となります。問題は「Y さん宛のメールを暗号化するのに使用する鍵」なので，ウ「Y さんの公開鍵」が正解です。

問32 TCP ポート番号 80

20%

内部に侵入したマルウェアが外部とひそかに通信するためには，ファイアウォールなどで通信が遮断されない経路を利用する必要があります。TCP ポートの 80 番は，ウェルノウンポート番号と呼ばれる既定のポート番号の 1 つで，Web サーバとの通信に普段から利用されています。したがって，Web サイトの閲覧に使用している PC なら，通信が許可されている可能性が高いと考えられます。

× ア　DNS のゾーン転送には TCP ポートの 53 番が使われます。

× イ　HTTPS 通信には TCP ポートの 443 番が使われます。

○ ウ　正解です。

× エ　DNS の名前解決には，UDP ポートの 53 番が使われます。

問33 生体認証システムの導入

20%

生体認証システム（バイオメトリクス認証）は，指紋や静脈といった人間の身体的特徴を検出して本人を識別する認証技術です。

生体認証の認証エラーには，①間違って本人を拒否してしまう場合（FRR）と，②間違って他人を許可してしまう場合（FAR）があります。本人判定の基準を厳しくすると，②のエラーが少なくなる代わりに①のエラーが増え，本人判定の基準をゆるくすると，①のエラーが少なくなる代わりに②のエラーが増えます。そのため，双方を勘案して検出装置を調整しなければなりません。正解はイです。

問34 WAF（Web Application Firewall）

20%

WAF（Web アプリケーションファイアウォール）は，クライアントと Web サーバとの間に設置して，クライアントから Web サーバに対する攻撃を遮断するファイアウォールです。Web サーバや Web アプリケーションにセキュリティ上の欠点があると，そこを突いて不正侵入やサービス妨害などの攻撃を受けるおそれがあります。WAF は，Web サーバに送信されたデータを検査して不正なデータを遮断し，Web サーバを防御します。正解はアです。

合格のカギ

マルウェア 問32
コンピュータウイルスやスパイウェア，ワームなどの悪質なプログラムの総称。

ポート番号 問32
インターネットの TCP や UDP プロトコルで，宛先のアプリケーションの識別に使われる番号。代表的なアプリケーションについては，標準のポート番号があらかじめ決められており，ウェルノウンポート番号と呼ばれる。ファイアウォールのパケットフィルタリングでは，パケットの宛先ポート番号や送信元ポート番号を調べて，通信を許可／遮断するかどうかを決定する。

FRR 問33
False Rejection Rate：本人拒否率。生体認証で本人を誤って拒否する確率。

FAR 問33
False Accept Rate：他人受入率。他人が誤って本人として認証される確率。

ワーム 問34
ネットワークを介して他のシステムに侵入し，自己増殖していく不正なプログラム。

覚えよう！ 問34

WAF といえば
- Web アプリケーションへの通信内容を監視
- SQL インジェクションなどの攻撃を遮断

解答

問31	ウ	問32	ウ
問33	イ	問34	ア

問35 社内ネットワークとインターネットの接続点にパケットフィルタリング型ファイアウォールを設置して，社内ネットワーク上の PC からインターネット上の Web サーバの 80 番ポートにアクセスできるようにするとき，フィルタリングで許可するルールの適切な組合せはどれか。

ア

送信元	宛先	送信元ポート番号	宛先ポート番号
PC	Web サーバ	80	1024 以上
Web サーバ	PC	80	1024 以上

イ

送信元	宛先	送信元ポート番号	宛先ポート番号
PC	Web サーバ	80	1024 以上
Web サーバ	PC	1024 以上	80

ウ

送信元	宛先	送信元ポート番号	宛先ポート番号
PC	Web サーバ	1024 以上	80
Web サーバ	PC	80	1024 以上

エ

送信元	宛先	送信元ポート番号	宛先ポート番号
PC	Web サーバ	1024 以上	80
Web サーバ	PC	1024 以上	80

問36 JIS Q 27001:2023（情報セキュリティマネジメントシステム－要求事項）において，リスクを受容するプロセスに求められるものはどれか。

ア 受容するリスクについては，リスク所有者が承認すること
イ 受容するリスクを監視やレビューの対象外とすること
ウ リスクの受容は，リスク分析前に行うこと
エ リスクを受容するかどうかは，リスク対応後に決定すること

問37 ウイルス検出におけるビヘイビア法に分類されるものはどれか。

ア あらかじめ検査対象に付加された，ウイルスに感染していないことを保証する情報と，検査対象から算出した情報とを比較する。
イ 検査対象と安全な場所に保管してあるその原本とを比較する。
ウ 検査対象のハッシュ値と既知のウイルスファイルのハッシュ値とを比較する。
エ 検査対象をメモリ上の仮想環境下で実行して，その挙動を監視する。

解説

問35 パケットフィルタリング

.ıll30%

パケットフィルタリングは，通過するパケットのIPアドレスやポート番号を検査して，通信の許可／不許可を判断するファイアウォールです。許可／不許可の判断は，あらかじめ設定しておいたフィルタリングルールに従います。

社内PCからWebサーバにアクセスできるようにフィルタリングルールを設定するには，PCからWebサーバへの通信と，Webサーバから PCへの通信の両方を許可する必要があります。

Webサーバはサービス要求窓口として，ポート番号80番を使用します。したがって，PCからWebサーバへの送信は，宛先ポート番号に**80**を使用します。なお，PC側の送信元ポート番号は，Webブラウザが**1024以上**の番号を適宜使用します。

送信元	宛先	送信元ポート番号	宛先ポート番号
PC	Webサーバ	1024以上	80

一方，WebサーバからPCへの送信では，Webサーバが送信元なので，送信元ポート番号に**80**を指定します。

送信元	宛先	送信元ポート番号	宛先ポート番号
Webサーバ	PC	80	1024以上

以上の組合せを許可するファイアウォールの設定は，ウです。

問36 リスク受容

.ıll30%

リスクを完全にゼロにすることはできないので，許容範囲内のリスクは受け入れます。これを**リスク受容**といいます。JIS Q 27001によれば，受容するリスクについてはリスク所有者（リスクをとる責任者）の承認が必要です。

○ア 正解です。

×イ リスクの大きさが変化する場合もあるので，いったん受容したリスクでも，監視やレビューは引き続き行います。

×ウ リスクが受容可能な大きさかどうかは**リスク分析**によって明らかになるので，リスク分析前に受容することはできません。

×エ 受容するリスクと受容できないリスクを定め，受容できないリスクについては**リスク対応**を実施します。したがって，リスクを受容するかどうかはリスク対応前に決定する必要があります。

問37 ビヘイビア法

.ıll20%

ビヘイビア法は，ウイルスの感染や発症時の挙動を監視して，その動作や異常な現象からウイルスを検知する手法です。使用中のシステムでウイルスを実行することはできないので，検査対象は隔離された仮想環境下で実行します。

×ア **チェックサム法**の説明です。

×イ **コンペア法**の説明です。

×ウ ハッシュ値による検出方法の説明です。

○エ 正解です。

合格のカギ

JIS Q 27001 問36
情報セキュリティマネジメントシステム（ISMS）の基準を定めた国際規格ISO/IEC27001を日本語化した規格。ISMSの認証基準として使われている。

ハッシュ値 問37
任意の長さのデータを基に生成された固定長のデータ。ハッシュ値を生成するプログラムをハッシュ関数という。同一データから生成したハッシュ値は等しくなる。一方，ハッシュ値から元のデータを復元することはできない。

解答
問35 ウ　問36 ア
問37 エ

問38 UML2.0において，オブジェクト間の相互作用を時系列に表す図はどれか。

ア アクティビティ図　　イ コンポーネント図
ウ シーケンス図　　エ 状態遷移図

問39 オブジェクト指向の基本概念の組合せとして，適切なものはどれか。

ア 仮想化，構造化，投影，クラス
イ 具体化，構造化，連続，クラス
ウ 正規化，カプセル化，分割，クラス
エ 抽象化，カプセル化，継承，クラス

問40 ブラックボックステストにおけるテストケースの設計方法として，適切なものはどれか。

ア プログラム仕様書の作成又はコーディングが終了した段階で，仕様書やソースリストを参照して，テストケースを設計する。
イ プログラムの機能仕様やインタフェースの仕様に基づいて，テストケースを設計する。
ウ プログラムの処理手順や内部構造に基づいて，テストケースを設計する。
エ プログラムの全ての条件判定で，真と偽をそれぞれ1回以上実行させることを基準に，テストケースを設計する。

問41 ソフトウェアのリバースエンジニアリングの説明はどれか。

ア 開発支援ツールなどを用いて，設計情報からソースコードを自動生成する。
イ 外部から見たときの振る舞いを変えずに，ソフトウェアの内部構造を変える。
ウ 既存のソフトウェアを解析し，その仕様や構造を明らかにする。
エ 既存のソフトウェアを分析し理解した上で，ソフトウェア全体を新しく構築し直す。

解説

問38 UML2.0の図 30%

UMLで，オブジェクト間の相互作用を時系列に表すには，**シーケンス図**を使います。

× ア **アクティビティ図**は，プログラムの制御の流れを表す流れ図のような図です。
× イ **コンポーネント図**は，システムを構成する物理的な要素（コンポーネント）と，コンポーネント間の関係を表す図です。

合格のカギ

UML 問38
Unified Modeling Language：オブジェクト指向開発で利用する様々な種類の図式を規格化したもの。

○ ウ 正解です。

× エ **状態遷移図**（ステートマシン図）は，発生するイベントに応じてプログラムの状態がどう変化するかを表す図です。

問39 オブジェクト指向の基本概念 キホン! 40%

オブジェクト指向の主な基本概念として，以下の 4 つがあります。

抽象化	複数のクラスから共通する属性やメソッドを抜き出した上位クラスを定義し，異なるクラスのオブジェクトを統一的に扱えるようにすること。
カプセル化	オブジェクト内部の情報を隠ぺいし，用意したインタフェースを介してのみアクセスできるようにすること。
継承	上位クラスの属性やメソッドを，下位クラスが引き継ぐこと。
クラス	オブジェクトの属性やメソッドを定義したもの。

以上から，正解は エ です。

問40 ブラックボックステスト キホン! 30%

ブラックボックステストは，プログラムが仕様通りに動作するかどうかを，内部のロジックは考慮せず，入力に対する出力に着目してテストします。したがって，テストケースはプログラムの機能仕様やインタフェース仕様に基づいて設計します。

ブラックボックステストに対して，プログラム内部のロジックが正しいかどうかを検証するテストを**ホワイトボックステスト**といいます。

× ア プログラム仕様書やソースリストは，ホワイトボックステストで参照します。

○ イ 正解です。

× ウ プログラムの内部構造に基づいてテストケースを設計するのは，ホワイトボックステストです。

× エ すべての条件判定が真になる場合と偽になる場合をテストすることを**条件網羅**といいます。条件網羅はホワイトボックステストのテストケースを設計する手法です。

問41 リバースエンジニアリング 30%

ソフトウェア開発は，おおまかに**設計→プログラミング→運用**の順に進めるのが一般的です。**リバースエンジニアリング**はこの順序を逆転（リバース）し，できあがったソフトウェアからソースコードを解析したり，ソースコードから仕様や構造を復元したりする手法です。

× ア 設計情報からソースコードを生成するのはリバースではなく，通常のエンジニアリングの工程です。

× イ **リファクタリング**の説明です。

○ ウ 正解です。

× エ **リエンジニアリング**の説明です。

合格のカギ

アクティビティ図の例 問38

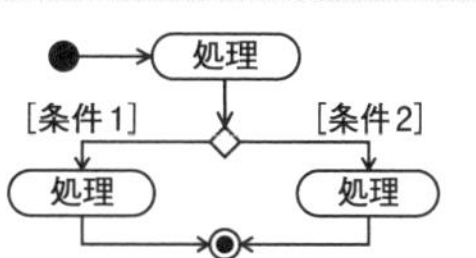

コンポーネント図の例 問38

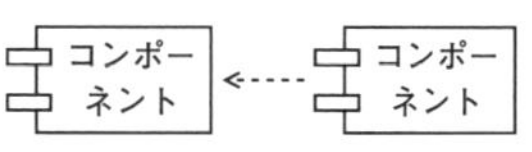

シーケンス図の例 問38

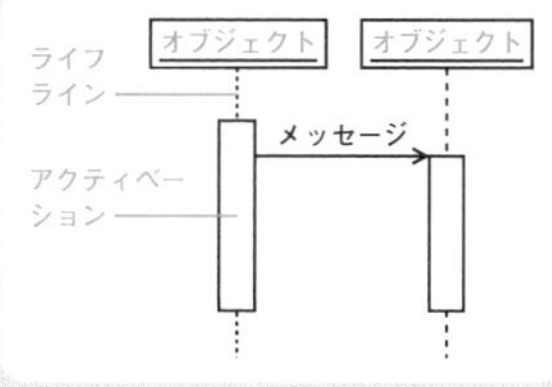

状態遷移図の例 問38

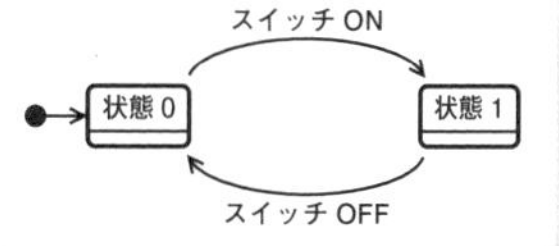

覚えよう！ 問40

ブラックボックステスト といえば

- プログラムの外部仕様に沿ってテストケースを設定
- 同値分割法，限界値分析などがある

ホワイトボックステスト といえば

- プログラムの内部構造に沿ってテストケースを設定
- 条件網羅，判定条件網羅，分岐網羅などがある

解答

問38	ウ	問39	エ
問40	イ	問41	ウ

問42

プログラム中の図の部分を判定条件網羅（分岐網羅）でテストするときのテストケースとして，適切なものはどれか。

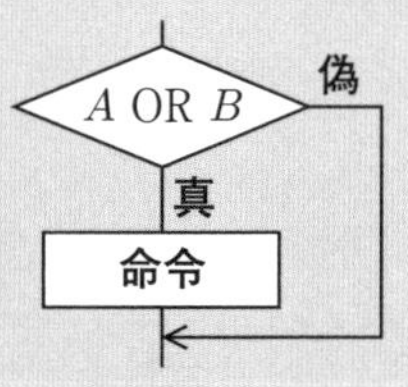

ア

A	B
偽	真

イ

A	B
偽	真
真	偽

ウ

A	B
偽	偽
真	真

エ

A	B
偽	真
真	偽
真	真

問43

アローダイアグラムで表される作業A～Hを見直したところ，作業Dだけが短縮可能であり，その所要日数は6日に短縮できることがわかった。作業全体の所要日数は何日間短縮できるか。

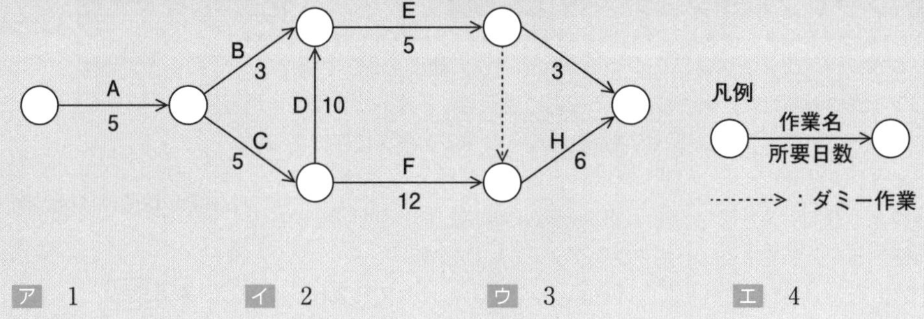

ア 1　　イ 2　　ウ 3　　エ 4

問44

ファンクションポイント法の説明はどれか。

ア 開発するプログラムごとのステップ数を積算し，開発規模を見積もる。

イ 開発プロジェクトで必要な作業のWBSを作成し，各作業の工数を見積もる。

ウ 外部入出力や内部論理ファイル，外部照会，外部インタフェースファイルの個数と特性などから開発規模を見積もる。

エ 過去の類似例を探し，その実績や開発するシステムとの差異などを分析・評価して開発規模を見積もる。

解説

問42 判定条件網羅（分岐網羅） キホン！ 60%

判定条件網羅（分岐網羅）では，プログラム中のすべての経路が実行されるようにテストケースを設定します。問題の流れ図には，条件「*A* OR *B*」が真

になる場合と，偽になる場合の２つの経路があるので，

① 「*A* OR *B*」が偽になる場合→*A*，*B* が両方とも偽
② 「*A* OR *B*」が真になる場合→*A*，*B* のいずれかまたは両方が真

の２種類の組合せが必要になります。この条件を満たすのは ウ のテストケースです。

× ア 命令網羅（プログラム中の命令をすべて実行する）のテストケースです。
× イ 条件網羅（単独条件がそれぞれ真の場合と偽の場合）のテストケースです。
○ ウ 正解です。
× エ *A* と *B* が両方とも偽になるケースがないので，条件網羅と変わりありません。

問43 アロー・ダイアグラム 80%

図の開始から終了に至るすべての経路のうち，所要日数の合計が最も大きくなる経路を求めます。この経路の所要日数の合計が，作業全体の所要日数です。作業Dの所要日数が10日間の場合，所要日数の合計が最も大きくなる経路は，A→C→D→E→Hで，所要日数の合計は31日になります。

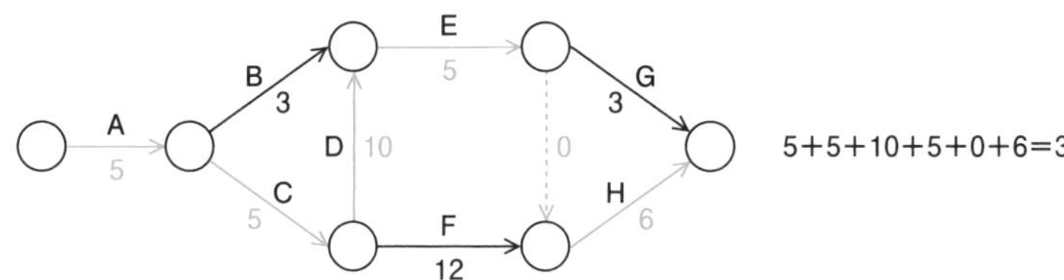

作業Dの所要日数を6日に短縮すると，所要日数の合計はA→C→F→Hの経路のほうが大きくなり，作業全体の所要日数は28日になります。

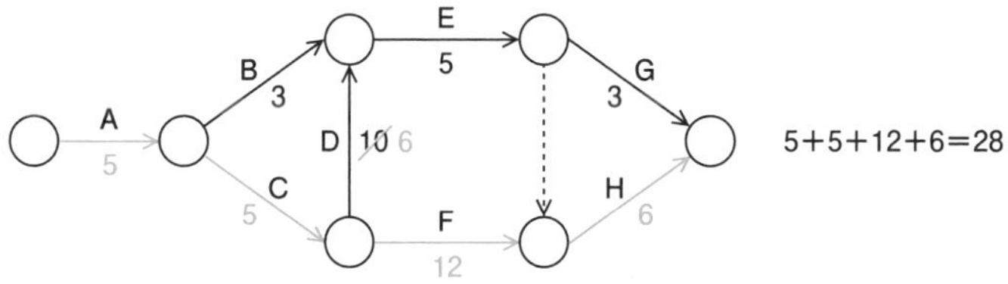

以上から，短縮できる日数は 31 − 28 = 3 日間です。正解は ウ です。

問44 ファンクションポイント法 キホン! 60%

ファンクションポイント法は，開発するソフトウェアの機能を，入出力データやファイル，画面などの個数と，それぞれの複雑度によって点数化し，開発規模を見積もる手法です。

× ア プログラムステップ法の説明です。
× イ WBS法の説明です。
○ ウ 正解です。
× エ 類推法の説明です。

合格のカギ

覚えよう！ 問42

判定条件網羅といえば
- 判定条件が「真」になる場合と「偽」になる場合をテスト

命令網羅といえば
- すべての命令を少なくとも１回は実行

条件網羅といえば
- 各判定条件がそれぞれ「真」になる場合と「偽」になる場合をテスト

複数条件網羅といえば
- 各判定条件のすべての「真」「偽」の組合せをテスト

覚えよう！ 問44

ファンクションポイント法といえば
- 入出力，画面，ファイルなどの機能の個数によって開発規模を見積もる
- 個々の機能を複雑さに応じて点数化する

解答

問42 ウ　問43 ウ
問44 ウ

□□ 問45 サービスデスク組織の構造とその特徴のうち，ローカルサービスデスクのものはどれか。

ア サービスデスクを1拠点又は少数の場所に集中することによって，サービス要員を効率的に配置したり，大量のコールに対応したりすることができる。

イ サービスデスクを利用者の近くに配置することによって，言語や文化が異なる利用者への対応，専門要員によるVIP対応などができる。

ウ サービス要員が複数の地域や部門に分散していても，通信技術の利用によって単一のサービスデスクであるかのようにサービスが提供できる。

エ 分散拠点のサービス要員を含めた全員を中央で統括して管理することによって，統制のとれたサービスが提供できる。

□□ 問46 システム監査人がインタビュー実施時にすべきことのうち，最も適切なものはどれか。

ア インタビューで監査対象部門から得た情報を裏付けるための文書や記録を入手するよう努める。

イ インタビューの中で気が付いた不備事項について，その場で監査対象部門に改善を指示する。

ウ 監査対象部門内の監査業務を経験したことのある管理者をインタビューの対象者として選ぶ。

エ 複数の監査人でインタビューを行うと記録内容に相違が出ることがあるので，1人の監査人が行う。

□□ 問47 システム監査報告書に記載する指摘事項に関する説明のうち，適切なものはどれか。

ア 監査証拠による裏付けの有無にかかわらず，監査人が指摘事項とする必要があると判断した事項を記載する。

イ 監査人が指摘事項とする必要があると判断した事項のうち，監査対象部門の責任者が承認した事項を記載する。

ウ 調査結果に事実誤認がないことを監査対象部門に確認した上で，監査人が指摘事項とする必要があると判断した事項を記載する。

エ 不備の内容や重要性は考慮せず，全てを漏れなく指摘事項として記載する。

解説

問45 ローカルサービスデスク

.ıl30%

サービスデスクは，IT サービスを利用するユーザーに対する窓口として，問合せ受付などのサポート業務を行います。サービスデスクの種類として，①中央サービスデスク，②ローカルサービスデスク，③バーチャルサービスデスクがあります。このうちローカルサービスデスクは，サービス要員を利用者の側に配置することで，現地でのサポートをしやすくするものです。

× ア 中央サービスデスクの説明です。
○ イ 正解です。
× ウ バーチャルサービスデスクの説明です。
× エ 分散拠点を中央で統括管理するのは，ローカルサービスデスクではありません。

問46 インタビューの実施

.ıl20%

システム監査におけるインタビューの目的は，情報を収集することです。ただし，インタビューで得た情報は記憶違いや対象者の主観が混じっている場合もあるため，情報の裏付けとなる証拠をできる限り入手する必要があります。

○ ア 正解です。
× イ 改善案は監査報告書として監査依頼者に提出します。
× ウ 様々な立場の対象者から広く話を聞くべきで，対象者を監査業務の経験者や管理者に限る必要はありません。
× エ 調査期間が限られるので，対象者が多い場合は複数の監査人で手分けしてインタビューを行います。

問47 監査報告書の指摘事項

.ıl30%

監査報告書に記載する**指摘事項**は，監査の結果，改善が必要と考えられる事項です。指摘事項は客観的な事実にもとづくものでなければなりません。そのため指摘事項の記載にあたっては，根拠となるシステム監査人の所見や監査証拠などについて，監査対象部門に事実確認を行います。

× ア 監査証拠による裏付けが必要です。
× イ 監査対象部門の責任者の承認は必ずしも必要ではありません。
○ ウ 正解です。
× エ 不備のすべてを漏れなく指摘事項とする必要はありません。

合格のカギ

覚えよう！ 問45

サービスデスクの種類

- **中央サービスデスク**：拠点を 1 か所に集中
- **ローカルサービスデスク**：利用者側に配置
- **バーチャルサービスデスク**：仮想的に単一のサービスデスクを提供

監査報告書 問46

監査の実施状況や指摘事項，改善勧告などを記載したもの。

解答

問45 イ　問46 ア
問47 ウ

問48 A社の営業部門では，成約件数を増やすことを目的として，営業担当者が企画を顧客に提案する活動を始めた。この営業活動の達成度を測るための指標としてKGI（Key Goal Indicatior）とKPI（Key Performance Indicator）を定めたい。本活動におけるKGIとKPIの組合せとして，最も適切なものはどれか。

	KGI	KPI
ア	成約件数	売上高
イ	成約件数	提案件数
ウ	提案件数	売上高
エ	提案件数	成約件数

問49 SOAの説明はどれか。

ア 売上・利益の増加や，顧客満足度の向上のために，営業活動にITを活用して営業の効率と品質を高める概念のこと
イ 経営資源をコアビジネスに集中させるために，社内業務のうちコアビジネス以外の業務を外部に委託すること
ウ コスト，品質，サービス，スピードを革新的に改善させるために，ビジネスプロセスをデザインし直す概念のこと
エ ソフトウェアの機能をサービスという部品とみなし，そのサービスを組み合わせることによってシステムを構築する概念のこと

問50 企業が保有する顧客や市場などの膨大なデータから，有用な情報や関係を見つけ出す手法はどれか。

ア データウェアハウス
イ データディクショナリ
ウ データフローダイアグラム
エ データマイニング

問51 CSR調達に該当するものはどれか。

ア コストを最小化するために，最も安価な製品を選ぶ。
イ 災害時に調達が不可能となる事態を避けるために，複数の調達先を確保する。
ウ 自然環境，人権などへの配慮を調達基準として示し，調達先に遵守を求める。
エ 物品の購買に当たってEDIを利用し，迅速かつ正確な調達を行う。

解説

問48 KGI と KPI

.ıll30%

KGI（Key Goal Indicator：重要目標達成指標）は，設定した目標がどの程度達成できたかどうかを評価するための指標です。営業部門の目的は「成約件数を増やすこと」なので，この場合の KGI は成約件数が適切です。

また，KPI（Key Performance Indicator：重要業績評価指標）は，設定した目標に向かうプロセスの進捗状況を測る指標です。営業部門は目標達成のため「企画を顧客に提案する活動」をしているので，KPI は提案件数が適切です。

以上から，KGI が成約件数，KPI が提案件数の イ が正解です。

問49 SOA

.ıll40%

SOA は，ソフトウェアの機能をサービスととらえ，複数のサービスを部品のように組み合わせてシステムを構築していく設計手法です。

× ア SFA（Sales Force Automation）の説明です。
× イ BPO（Business Process Outsourcing）の説明です。
× ウ BPR（Business Process Reengineering）の説明です。
○ エ 正解です。

問50 データマイニング

.ıll20%

大量に蓄積されたデータから，統計的・数学的手法を用いて何らかの有用な情報や関係を見つけ出す手法をデータマイニングといいます。

× ア データウェアハウスは，蓄積された大量の情報を時系列的にデータベース化したものです。
× イ データディクショナリは，DBMS（データベース管理システム）が管理するデータや利用者，プログラムなどの情報を 1 か所に集めて管理するためのデータの集合体です。
× ウ データフローダイアグラム（DFD）は，業務過程をデータの流れに着目して図式化したものです。
○ エ 正解です。

問51 CSR 調達

.ıll30%

CSR 調達とは，企業の社会的責任（Corporate Social Responsibility）を果たすための取組みとして，環境や人権侵害などへ配慮した仕入先を選定することです。正解は ウ です。

合格のカギ

覚えよう！ 問48

KGI といえば
- 目標の達成度を測る指標

KPI といえば
- 目標達成に向かうプロセスの進捗状況を測る指標

SOA 問49

Service-Oriented Architecture：サービス指向アーキテクチャ。業務過程の個々のプロセスをサービスとみなし，複数のサービスを組み合わせてシステムを構築する設計手法。

覚えよう！ 問49

SOA といえば
- サービスを組み合わせてシステムを構成する設計手法

問50

参考 データマイニングは「データ採掘」という意味だね。

解答			
問48	イ	問49	エ
問50	エ	問51	ウ

精選模擬問題 2 科目A

問52 SWOT 分析を用いて識別した，自社製品に関する外部要因はどれか。

ア 営業力における強み
イ 機能面における強み
ウ 新規参入による脅威
エ 品質における弱み

問53 競争上のポジションで，ニッチャの基本戦略はどれか。

ア シェア追撃などのリーダ攻撃に必要な差別化戦略
イ 市場チャンスに素早く対応する模倣戦略
ウ 製品，市場の専門特化を図る特定化戦略
エ 全市場をカバーし，最大シェアを確保する全方位戦略

問54 図に示すマトリックスを用いたポートフォリオマネジメントによって，事業計画や競争優位性の分析を行う目的はどれか。

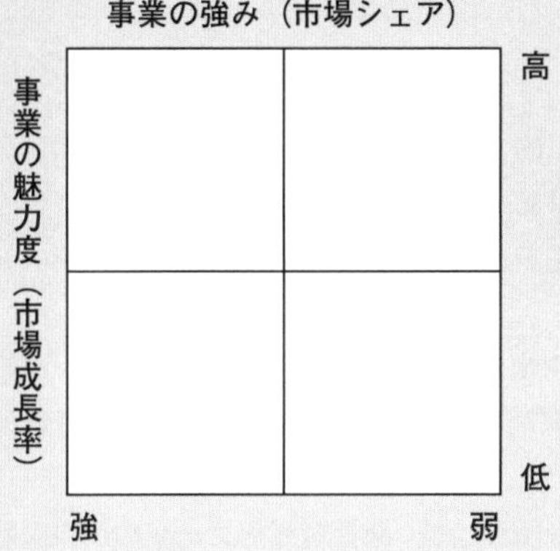

ア 目標として設定したプロモーション効果を測定するために，自社の事業のポジションを評価する。
イ 目標を設定し，資源配分の優先順位を設定するための基礎として，自社の事業のポジションを評価する。
ウ 目標を設定し，製品の品質を高めることによって，市場での優位性を維持する方策を評価する。
エ 目標を設定するために，季節変動要因や地域的広がりを加味することによって，市場の変化を評価する。

解説

問52 SWOT 分析 キホン！

40%

SWOT 分析とは，ある企業や組織がもっている**強み**（Strengths）と**弱み**（Weaknesses），**機会**（Opportunities）と**脅威**（Threats）を分析し，目標を達成するための戦略を立てていく手法です。

4 つの要因のうち，強みと弱みは企業自体がもっている内部要因であり，機会と脅威は企業の外側に存在する外部要因です。

× ア 営業力における強みは内部要因です。

× イ 機能面における強みは内部要因です。

○ ウ 正解です。ライバル企業が市場に新規参入してくる脅威は，自社の外部に存在する外部要因です。

× エ 品質における弱みは内部要因です。

問53 ニッチャの基本戦略

50%

経営学者のコトラー（Kotler）は，企業の競争上のポジションを①**リーダ**，②**チャレンジャ**，③**フォロワ**，④**ニッチャ**の 4 つに分類しています。このうちニッチャの基本戦略は，専門的な市場に特化する特定化戦略で，狭くても確実なニーズのある市場を狙います。

× ア チャレンジャの戦略です。

× イ フォロワの戦略です。

○ ウ 正解です。

× エ リーダの戦略です。

問54 プロダクトポートフォリオマネジメント キホン！

30%

プロダクトポートフォリオマネジメント（PPM）では，マトリックス表の 4 つの象限を市場シェア，市場成長率の度合いに応じて「花形」「金のなる木」「問題児」「負け犬」に分類します。自社の事業や製品がこのうちのどこに位置するかによって，資源配分の優先順位を設定します。

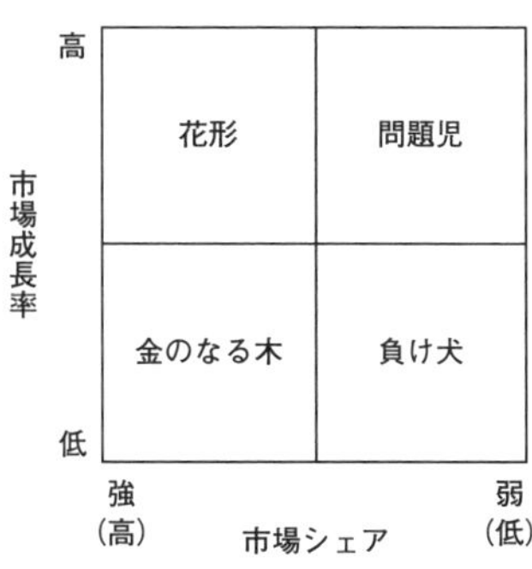

花形：市場の成長にともない，優先的に資源配分が必要。
金のなる木：現在の主たる資金供給源であり，新たに資源を配分する必要はない。
問題児：資源配分によって，新たな資金供給源となる可能性がある。
負け犬：新たに資源を配分する必要性は低く，将来的な撤退も考慮する。

× ア プロモーション効果は測定できません。

○ イ 正解です。

× ウ 製品の品質については分析できません。

× エ 季節変動要因や地域的広がりなどは分析できません。

合格のカギ

覚えよう！ 問52

SWOT 分析といえば

内部要因（環境）
- 強み（Strengths）
- 弱み（Weaknesses）

外部要因（環境）
- 機会（Opportunities）
- 脅威（Threats）

覚えよう！ 問53

企業の競争戦略といえば
- **リーダ**：すべての顧客をターゲットとする全方位戦略
- **チャレンジャ**：市場シェア獲得をねらう差別化戦略
- **フォロワ**：市場動向に素早く追随する模倣戦略
- **ニッチャ**：専門市場に特化する特定化戦略

覚えよう！ 問54

プロダクトポートフォリオマネジメントといえば
- **花形**：市場成長率，市場シェアともに高い
- **金のなる木**：市場成長率は低いが市場シェアが高い
- **問題児**：市場成長率は高いが市場シェアは低い
- **負け犬**：市場成長率，市場シェアともに低い

解答

問52 ウ　問53 ウ
問54 イ

問55 IoT（Internet of Things）の実用例として，**適切でないもの**はどれか。

ア インターネットにおけるセキュリティの問題を回避するために，サーバに接続せず，単独でファイルの管理，演算処理，印刷処理などの作業を行うコンピュータ

イ 大型の機械などにセンサと通信機能を内蔵して，稼働状況，故障箇所，交換が必要な部品などを，製造元がインターネットを介してリアルタイムに把握できるシステム

ウ 検針員に代わって，電力会社と通信して電力使用量を送信する電力メーター

エ 自動車同士及び自動車と路側機が通信することによって，自動車の位置情報をリアルタイムに収集して，渋滞情報を配信するシステム

問56 CGM（Consumer Generated Media）の説明はどれか。

ア オークション形式による物品の売買機能を提供することによって，消費者同士の個人売買の仲介役を果たすもの

イ 個人が制作したデジタルコンテンツの閲覧者・視聴者への配信や利用者同士の共有を可能とするもの

ウ 個人商店主のオンラインショップを集め，共通ポイントの発行やクレジットカード決済を代行するもの

エ 自社の顧客のうち，希望者をメーリングリストに登録し，電子メールを通じて定期的に情報を配信するもの

問57 ブロックチェーンによって実現されている仮想通貨マイニングの説明はどれか。

ア 仮想通貨取引の確認や記録の計算作業に参加し，報酬として仮想通貨を得る。

イ 仮想通貨を売買することによってキャピタルゲインを得る。

ウ 個人や組織に対して，仮想通貨による送金を行う。

エ 実店舗などで仮想通貨を使った支払や決済を行う。

問58 財務諸表のうち，一定時点における企業の資産，負債及び純資産を表示し，企業の財政状態を明らかにするものはどれか。

ア 株主資本等変動計算書　　イ キャッシュフロー計算書

ウ 損益計算書　　エ 貸借対照表

解説

問55 IoTの実用例

.ıll 40%

IoT（Internet of Things）とは，「モノのインターネット」のことで，情報端末ばかりでなく，様々なモノに通信機能をもたせ，インターネットを介して情報を収集・解析して高度な判断やサービスを実現することです。

○ ア インターネットに接続せず，オフラインでコンピュータを使用するのは，IoTの例ではありません。

× イ 設備の稼働監視にIoTを活用した工場を，スマート工場といいます。

× ウ IoT化した電力メータをスマートメーターといいます。

× エ IoTを活用した交通情報システムの例です。

問56 CGM（消費者生成メディア）

.ıll 40%

CGM（Consumer Generated Media）とは，消費者自らが発信する情報やデジタルコンテンツで構成される，インターネット上のメディアの総称です。代表的なものに，ブログやSNS，掲示板，動画投稿サイトなどがあります。

× ア インターネットオークションの説明です。

○ イ 正解です。

× ウ オンラインモールの説明です。

× エ メールマガジンの説明です。

問57 仮想通貨マイニング

.ıll 20%

ブロックチェーンは，仮想通貨などの暗号資産を実現する基盤技術です。複数の取引データをブロックと呼ばれる単位にまとめ，それらを数珠つなぎにしたチェーンに保存します。ブロックをチェーンに追加する際には膨大な計算が必要となり，この計算作業に参加して最も早く計算を終えると，報酬として仮想通貨を獲得できます。これを仮想通貨マイニングといいます。正解は ア です。

問58 財務諸表 キホン!

.ıll 30%

財務諸表のうち，ある時点における企業の財政状態を，資産と負債・純資産に分けて表示したものを，貸借（たいしゃく）対照表（バランスシート）といいます。

× ア 株主資本等変動計算書は，貸借対照表の純資産の変動状況を表したものです。

× イ キャッシュフロー計算書は，ある会計期間における資金の増減を表したものです。

× ウ 損益計算書は，ある時点における収益と費用の状態を表したものです。

○ エ 正解です。

合格のカギ

スマートメーター 問55

覚えよう！ 問56

CGMといえば

- 消費者生成メディア
- 個人が自ら発信するブログやSNSなどのWebサイト

貸借対照表 問58

令和○年○月○日　（単位：万円）

資産の部 勘定科目	金額	負債及び純資産の部 勘定科目	金額
流動資産	3,210	流動負債	2,743
現金及び預金	2,240	支払手形・買掛金	1,420
受取手形・売掛金	675	短期借入金	722
有価証券	192	未払費用	539
棚卸資産	87	その他	62
その他	16	固定負債	1,745
固定資産	6,696	社債	850
有形固定資産	5,365	長期借入金	800
建物・構築物	1,755	退職金引当金	80
機械及び装置	846	その他	15
土地	2,414	負債合計	4,488
その他	350	資本金	3,000
無形固定資産	73	法定準備金	1,200
投資等	1,258	剰余金	1,218
投資有価証券	308	（うち当期利益）	(1,072)
子会社株式及び出資金	950	純資産合計	5,418
資産合計	9,906	負債及び純資産合計	9,906

資産 / 負債 / 純資産

解答

問55	ア	問56	イ
問57	ア	問58	エ

模擬問題 精選 2 科目A

□□ 問 **59** ある工場では表に示す3製品を製造している。実現可能な最大利益は何円か。ここで，各製品の月間需要量には上限があり，また，製造工程に使える工場の時間は月間200時間までで，複数種類の製品を同時に並行して製造することはできないものとする。

	製品X	製品Y	製品Z
1個当たりの利益（円）	1,800	2,500	3,000
1個当たりの製造所要時間（分）	6	10	15
月間需要量上限（個）	1,000	900	500

ア 2,625,000　　イ 3,000,000　　ウ 3,150,000　　エ 3,300,000

□□ 問 **60** A社がシステム開発を行うに当たり，外部業者であるB社を利用する場合の契約に関する記述のうち，適切なものはどれか。

ア 請負契約によるシステム開発では，特に契約に定めない限り，B社が開発したプログラムの著作権はB社に帰属する。

イ 請負契約，派遣契約によらず，いずれの場合のシステム開発でも，B社にはシステムの完成責任がある。

ウ 準委任契約ではB社に成果物の完成責任がないので，A社がB社の従業員に対して直接指揮命令権を行使する。

エ 派遣契約では，開発されたプログラムに重大な欠陥が発生した場合，B社に瑕疵（かし）担保責任がある。

解説

問59 最大利益の計算

.ııl 10%

製造時間が限られているので，製造所要時間当たりの利益が大きい製品を優先して作ったほうが，全体の利益も大きくなります。製造時間 1 分当たりに生じる利益は，

製品 X：1,800 円÷ 6 分＝ 300 円／分
製品 Y：2,500 円÷ 10 分＝ 250 円／分
製品 Z：3,000 円÷ 15 分＝ 200 円／分

で，製品 X が最も大きくなります。したがって，まず製品 X を優先して作ります。

製造工程に使える時間は，最大 **200 時間＝ 200 × 60 ＝ 12,000 分**です。製品 X を需要上限である 1,000 個作ると，所要時間は **6 分× 1,000 個＝ 6,000 分**。製造時間の残りは **12,000 － 6,000 ＝ 6,000 分**になります。

残った時間で，製造時間当たりの利益が X の次に大きい製品 Y を作ります。製品 Y を需要上限の 900 個作ると，所要時間は **10 分× 900 個＝ 9,000 分**になり，残り時間をオーバーしてしまいます。そこで，残り時間 6,000 分をすべて製品 Y の製造にあてると，製品 Y は **6,000 分÷ 10 分＝ 600 個**作れます。以上で残り時間はゼロになるので，製品 Z を作る時間はありません。

以上から，利益が最大になるのは製品 X を 1,000 個，製品 Y を 600 個，製品 Z を 0 個製造したときで，その金額は

1,800 円× 1,000 個＋ 2,500 円× 600 個＝ 3,300,000 円

となります。正解は エ です。

問60 外部業者との契約

.ııl 10%

外部業者を利用する場合の契約形態には，請負契約，準委任契約，派遣契約などの種類があります。

○ ア 正解です。契約に特段の定めがない限り，B 社が開発したプログラムの著作権は B 社に帰属します。

× イ 請負契約は「仕事の完成」に対して報酬を支払う契約なので，B 社に完成責任が生じますが，派遣契約は労働者を派遣することが目的なので，完成責任は生じません。

× ウ 準委任契約は「業務の遂行」に対して報酬を支払う契約であり，受任者である B 社に完成責任はありません。その場合でも，A 社は B 社の従業員に対する指揮命令権をもちません。

× エ 派遣契約の場合，開発は A 社の指揮命令に基づいて進められるので，B 社に瑕疵担保責任は生じません。

合格のカギ

問59

対策 製造時間当たりの利益を最大化すれば，全体の利益を最大化できるね。

準委任契約 問60
受任者に法律行為でない事務処理を委託する委任契約。

瑕疵担保責任 問60
目的物を十全な状態で相手方に移転することを保証する責任。

解答

問59 エ　問60 ア

問 01 次の記述中の ＿＿ に入れる正しい答えを，解答群の中から選べ。

次のプログラムの出力結果は，“ ＿＿ ”となる。

〔プログラム〕

```
整数型： x ← 1
整数型： y ← 2
整数型： z ← 3
x ← x ＋ y
y ← y ＋ z
z ← z ＋ x
y の値 と z の値 をコンマで区切って出力する
```

解答群

ア 3，5　　イ 3，6　　ウ 5，6

エ 5，3　　オ 6，3　　カ 6，5

※オリジナル問題

合格のカギ

基本情報技術者試験の科目Ｂは，全 20 問のうち 16 問がプログラム問題です。とくに最初の何問かは基礎的な問題なので，ここで確実に正解できなければ合格は望めません。

本問では，プログラムの処理が進むとともに，変数の値がどのように変化するのかを追いかけていく作業が必要です。この作業を変数のトレースといいます。メモ用紙に右図のような簡単な表を書いて行うとよいでしょう。

処理内容（実際の試験では適宜省略） ＼ 変数	x	y	z
初期値	1	2	3
x ← x ＋ y			
y ← y ＋ z			
z ← z ＋ x			

プログラム・ノート

```
01  整数型：x ← 1      ┐
02  整数型：y ← 2      ├ 1 変数の宣言
03  整数型：z ← 3      ┘
04  x ← x ＋ y         ┐
05  y ← y ＋ z         ├ 2 変数への値の代入
06  z ← z ＋ x         ┘
07  yの値 と zの値 をコンマで区切って出力する
```

1 変数の宣言

プログラム中で使用する変数は，

型名：**変数名**

の型式で宣言します。

なお，変数の宣言は，C 言語や Java など実際のプログラム言語でも必要な場合が多いですが，Python などのように変数の宣言が必要ない場合もあります。

2 変数への値の代入

情報処理試験の擬似言語では，変数への値の代入に代入演算子「←」を使います。変数への値の代入では，右辺の式の値を，左辺の変数に代入します。

例：x ← 5　　　　←― 変数 x に値 5 を代入する
　　y ← y － 1　←― 変数 y の値から 1 を引いた値を，変数 y に代入する

なお，実際のプログラム言語では，多くの場合「＝」が代入演算子として使われています。

問題解説

行番号 04：変数 x に，x ＋ y の値を代入します。x ＝ 1，y ＝ 2 なので，1 ＋ 2 ＝ 3 が x に代入されます。
行番号 05：変数 y に，y ＋ z の値を代入します。y ＝ 2，z ＝ 3 なので，2 ＋ 3 ＝ 5 が y に代入されます。
行番号 06：変数 z に，z ＋ x の値を代入します。z ＝ 3，x ＝ 3 なので，3 ＋ 3 ＝ 6 が z に代入されます。

以上から，変数 y の値は 5，変数 z の値は 6 になります。したがって行番号 07 では，「5， 6」と出力されます。正解は ウ です。

	x	y	z
初期値	1	2	3
x ← x ＋ y	3	2	3
y ← y ＋ z	3	5	3
z ← z ＋ x	3	5	6

解答

問01　ウ

問 02 プログラム中の [a] と [b] に入れる正しい答えの組合せを，解答群の中から選べ。

手続 printStars は，"☆" と "★" を交互に，引数 num で指定された数だけ出力する。ここで，引数 num の値が 0 以下のときは，何も出力しない。

〔プログラム〕

```
○printStars(整数型: num)
  整数型: cnt ← 0
  文字列型: starColor ← "SC1"
  [ a ]
    if (starColor が "SC1" と等しい)
      "☆" を出力する
      starColor ← "SC2"
    else
      "★" を出力する
      starColor ← "SC1"
    endif
    cnt ← cnt + 1
  [ b ]
```

解答群

	a	b
ア	do	while (cnt が num 以下)
イ	do	while (cnt が num より小さい)
ウ	while (cnt が num 以下)	endwhile
エ	while (cnt が num より小さい)	endwhile

※出典：IT パスポート試験プログラミング的思考力を問う擬似言語のサンプル問題

合格のカギ

問題文に「引数 num の値が 0 以下のときは，何も出力しない」とあることに注目します。つまり，num = 0 のとき，正しく動作するものが正解です。このように，鍵となる引数の値が問題文に記述されているのを見逃さないようにしましょう。

プログラム・ノート

```
○printStars(整数型: num)   ← ❶ 手続の宣言
  整数型: cnt ← 0
  文字列型: starColor ← "SC1"
  [ a ]
    if (starColor が "SC1" と等しい)
      "☆"を出力する
      starColor ← "SC2"
    else
      "★"を出力する
      starColor ← "SC1"
    endif
    cnt ← cnt + 1
  [ b ]
```

❶ 手続の宣言

先頭に○記号のついた行は，関数または手続の宣言です。情報処理試験の擬似言語では，手続を次のように定義します。

○ 手続名 (引数の型名 : 引数名 , …)

キーワード	説明
手続名	手続の名前（本問では printStars）
引数の型名	手続に指定する引数の型名（本問では整数型）
引数名	手続に指定する引数（本問では num）。引数は複数指定できる。 また，引数がない場合は省略できる。

なお，関数には戻り値がありますが，手続には戻り値がありません。

問題解説

手続 printStars は，“☆”と“★”を交互に引数に指定された回数だけ出力します。このような処理には繰返し処理を使います。

while ～ endwhile と do ～ while の違い

擬似言語の繰返し処理の構文には，

- while ～ endwhile
- do ～ while
- for ～ endfor

の 3 種類があります。どれを使っても同じ処理ができますが，解答群には for ～ endfor の選択肢はありません。

while ～ endwhile 構文と do ～ while 構文の違いは，繰返しを継続するかどうかの判定を，**繰返しの前**に行うか（while ～ endwhile），**繰返しの最後**に行うか（do ～ while）の違いになります。そのため，do ～ while では最低 1 回は必ず繰返し処理が実行されます。

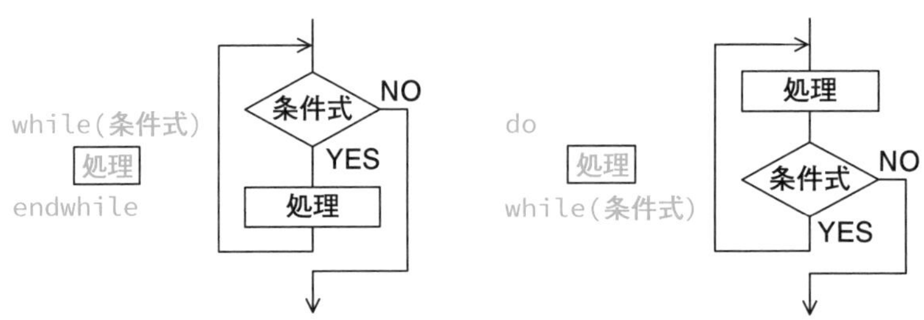

本問の場合「引数 num の値が 0 以下のときは，何も出力しない。」という指定があるので，繰返し処理が 1 回も実行されない場合があると判断できます。したがって，ウ または エ の while ～ endwhile 構文を使います。

■条件式の指定

繰返しを継続するかどうかは，変数 cnt の値を引数 num と比較して判断します。たとえば，引数 num の値が 0 のとき，繰返し処理は 1 回も実行されません。変数 cnt の初期値は 0 なので，

```
while (cnt が num 以下)
    繰返し処理
endwhile
```

とすると，繰返し処理が 1 回実行されてしまいます。そこで，

```
while (cnt が num より小さい)
    繰返し処理
endwhile
```

とすれば，cnt の初期値 0 は num と等しく，繰返し処理は実行されなくなります。

以上から，**空欄 a** は「while (cnt が num より小さい)」になります。正解は エ です。

問 03 次のプログラム中の［　　］に入れる正しい答えを，解答群の中から選べ。

ある学校の授業の成績は，期末テストの得点が 80 点以上なら“A”，60 点以上 80 点未満なら“B”，60 点未満なら“C”となる。関数 grade は，得点を表す 0 以上の整数を引数として受け取り，成績を“A”，“B”，C”のいずれかで返す。

〔プログラム〕

```
○文字列型： grade(整数型： score)
  文字列型： ret
  if (score が 80 以上)
    ret ← "A"
  elseif (［　　　　　　　　］)
    ret ← "B"
  else
    ret ← "C"
  endif
  return ret
```

解答群

ア (score が 60 より大きい) and (score が 80 より小さい)

イ (score が 60 以下) or (score が 80 より小さい)

ウ (score が 60 と等しい) or (score が 80 より小さい)

エ score が 60 以上

オ score が 60 より大きい

カ score が 60 以下

キ score が 60 より小さい

※オリジナル問題

合格のカギ

空欄に条件分岐のための適切な条件式を入れる問題で，類似の問題がよく出題されています。条件式を組み立てる際には，if ～ elseif ～ else 構文の働きを正しく理解していることが重要になります。また，論理積演算子 and や論理和演算子 or の働きにも注意しましょう。

プログラム・ノート

```
○文字列型： grade(整数型： score)
  文字列型： ret
  if (score が 80 以上)
    ret ← "A"
  elseif ( [    ] )
    ret ← "B"
  else
    ret ← "C"
  endif
  return ret
```

1 if～elseif～else構文

1 if～elseif～else構文

この構文では，条件式を上から順番に評価し，最初に真（true）になった条件式に対応する処理を実行します。真になった条件式以降の条件式は評価せず，対応する処理も実行しません。条件式がどれも真にならなかったときは，else に対応する処理 n + 1 を実行します。

```
if 条件式1
  処理1        ←条件式1が真のとき実行
elseif 条件式2
  処理2        ←条件式2が真のとき実行
…
elseif 条件式n
  処理n        ←条件式nが真のとき実行
else
  処理n+1      ←条件式1～nがいずれも真でないとき実行
endif
```

else と処理の組は，最後に1つだけ記述することができます。また必要なければ省略することもできます。

なお，C言語や Java には，if～else 構文はありますが，elseif はありません。if～else を入れ子にすることによって，elseif と同じ処理ができるからです。

if～else を入れ子にすれば elseif と同じ処理になる。

```
if 条件1
    処理1
else
  if 条件2
      処理2
  else
    if 条件3
        処理3
    else
      ⋮
```

→

```
if 条件1
    処理1
elseif 条件2
    処理2
elseif 条件3
    処理3
else
    ⋮
```

問題解説

行番号 03，04：条件式「score が 80 以上」が真のとき，変数 ret には文字「A」が代入されます。この処理は，期末テストの得点が「80 点以上なら“A”」となることに対応します。

```
03  if (score が 80 以上)
04    ret ← "A"
```

行番号 05，06：空欄の条件式が真のとき，変数 ret には文字「B」が代入されます。この処理は，期末テストの得点が「60 点以上 80 点未満なら“B”」となることに対応します。したがって，空欄に入る条件式は，次のように書けます。

```
(score が 60 以上) and (score が 80 より小さい)
```

ただし，この条件式は，行番号 03 の条件式「score が 80 以上」が偽のときにしか評価されません。つまり「score が 80 より小さい」ときにしか評価されないので，わざわざ「score が 80 より小さい」という条件を付ける必要はないのです。したがって空欄に入る条件式としては，次のように指定すれば十分ということになります。

```
05  elseif (score が 60 以上)
06    ret ← "B"
```

以上から，正解は エ です。

行番号 07，08：行番号 03，行番号 05 の条件式がいずれも真でなかったとき，すなわち score の値が 60 未満のときは，変数 ret に文字「C」が代入されます。この処理は，期末テストの得点が「60 点未満なら“C”」となることに対応します。

問 04 次の記述中の ______ に入れる正しい答えの組合せを，解答群の中から選べ。

関数 permutation は，2 個の正の整数 n，r を引数として受け取り，n 個から r 個選んで並べる順列 ${}_nP_r$ を計算する。また，関数 combination は，2 個の正の整数 n，r を引数として受け取り，n 個から r 個選ぶ組合せ ${}_nC_r$ を計算する。ここで，順列 ${}_nP_r$ と組合せ ${}_nC_r$ は，それぞれ次の式で計算することができる。

$${}_nP_r = \frac{n!}{(n-r)!}, \qquad {}_nC_r = \frac{n!}{r!(n-r)!}$$，ただし，$n!$ は n の階乗を表す

関数 fact は，0 以上の整数 n を引数として受け取り，n の階乗 $n!$ を返す。関数 combination を，combination(5, 2) のように呼び出したとき，プログラム 1 の α の行は，全部で ______ 回実行される。

〔プログラム 1〕

```
○ 整数型 : fact( 整数型 : n)
  整数型 : i, ret
  ret ← 1
  for (i を 1 から n まで 1ずつ増やす )
    ret ← ret × i  ← α
  endfor
  return ret
```

〔プログラム 2〕

```
○ 整数型 : permutation( 整数型 : n, 整数型 : r)
  整数型 : ret ← 0
  if (n ≧ r)
    ret ← fact(n) ÷ fact(n − r) の商
  endif
  return ret
```

〔プログラム 3〕

```
○ 整数型 : combination( 整数型 : n, 整数型 : r)
  整数型 : ret ← 0
  if (n ≧ r)
    ret ← permutation(n, r) ÷ fact(r) の商
  endif
  return ret
```

解答群

ア	5	イ	6	ウ	7	エ	8	オ	9
カ	10	キ	15	ク	20	ケ	25	コ	30

※オリジナル問題

関数 combination は，処理の中で関数 permutation と関数 fact を呼び出し，関数 permutation は処理の中で関数 fact を呼び出します。関数の呼出し関係を正しく理解することが本問のテーマです。

プログラム・ノート

〔プログラム 1〕

```
01  ○整数型： fact(整数型： n)
02    整数型： i, ret
03    ret ← 1
04    for (i を 1 から n まで 1ずつ増やす)    ┐
05      ret ← ret × i        ← α           ├ 1 for構文
06    endfor                                ┘
07    return ret
```

〔プログラム 2〕

```
01  ○整数型： permutation(整数型： n, 整数型： r)
02    整数型： ret ← 0
03    if (n ≧ r)
04      ret ← fact(n) ÷ fact(n − r) の商   ← 2 関数の呼出し
05    endif
06    return ret                          ← 3 return文
```

〔プログラム 3〕

```
01  ○整数型： combination(整数型： n, 整数型： r)
02    整数型： ret ← 0
03    if (n ≧ r)
04      ret ← permutation(n, r) ÷ fact(r) の商   ← 2 関数の呼出し
05    endif
06    return ret                                ← 3 return文
```

1 for構文

for 構文は，for ～ endfor の間の処理を，指定した条件に従って繰り返します。たとえば，プログラム 1 の行番号 04 では次のようになります。

繰返しごとに値を変化させる変数

```
for (i を 1 から n まで 1ずつ増やす)
```

初期値　終値　増分値

変数は繰返し1回ごとに，指定した値だけ変化します。ここでは，変数iの値は1，2，3，…のように1ずつ増え，nになったときが最後の繰返しになります。すなわち，繰返し回数は全部でn回になります。

2 関数の呼出し

関数は呼出し元のプログラムで，「関数名（引数）」のように指定して呼び出します。たとえば，プログラム2の行番号04

```
04 | ret ← fact(n) ÷ fact(n − r) の商
```

では，関数fact(n)とfact(n − r)を呼び出し，それぞれの戻り値を使って「fact(n) **の戻り値** ÷ fact(n − r) **の戻り値の商**」を求め，その結果を変数retに代入します。

3 return文

本問のプログラムでは，fact，permutation，combinationという3つの**関数**が定義されています。関数とは，引数に指定したデータにもとづいて何らかの処理をし，その結果を呼出し元に渡す手続きです。呼出し元に渡す値のことを**戻り値**といいます。

return文は戻り値を関数の呼び出し元のプログラムに渡し，関数の処理を終了します。たとえば，プログラム1の行番号07では，変数retの値を返します。

```
return 戻り値
```

問題解説

関数combinationを，combination(5, 2)のように呼び出すと，プログラム3の行番号04

```
04 | ret ← permutation(n, r) ÷ fact(r) の商
```

が実行され，関数permutationと関数factがそれぞれpermutation(5, 2)，fact(2)のように呼び出されます。

関数permutationを，permutation(5, 2)のように呼び出すと，プログラム2の行番号04

```
04 | ret ← fact(n) ÷ fact(n − r) の商
```

が実行され，関数factがfact(5)，fact(3)のように呼び出されます。

combination(5, 2)
permutation(5, 2)　fact(2)
fact(5)　fact(5−2)

関数factは，

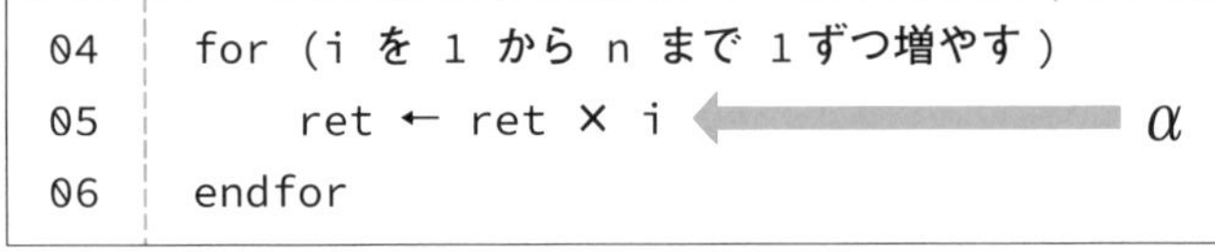

```
04 | for (i を 1 から n まで 1ずつ増やす)
05 |     ret ← ret × i   ← α
06 | endfor
```

のように，αの行を引数nに指定された回数だけ繰り返します。したがって，αの行は，fact(5)で5回，fact(3)で3回，fact(2)で2回実行されます。

以上からαの行の実行回数は合計で5 + 3 + 2 = 10回になります。正解は カ です。

解答
問04 カ

問 05 次の記述中の[a], [b]に入れる正しい答えの組合せを，解答群の中から選べ。

1 から 100 までの 3 の倍数または 7 の倍数のうち，2 の倍数でも 5 の倍数でもない数はいくつあるかを求め，その個数を出力するプログラムである。

〔プログラム〕

```
整数: i, count ← 0
for (i を 1 から 100 まで 1 ずつ増やす)
  if ([ a ])
    if ([ b ])
      count ← count + 1
    endif
  endif
endfor
count を出力する
```

解答群

	a	b
ア	(i mod 3 = 0) and (i mod 7 = 0)	(i mod 2 ≠ 0) and (i mod 5 ≠ 0)
イ	(i mod 3 = 0) and (i mod 7 = 0)	(i mod 2 ≠ 0) or (i mod 5 ≠ 0)
ウ	(i mod 3 = 0) and (i mod 7 = 0)	not ((i mod 2 = 0) and (i mod 5 = 0))
エ	(i mod 3 = 0) or (i mod 7 = 0)	(i mod 2 ≠ 0) or (i mod 5 ≠ 0)
オ	(i mod 3 = 0) or (i mod 7 = 0)	not ((i mod 2 = 0) or (i mod 5 = 0))
カ	(i mod 3 = 0) or (i mod 7 = 0)	not ((i mod 2 = 0) and (i mod 5 = 0))

※オリジナル問題

合格のカギ

「3 の倍数または 7 の倍数」は，「3 または 7 で割り切れる数」と言い換えることができます。同様に，「2 の倍数でも 5 の倍数でもない数」は，「2 でも 5 でも割り切れない数」です。このように，問題文の条件や手順を，擬似言語的な表現に置き換える力を本書の問題で身につけましょう。

プログラム・ノート

```
整数：i, count ← 0
for (i を 1 から 100 まで 1 ずつ増やす)
  if ( a )
    if ( b )
      count ← count + 1
    endif
  endif
endfor
count を出力する
```

1 論理演算子

擬似言語の論理演算子には，次のような種類があります。

論理演算子	説明
A and B （論理積）	A と B が両方とも真（true）のとき真，さもなければ偽（false）を返す。
A or B （論理和）	A と B の少なくとも一方が真（true）なら真，両方とも偽のときは偽（false）を返す。
not A （否定）	A が真（true）なら偽（false），A が偽（false）なら真（true）を返す。

2 ド・モルガンの法則

一般に，(not A) and (not B) は，not(A or B) と書き換えることができます。これを**ド・モルガンの法則**といいます。

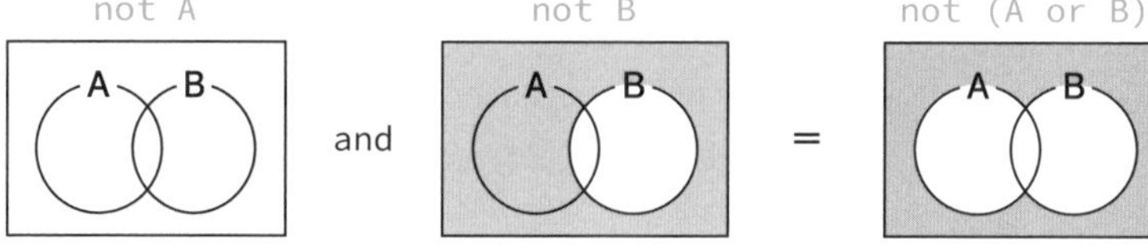

問題解説

プログラムは，1 から 100 までの整数について，条件に適合するかどうかを順に調べ，適合する場合は変数 count を 1 増やしてその個数を数えます。その条件は，

「3 の倍数または 7 の倍数のうち，2 の倍数でも 5 の倍数でもない」

です。ここでは，この条件を①**3の倍数または7の倍数**と，②**2の倍数でも5の倍数でもない**の2段階に分けて考えます。

① 3の倍数または7の倍数

変数 i の値がある数の倍数かどうかは，変数 i の値をその数で割った余りが0かどうかで判断できます。したがって，3の倍数と7の倍数は，それぞれ次のような式で判断できます。

```
3の倍数：i mod 3 = 0      7の倍数：i mod 7 = 0
```

3の倍数か7の倍数かはどちらか一方でいいので，2つの式は論理演算子 or で結びます。

```
(i mod 3 = 0) or (i mod 7 = 0)
```
← 空欄a

② 2の倍数でも5の倍数でもない

「2の倍数でない」と「5の倍数でない」は，それぞれ「2で割った余りが0でない」「5で割った余りが0でない」と同じなので，次のように書けます。

```
2の倍数でない：i mod 2 ≠ 0    5の倍数でない：i mod 5 ≠ 0
```

「2の倍数でも5の倍数でもない」は，2つの式を論理式 and で結び，次のように書けば OK です。

```
(i mod 2 ≠ 0) and (i mod 5 ≠ 0)
```
← 空欄b？

ところが，**空欄a**が「(i mod 3 = 0) or (i mod 7 = 0)」，**空欄b**が「(i mod 2 ≠ 0) and (i mod 5 ≠ 0)」の組合せは，解答群にありません。そこで，上の式をもう一度検討しましょう。「2の倍数でも5の倍数でもない」は，ベン図で表すと次の図の色のついた部分になります。

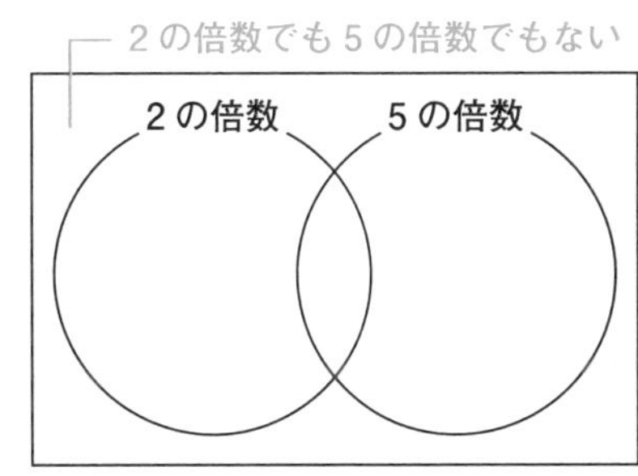

上の図で，色のついた部分以外の部分は「2の倍数または5の倍数」を表すので，「2の倍数でも5の倍数でもない」は，「2の倍数または5の倍数」の否定として表すことができます。

否定
↓
```
not ((i mod 2 = 0) or (i mod 5 = 0))
```
2の倍数または5の倍数

← 空欄b

以上から，**空欄a**が「(i mod 3 = 0) or (i mod 7 = 0)」，**空欄b**が「not ((i mod 2 = 0) or (i mod 5 = 0))」の組合せの オ が正解です。

解答
問05 オ

模擬問題 精選 2 科目B

問 06 次のプログラム中の [a] と [b] に入れる正しい答えの組合せを，解答群の中から選べ。

元金 p，年利 r の n 年後の元利合計は，次の式で表すことができる (n ≧ 0)。

n 年後の元利合計 ＝ p × (1 ＋ r)^{n}

関数 fv は，引数に元金 p，年利 r，年数 n を指定し，n 年後の元利合計を返す。

〔プログラム〕

```
○実数型： fv( 実数型： p, 実数型： r, 整数型： n)
  if ( [ a ] )
    return p
  else
    return [ b ]
  endif
```

解答群

	a	b
ア	n が 0 に等しい	fv(p, r, n − 1) × (1 ＋ r)
イ	n が 0 に等しい	fv(p, r, n − 1) × r
ウ	n が 0 に等しい	fv(p, r, n) × (1 ＋ r)
エ	n が 0 に等しい	fv(p, r, n) × r
オ	n が 1 以上	fv(p, r, n − 1) × (1 ＋ r)
カ	n が 1 以上	fv(p, r, n − 1) × r
キ	n が 1 以上	fv(p, r, n) × (1 ＋ r)
ク	n が 1 以上	fv(p, r, n) × r

※オリジナル問題

合格のカギ

再帰的関数は，科目 A でも科目 B でもよく出題されるので，出題ポイントを押さえておきましょう。

再帰的関数の問題を解く際の第 1 のポイントは，自分自身を呼び出すたびに，引数がちょっとずつ変化するようにすることです。引数が変わらないと，永遠に自分自身を呼び出し続けることになります。第 2 のポイントは，「これ以上は自分自身を呼び出さない」ための条件が必ず設定されているということです。本問のプログラムでは，空欄 a にポイント 2 の条件，空欄 b にポイント 1 の処理が入ります。

プログラム・ノート

```
01 ○実数型： fv(実数型： p, 実数型： r, 整数型： n)
02   if ( [ a ] )
03     return p
04   else
05     return [ b ]
06   endif
```

1 再帰的関数

関数や手続の処理の中で，自分自身を呼び出す関数を**再帰的関数**といいます。たとえば関数 a の処理の中でさらに関数 a が呼び出され，その処理の中でさらに関数 a が呼び出され…のように，何段にも入れ子になって関数が呼び出されるプログラムです。

問題解説

行番号 02：再帰的関数では，「これ以上は自分自身を呼び出さない」という条件が必ず設定されます。この条件がないと，無限に自分自身を呼び出し続けることになってしまうからです。

元利合計は，年数が 0 の場合は p × $(1 + r)^0$ = p となり，元金 p のままとなります。したがって**空欄 a** は，年数 n が 0 かどうかを調べる条件式が入ります。

```
02   if (n が 0 に等しい) ←― 空欄 a
03     return p
```

行番号 05：元利合計の計算式「**n 年後の元利合計＝** p × $(1 + r)^n$」は，次のように変形できます。

n 年後の元利合計＝ p × $(1 + r)^n$ ＝ $\underline{p \times (1 + r)^{n-1}}$ × (1 + r)

上の式の下線部分は，$n - 1$ 年後の元利合計を表すので，

n 年後の元利合計＝ n − 1 年後の元利合計 × (1 + r)

となります。「n-1 **年後の元利合計**」は，関数 fv を fv(p, r, n − 1) のように呼び出して求めることができるので，行番号 05 は次のようになります。

```
05   return fv(p, r, n − 1) × (1 + r)
                   ↑
                   └ 空欄 b
```

以上から，**空欄 a** が「n が 0 に等しい」，**空欄 b** が「fv(p, r, n − 1) × (1 + r)」の組合せの ア が正解です。

解答

問06 ア

問 07

次の記述中の a と b に入れる正しい答えの組合せを，解答群の中から選べ。ここで，配列の要素番号は 1 から始まる。

関数 bsearch は，配列 array から引数 key を探索し，見つかった場合にはその要素番号を返す。また，見つからなかった場合には 0 を返す。配列 array の内容が {0, 1, 2, 3, 4, 5, 6, 7, 8, 9} であるとき，関数 bsearch を bsearch(6) のように呼び出した。この関数が戻り値 7 を返すまでに，α の行は a 回，β の行は b 回実行される。

〔プログラム〕

```
大域： 整数型の配列： array ← {0, 1, 2, 3, 4, 5, 6, 7, 8, 9}

○整数型： bsearch(整数型： key)
  整数型： lo, hi, x
  lo ← 1
  hi ← array の要素数
  while (lo が hi 以下)
    x ← (lo ＋ hi) ÷ 2 の商
    if (array[x] が key と等しい)
      return x
    elseif (array[x] が key より小さい)
      lo ← x ＋ 1        ← α
    else
      hi ← x － 1        ← β
    endif
  endwhile
  return 0
```

解答群

	a	b
ア	0	1
イ	0	2
ウ	1	0
エ	1	1
オ	1	2
カ	2	0
キ	2	1
ク	2	2

※オリジナル問題

問題文の説明とプログラムから，本問が２分探索法のアルゴリズムに関する問題であることにすぐ気づけるように学習しておきましょう。２分探索法の大きな特徴は，探索対象の配列（本問の場合は配列 array）が整列済みであることです。また，プログラムでは，配列の中央の要素番号（x）を算出して，その要素の値が目的の値より大きいか小さいかによって場合分けをします。

プログラム・ノート

```
01  大域： 整数型の配列： array ← {0, 1, 2, 3, 4, 5, 6, 7, 8, 9}

02  ○整数型： bsearch(整数型： key)
03    整数型： lo, hi, x
04    lo ← 1
05    hi ← array の要素数
06    while (lo が hi 以下)
07      x ← (lo ＋ hi) ÷ 2 の商
08      if (array[x] が key と等しい)
09        return x
10      elseif (array[x] が key より小さい)
11        lo ← x ＋ 1     ←―――― α
12      else
13        hi ← x － 1     ←―――― β
14      endif
15    endwhile
16    return 0  ←― 見つからなかった場合
```

1 ２分探索法

関数 bsearch は，２分探索法というアルゴリズムを使って配列を探索します。2 分探索法は，あらかじめ整列済みの配列に対して，1 回の探索ごとに探索範囲を半分にせばめていく探索アルゴリズムです。

行番号 04，05：変数 lo は探索範囲の先頭，変数 hi は探索範囲の末尾の要素番号を指します。最初は配列全体を調べるので，lo の初期値は 1，hi の初期値は配列の末尾になります。

```
04  lo ← 1
05  hi ← array の要素数
```

行番号 06 ～ 09：探索範囲が残っている間，探索を繰り返します。探索範囲の真ん中の要素番号を変数 x に設定し，array[x] が目的の値に等しければ，x の値を返します。

```
06    while (lo が hi 以下)
07      x ← (lo ＋ hi) ÷ 2 の商
08      if (array[x] が key と等しい)
09        return x
```

行番号 10 〜 13：array[x] が目的の値より小さいなら，目的の値は array[x] より右側にあります。したがって，探索範囲の始点を x の 1 つ後ろに移動します。また，array[x] が目的の値より大きいなら，目的の値は array[x] より左側にあります。したがって，探索範囲の終点を x の 1 つ前に移動します。

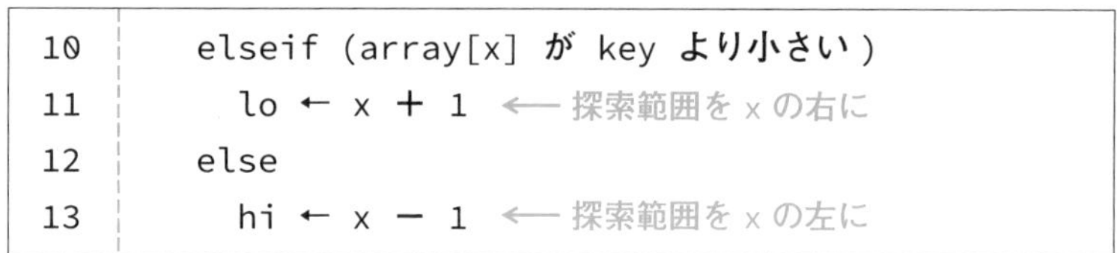

```
10    elseif (array[x] が key より小さい)
11      lo ← x + 1   ← 探索範囲を x の右に
12    else
13      hi ← x − 1   ← 探索範囲を x の左に
```

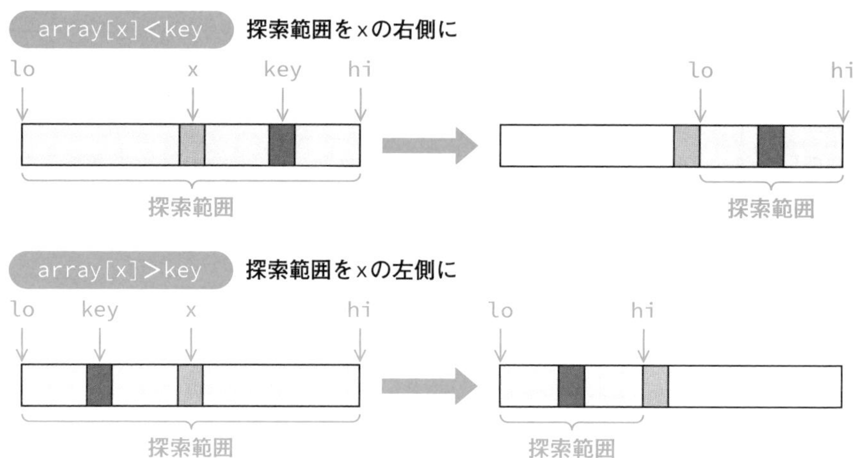

このように，探索範囲を半分にして，もう一度探索を行います。

対象があらかじめ整列されていれば，2 分探索法は非常に効率のいい探索法です。たとえば，要素数が 1,024 個の配列を探索する場合，先頭から順番に探索する方法では，最悪の場合 1,024 回の比較が必要になります。一方，2 分探索法では，1 回の探索ごとに探索範囲が半分になるため，1,024 → 512 → 256 → 128 → 64 → 32 → 16 → 8 → 4 → 2 → 1 と，どんなに多くても 11 回の比較で目的の値に到達します。

問題解説

bsearch(6) を実行した場合の探索範囲は，次のようになります。

① 1 回目の探索：x ← (1 + 10) ÷ 2

array[x] は 6 より小さいので，探索範囲の始点 lo が移動します（α）。

②２回目の探索：x ← (6 + 10) ÷ 2

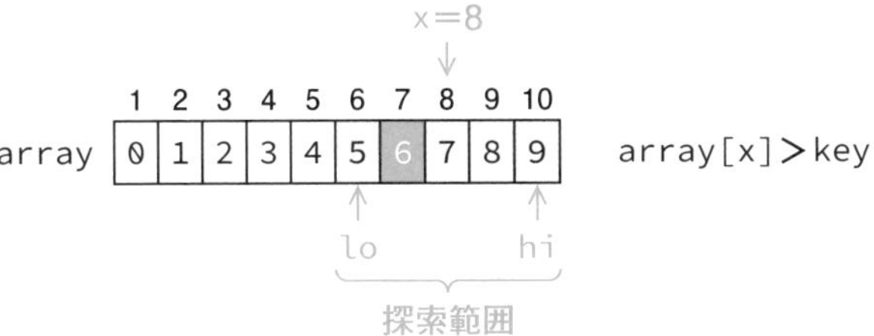

array[x] は６より大きいので，探索範囲の終点 hi が移動します（β）。

③３回目の探索：x ← (6 + 7) ÷ 2

x=6

	1	2	3	4	5	6	7	8	9	10	
array	0	1	2	3	4	5	6	7	8	9	array[x] < key

lo hi
探索範囲

array[x] は６より小さいので，探索範囲の始点 lo が移動します（α）。

④４回目の探索：x ← (7 + 7) ÷ 2

x=7

	1	2	3	4	5	6	7	8	9	10	
array	0	1	2	3	4	5	6	7	8	9	array[x] = key

lo=hi

目的の値が見つかったので，探索を終了します。

以上から，α の行は２回，β の行は１回実行されます。正解は キ です。

解答

問07 キ

問 08 次のプログラム中の[ ]に入れる正しい答えの組合せを，解答群の中から選べ。

中置記法で（a + b）÷（c − d）×（e + f）と表される算術式が，**図1**の2分木に格納されている。手続 traverse を，**図1**の2分木の“×”の節への参照を引数として実行したところ，出力結果は“ab + cd − ÷ ef + ×”となった。

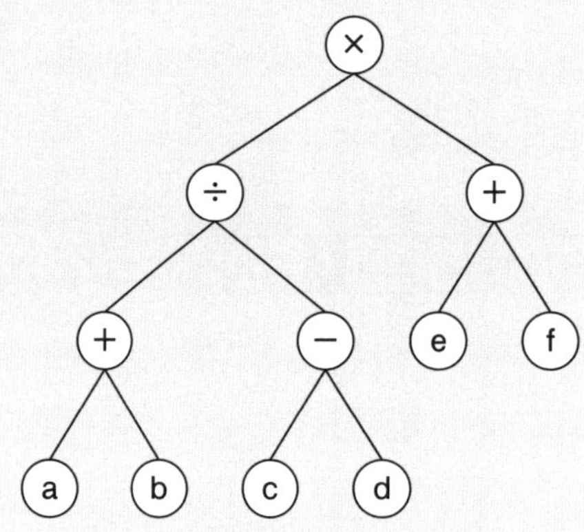

図1　2分木に格納された算術式

2分木の節は，クラス Node を用いて表現する。クラス Node の説明を**図2**に示す。Node 型の変数は，クラス Node のインスタンスの参照を格納する。

メンバ変数	説明
文字型：val	節の値を格納する。
Node：left	節の左の子への参照を格納する。左の子がない場合は未定義となる。
Node: right	節の右の子への参照を格納する。左の子がない場合は未定義となる。

図2　クラス Node の説明

〔プログラム〕

```
○ traverse (Node: node)
  if (node が 未定義 )
    return
  else
   [          ]
  endif
```

解答群

ア
```
node.val を出力する
traverse(node.left)
traverse(node.right)
```

イ
```
node.val を出力する
traverse(node.right)
traverse(node.left)
```

ウ
```
traverse(node.left)
node.val を出力する
traverse(node.right)
```

エ
```
traverse(node.right)
node.val を出力する
traverse(node.left)
```

オ
```
traverse(node.left)
traverse(node.right)
node.val を出力する
```

カ
```
traverse(node.right)
traverse(node.left)
node.val を出力する
```

※オリジナル問題

合格のカギ

2分木の走査には，**前順走査**，**間順走査**，**後順走査**の3種類があります。2分木の走査に関する問題はよく出題されるので，3種類の走査の違いを覚えておきましょう。

また，“ab＋cd－÷ef＋×”のように，演算子を項の後ろに置く算術式の記法を**後置記法**（逆ポーランド記法）といいます。後置記法も，アルゴリズムの問題でよく取り上げられるテーマです。

プログラム・ノート

```
○ traverse (Node: node)
  if (node が 未定義 ) ← 子がない節の場合
    return
  else
    ┌──────────┐
    │          │ ← 2 分木の走査
    └──────────┘
  endif
```

1 2分木

複数の節（ノード）をツリー状に接続したデータ構造を**木構造**といいます。下位に接続された節を**子**，上位に接続された節を**親**といい，木構造の頂点にあるもっとも上位の節を**根**といいます。

木構造のうち，3 つ以上の子をもたないものをとくに **2 分木**といいます。

2 2分木の走査

2 分木を構成する各節を漏れなく訪ねることを走査といいます。2 分木の走査には，**①間順走査**，**②前順走査**，**③後順走査**の 3 種類があります。ここでは間順走査について説明しましょう。

間順走査は，次のような順序で行います。

①現在の節の左側の子を根とする部分木を走査する
②現在の節の値を出力する
③現在の節の右側の子を根とする部分木を走査する

要は，①**左の子**→②**自分**→③**右の子**の順に走査します。

手順①と③は**再帰的**な処理になっていることに注意しましょう。**図 1** の 2 分木を上の手順に沿って走査すると，次のようになります。

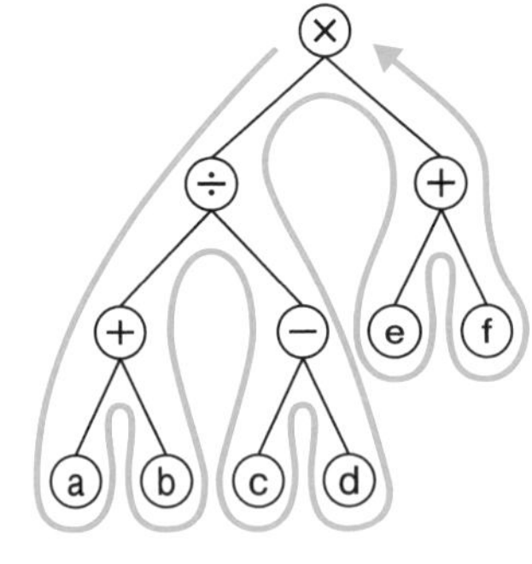

①“ × ”の節の左側の子を根とする部分木を走査する
　①“ ÷ ”の節の左側の子を根とする部分木を走査する
　　①“ ＋ ”の節の左側の子を根とする部分木を走査する
　　　②“a” を出力する
　　②“ ＋ ”を出力する
　　③“ ＋ ”の節の右側の子を根とする部分木を走査する
　　　②“b” を出力する
　②“ ÷ ”を出力する
　③“ ÷ ”の節の右側の子を根とする部分木を走査する
　　①“ − ”の節の左側の子を根とする部分木を走査する
　　　②“c” を出力する
　　②“ − ”を出力する
　　③“ − ”の節の右側の子を根とする部分木を走査する
　　　②“d” を出力する
②“ × ”を出力する
③“ × ”の節の右側の子を根とする部分木を走査する

①“＋”の節の左側の子を根とする部分木を走査する
　②“e”を出力する
②“＋”を出力する
③“＋”の節の右側の子を根とする部分木を走査する
　②“f”を出力する

以上から，値が出力される順序は a ＋ b ÷ c － d × e ＋ f となります。このように，間順走査した場合には一般に**中置記法**になります（中置記法では，必要に応じてカッコを補う必要があります）。

3 後置記法（逆ポーランド記法）

後置記法は，“a ＋ b”のような2項の算術式を，“ab ＋”のように演算子を後ろに置いて表す表記法です。“(a ＋ b) ÷ (c － d)”は，後置記法では“ab ＋ cd －÷”となります。中置記法のようにカッコを補う必要がなく，先頭から順に処理していけばよいので，処理が簡単になります。

ポーランド記法（前置記法）の逆だから，逆ポーランド記法というよ。

問題解説

算術式“(a ＋ b) ÷ (c － d) × (e ＋ f)”は，後置記法で次のようになります。

ab ＋ cd －÷ ef ＋×

部分木を左の子→右の子→自分の順に出力すれば，この順番が得られます。したがって空欄の処理は，

```
traverse(node.left)     ← 左の子を走査
traverse(node.right)    ← 右の子を走査
node.val を出力する      ← この節の値を出力
```

となります。このような**後順走査**といいます。正解は オ です。

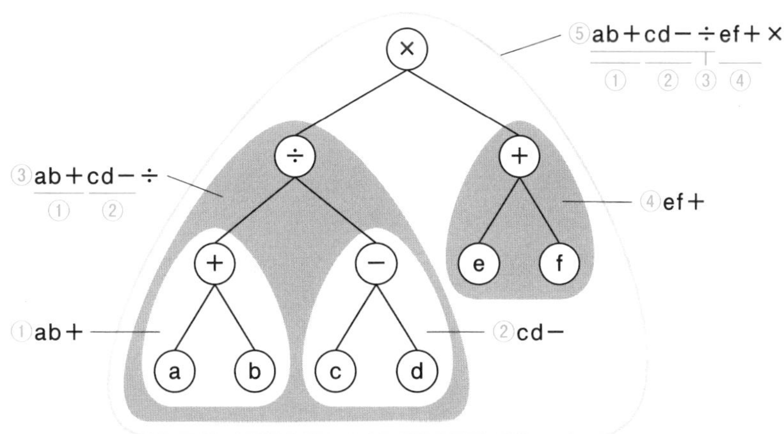

解答
問08 オ

模擬問題 精選 2 科目B

問 09 次の記述中の［　　　］に入れる正しい答えを，解答群の中から選べ。

有向グラフの各頂点のラベルを順に出力するプログラムである。有向グラフの例を図に示す。図はグラフの頂点を○で表し，頂点のラベルを○の中の文字で表している。

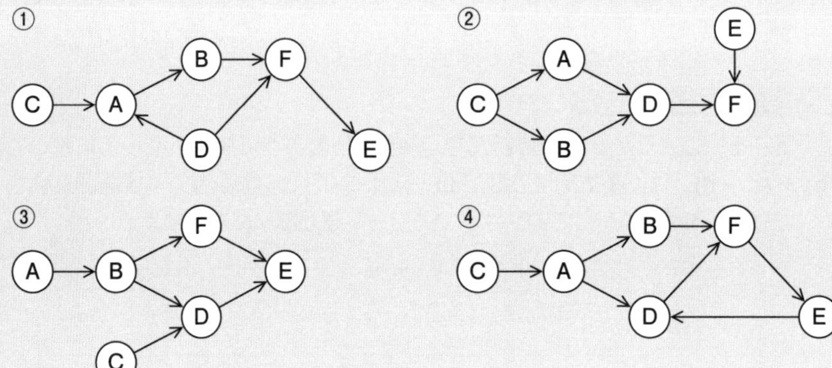

図　有向グラフの例

プログラムは，グラフの頂点をクラス Vertex のインスタンスで表し，そのラベルをクラス Vertex のメンバ変数 label で表す。このプログラムの出力結果が“CABDFE”となるグラフは，図の①～④のうち［　　　］である。

解答群

ア ①　　イ ②　　ウ ③　　エ ④

〔プログラム〕

```
文字列型の配列： array[ グラフの頂点の数 ]  /* 頂点の数を要素数とする配列 */
整数型： count ← 1
Vertex: curr
while (count が グラフの頂点の数 以下 )
  グラフから，自分を始点とする辺が一つもない頂点を一つ選び，curr に格納する
  /* 見つからない場合，curr は 未定義とする */
  if (curr が 未定義の値 )
    エラーを出力して終了
  endif
  array[ グラフの頂点の数 − count ＋ 1] ← curr.label
  グラフから curr を削除する
  count ← count ＋ 1
endwhile
array の各要素を先頭から順に出力する
```

※オリジナル問題

複数の頂点を辺で結んだデータ構造をグラフといいます。本問のプログラムは，有向グラフ（各辺に方向があるグラフ）の各頂点を先行する順に出力します。そのことに気づけば，本問は“CABDFE”の順序をもつグラフはどれかを問う問題だとわかります。科目Ｂでは，このようにプログラムの意図を読み取ることも重要です。

プログラム・ノート

```
文字列型の配列： array[ グラフの頂点の数 ]  /* 頂点の数を要素数とする配列 */
整数型： count ← 1
Vertex: curr
while (count が グラフの頂点の数 以下 )
  グラフから，自分を始点とする辺が一つもない頂点を一つ選び，curr に格納する
  /* 見つからない場合，curr は 未定義とする */
  if (curr が 未定義の値 )
    エラーを出力して終了  ←— 閉路が存在する場合
  endif
  array[ グラフの頂点の数 − count + 1] ← curr.label
  グラフから curr を削除する
  count ← count + 1
endwhile
array の各要素を先頭から順に出力する
```

1 有向グラフ

グラフは，複数の頂点を辺（エッジ）で結んだデータ構造です。2つの頂点を結ぶ辺に，始点と終点の区別がある場合を有向グラフ，始点と終点の区別がない場合を無向グラフといいます。

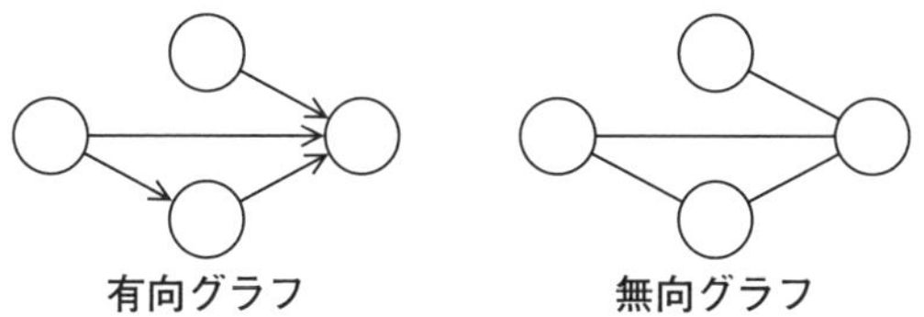

2 トポロジカルソート

有向グラフの各頂点を，先行するものから順に出力することをトポロジカルソートといいます。たとえば，次のような有向グラフをトポロジカルソートすると，“ABCD”または“ACBD”が出力されます。

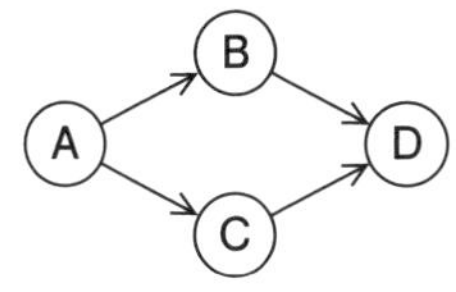

上のように，トポロジカルソートの結果は1通りとは限りません。また，次のように，閉路（ぐるっと

回って元の頂点に戻ってくる経路）があるグラフは，トポロジカルソートができません。

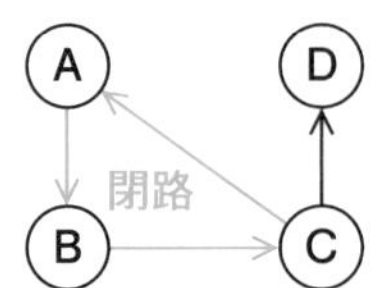

問題解説

本問のプログラムは，グラフをトポロジカルソートした結果を出力するプログラムです。プログラムは，次のような手順で頂点の順番を決めていきます。

(1) グラフの中から，始点となる辺が 1 つもない頂点を 1 つ選びます（行番号 05）。複数ある場合はどれを選んでもかまいません。
(2) 選んだ頂点のラベルを，配列 array に後ろから順に追加します（行番号 09）。
(3) 選んだ頂点をグラフから削除します（行番号 10）。
(4) 以上の手順を，グラフから頂点がなくなるまで繰り返すと，配列 array に頂点のラベルがトポロジカルソートの逆順に格納されます。

図の①～④のグラフを，上の手順に従ってソートすると，次のようになります。

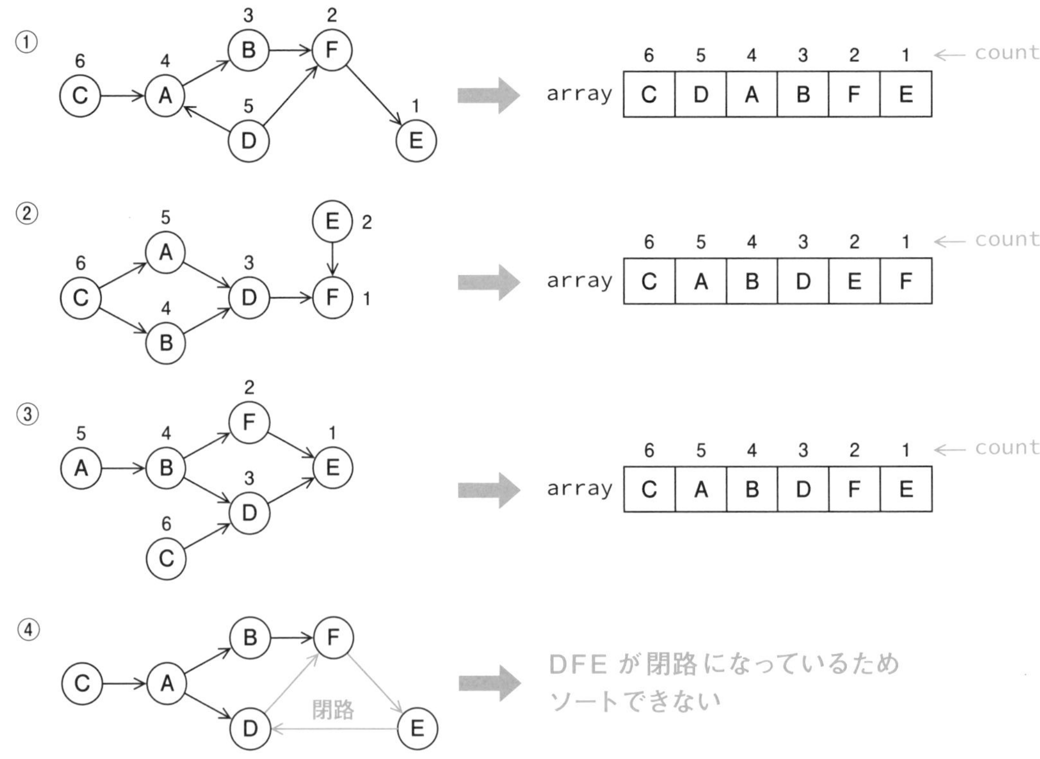

以上から，結果が“CABDFE”となるグラフは③です。したがって，ウが正解となります。

□
□
問 10 次の記述中の［ a ］と［ b ］に入れる正しい答えの組合せを，解答群の中から選べ。

整数型のデータを格納するスタックとキューを，それぞれクラス Stack とクラス Queue で表現する。クラス Stack の説明を**図 1**，クラス Queue の説明を**図 2** に示す。Stack 型，Queue 型の変数は，それぞれのクラスのインスタンスの参照を格納するものとする。

メソッド	説明
Stack()	空のスタックを作成するコンストラクタ。
push(整数型： val)	引数 val をスタックに格納する。
整数型： pop()	スタックからデータを取り出してその値を返す。

図 1　クラス Stack の説明

メソッド	説明
Queue()	空のキューを作成するコンストラクタ。
enq(整数型： val)	引数 val をキューに挿入する。
整数型： deq()	キューからデータを取り出してその値を返す。

図 2　クラス Queue の説明

次のプログラムを実行したとき，変数 x に代入される値は［ a ］，変数 y に代入される値は［ b ］となる。

〔プログラム〕

```
整数型： x, y
Stack: stack ← Stack()
Queue: queue ← Queue()

stack.push(10)
stack.push(20)
queue.enq(stack.pop())
queue.enq(30)
stack.push(40)
stack.push(queue.deq())
x ← stack.pop()
y ← queue.deq()
```

解答群

	a	b
ア	10	20
イ	10	30
ウ	20	30
エ	20	40
オ	30	20
カ	30	40
キ	40	20
ク	40	30

※オリジナル問題

合格のカギ

スタックは，データを入力した順に上に積み重ねていき，取り出すときは上から取り出していくイメージです。一方，キューは，ATM の順番待ちの列のように，データを到着した順番に列の最後尾に並べ，取り出すときは列の最前列から取り出します。

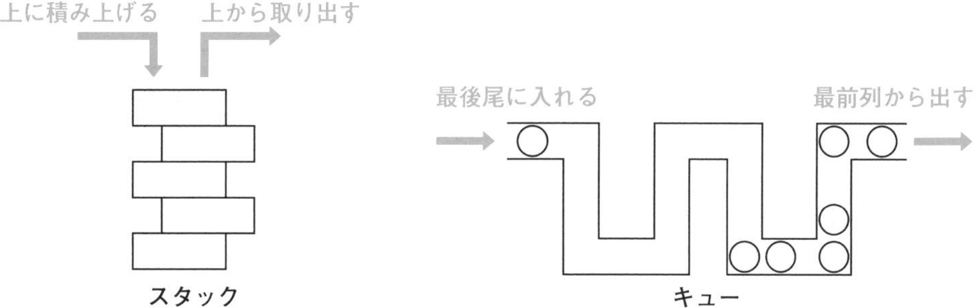

スタックとキューは，どちらか一方が高い確率で出題されます。また，擬似言語ではスタックやキューをクラスを使って表現する場合が多いので，本書で問題を解いて慣れておきましょう。

プログラム・ノート

```
整数型： x, y
Stack: stack ← Stack()        ← スタックの作成
Queue: queue ← Queue()        ← キューの作成

stack.push(10)                ← スタックにデータをプッシュ
stack.push(20)
queue.enq(stack.pop())        ← キューにデータを挿入
queue.enq(30)
stack.push(40)                ← スタックからデータを取り出す
stack.push(queue.deq())
x ← stack.pop()
y ← queue.deq()               ← キューからデータを取り出す
```

1 スタック

スタックとは，プッシュとポップという，2つの基本操作をもったデータ構造です。**プッシュ**はスタックにデータを格納する操作，**ポップ**はスタックからデータを取り出す操作です。このとき重要なのは，後に格納したデータから先に取り出されるという，**後入れ先出し**（LIFO：Last in First Out）の原則です。

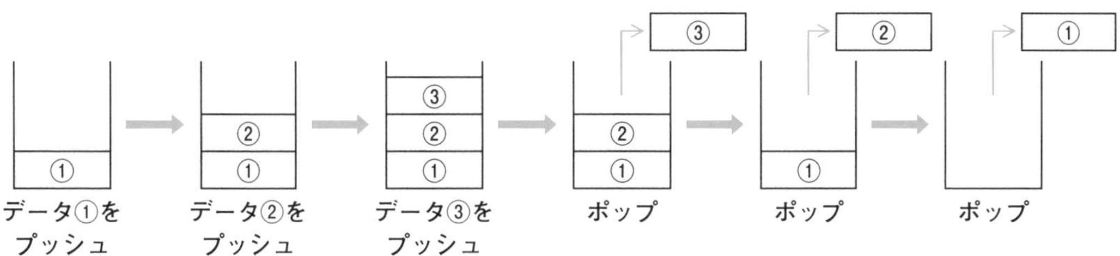

2 キュー

スタックがデータを格納した順に積み上げていくのに対し，**キュー**はデータを順に列の後ろに並べていくデータ構造です。データを列に入れる操作を**エンキュー**，データを列から取り出す操作を**デキュー**といいます。キューでは，データは列の先頭から取り出されるので，先に格納したデータから先に取り出される**先入れ先出し**（FIFO：First in First Out）のデータ構造になります。

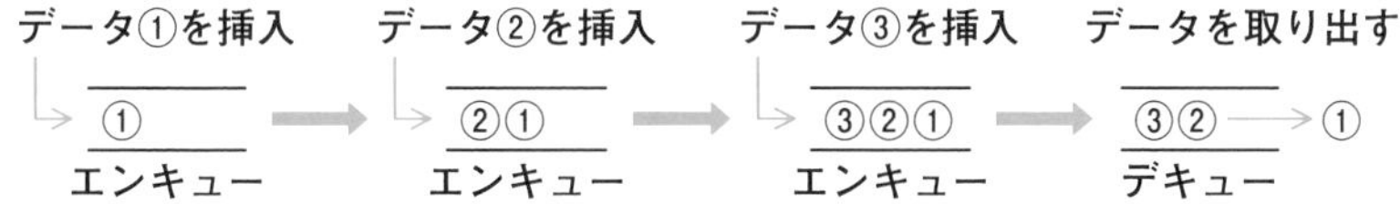

問題解説

プログラムを順にたどって，スタックとキューの内容がどのように変化するかをトレースしましょう。

行番号04：スタックに10を格納します。

```
stack.push(10)
```


行番号05：スタックに20を格納します。

```
stack.push(20)
```


行番号06：スタックからデータを取り出し，それをキューに格納します。

```
queue.enq(stack.pop())
```

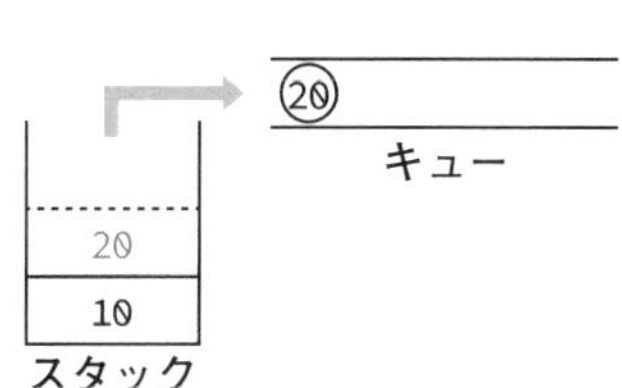

行番号 07：キューに 30 を格納します。

```
queue.enq(30)
```

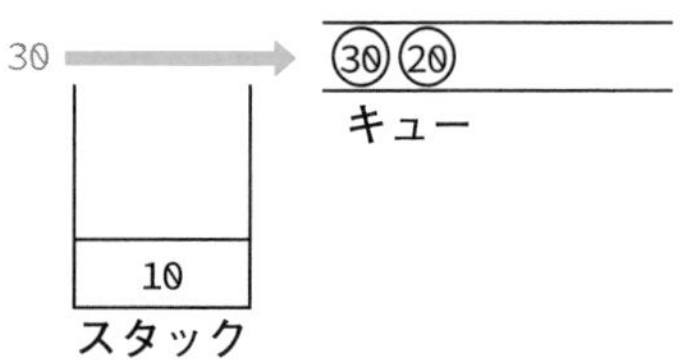

行番号 08：スタックに 40 を格納します。

```
stack.push(40)
```

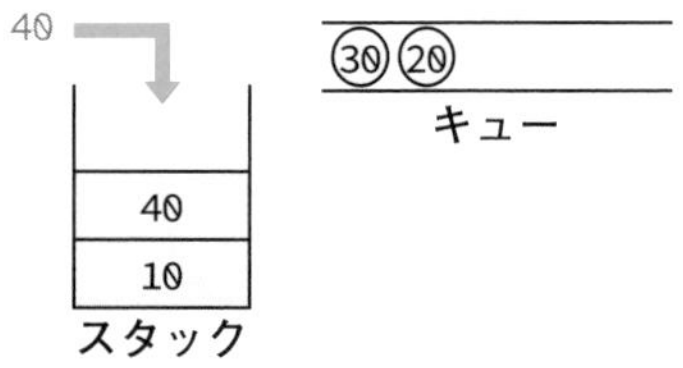

行番号 09：キューからデータを取り出し，それをスタックに格納します。

```
stack.push(queue.deq())
```

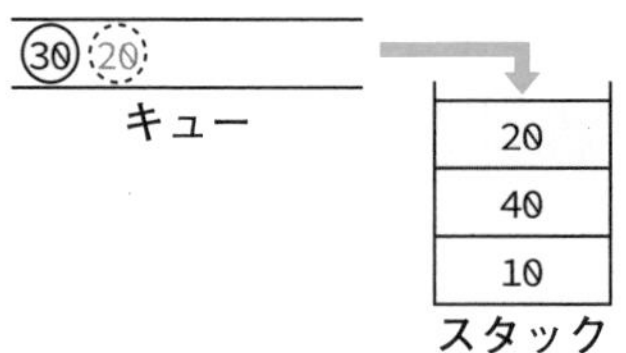

行番号 10：スタックからデータを取り出し，変数 x に代入します。

```
x ← stack.pop()
```

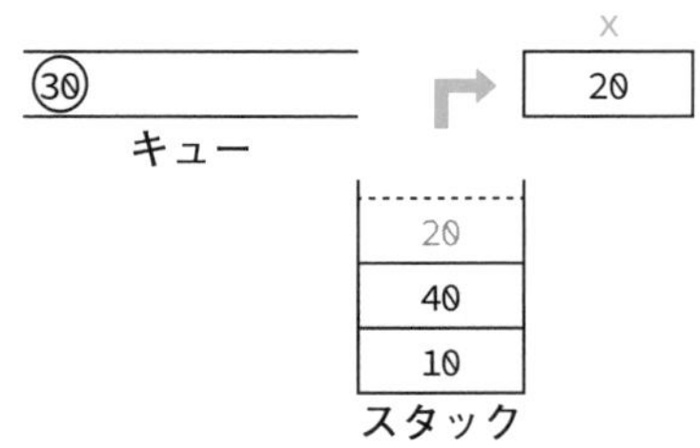

行番号 11：キューからデータを取り出し，変数 y に代入します。

```
y ← queue.deq()
```

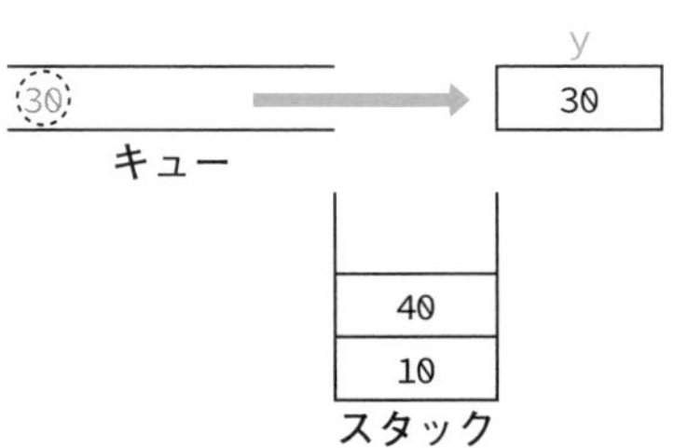

以上から，変数 x には 20，変数 y には 30 がそれぞれ代入されます。正解は ウ です。

問 11

次のプログラム中の［ a ］と［ b ］に入れる正しい答えの組合せを，解答群の中から選べ。

関数 calcMean は，要素数が 1 以上の配列 dataArray を引数として受け取り，要素の値の平均を戻り値として返す。ここで，配列の要素番号は 1 から始まる。

〔プログラム〕

```
○ 実数型： calcMean(実数型の配列： dataArray)
  実数型： sum, mean
  整数型： i
  sum ← 0
  for (i を 1 から dataArray の要素数 まで 1 ずつ増やす)
    sum ← [    a    ]
  endfor
  mean ← sum ÷ [    b    ]   /* 実数として計算する */
  return mean
```

解答群

	a	b
ア	sum ＋ dataArray[i]	dataArray の要素数
イ	sum ＋ dataArray[i]	(dataArray の要素数 ＋ 1)
ウ	sum × dataArray[i]	dataArray の要素数
エ	sum × dataArray[i]	(dataArray の要素数 ＋ 1)

※出典：IT パスポート試験プログラミング的思考力を問う擬似言語のサンプル問題

合格のカギ

プログラムの変数名は，その変数の役割や値の意味がわかるように付けるのが一般的です。本問の場合も，sum（合計，和という意味），mean（平均という意味）という変数名から，その変数の役割が推察できるようになっています。「sumという変数名だから，合計を求めるのだな」というように，変数名は問題を解くヒントになります。

よく使われる変数名

変数名	説明
cnt, count	カウンタ。繰返し処理で個数を数えるときに使う。
curr, next, prev	配列やリストで，現在の要素（curr）や前の要素（prev），次の要素（next）への参照を格納する。
i, j, …	繰返しごとに変化する変数。
tmp, temp	値を一時的に保存しておく変数。
len	配列の要素数，文字数など。
str, s	文字列データ。
ch, c	文字データ。
ret	関数の戻り値を格納する変数。
buf	文字列や配列のデータなどを一時的にたくわえておく変数。

プログラム・ノート

```
01  ○実数型：calcMean(実数型の配列：dataArray)
02    実数型：sum, mean
03    整数型：i
04    sum ← 0
05    for (i を 1 から dataArray の要素数 まで 1 ずつ増やす)
06      sum ← [    a    ]
07    endfor
08    mean ← sum ÷ [    b    ]    /* 実数として計算する */
09    return mean
```

1 平均値の計算

平均値とは，データの合計をデータの個数で割ったものです。プログラムは，行番号04～行番号07でデータの合計を求め，その結果を変数sumに代入します。

```
04    sum ← 0
05    for (i を 1 から dataArray の要素数 まで 1 ずつ増やす)
06      sum ← [    a    ]
07    endfor
```

次に，データの合計をデータの個数で割って，変数 mean に代入します。

```
08  mean ← sum ÷ [    b    ]  /* 実数として計算する */
```

問題解説

空欄 a：配列 dataArray の先頭から末尾までの要素の合計は，

```
sum ← 0
sum ← sum + dataArray[1] ┐
sum ← sum + dataArray[2] ├ 繰返し処理
      ⋮                  ┘
```

のように，配列 dataArray の各要素を変数 sum に加えていきます。繰返し処理の部分に for 構文を使うと，次のようになります。

```
04    sum ← 0
05    for (i を 1 から dataArray の要素数 まで 1 ずつ増やす)
06      sum ← sum + dataArray[i]
07    endfor        ↑ 空欄 a
```

以上から，**空欄 a** には「sum ＋ dataArray[i]」が入ります。

空欄 b：平均値はデータの合計をデータの個数で割ったものです。データの合計は行番号 04 ～ 07 の処理で変数 sum に格納されています。また，データの個数とはこの場合配列 dataArray の要素数です。したがって，平均値を求める処理は次のようになります。

```
08  mean ← sum ÷ dataArray の要素数
                 ↑ 空欄 b
```

以上から，**空欄 b** には「dataArray **の要素数**」が入ります。

空欄 a が「sum ＋ dataArray[i]」，**空欄 b** が「dataArray **の要素数**」なので，ア が正解です。

□
□

問 12 次のプログラム中の [a] と [b] に入れる正しい答えの組合せを，解答群の中から選べ。ここで，配列の要素番号は 1 から始まる。

手続 change は，引数に指定された金額を受け取り，その金額に必要な 10,000 円札，5,000 円札，1,000 円札，500 円硬貨，100 円硬貨それぞれの最小枚数を出力する手続である。100 円未満の金額は入力されないものとする。

〔プログラム〕

```
○ change( 整数型 : money)
  整数型の配列 : yen ← {10000,5000,1000,500,100}
  整数 :  tmp ← money
  for (i を 1 から yen の要素数 まで 1 ずつ増やす )
    num ← [   a   ]
    yen[i] "円:" num "枚" を出力する
    tmp ← [   b   ]
  endfor
```

解答群

	a	b
ア	tmp ÷ yen[i] の商	tmp ＋ yen[i] × num
イ	tmp ÷ yen[i] の商	tmp − yen[i] × num
ウ	tmp ÷ yen[i] の余り	tmp ÷ yen[i] の商
エ	tmp ÷ yen[i] の余り	tmp ＋ yen[i] × num
オ	tmp − yen[i] × num	tmp ÷ yen[i] の商
カ	tmp − yen[i] × num	tmp ÷ yen[i] の余り

※オリジナル問題

合格のカギ

同じ処理を行うプログラムは，何通りもあるのが一般的です。正解に当てはまる処理が解答群にない場合は，別の書き方がないかどうか考えてみましょう。

プログラム・ノート

```
○ change( 整数型 : money)
  整数型の配列 : yen ← {10000,5000,1000,500,100}   ← 金種
  整数 :  tmp ← money
  for (i を 1 から yen の要素数 まで 1 ずつ増やす )
    num ← [   a   ]
    yen[i] "円:" num "枚" を出力する   ← 各金種の枚数を出力
    tmp ← [   b   ]
  endfor
```

たとえば，168,300 円の現金を用意するには，10,000 円札が 16 枚，5,000 円札が 1 枚，1,000 円札が 3 枚，500 円硬貨 0 枚，100 円硬貨 3 枚が必要になります。このように，金額から必要な金種の枚数を求めることを**金種計算**といいます。

168,300 円の金種計算は，次のようになります。

	金額		金種		商	余り		枚数
①	168300	÷	10000	=	16 余り	8300	→	16 枚
②	8300	÷	5000	=	1 余り	3300	→	1 枚
③	3300	÷	1000	=	3 余り	300	→	3 枚
④	300	÷	500	=	0 余り	300	→	0 枚
⑤	300	÷	100	=	3 余り	0	→	3 枚
	↑ tmp		↑ yen[i]					↑ num

プログラムは，金額を変数 tmp，金種を配列 yen の各要素に格納し，求めた枚数を変数 num に格納します。

問題解説

空欄 a：配列 yen には，10,000 円，5,000 円，1,000 円，…のように，金種が順に格納されています。また，金額は tmp に代入されているので，金種ごとの枚数は

```
num ← tmp ÷ yen[i] の商
```

で求めることができます。以上から，**空欄 a** は「tmp ÷ yen[i] **の商**」となります。

空欄 b：1 つの金種の枚数を求めたら，次の金種の枚数は，前の金種の枚数分の金額を差し引いた残りの金額から求めます。

```
tmp ← tmp − yen[i] × num
```

あるいは，金額 tmp を金種 yen[i] で割った余りでも同じことです。

```
tmp ← tmp ÷ yen[i] の余り
```

以上から，**空欄 b** には「tmp − yen[i] × num」または「tmp ÷ yen[i] **の余り**」のどちらかが入ります。

解答群には，イ が

a	b
tmp ÷ yen[i] の商	tmp − yen[i] × num

となっているので，イ が正解となります。

解答
問12 イ

問 13 次のプログラム中の[a]と[b]に入る正しい答えの組合せを，解答群の中から選べ。ここで，配列の要素は 1 から始まる。

関数 multiMatrix は，引数に指定した 2 つの行列 m1，m2 の積を返す関数である。引数に指定する行列及び 2 つの行列の積は，いずれも整数型の二次元配列で表現する。

行列 m1 が a 行 n 列，行列 m2 が n 行 b 列の行列であるとき，2 つの行列の積 m1 × m2 は，一般に a 行 b 列の行列となる。m1 の列数と m2 の行数が等しくなければ積を求めることはできない。m1 × m2 の積 x の i 行 j 列目の要素 x[i, j] は，一般に次の式で計算することができる。

$$x[i,j] = \sum_{k=1}^{n} (m1[i,k] \times m2[k,j])$$

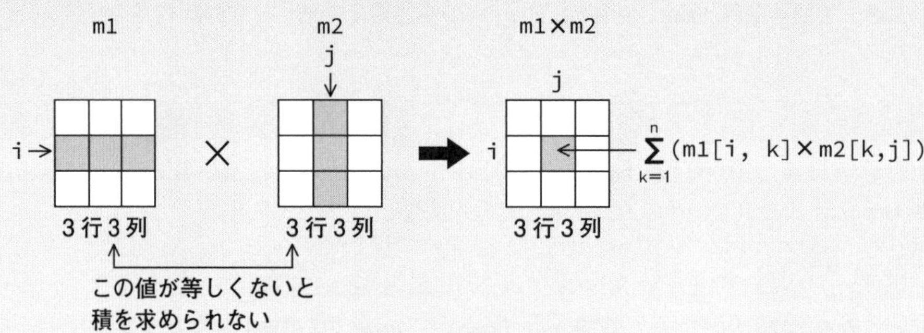

図　行列の積の説明

〔プログラム〕

```
○ 整数型の二次元配列： multiMatrix(整数型の二次元配列： m1,
                                 整数型の二次元配列： m2)
  整数型： i, j, k
  整数型の二次元配列： x[m1 の行数 , m2 の列数 ]
  if ([    a    ])
    for(i を 1 から m1 の行数 まで 1 ずつ増やす)
      for(j を 1 から m2 の列数 まで 1 ずつ増やす)
        x[i,j] ← 0
        for(k を 1 から [    b    ] まで 1 ずつ増やす)
          x[i,j] ← x[i,j] + m1[i,k] × m2[k,j]
        endfor
      endfor
    endfor
    return x
  endif
```

解答群

	a	b
ア	m1 の行数 が m2 の列数 に等しい	m1 の列数
イ	m1 の行数 が m2 の列数 に等しい	m2 の行数
ウ	m1 の列数 が m2 の行数 に等しい	m1 の列数
エ	m1 の列数 が m2 の行数 に等しい	m2 の列数
オ	m1 の列数 が m2 の行数 に等しくない	m1 の列数
カ	m1 の列数 が m2 の行数 に等しくない	m2 の行数
キ	m1 の列数 が m2 の行数 に等しくない	m1 の行数
ク	m1 の列数 が m2 の行数 に等しくない	m2 の列数

※オリジナル問題

合格のカギ

二次元配列は，一般的なプログラム言語では「配列の配列」として表しますが，情報処理試験の擬似言語では二次元配列と配列の配列を区別しているので注意が必要です。二次元配列の要素は matrix[i, j] のように表しますが，配列の配列は matrix[i][j] となることに注意してください。また，擬似言語の配列の配列では，要素数が異なる配列の配列も作れます。

●二次元配列

matrix[i, j]

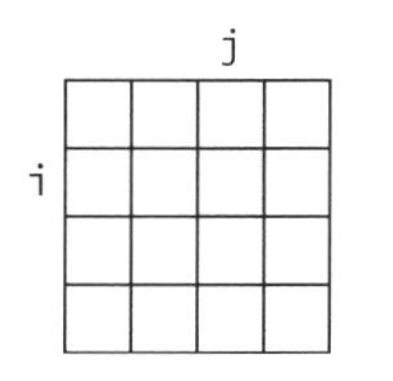

●配列の配列

matrix[i][j]

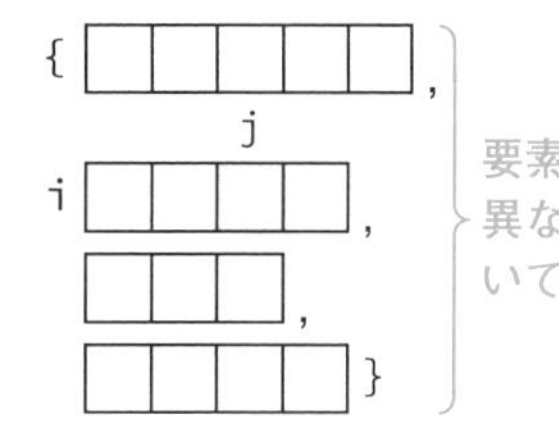

プログラム・ノート

```
○ 整数型の二次元配列： multiMatrix( 整数型の二次元配列： m1,
                                    整数型の二次元配列： m2)
  整数型： i, j, k
  整数型の二次元配列： x[m1 の行数 , m2 の列数 ]        ← m1 × m2 の結果を格納
  if ( [   a   ] )
    for(i を 1 から m1 の行数 まで 1 ずつ増やす )
      for(j を 1 から m2 の列数 まで 1 ずつ増やす )
        x[i,j] ← 0
        for(k を 1 から [   b   ] まで 1 ずつ増やす )
          x[i,j] ← x[i,j] + m1[i,k] × m2[k,j]   ← m1 × m2 の i 行 j 列の
        endfor                                      要素を計算
      endfor
    endfor
  return x
endif
```

1 行列の積

数学の行列の積の計算方法については問題文に説明がありますが，簡単な例を使って確認しておきましょう。たとえば，行列 m1，行列 m2 が，それぞれ次の内容とします。

m1=

1	0	2
3	1	4
0	2	1

，m2=

2	1	0
1	3	2
0	1	2

行列 m1 が 3 行 3 列，行列 m2 が 3 行 3 列なので，2 つの行列の積 m1 × m2 も，3 行 3 列の行列となります。また，m1 × m2 の 1 行 1 列目の要素 x[1,1] は，次のように計算します。

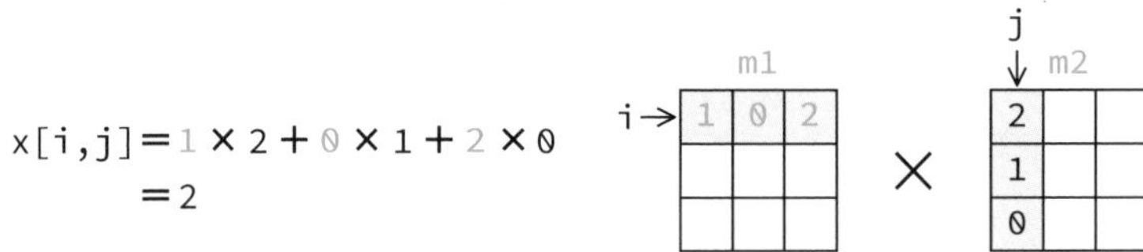

m1 × m2 の要素の個数は，「m1 の行数× m2 の列数」となります。プログラムは for 構文を 2 重にして，要素の個数分の計算を実行します。また各要素の計算は，行番号 09 ～ 11 の繰返し処理で行っています。そのためプログラムは for ～ endfor を 3 重にした 3 重ループになります。

問題解説

空欄 a：m1 の列数と m2 の行数が等しくないと，行列の積は計算できません。**空欄 a** には，行列の積の計算を行うための条件が入るので，

```
if (m1 の列数 が m2 の行数 に等しい)
```

（↑ 空欄 a）

となります。

空欄 b：m1 × m2 の i 行 j 列目の要素 x[i,j] は，m1 の i 行目の各要素と，m2 の j 列目の各要素を順に掛け算して足し合わせたものです。プログラムでは，行番号 09 ～ 11 の繰返し処理でこの計算を行っています。

```
x[i,j] ← x[i,j] + m1[i,k] × m2[k,j]
```

変数 k は，繰返し処理で 1 から m1 の 1 行の要素数（＝ m1 の列数）まで 1 ずつ増やします。したがって**空欄 b** は

```
for (k を 1 から m1 の列数 まで 1 ずつ増やす)
```

（↑ 空欄 b）

となります。

以上から，**空欄 a** が「m1 **の列数　が**　m2 **の行数　に等しい**」，**空欄 b** が「m1 **の列数**」の組合せの ウ が正解です。

なお，m1 の列数と m2 の行数は等しいので，**空欄 b** は

```
for (k を 1 から m2 の行数 まで 1 ずつ増やす)
```

でも正解となりますが，**空欄 a** の正しい組合せが解答欄にありません。

解答
問13 ウ

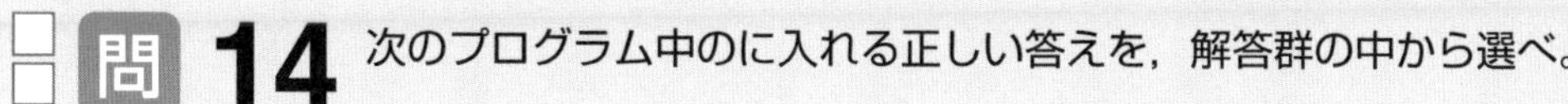

問 14 次のプログラム中のに入れる正しい答えを，解答群の中から選べ。

任意の異なる2文字をc1，c2とするとき，英単語群に含まれる英単語において，c1の次にc2が出現する割合を求めるプログラムである。英単語は，英小文字だけから成る。英単語の末尾の文字がc1である場合，その箇所は割合の計算に含めない。例えば，図に示す4語の英単“importance”，“inflation”，“information”，“innovation”から成る英単語群において，c1を“n”，c2を“f”とする。英単語の末尾の文字以外に“n”は五つあり，そのうち次の文字が“f”であるものは二つである。したがって，求める割合は，2 ÷ 5 = 0.4である。c1とc2の並びが一度も出現しない場合，c1の出現回数によらず割合を0と定義する。

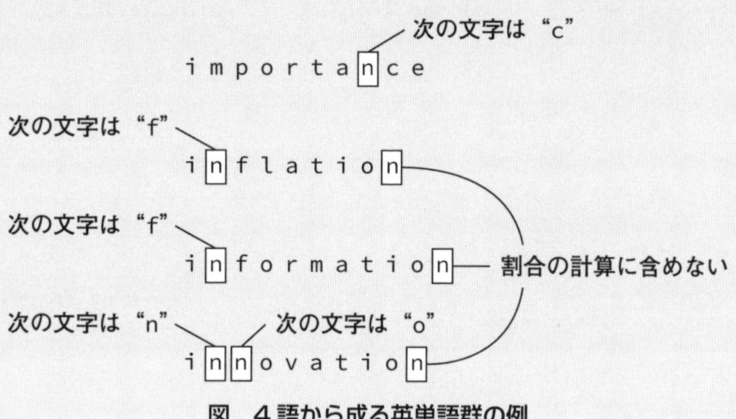

図　4語から成る英単語群の例

プログラムにおいて，英単語群はWords型の大域変数wordsに格納されている。クラスWordsのメソッドの説明を，表に示す。本問において，文字列に対する演算子“+”は，文字列の連結を表す。また，整数に対する演算子“÷”は，実数として計算する。

表 クラス Words のメソッドの説明

メソッド	戻り値	説明
freq(文字列型：str)	整数型	英単語群中の文字列strの出現回数を返す。
freqE(文字列型：str)	整数型	英単語群の中で，文字列strで終わる英単語の数を返す。

〔プログラム〕

```
大域：Words: words /* 英単語群が格納されている */

/* c1の次にc2が出現する割合を返す */
○実数型：prob(文字型：c1，文字型：c2)
  文字列型：s1 ← c1の1文字だけから成る文字列
  文字列型：s2 ← c2の1文字だけから成る文字列
```

精選模擬問題 2 科目B

```
  if (words.freq(s1 + s2) が 0 より大きい)
    return [          ]
  else
    return 0
  endif
```

解答群

ア (words.freq(s1) − words.freqE(s1)) ÷ words.freq(s1 + s2)

イ (words.freq(s2) − words.freqE(s2)) ÷ words.freq(s1 + s2)

ウ words.freq(s1 + s2) ÷ (words.freq(s1) − words.freqE(s1))

エ words.freq(s1 + s2) ÷ (words.freq(s2) − words.freqE(s2))

※令和4年4月公表サンプル問題より

合格のカギ

計算式を組み立てる問題では，まず計算に用いる各項と演算子を決め，それから各項に変数や関数，メソッドを当てはめていきます。

割合の計算では，分母と分子を逆にしないよう注意しましょう。

プログラム・ノート

```
大域： Words: words  /* 英単語群が格納されている */

/* c1 の次に c2 が出現する割合を返す */
○実数型： prob(文字型： c1, 文字型： c2)
  文字列型： s1 ← c1 の 1 文字だけから成る文字列
  文字列型： s2 ← c2 の 1 文字だけから成る文字列
  if (words.freq(s1 + s2) が 0 より大きい)
    return [          ]
  else
    return 0
  endif
```

大域変数 words に格納されている英単語群を調べて，「c1 の次に c2 が出現する割合」を求めるプログラムです。プログラムは関数 prob を定義しているだけなので，プログラムを実行するときは，2 文字を引数に指定して，

```
rate ← prob('n', 'f')
```

のように関数 prob を呼び出す必要があります。上の例では，「n の次に f が出現する割合」が，実数型の変数 rate に代入されます。

問題解説

空欄には，関数 prob の戻り値である「c1 の次に c2 が出現する割合」を求める式が入ります。

「c1 の次に c2 が出現する割合」は，大まかにいえば，

（c1 の次に c2 が出現する回数）÷（c1 の出現回数）

で求めることができます。ただし，問題文の説明に「英単語の末尾の文字が c1 である場合，その箇所は割合の計算に含めない」とあるので，c1 が末尾に出現する回数は，c1 の出現回数から差し引かなければなりません。したがって，求める式は次のようになります。

（c1 の次に c2 が出現する回数 ①）÷（c1 の出現回数 ② − c1 が末尾に出現する回数 ③）

この式を，擬似言語で表します。

① c1 の次に c2 が出現する回数

引数に指定された文字 c1 と c2 は，行番号 04，05 でそれぞれ文字列 s1 と s2 に格納されます。「c1 の次に c2 が出現する回数」は，クラス Words のメソッド freq に，s1 と s2 を連結した文字列を指定し，次のようになります。

```
words.freq(s1 + s2)
```

② c1 の出現回数

同様に，「c1 の出現回数」は次のようになります。

```
words.freq(s1)
```

③ c1 が末尾に出現する回数

「c1 が末尾に出現する回数」は，Words のメソッド freqE に s1 を指定し，

```
words.freqE(s1)
```

とします。

これらを組み立てると，空欄に入る式は次のようになります。

```
words.freq(s1 + s2) ÷ (words.freq(s1) − words.freqE(s1))
```

以上から，正解は ウ です。

解答

問14 ウ

問 15 次の記述中の［　　　］に入る正しい答えを，解答群の中から選べ。

配列を用いてヒープを実現するプログラムである。ヒープとは2分木であり，本問では，親は一つ又は二つの子をもち，親の値は子の値よりも常に大きいか等しいという性質をもつものとする。ヒープの例を**図1**に示す。**図1**において，丸は節を，丸の中の数値は各節が保持する値を表す。子をもつ節を，その子に対する親と呼ぶ。親をもたない節を根と呼び，根は最大の値をもつ。

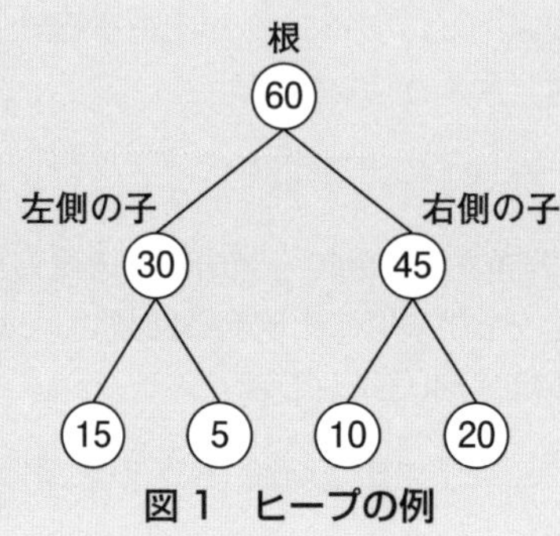

図1　ヒープの例

プログラムは，整数型の配列 data に格納されている n 個（n ＞ 0）のデータを，次の①～③の規則で整数型の配列 heap に格納する。配列の要素番号は1から始まるものとする。

①配列要素 heap[i]（i = 1，2，3，…）は，節に対応する。配列要素 heap[i] には，節が保持する値を格納する。

②配列要素　heap[1] は，根に対応する。

③配列要素　heap[i]（i = 1，2，3，…）に対応する節の左側の子は配列要素 heap[i × 2] に対応し，右側の子は配列要素 heap[i × 2 + 1] に対応する。子が一つの場合，左側の子として扱う。

図1のヒープの例に対応した配列 heap の内容を，**図2**に示す。

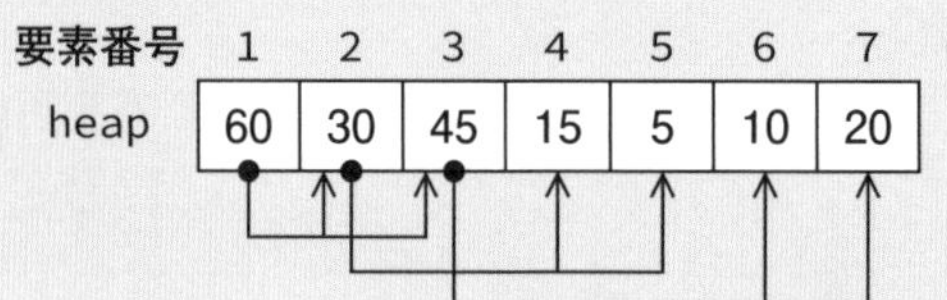

要素番号	1	2	3	4	5	6	7
heap	60	30	45	15	5	10	20

注記：矢印●→は，始点，終点の二つの配列要素に対応する節が，親子関係にあることを表す。

図2　図1に対応する配列 heap の内容

プログラムの実行後，配列 heap の内容は［　　　］となる。

〔プログラム〕

```
整数型の配列: data ← {5, 10, 15, 20, 30}
整数型の配列: heap ← {}
整数型: i, parent, curr

for (i を 1 から data の要素数 まで 1 ずつ増やす)
  heap の末尾に data[i] を追加する
  curr ← i
  while (curr は 1 より大きい)
    parent ← curr ÷ 2 の商
    if (heap[curr] は heap[parent] より大きい)
      heap[parent] と heap[curr] の値を交換する
      curr ← parent
    else
      break
    endif
  endwhile
endfor
```

解答群

ア {5, 10, 15, 20, 30}　　イ {5, 10, 20, 15, 30}

ウ {20, 30, 10, 5, 15}　　エ {20, 30, 10, 15, 5}

オ {30, 20, 10, 5, 15}　　カ {30, 20, 10, 15, 5}

キ {30, 15, 20, 5, 15}

※出典：基本情報技術者試験平成 30 年春期午後問題問 8 を改変

合格のカギ

ヒープにデータを格納するには，いったん末尾にデータを追加した後，その値が親より大きい場合は親と値を交換していきます。このアルゴリズムを理解しておきましょう。

ヒープは，根に最も大きな値が格納されるため，データをヒープに格納してから根の値を順に取り出していくと（根を取り出したら，その都度ヒープを再構成する），データを大きい順に整列することができます。このアルゴリズムをヒープソートといいます。

プログラム・ノート

```
整数型の配列: data ← {5, 10, 15, 20, 30}
整数型の配列: heap ← {}
整数型: i, parent, curr

for (i を 1 から data の要素数 まで 1 ずつ増やす)
  heap の末尾に data[i] を追加する   ← データをヒープに追加
  curr ← i
  while (curr は 1 より大きい)
```

```
      parent ← curr ÷ 2 の商  ←—— curr の親の要素番号を求める
      if (heap[curr] は heap[parent] より大きい)
        heap[parent] と heap[curr] の値を交換する  ←— 子の値のほうが大きい場合
        curr ← parent                                   は，親の値と交換する
      else
        break
      endif
    endwhile
  endfor
```

1 ヒープの特徴

ヒープは，複数のデータを格納するデータ構造の一種で，次のような特徴をもっています。

①ヒープは**2分木**のデータ構造です。ただし，ヒープの2分木は，子を左側から順に詰めていく特徴があります。

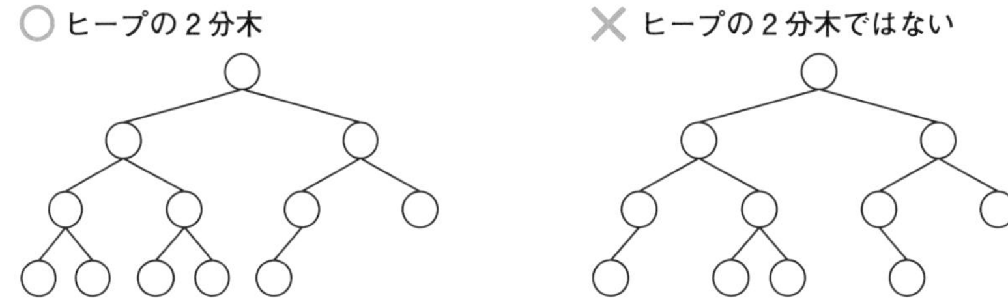

②親の値は，必ず子の値より大きいか等しくなければなりません。これを**ヒープの性質**（ヒープ条件）といいます。なお，子の値は左右どちらが大きくてもかまいません。

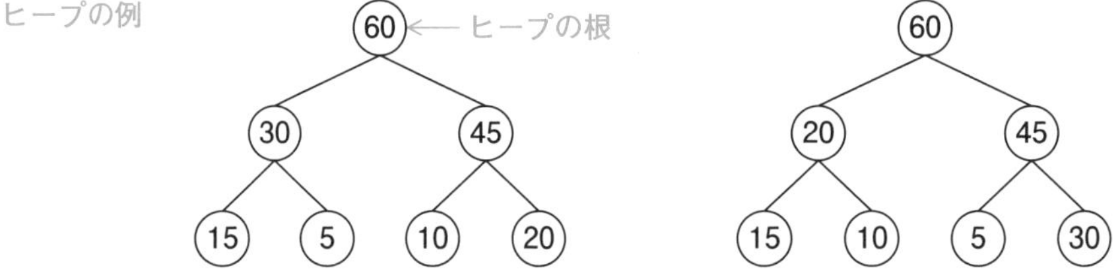

上の例のように，同じデータを格納する場合でも，ヒープの格納順序は何通りもあります。ただし，一番大きい値は必ずヒープの根に格納されます。

③ヒープは，一般に配列を使って実現します。ヒープの各節に順番に番号を付けると，ヒープの各節と配列には，次のような対応関係があります。

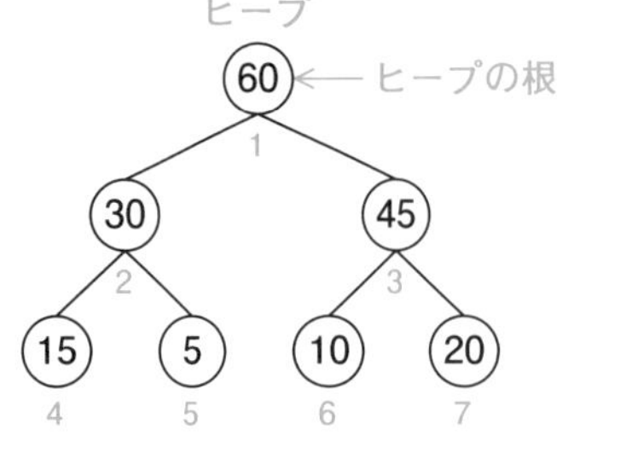

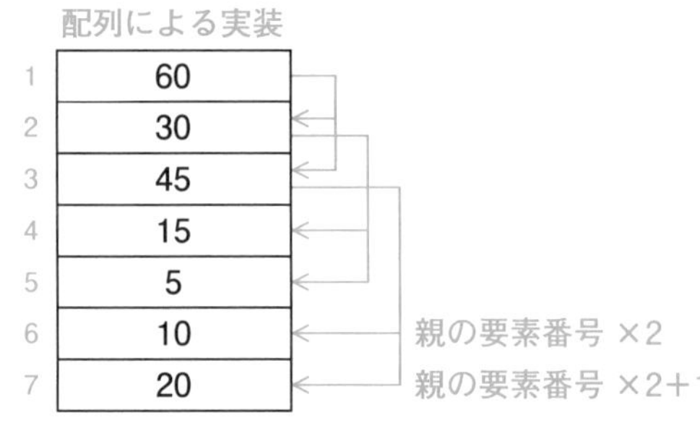

問題解説

ヒープにデータを追加する手順は次のとおりです。

①配列 heap の末尾にデータを 1 個追加し，heap[curr] とします（行番号 05，06）。
②heap[curr] の親の節に当たる要素番号 parent を求めます（行番号 08）。
③heap[curr] のほうが親のデータより大きい場合は，値を交換します（行番号 09，10）。そうでなければ追加は終了です。
④親の要素番号を curr とし，②，③を繰り返します（行番号 11）。curr が根になったら追加終了です。

上記の手順で，データを 5，10，15，20，30 の順に追加すると，配列 heap は次のようになります。

・データ 5 を追加

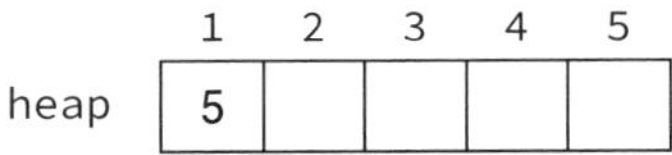

・データ 10 を追加

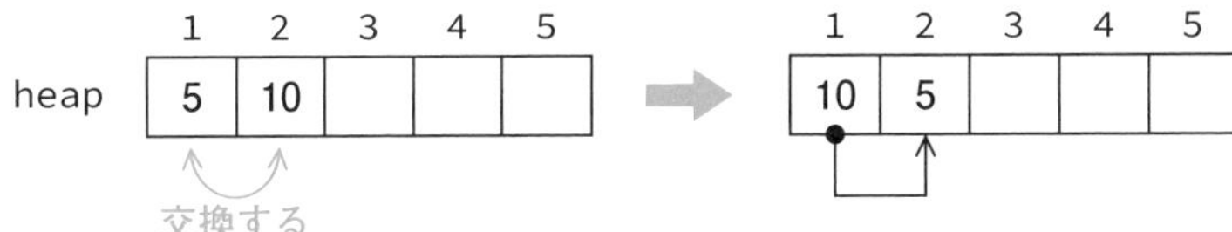

・データ 15 を追加

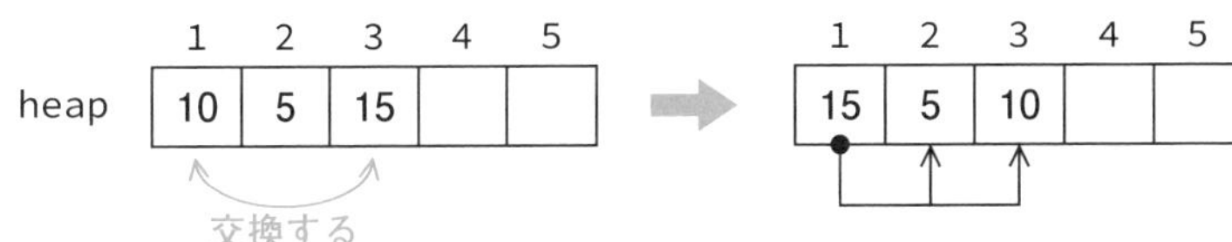

・データ 20 を追加

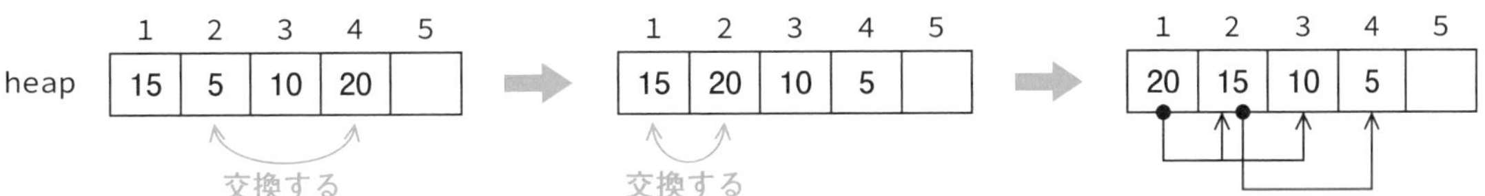

・データ 30 を追加

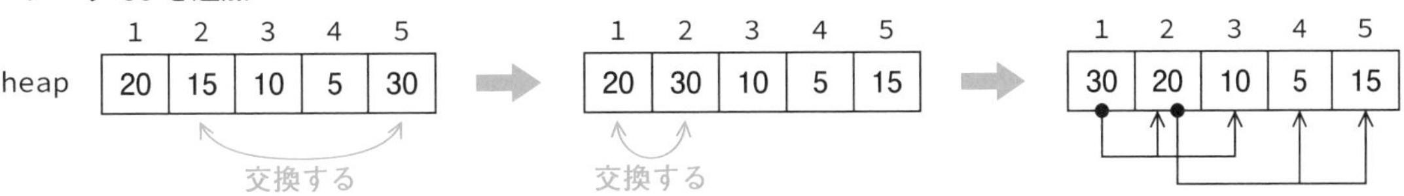

以上から，プログラムを終了すると，配列 heap の内容は {30，20，10，5，15} となります。正解は オ です。

問 16 次の記述中の［ a ］，［ b ］に入れる正しい答えの組合せを，解答群の中から選べ。ここで，配列の要素番号は 1 から始まる。

“listen”と“silent”のように，1つの単語の文字を並べ替えてできる別の単語をアナグラムという。関数 chkAnagram は，引数に指定した 2 つの文字列が互いにアナグラムかどうかを調べ，結果を true または false で返す。

クラス Map は，文字列型のキーと整数型の値のペアを要素として格納するデータ構造である。クラス Map のメソッドを図に示す。Map 型の変数は，クラス Map のインスタンスの参照を格納するものとする。

メソッド	戻り値の型	説明
Map()	Map	コンストラクタ。中身が空のマップを作成し，その参照を返す。
get(文字列型： key)	整数型	引数に指定した key をキーとする要素をマップから検索し，対応する値を返す。キーが存在しない場合は未定義の値を返す。
put(文字列型： key, 整数型： value)	なし	引数に指定した key と value をペアとする要素をマップに格納する。key をキーとする要素が既に存在する場合は，その要素の値を value で更新する。
equals(Map: map)	論理型	引数に指定したマップの構成要素が，自分自身と一致する場合は true，一致しない場合は false を返す。構成要素の順序は区別しない。

図　クラス Map の説明

〔プログラム〕

```
○論理型： chkAnagram(文字列型： str1, 文字列型： str2)
  Map: map1 ← Map(), map2 ← Map()
  整数型： i
  if (str1の文字数 と str2の文字数 が等しくない)
    return false   /* 文字数が異なる場合 */
  endif
  for (i を 1 から str1の文字数 まで 1ずつ増やす)
    if (map1.get(str1[i]) が 未定義)
      map1.put(str1[i], 1)
    else
      map1.put(str1[i], [ a ])
    endif
```

```
    if (map2.get(str2[i]) が 未定義 )
      map2.put(str2[i], 1)
    else
      map2.put(str2[i],  b  )
    endif
  endfor
  return map1.equals(map2)
```

解答群

	a	b
ア	map1.get(str1[i])	map2.get(str2[i])
イ	map1.get(str2[i])	map2.get(str1[i])
ウ	map1.get(str1[i]) ＋ 1	map2.get(str2[i]) ＋ 1
エ	map1.get(str2[i]) ＋ 1	map2.get(str1[i]) ＋ 1
オ	map2.get(str1[i])	map1.get(str2[i])
カ	map2.get(str2[i])	map1.get(str1[i])
キ	map2.get(str1[i]) ＋ 1	map1.get(str2[i]) ＋ 1
ク	map2.get(str2[i]) ＋ 1	map1.get(str1[i]) ＋ 1

※オリジナル問題

合格のカギ

プログラムでは，ある関数で取り出した値を，別の関数に引数として渡すといった処理をよく行います。関数が入れ子になるので，慣れないと複雑に感じます。

例： 関数 a(関数 b()) ←関数 b の戻り値を関数 a の引数に指定

処理の手順としては，入れ子になった内側の関数から順に実行されます。訳がわからないと感じたら，

例： b ← 関数 b()
関数 a(b) ←関数 b の戻り値を関数 a の引数に指定

のように，処理を分解して考えてみましょう。

プログラム・ノート

```
○ 論理型 : chkAnagram( 文字列型 : str1, 文字列型 : str2)
  Map: map1 ← Map(), map2 ← Map()
  整数型 : i
  if (str1 の文字数 と str2 の文字数 が等しくない )
    return false  /* 文字数が異なる場合 */
  endif
  for (i を 1 から str1 の文字数 まで 1 ずつ増やす )
    if (map1.get(str1[i]) が 未定義 )
      map1.put(str1[i], 1)
    else
      map1.put(str1[i], [    a    ])
    endif
    if (map2.get(str2[i]) が 未定義 )
      map2.put(str2[i], 1)
    else
      map2.put(str2[i], [    b    ])
    endif
  endfor
  return map1.equals(map2)
```

1 マップクラス

クラス Map で表現するマップは，ハッシュ，連想配列，辞書（ディクショナリ）などとも呼ばれるデータ構造で，次のような特徴があります。

- **要素には，キーと値のペアを格納する。**
- **各要素のキーは重複しない。**
- **構成要素に順序はない。**

要素の追加，またはすでにある要素の値の更新には，クラス Map のメソッド put を用います。また，指定したキーに対応する値を得るには，メソッド get を用います。

```
例：map.put("a", 10)  ←― マップに要素 ("a", 10) を追加
    map.put("a", 20)  ←― キーが "a" の要素の値を 20 に更新
    n ← map.get("a")  ←― キーが "a" の要素の値を変数 n に代入
```

格納した値に要素番号を付けて管理するのが通常の配列だとすると，マップは格納した値にキーを付けて管理するデータ構造と考えることができます。

2 アナグラム

2 つの文字列が互いにアナグラムかどうかを調べる方法は，何通りか考えられます。本問のプログラムは，2 つの文字列について，文字ごとの出現回数を数え，文字と出現回数のペアをマップに記録します。

たとえば “listen” であれば，

{("l", 1), ("i", 1), ("s", 1), ("t", 1), ("e", 1), ("n", 1)}

となります。また，“silent”であれば

{("s", 1), ("i", 1), ("l", 1), ("e", 1), ("n", 1), ("t", 1)}

となります。プログラムは，行番号 07 ～ 12 で str1，行番号 13 ～ 17 で str2 のマップを作っています。
2 つのマップを比較し，両者の構成要素が一致していれば，アナグラムであると判定します。プログラムは行番号 19 で，メソッド equals を使って 2 つのマップが等しいかどうかを調べています。

問題解説

str1 の各文字の出現回数を集計するために，str1 の各文字をキー，出現回数を値とする要素をマップ map1 に登録します。例として，str1 が“bbc”の場合で考えてみましょう。
まず先頭文字“b”をキーとする要素が，すでに map1 に登録されているかどうかを調べます（行番号 08）。map1 にはまだ何も登録されていませんから，map1.get(str1[i]) は未定義の値を返します。その場合，行番号 09 で“b”をキー，出現回数 1 を値とする要素を map1 に追加します。

```
08  if (map1.get(str1[i]) が 未定義 )
09    map1.put(str1[i], 1)
```

次に，2 文字目“b”をキーとする要素がすでに map1 に登録されているかどうかを調べます。先頭文字も“b”だったので，要素はすでに登録されています。この場合，“b”をキーとする要素の値を 1 加算する必要があります。
すでに登録されている要素の値は，メソッド get を使って map1.get(str[i]) で取得できます。この値に 1 を加算した値を，メソッド put を使って登録します。したがって，行番号 11 は次のような処理になります。

```
11    map1.put(str1[i], map1.get(str1[i]) + 1)
```

空欄 a

str2 についても，同様の手順でマップ map2 を作成するので，行番号 16 の処理は次のようになります。

```
16    map2.put(str2[i], map2.get(str2[i]) + 1)
```

空欄 b

以上から，正解は ウ です。

解答

問 16 ウ

問 17

A 社は，関東の N 事業所で利用している営業支援システムを，関西の M 事業所でも利用するために，IPsec を利用した VPN の導入を検討している。

VPN の実現には，VPN ルータを利用する。IPsec では，データ受信側の VPN ルータがデータ送信側の VPN ルータを認証する仕組みの一つとして，RSA アルゴリズムを用いたデジタル署名を利用し，なりすまし及び改ざんの検知を行っている。その仕組みを図に示す。

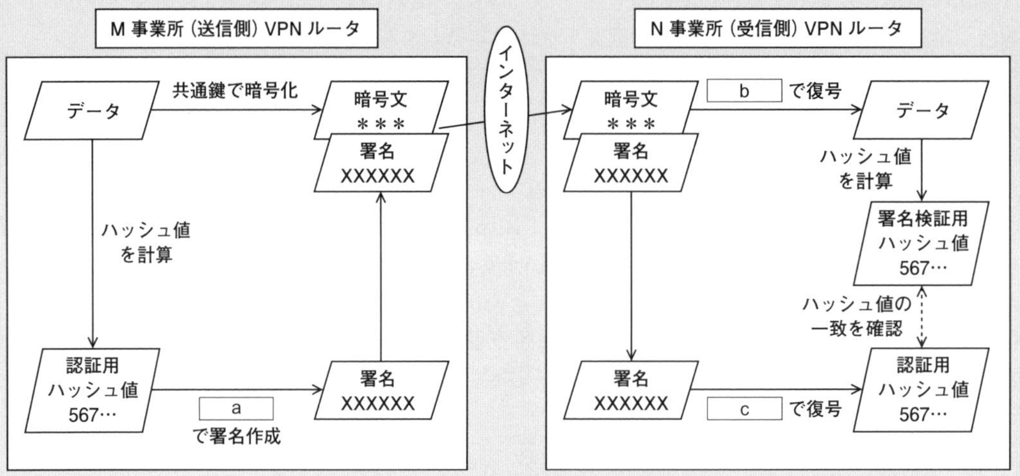

図　相手の VPN ルータを認証する仕組み

設問　次の記述中の［ a ］～［ c ］に入れる適切な答えの組合せを，解答群の中から選べ。

解答群

	a	b	c
ア	送信側の秘密鍵	共通鍵	送信側の公開鍵
イ	送信側の公開鍵	共通鍵	送信側の秘密鍵
ウ	受信側の秘密鍵	共通鍵	受信側の公開鍵
エ	受信側の公開鍵	共通鍵	受信側の秘密鍵
オ	共通鍵	受信側の秘密鍵	送信側の公開鍵
カ	共通鍵	送信側の公開鍵	受信側の秘密鍵
キ	共通鍵	受信側の秘密鍵	受信側の公開鍵
ク	共通鍵	受信側の公開鍵	受信側の秘密鍵

※出典：基本情報技術者試験平成 25 年度秋期午後問題問 4 を改変

デジタル署名に関する問題です。公開鍵暗号やデジタル署名の仕組みは，科目 A でもよく出題されるので理解しておきましょう。デジタル署名については，「なりすましや改ざんを検知する」という目的についてもよく出題されます。

問題解説

空欄 a，c：**デジタル署名**とは，送信データからハッシュ値を計算し，それを送信側の秘密鍵で暗号化したものです。

これを復号するには，暗号化に使ったものとペアの鍵，すなわち送信側の公開鍵が必要です。

送信側の秘密鍵＝暗号化鍵
送信側の公開鍵＝復号鍵

秘密鍵というのは，所有者本人だけが保管しているものなので，それとペアの公開鍵でデジタル署名が復号できれば，デジタル署名が所有者本人で作成されたことを確認できます。

以上から，**空欄 a** には「送信側の秘密鍵」，**空欄 c** には「送信側の公開鍵」が入ります。

空欄 b：送信側のM事業所は，送信データを共通鍵で暗号化しています。共通鍵は，暗号化と復号に同一の鍵を使う暗号方式です。したがって，暗号文の復号も共通鍵で行います。**空欄 b** には「共通鍵」が入ります。

以上から，**空欄 a「送信側の秘密鍵」**，**空欄 b「共通鍵」**，**空欄 c「送信側の公開鍵」**の ア が正解です。

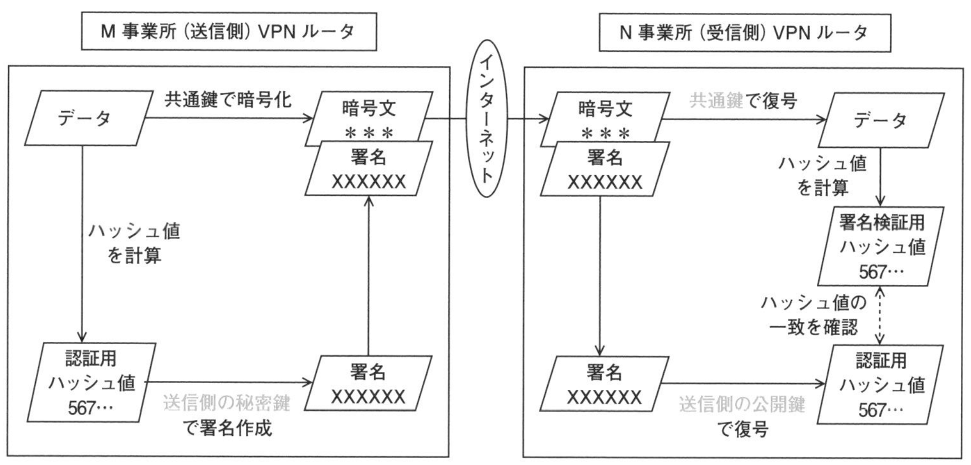

解答

問17 ア

□□ 問 18

Y 社では，各部で作成した文書ファイルを共用サーバに保存して，活用している。Y 社の組織構成，アクセス権の設定ルール及び共用サーバにおけるディレクトリごとのアクセス権の設定に関する要件（以下，アクセス要件という）は，次のとおりである。

〔Y 社の組織構成〕

(1) Y 社は，食品事業部，営業部，財務部及び総務部からなる。
(2) 職位には，管理職，一般社員及び協力会社社員（以下，協力社員という）がある。
(3) 社員には，管理職及び一般社員が含まれ，協力社員は含まれない。また，部員には，当該部に所属する管理職，一般社員及び協力社員を含む。

〔アクセス権の設定ルール〕

(1) ユーザーは，ユーザーの属性に応じて，一つ以上のグループに属する。アクセス権は，グループごとに設定する（以下，アクセス権グループという）。
(2) ディレクトリに対して，アクセス権グループごとに，読取り可能，書込み可能，削除可能，読み取り禁止，書込み禁止及び削除禁止の各権限を設定する。
(3) アクセス権テーブルは，アクセス権グループごとに，ディレクトリに対してアクセス権を設定した表である。アクセス権テーブルにおいて，読取り可能を“R”，書込み可能を“W”，削除可能を“D”，読取り禁止を“NR”，書込み禁止を“NW”，削除禁止を“ND”で表す。アクセス権が設定されていない場合には，空白で表す。
(4) ユーザーは，複数のアクセス権グループに所属でき，各アクセス権グループに設定されたすべてのアクセス権をもつ。
(5) ユーザーが複数のアクセス権グループに所属し，同一ディレクトリに対してアクセス可能とアクセス禁止の両方が設定されている場合には，アクセス禁止が優先される。具体的には，“NR”は“R”に，“NW”は“W”に，“ND”は“D”に，それぞれ優先する。なお，アクセス可能及びアクセス禁止の設定は，空白に優先する。

アクセス権を設定するために，Y 社の組織構成員を組織グループと職位グループに分け，更にそれぞれにアクセス権グループを設けた。**表 1** に，組織グループと職位グループの各アクセス権グループとグループ構成員を示す。

表１　組織グループと職位グループの各アクセス権グループとグループ構成員

	アクセス権グループ	グループ構成員
組織グループ	食品	食品事業部員
	営業	営業部員
	財務	財務部員
	総務	総務部員
職位グループ	管理	管理職
	一般	一般社員
	協力	協力社員

〔アクセス要件〕

アクセス要件を**表２**に示す。文書ファイルは，各ディレクトリの下に保存する。

表２　アクセス要件

ディレクトリ	アクセス要件の内容
事業計画	食品事業部員は，読取り，書込み，削除可能
	営業部の社員は，読取り可能
新商品情報	食品事業部員の社員は，読取り，書込み，削除可能
	営業部員の社員は，読取り可能
予算	財務部員は，読取り，書込み，削除可能
	食品事業部員は，読取り可能
決算	財務部の社員は，読取り，書込み，削除可能
	食品事業部の社員は，読取り可能
社員情報	総務部員は，読取り，書込み，削除可能
	社員は，読取り可能
人事考課	管理職，総務部員は，読取り，書込み，削除可能
	総務部の協力社員は，読取り可能
お知らせ	総務部員は，読取り，書込み，削除可能
	社員，協力社員は，読取り可能
社内規程	総務部の管理職は，読取り，書込み，削除可能
	社員は，読取り可能

設問　表２のアクセス要件を満たすようにアクセス権を設定するため，表３に示すアクセス権テーブルを作成した。表３中の[a]～[c]に入れる適切な答えの組合せを，解答群から選べ。

表３　アクセス権テーブル

ディレクトリ	組織グループ				職位グループ		
	食品	営業	財務	総務	管理	一般	協力
事業計画	R,W,D	R	R				
新商品情報	R,W,D	R					（省略）
予算	R		R,W,D				
決算	R		R,W,D				[a]
社員情報				R,W,D	R	R	
人事考課				R,W,D	R,W,D		[b]
お知らせ				R,W,D	R	R	R
社内規程				R,W,D	R	[c]	NR,NW,ND

解答群

	a	b	c
ア	NR,NW,ND	R,NW,ND	R,NW,ND
イ	NR,NW,ND	R,NW,ND	R
ウ	NR,NW,ND	NW,ND	R,NW,ND
エ	NR,NW,ND	NW,ND	R
オ	R,NW,ND	R,NW,ND	R,NW,ND
カ	R,NW,ND	R,NW,ND	R
キ	R,NW,ND	NW,ND	R,NW,ND
ク	R,NW,ND	NW,ND	R

※出典：平成 18 年度秋期初級システムアドミニストレータ試験午後問題問 6 を改変

職務グループに必要なアクセス権を設定すると，余計なユーザーにまで権限が与えられてしまう場合があるので，それを職位グループで取り消して，過不足のないアクセス権設定を作ります。

問題解説

空欄 a：ディレクトリ「決算」のアクセス要件は，

①財務部の社員は，読取り，書込み，削除可能
②食品事業部の社員は，読取り可能

となっています。そこでまず，アクセスグループ「財務部」に“読取り可能”，“書込み可能”，“削除可能”，アクセスグループ「食品」に“読取り可能”の権限を設定します。

これらの権限は社員（管理職及び一般社員）にのみ付与するので，協力社員には付与できません。そこで，アクセスグループ「協力」に“読取り禁止”“書込み禁止”“削除禁止”を設定します。したがって，**空欄 a** には「NR,NW,ND」が入ります。

空欄 b：ディレクトリ「人事考課」のアクセス要件は，

①管理職，総務部員は，読取り，書込み，削除可能
②総務部の協力社員は，読取り可能

となっています。そこで，アクセスグループ「管理」とアクセスグループ「総務」に，“読取り可能”“書込み可能”“削除可能”の権限を設定します。

このままでは，総務部の協力社員も書込みと削除が可能な状態になるので，アクセスグループ「協力」に“書込み禁止”と“削除禁止”を設定し，読取りのみ可能な状態にします。以上から，**空欄 b** には「NW,ND」が入ります。

空欄 c：ディレクトリ「社内規程」のアクセス要件は，

①総務部の管理職は，読取り，書込み，削除可能
②社員は，読取り可能

となっています。①の設定は，アクセスグループ「総務」に“読取り可能”“書込み可能”“削除可能”を設定します。また，②の設定は，アクセスグループ「管理」と「一般」に“読取り可能”を設定します。

この状態では，総務部の一般社員が書込みと削除が可能な状態なので，アクセスグループ「一般」に“書込み禁止”と“削除禁止”を追加します。また，総務部の協力社員が読取りと書込みと削除が可能な状態になっているので，アクセスグループ「協力」に“読取り禁止”“書込み禁止”“削除禁止”を設定します。

アクセスグループ「一般」には，“読取り可能”“書込み禁止”“削除禁止”が入るので，**空欄 c** は「R,NW,ND」となります。

以上から，**空欄 a** が「NR,NW,ND」，**空欄 b** が「NW,ND」，**空欄 c** が「R,NW,ND」の組合せの ウ が正解です。

解答
問18 ウ

問 19

U社は，不動産の賃貸管理を行っている会社である。このたびU社では，社内で社員が使用している賃貸管理システムのセキュリティを強化することになった。その対策として，ログオンするときに，利用者IDのパスワードの入力を連続して間違えると，その利用者IDでのログオンを拒否（以下，ロックという）する機能と，ロックを解除する機能を追加することになった。情報管理課のYさんは，ロック機能と解除機能及びロック解除の手続からなるセキュリティ強化策を検討することになった。

Yさんは，セキュリティ強化策を次の図のようにまとめた。

〔ロック機能と解除機能〕

機能1：ログオンするときに，利用者IDのパスワードの入力を連続して3回間違えると，その利用者IDがロックされる。

機能2：ロックを解除する操作（以下，解除操作という）を行うと，英数字をランダムに並べたパスワードが自動的に生成され，設定される。設定されたパスワードは次のログオンのとき一度だけ使用でき，パスワードの変更が要求される。

機能3：ロックされていない利用者IDに対して解除操作を行うと，機能2の処理は行われず，エラーメッセージが表示される。

機能4：解除操作は，特別な利用者ID（以下，解除IDという）だけで行える。解除IDにもパスワードが設定されている。

機能5：解除操作を行った日付，ロック解除された利用者ID及び解除操作を行った解除IDの履歴が賃貸管理システムに残される。

〔ロック解除の手続〕

手続1：解除IDは，一つだけ用意しておき，情報管理課の少数の担当者だけが使用する。異動などによる担当者の変更があったときには，解除IDのパスワードを変更する。

手続2：利用者IDがロックされた利用者は，ロック解除依頼書（以下，依頼書という）を作成して，上司の承認を受けた後，情報管理課に送付する。

手続3：情報管理課では，依頼書を受け取ると，記入内容と承認印が正しいことを確認してから，情報管理課の責任者の承認を受ける。

手続4：情報管理課の担当者1名が，解除IDを使って解除操作を行い，依頼書に自分の名前と解除操作の日付を記入する。

手続5：解除操作を行った担当者は，利用者IDの利用者本人に安全な方法で新しいパスワードを伝える。

図1　セキュリティ強化策

設問　Yさんが考えた強化策では，依頼書に基づいていない解除操作を防ぐ機能が不十分である。依頼書に基づいていない解除操作が行われた場合に，情報管理課が発見できるようにする手続を，解答群の中から選べ。

解答群

ア　依頼書を提出した本人に立ち会ってもらい，解除操作を行う。

イ　解除操作の後で，情報管理課の責任者が依頼書を確認して，承認印を押す。

ウ　解除操作は，情報管理課の別の担当者が立ち会い，2名で行う。

エ　情報管理課の責任者が，解除操作の履歴と依頼書を定期的に照合する。

オ　担当者が解除操作のたびに操作履歴を記入する記録簿を作り，情報管理課の責任者が，記録簿と解除操作の履歴を定期的に照合する。

※出典：平成18年度秋期初級システムアドミニストレータ試験午後問題問1を改変

合格のカギ

セキュリティ強化策から，改善点を見つける問題です。類似の問題は，システム監査の指摘事項に対して改善策を考えるなど，よく出題されます。

本問の場合は，「依頼書に基づいていない解除操作を防ぐ機能が不十分」と指摘されています。依頼書に基づいていない解除操作とは，具体的に誰がどのように行うかを考え，それに対する対策を解答群から選びます。

問題解説

依頼書に基づかない解除操作としては，①何者かが解除IDのパスワードを入手して，不正に解除操作を行うケースや，②情報管理課の担当者が不正に解除操作を行うケースなどが考えられます。こうしたケースを発見できる対策を，解答群の中から探します。

×ア　依頼書に従った解除操作に誰かが立ち会うだけでは，担当者が不正に行う解除操作は発見できません。

×イ　依頼書をいくら確認しても，依頼書のない解除操作は発見できません。

×ウ　解除操作に別の担当者が立ち会っても，担当者がこっそり行う解除操作は発見できません。

○エ　解除操作はシステムに履歴が残るので，その履歴と依頼書とを照合すれば，依頼書のない解除操作を発見できます。

×オ　犯人が情報管理課の担当者だった場合は，依頼書があったかのように記録簿を改ざんできます。改ざんされた記録簿と履歴を照合しても，本当に依頼書に基づく解除操作かどうかはわかりません。

以上から，正解は エ です。なお，解除IDが1つだけだと，誰が解除操作を行ったのか履歴からわかりません。解除IDは，解除操作を行う担当者全員の分を用意すべきでしょう。

問 20 次の記述の ＿＿ に入れる適切な答えを，解答群の中から選べ。

A 社は，口コミによる飲食店情報を収集し，提供する会員制サービス業者である。会員制サービスを提供するシステム（以下，A 社システムという）を**図 1** に示す。

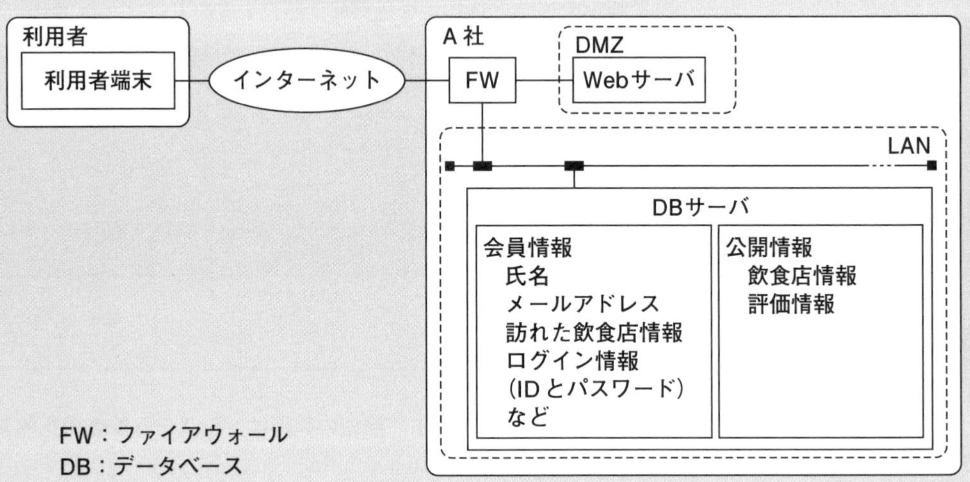

図 1　A 社システム

(1) FW，Web サーバ及び DB サーバがあり，スマートフォンなどの利用者端末とはインターネットを介して接続されている。

(2) Web サーバは DMZ に置かれており，DB サーバは LAN に置かれている。また，利用者端末から Web サーバへの接続には，セキュリティを考慮して TLS を用いている。

(3) 会員登録を行った利用者（以下，会員という）には，ID とパスワードが発行される。

(4) DB サーバには，会員情報 (氏名，メールアドレス，訪れた飲食店情報，ログイン情報（ID とパスワード）など）と公開情報（飲食店情報，評価情報）が保管されている。

(5) 会員は，公開情報を閲覧することができる。また，Web サーバにログインすることで，DB サーバに保管してある自分の会員情報と自らが書き込んだ公開情報の更新，及び新しい公開情報の追加が行える。

(6) 非会員は，公開情報の閲覧だけができる。

(7) 会員が Web サーバにログインするには，ID とパスワードが必要であり，A 社システムは DB サーバに保管してあるログイン情報を用いて認証する。

(8) Web サーバ及び DB サーバでは，それぞれでアクセスログ（以下，ログという）が記録されており，システム管理者が定期的に内容を確認している。また，システム管理者は，通常，LAN から Web サーバや DB サーバにアクセスして，メンテナンスを行っている。

なお，外部から Telnet や SSH で Web サーバに接続して，インターネットを介したリモートメンテナンスが行えるようにしてあるが，現在はリモートメンテナンスの必要性はなくなっている。

ある日，システム管理者が，ログの確認において，通常とは異なるログが記録されているのを発見した。そのログを詳しく調査したところ，システム管理者以外の者が管理者 ID と管理者パスワードを使って Web サーバに不正侵入したことが明らかになった。

そこで，システム管理者は上司と相談し，会員制サービスを直ちに停止した。次に，今回の不正侵入に対する被害状況の特定と対策の検討を行った。不正侵入による被害状況を**図 2** に示す。

（一）Web サーバへの不正侵入があったことが確認された。秘密鍵への不正アクセスがあったかは確認できなかった。

（二）FW を経由し，Web サーバに不正侵入され，さらにそこから DB サーバに不正侵入された。

（三）一部の会員については会員情報が漏えいしたことが分かっているが，それ以外の会員については漏えいの有無を特定できていない。

図 2　不正侵入による被害状況

図 2 中の項番（一）～（三）のそれぞれに対して，次のような対策の検討を行った。

- 項番（一）の被害への対策として，公開鍵証明書の再発行手続を行い，秘密鍵は同じものを使用することにした。
- 項番（二）の被害への対策として，リモートメンテナンス用ポートへのインターネットからのアクセスを FW で禁止し，Telnet や SSH のポートは閉じることにした。
- 項番（三）の被害への対策として，管理者パスワードは変更し，漏えいした会員だけにパスワードの変更を依頼することにした。

以上のうち，適切な対策といえるのは［　　　］である。

解答群

ア　項番（一）の対策のみ

イ　項番（二）の対策のみ

ウ　項番（三）の対策のみ

エ　項番（一）と項番（二）の対策

オ　項番（一）と項番（三）の対策

カ　項番（二）と項番（三）の対策

キ　項番（一），項番（二），項番（三）の対策

ク　なし

※出典：基本情報技術者試験平成 28 年度春期午後問題問 1 を改変

セキュリティ上の問題が発生して，受験者に対策を考えさせる問題です。このような問題では，最初のシステム概要に必ず解答のヒントがあります。

問題解説

（一）Web サーバへの不正侵入があったことが確認された。秘密鍵への不正アクセスがあったかは確認できなかった。

利用者端末と Web サーバとの接続には，TLS が使われています。**TLS**（Transport Layer Security）とは，インターネット上での通信を暗号化するプロトコルです。また，TLS は公開鍵証明書にもとづいて，サーバを認証する機能も備えています。

Web サーバに保管されている秘密鍵は，利用者端末との暗号通信に用いるため，秘密鍵が第三者に漏えいすると，暗号通信が盗聴され，解読されてしまうおそれがあります。

今回の不正侵入では，秘密鍵への不正アクセスは確認できませんでしたが，不正アクセスがなかったとも確認できないため，秘密鍵は作り直したほうが安全です。秘密鍵を作り直す場合は，それとペアとなる公開鍵も作り直しになります。したがって，公開鍵証明書も再発行が必要です。

以上から，**項番（一）**の被害への対策として，「**公開鍵証明書の再発行手続を行い，秘密鍵は同じものを使用することにした**」は適切ではありません。

（二）FW を経由し，Web サーバに不正侵入され，さらにそこから DB サーバに不正侵入された。

侵入者はどうやって Web サーバや DB サーバに侵入したのでしょうか？　問題文の次の記述がヒントになります。

> **なお，外部から Telnet や SSH で Web サーバに接続して，インターネットを介したリモートメンテナンスが行えるようにしてあるが，現在はリモートメンテナンスの必要性はなくなっている。**

Telnet と **SSH** は，どちらも外部からサーバにログインして，サーバを遠隔操作するプロトコルです。これらのプロトコル用のポートが，不正侵入の入口になったことは十分に考えられます。とくに Telnet は古くからあるプロトコルで，通信を暗号化する機能がないため，セキュリティ上問題があります。

しかも，「**現在はリモートメンテナンスの必要性はなくなっている**」のですから，これらのポートは使用不可にしておくべきです。

以上から，**項番（二）**の被害への対策として，「**リモートメンテナンス用ポートへのインターネットからのアクセスを FW で禁止し，Telnet や SSH のポートは閉じることにした**」は適切な対策と言えます。

（三）一部の会員については会員情報が漏えいしたことが分かっているが，それ以外の会員については漏えいの有無を特定できていない。

侵入者は管理者 ID と管理者パスワードを使って侵入しているので，管理者パスワードは当然変更しなければなりません。会員のパスワードについては全員のパスワードが漏えいしたとは限りませんが，漏えいしたパスワードが特定できない以上，全会員にパスワードの変更を依頼すべきです。

したがって，**項番（三）**の被害への対策として，「**管理者パスワードは変更し，漏えいした会員だけにパスワードの変更を依頼することにした**」は適切とは言えません。

以上から，適切な対策は**項番（二）**の被害への対策のみとなります。正解は イ です。

解答
問20 イ

基本情報技術者

精選模擬問題③

□□ 問 **01** 次に示す手順は，列中の少なくとも一つは 1 であるビット列が与えられたとき，最も右にある 1 を残し，他のビットを全て 0 にするアルゴリズムである。例えば，00101000 が与えられたとき，00001000 が求まる。a に入る論理演算はどれか。

手順 1　与えられたビット列 A を符号なしの 2 進数と見なし，A から 1 を引き，結果を B とする。
手順 2　A と B の排他的論理和（XOR）を求め，結果を C とする。
手順 3　A と C の［ a ］を求め，結果を A とする。

ア 排他的論理和（XOR）　　イ 否定論理積（NAND）
ウ 論理積（AND）　　エ 論理和（OR）

□□ 問 **02** 8ビットの値の全ビットを反転する操作はどれか。

ア 16 進表記 00 のビット列と排他的論理和をとる。
イ 16 進表記 00 のビット列と論理和をとる。
ウ 16 進表記 FF のビット列と排他的論理和をとる。
エ 16 進表記 FF のビット列と論理和をとる。

解説

問01 論理演算

70%

　問題文に例として与えられているビット列 00101000 を使い，手順に従って目的のビット列を求めてみましょう。

手順 1：ビット列 A から 1 を引くと，ビット列 A のうち，右端から最も右にある 1 のビットまでがすべて反転します。

```
    00101000 …ビット列A
−          1
    00100111 …ビット列B
```
右端から1のビットまでが反転する

手順2：ビット列Aとビット列Bの**排他的論理和**をとると，ビットが異なる桁は1になり，ビットが同じ桁は0になります。

```
     00101000 …ビット列A
XOR  00100111 …ビット列B
     00001111 …ビット列C
```
ビットが異なる桁だけが1になる

手順3：ビット列Aとビット列Cが両方とも1の桁を1，他のビットを0にすれば，目的のビット列が得られます。このような結果になる論理演算は，**論理積（AND）**です。正解は ウ です。

```
     00101000 …ビット列A
AND  00001111 …ビット列C
     00001000 ←ビット列Aとビット列Cが両方とも1の桁を1にする
```

問02 ビット演算 キホン! 80%

ビット列中の0のビットを1に，1のビットを0にするビット演算を考えます。「0 XOR 1」は1，「1 XOR 1」は0になるので，各ビットと1との**排他的論理和**（XOR）をとれば，各ビットが反転します。

```
     01010101 ←元のビット列（例）
XOR  11111111 ←16進数FF
     10101010 ←全ビットが反転
```

以上から，2進数の11111111（16進表記FF）のビット列と排他的論理和をとれば，全ビットが反転します。正解は ウ です。

× ア 16進表記00との排他的論理和では，元のビット列と変わりません。
× イ 16進表記00との論理和では，元のビット列と変わりません。
○ ウ 正解です。
× エ 16進表記FFとの論理和は，全ビットが1になります。

2進数	16進数
0000	0
0001	1
0010	2
0011	3
0100	4
0101	5
0110	6
0111	7

2進数	16進数
1000	8
1001	9
1010	A
1011	B
1100	C
1101	D
1110	E
1111	F

合格のカギ

論理積（AND） 問01
2つのビットが両方とも1のとき1，それ以外は0になる論理演算。

0 AND 0 → 0
0 AND 1 → 0
1 AND 0 → 0
1 AND 1 → 1

論理和（OR） 問01
2つのビットが両方とも0のとき0，それ以外は1になる論理演算。

0 OR 0 → 0
0 OR 1 → 1
1 OR 0 → 1
1 OR 1 → 1

排他的論理和(XOR) 問01
2つのビットが同じ値のとき0，異なる値のとき1になる論理演算。

0 XOR 0 → 0
0 XOR 1 → 1
1 XOR 0 → 1
1 XOR 1 → 0

否定論理積(NAND) 問01
論理積（AND）の結果を反転（否定）したもの。2つのビットが両方とも1のとき0，それ以外は1になる論理演算。

0 NAND 0 → 1
0 NAND 1 → 1
1 NAND 0 → 1
1 NAND 1 → 0

問01
参考 手順3のように，必要なビット以外を0にすることを「マスクする」というよ。

解答
問01 ウ 問02 ウ

問 03

ノードとノードの間のエッジの有無を，隣接行列を用いて表す。ある無向グラフの隣接行列が次の場合，グラフで表現したものはどれか。ここで，ノードを隣接行列の行と列に対応させて，ノード間にエッジが存在する場合は 1 で，エッジが存在しない場合は 0 で示す。

	a	b	c	d	e	f
a	0	1	0	0	0	0
b	1	0	1	1	0	0
c	0	1	0	1	1	0
d	0	1	1	0	0	0
e	0	0	1	0	0	1
f	0	0	0	0	1	0

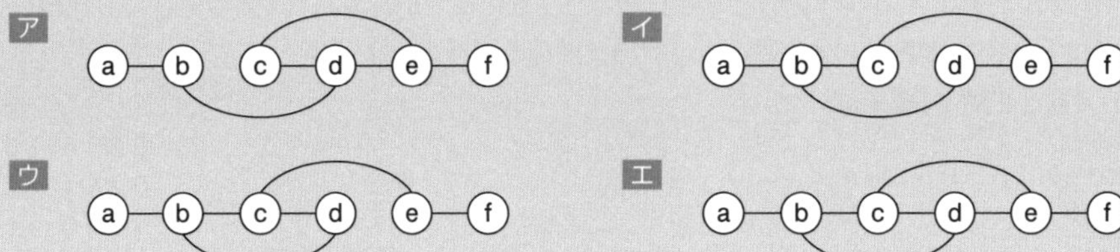

問 04

機械学習における教師あり学習の説明として，最も適切なものはどれか。

ア 個々の行動に対しての善しあしを得点として与えることによって，得点が最も多く得られるような方策を学習する。

イ コンピュータ利用者の挙動データを蓄積し，挙動データの出現頻度に従って次の挙動を推論する。

ウ 正解のデータを提示したり，データが誤りであることを指摘したりすることによって，未知のデータに対して正誤を得ることを助ける。

エ 正解のデータを提示せずに，統計的性質や，ある種の条件によって入力パターンを判定したり，クラスタリングしたりする。

問 05

クイックソートの処理方法を説明したものはどれか。

ア 既に整列済みのデータ列の正しい位置に，データを追加する操作を繰り返していく方法である。

イ データ中の最小値を求め，次にそれを除いた部分の中から最小値を求める。この操作を繰り返していく方法である。

ウ 適当な基準値を選び，それよりも小さな値のグループと大きな値のグループにデータを分割する。同様にして，グループの中で基準値を選び，それぞれのグループを分割する。この操作を繰り返していく方法である。

エ 隣り合ったデータの比較と入替えを繰り返すことによって，小さな値のデータを次第に端の方に移していく方法である。

解説

問03 グラフ

.ıl 10%

グラフとは，複数のノード（頂点）と，ノード間を結ぶエッジ（辺）で構成されるデータ構造です。また，エッジに方向性がないグラフを無向グラフといいます。

	a	b	c	d	e	f
a	0	1	0	0	0	0
b	1	0	1	1	0	0
c	0	1	0	1	1	0
d	0	1	1	0	0	0
e	0	0	1	0	0	1
f	0	0	0	0	1	0

隣接行列は，ノード間のエッジの有無を二次元配列で表したものです。無向グラフでは，a－b 間にエッジが存在すれば，b－a 間にも必ずエッジが存在します。したがって，隣接行列は対角線をはさんで対称になります。

この隣接行列から，値が 1（エッジが存在する）のノードの組合せを抜き出します。1 は全部で 12 個あり，それぞれに対称となるエッジがあるので，エッジの数は 6 個になります。

a－b，b－c，b－d，c－d，c－e，e－f

これらのエッジを図で表すと，右の図のようになります。

解答群のうち，右の図と同じグラフは ウ なので， ウ が正解です。

問04 教師あり学習と教師なし学習

.ıl 30%

教師あり学習とは，正解付きのデータを例題として与えて，一連のデータに共通する特徴を学習させ，未知のデータの正誤を判別できるようにする手法です。一方，教師なし学習は，正解を与えずに多数のデータを入力し，その中にある未知のパターンや関係性をコンピュータ自身に発見させる手法です。

× ア 強化学習の説明です。
× イ トランスダクションの説明です。
○ ウ 正解です。
× エ 教師なし学習の説明です。

問05 クイックソート

.ıl 20%

クイックソートは，データを昇順や降順に整列する整列アルゴリズムの 1 つです。クイックソートでは，まず適当な基準値を選び，データ全体を基準値より小さいグループと大きいグループとに分割します。さらに，各グループの中から適当な基準値を選び，それぞれのグループに分割します。この操作をグループが細かくなるまで繰り返して，データを整列していく方法です。

× ア 挿入ソートの説明です。
× イ 選択ソートの説明です。
○ ウ 正解です。
× エ バブルソートの説明です。

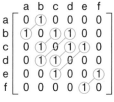

合格のカギ

グラフ 問03

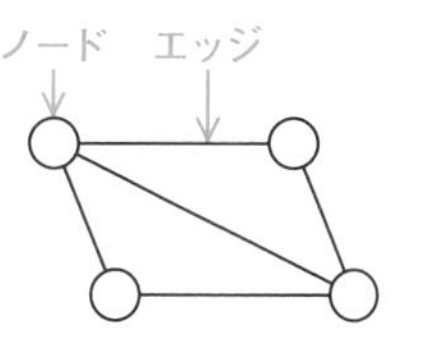

強化学習 問04

個々の行動に応じて得点を与え，得点が最も多く得られるような方策を発見させる手法。人工知能に将棋や囲碁などを学習させる場合に使われる。

トランスダクション 問04

観測されたデータから，新たな出力を予測する機械学習の手法。

挿入ソート 問05

まず 1 番目と 2 番目の要素を比較し，順序が逆なら入れ替える。次に，3 番目の要素が 2 番目より小さければ，正しい位置に挿入する。この操作を，すべての要素が「整列済み」になるまで繰り返す。

選択ソート 問05

未整列の要素の中から最小値を探し，それをデータの先頭に置いて「整列済み」とする。次に，残った要素の中から最小値を探し，それを「整列済み」データの末尾に置く。これを未整列の要素がなくなるまで繰り返す。

バブルソート 問05

隣同士のデータを比較して，順序が逆なら入れ替える。これを先頭から末尾まで繰り返すと，1 巡目で最小値（または最大値）がデータの端に移動する。これを 2 巡目，3 巡目…と繰り返していき，全部のデータを整列する。

解答

問03 ウ　問04 ウ
問05 ウ

□ 問 **06** 次の流れ図は，シフト演算と加算の繰返しによって2進整数の乗算を行う手順を表したものである。この流れ図中のa，bの組合せとして，適切なものはどれか。ここで，乗数と被乗数は符号なしの16ビットで表される。X，Y，Zは32ビットのレジスタであり，桁送りには論理シフトを用いる。最下位ビットを第0ビットと記す。

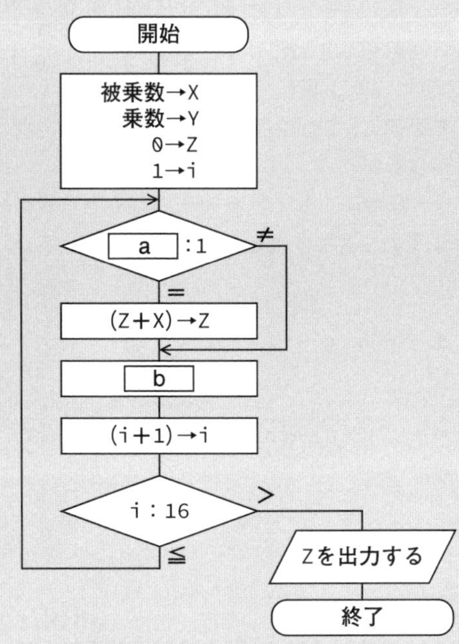

	a	b
ア	Yの第0ビット	Xを1ビット左シフト，Yを1ビット右シフト
イ	Yの第0ビット	Xを1ビット右シフト，Yを1ビット左シフト
ウ	Yの第15ビット	Xを1ビット左シフト，Yを1ビット右シフト
エ	Yの第15ビット	Xを1ビット右シフト，Yを1ビット左シフト

□ 問 **07** A, C, K, S, Tの順に文字が入力される。スタックを利用して，S, T, A, C, Kという順に文字を出力するために，最小限必要となるスタックは何個か。ここで，どのスタックにおいてもポップ操作が実行されたときには必ず文字を出力する。また，スタック間の文字の移動は行わない。

ア 1　　イ 2　　ウ 3　　エ 4

解説

問06 2進数の乗算を行う流れ図

20%

たとえば，被乗数 X を 1000，乗数 Y を 1011 としましょう。

1000 × 1011 は，1000 × 1010 ＋ 1000 に分解できます。

また，2進数は1ビット左シフトするごとに2倍，1ビット右シフトするごとに1／2になるので，1000 × 1010 は 10000 × 101 と同じです。

10000 × 101 は，10000 × 100 ＋ 10000 に分解できます。さらに，10000 × 100 は 1000000 × 1 に変換できます。以上の手順をまとめると，次のようになります。

		X		Y		Z
1000 × 1011	＝	1000	×	1010	＋	1000
	＝	10000	×	101	＋	1000
	＝	10000	×	100	＋	11000
	＝	100000	×	10	＋	11000
	＝	1000000	×	1	＋	11000
	＝					1011000

この操作は，「Y の第0ビットが1のときは X を Z に加算し，そうでないときは X の値を1ビット左シフトし，Y の値を1ビットを右シフトする」とまとめることができます。この操作を流れ図に表すと，問題文の流れ図になります。

空欄 a は，Y の第0ビットが1かどうかを調べている部分，**空欄 b** は，X を1ビット左シフト，Y を1ビット右シフトする部分です。したがって，正解は ア です。

問07 スタックの個数

60%

スタックが1個しかない場合は，次のように S，T までは出力できますが，A が出力できません。

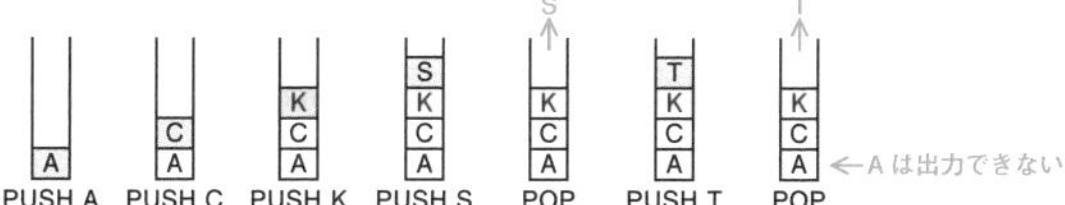

スタックを2個にすると，今度は次のように S，T，A まで出力できるようになりますが，C が出力できません。

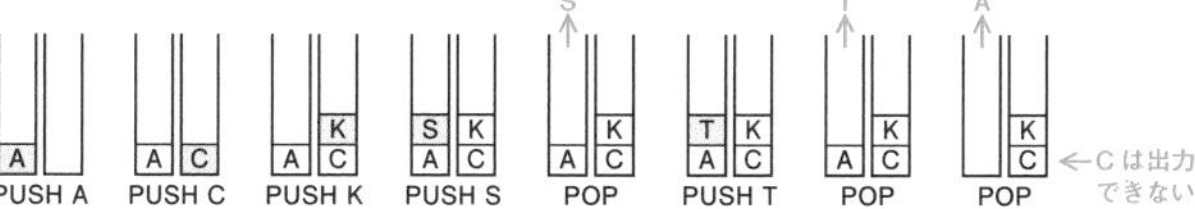

スタックを3個にすれば，次のようにすべての文字を出力できます。以上から，正解は ウ です。

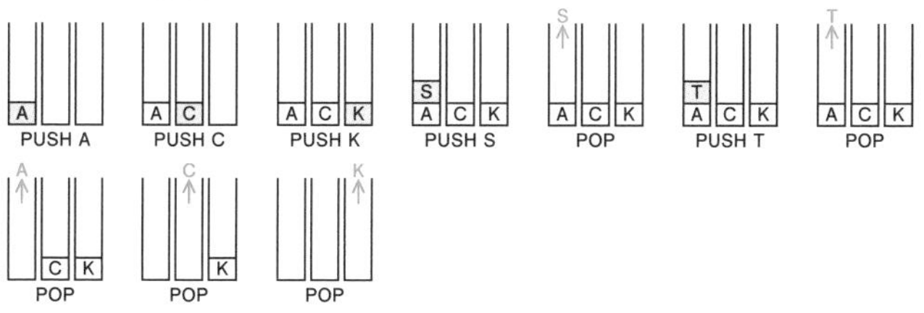

合格のカギ

覚えよう！ 問06

論理シフトといえば

- 符号ビットを考慮しないシフト演算

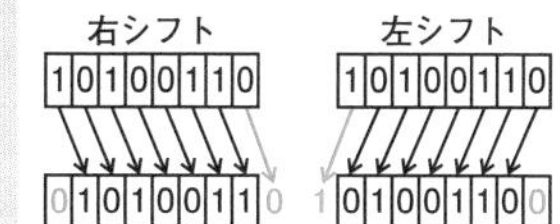

算術シフトといえば

- 符号ビットを考慮したシフト演算
- 符号ビットは変化せず，右シフトでは空所を符号ビットと同じ値で埋める

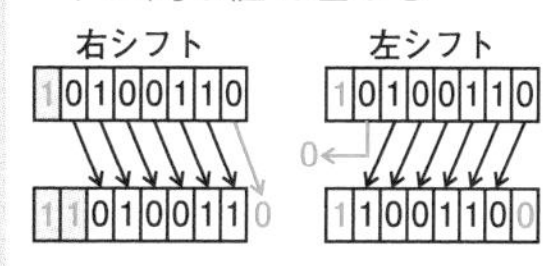

覚えよう！ 問07

スタックといえば

- データを順番に格納していき，取り出すときは後から格納したデータから取り出される後入れ先出し型のデータ構造
  プッシュ：データをスタックに格納する
  ポップ：スタックからデータを取り出す

解答

問06 ア　問07 ウ

□□□ 問 **08** 顧客番号をキーとして顧客データを検索する場合，2 分探索を使用するのが適しているものはどれか。

ア 顧客番号から求めたハッシュ値が指し示す位置に配置されているデータ構造
イ 顧客番号に関係なく，ランダムに配置されているデータ構造
ウ 顧客番号の昇順に配置されているデータ構造
エ 顧客番号をセルに格納し，セルのアドレス順に配置されているデータ構造

□□ 問 **09** 次の流れ図は，2 数 A，B の最大公約数を求めるユークリッドの互除法を，引き算の繰返しによって計算するものである。A が 876，B が 204 のとき，何回の比較で処理は終了するか。

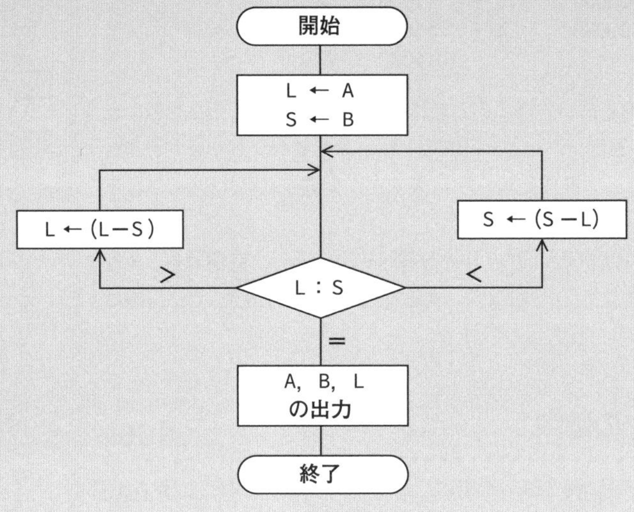

ア 4　　イ 9　　ウ 10　　エ 11

□□ 問 **10** 複数のプロセスから同時に呼び出されたときに，互いに干渉することなく並行して動作することができるプログラムの性質を表すものはどれか。

ア リエントラント　　イ リカーシブ
ウ リユーザブル　　エ リロケータブル

解説

問08 2分探索法

.ıl 20%

2分探索法は，1回の比較ごとに，探索範囲を半分に絞っていく探索法です。2分探索を行うには，データをあらかじめ昇順または降順に整列しておきます。

× ア ハッシュ値によって検索するのは，ハッシュ法です。

× イ ランダムに配置されているデータ構造では，2分探索法は使用できません。

○ ウ 正解です。

× エ 顧客番号とセルのアドレスの対応を表にしたインデックスを作成し，インデックスによる検索を行います。

問09 流れ図のトレース

.ıl 40%

ユークリッドの互除法は，2つの数の最大公約数を求める古典的なアルゴリズムです。変数 L，S の値の変化をトレースすると，次のようになります。比較回数は全部で11回なので，正解は エ です。

比較回数	L	S	L：S	次の処理
1	876	204	＞	L ← (L − S)
2	672	204	＞	L ← (L − S)
3	468	204	＞	L ← (L − S)
4	264	204	＞	L ← (L − S)
5	60	204	＜	S ← (S − L)
6	60	144	＜	S ← (S − L)
7	60	84	＜	S ← (S − L)
8	60	24	＞	L ← (L − S)
9	36	24	＞	L ← (L − S)
10	12	24	＜	S ← (S − L)
11	12	12	＝	出力

問10 複数プロセスの実行

.ıl 20%

複数のプロセスから同時に呼び出されても，問題なく並行して動作することができるプログラムの性質を，リエントラント（再入可能）といいます。

○ ア 正解です。

× イ リカーシブ（再帰的）とは，関数定義の中で自分自身を呼び出す処理のことをいいます。

× ウ リユーザブル（再使用可能）とは，いったん主記憶上に読み込まれたプログラムを，読み込み直さなくても再び実行できることをいいます。

× エ リロケータブル（再配置可能）とは，主記憶上のどこのアドレスに配置しても実行できることをいいます。

合格のカギ

2分探索法 問08

あらかじめ整列されたデータ列から目的のデータを探索する探索法。データを探索範囲の中央の値と比較し，その大小によって探索範囲を半分にしぼる。これを繰り返して，データを検索する。平均 $\log_2 n$ 回の比較で目的のデータを見つけることができる。

ユークリッドの互除法 問09

2つの自然数a，b（a＞b）の最大公約数を計算する方法。aをbで割った剰余cを求め，除数bをcで割った剰余，除数cをその剰余で割った剰余…のように，剰余を求める計算を繰り返し，剰余が0になったときの除数をaとbの最大公約数とする。

876 ÷ 204 ＝ 4 余り 60
204 ÷ 60 ＝ 3 余り 24
60 ÷ 24 ＝ 2 余り 12
24 ÷ 12 ＝ 2 余り 0

なお，本問では割り算の代わりに引き算を行っている。

リエントラント（再入可能） 問10

複数プロセスから同時に呼び出されても，問題なく動作するプログラムのこと。プログラムを手続部分とデータ部分に分け，データ部分をプロセスごとに独立させることで可能になる。

解答

問08 ウ　問09 エ
問10 ア

□□ 問 **11** 1GHz のクロックで動作する CPU がある。この CPU は，機械語の 1 命令を平均 0.8 クロックで実行できることが分かっている。この CPU は 1 秒間に平均何万命令を実行できるか。

ア 125　　イ 250　　ウ 80,000　　エ 125,000

□□ 問 **12** メイン処理，及び表に示す二つの割込み A，B の処理があり，多重割込みが許可されている。割込み A，B が図のタイミングで発生するとき，0 ミリ秒から 5 ミリ秒までの間にメイン処理が利用できる CPU 時間は何ミリ秒か。ここで，割込み処理の呼出し及び復帰に伴うオーバヘッドは無視できるものとする。

割込み	処理時間（ミリ秒）	割込み優先度
A	0.5	高
B	1.5	低

注記 ↓は，割込みの発生タイミングを示す。

ア 2　　イ 2.5　　ウ 3.5　　エ 5

□□ 問 **13** RAID の分類において，ミラーリングを用いることで信頼性を高め，障害発生時には冗長ディスクを用いてデータ復元を行う方式はどれか。

ア RAID1　　イ RAID2　　ウ RAID3　　エ RAID4

□□ 問 **14** 2 台の処理装置から成るシステムがある。少なくともいずれか一方が正常に動作すればよいときの稼働率と，2 台とも正常に動作しなければならないときの稼働率の差は幾らか。ここで，処理装置の稼働率はいずれも 0.9 とし，処理装置以外の要因は考慮しないものとする。

ア 0.09　　イ 0.10　　ウ 0.18　　エ 0.19

解説

問11 CPU処理速度の計算 キホン！

20%

クロック周波数が1GHz = 10^9Hzということは，1秒間に10^9クロックで動作するということです。1命令は平均0.8クロックで実行されるので，1秒間に実行できる命令数は，次のように計算できます。

$$10^9 \div 0.8 = 10^9 \div \frac{8}{10} = 10^9 \times \frac{10}{8} = 10^9 \times 1.25 = 125000 \times 10^4$$

（10^4：万単位）

以上から，1秒間に125,000万命令となります。正解は エ です。

問12 割込み処理

40%

多重割込みが可能なので，割込みBの処理中に優先度の高い割込みAが発生すると，割込みBを中断して割込みAを先に処理します。0ミリ秒から5ミリ秒までのCPUの処理は，次のようになります。

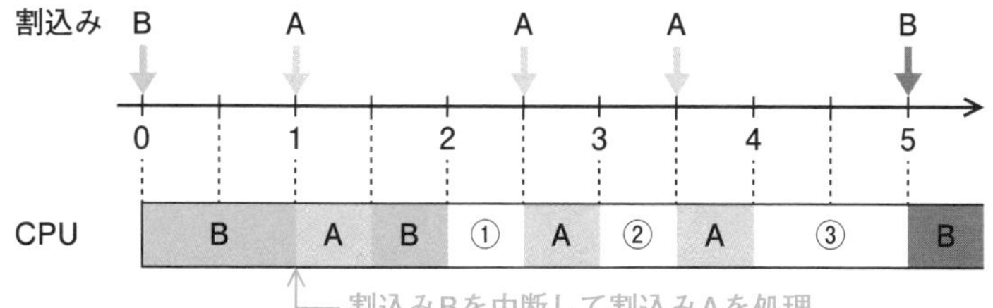

メイン処理がCPUを利用できるのは，上図の①，②，③の部分です。この部分のCPU時間の合計は **0.5 + 0.5 + 1.0 = 2ミリ秒**なので，正解は ア です。

問13 RAIDの分類

30%

RAIDとは，複数の磁気ディスクを並列に接続して信頼性の向上やアクセスの高速化を図る技術です。RAIDにはRAID0，RAID1，RAID5などの種類がありますが，ミラーリング（ディスク2台に同一のデータを書き込む方式）によって，1台に障害が発生してもデータを復元できるようにする方式はRAID1です。以上から，正解は ア です。

問14 稼働率の計算 キホン！

90%

「少なくともいずれか一方が正常に動作すればよいとき」の稼働率は，2台の処理装置を並列に接続した場合なので，次のように計算できます。

$$1 - (1 - 0.9) \times (1 - 0.9) = 1 - 0.1 \times 0.1 = 1 - 0.01 = 0.99$$

（$(1 - 0.9) \times (1 - 0.9)$：2台とも故障する確率）

一方，「2台とも正常に動作しなければならないとき」の稼働率は，2台の処理装置を直列に接続した場合なので，次のように計算できます。

$$0.9 \times 0.9 = 0.81$$

（2台とも稼働する確率）

2つの稼働率の差は 0.99 − 0.81 = 0.18 です。正解は ウ です。

合格のカギ

クロック周波数 問11
1秒間に発生するクロックの数。クロックとは，PCの各装置の動作のタイミングを合わせるための信号で，CPUはクロックに合わせて命令を実行する。

割込み 問12
実行中の処理を中断して，CPUに強制的に別の処理を実行させること。

RAIDの分類 問13

RAID0	データを分散書き込みしてアクセスを高速化（ストライピング）
RAID1	ディスク2台に同一データを書き込む（ミラーリング）
RAID2	データとECCをビット単位で分散書き込み
RAID3	データをバイト単位で分散書き込みし，パリティを専用ディスクに書き込む
RAID4	データをブロック単位で分散書き込みし，パリティを専用ディスクに書き込む
RAID5	データをブロック単位で分散書き込みし，パリティデータも分散して書き込む

覚えよう！ 問14

直列システムの稼働率

$a \times b$ ―[a]―[b]―

並列システムの稼働率

$1-(1-a) \times (1-b)$ （a と b を並列に接続）

解答

問11	エ	問12	ア
問13	ア	問14	ウ

模擬問題 精選 3 科目A

問15 冗長構成におけるデュアルシステムの説明として，適切なものはどれか。

ア　2系統のシステムで並列処理をすることによって性能を上げる方式である。
イ　2系統のシステムの負荷が均等になるように，処理を分散する方式である。
ウ　現用系と待機系の2系統のシステムで構成され，現用系に障害が生じたときに，待機系が処理を受け継ぐ方式である。
エ　一つの処理を2系統のシステムで独立に行い，結果を照合する方式である。

問16 バックアップ方式の説明のうち，増分バックアップはどれか。ここで，最初のバックアップでは，全てのファイルのバックアップを取得し，OSが管理しているファイル更新を示す情報はリセットされるものとする。

ア　最初のバックアップの後，ファイル更新を示す情報があるファイルだけをバックアップし，ファイル更新を示す情報は変更しないでそのまま残しておく。
イ　最初のバックアップの後，ファイル更新を示す情報にかかわらず，全てのファイルをバックアップし，ファイル更新を示す情報はリセットする。
ウ　直前に行ったバックアップの後，ファイル更新を示す情報があるファイルだけをバックアップし，ファイル更新を示す情報はリセットする。
エ　直前に行ったバックアップの後，ファイル更新を示す情報にかかわらず，全てのファイルをバックアップし，ファイル更新を示す情報は変更しないでそのまま残しておく。

問17 フラッシュメモリに関する記述として，適切なものはどれか。

ア　高速に書換えができ，CPUのキャッシュメモリに用いられる。
イ　紫外線で全データを一括消去できる。
ウ　周期的にデータの再書込みが必要である。
エ　ブロック単位で電気的にデータの消去ができる。

解説

問15 デュアルシステム

30%

デュアルシステムは，同じ処理を行うシステムを並列に稼働させ，一方に障害が発生しても処理を継続できるようにしたシステムです。2系統が正常に動作しているかどうかは互いに処理結果を照合することで確認します。

× ア 並行システムの説明です。並列処理によって性能を上げるのは，冗長構成ではありません。

× イ 分散システムの説明です。負荷の分散は冗長構成ではありません。

× ウ デュプレックスシステムの説明です。

○ エ 正解です。

デュアルシステム

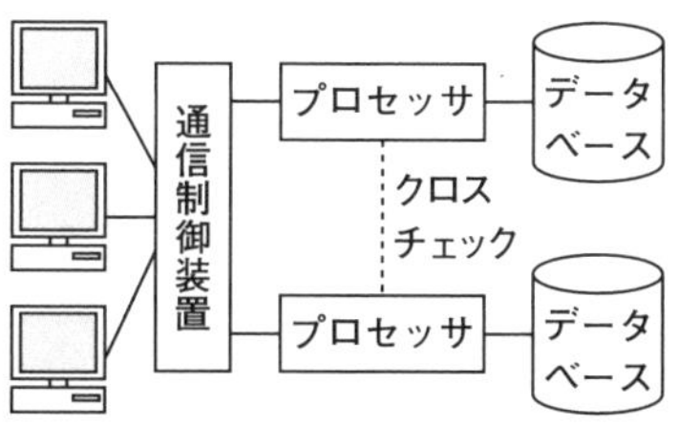

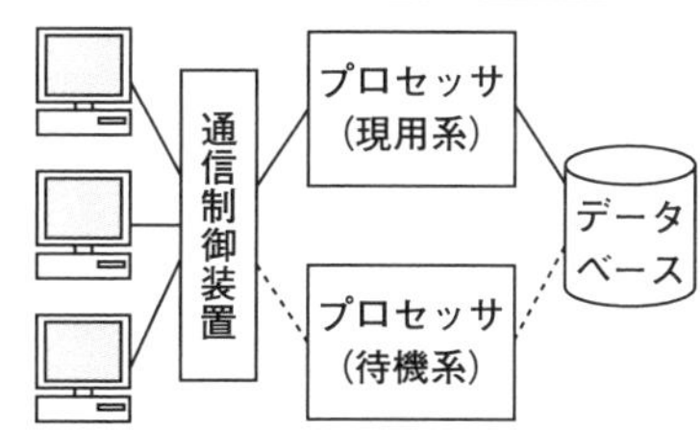

問16 バックアップ方式

30%

増分バックアップとは，前回行ったバックアップ以降に更新されたファイルだけをバックアップする方式です。

× ア 最初のバックアップ以降に更新されたファイル（最初のバックアップとの差分）を毎回バックアップする方式で，差分バックアップの説明です。

× イ フルバックアップの説明です。普段は差分バックアップや増分バックアップ方式でバックアップする場合でも，定期的にこの方式でフルバックアップをとらないとデータの復旧に時間がかかります。

○ ウ 正解です。バックアップ後に更新を示す情報をリセットするので，前回行ったバックアップ以後に更新されたファイルだけがバックアップされます。

× エ フルバックアップの説明ですが，ファイル更新を示す情報を変更しないので，バックアップ以後に更新されたファイルを判別できません。ただし，毎回フルバックアップを行う場合は，この方式でもかまいません。

問17 フラッシュメモリ キホン!

80%

フラッシュメモリは，電源を切っても内容が消えない不揮発性メモリの一種です。内容をブロック単位で電気的に消去・書換えができ，デジタルカメラの記憶媒体や USB メモリなどに利用されています。

× ア SRAM の説明です。

× イ EPROM の説明です。

× ウ DRAM の説明です。

○ エ 正解です。

合格のカギ

冗長構成 問15
設備や装置を複数用意し，一部が故障しても処理を継続できるようにシステムを構成すること。

覚えよう！ 問16

増分バックアップといえば
- 前回のバックアップ以後に更新されたファイルだけをバックアップ
- データ復旧には，前回行ったフルバックアップのデータと，それ以後のすべての増分バックアップデータが必要

差分バックアップといえば
- 前回のフルバックアップ以後のすべての更新ファイルをバックアップ
- データ復旧には，前回行ったフルバックアップのデータと，最新の差分バックアップデータ 1 回分が必要

覚えよう！ 問17

フラッシュメモリといえば
- 電源を切っても内容が消えない不揮発性メモリ
- 内容を電気的に消去できる

SRAM 問17
リフレッシュ（再書込み）動作が不要で高速な RAM。キャッシュメモリに利用されている。

EPROM 問17
紫外線を照射して内容を消去できる不揮発性メモリ（ROM）。

DRAM 問17
主記憶装置に利用されている。RAM の内容を保持するため周期的に再書込み（リフレッシュ）が必要。

解答

問15 エ　問16 ウ
問17 エ

問18 次の回路の入力と出力の関係として，正しいものはどれか。

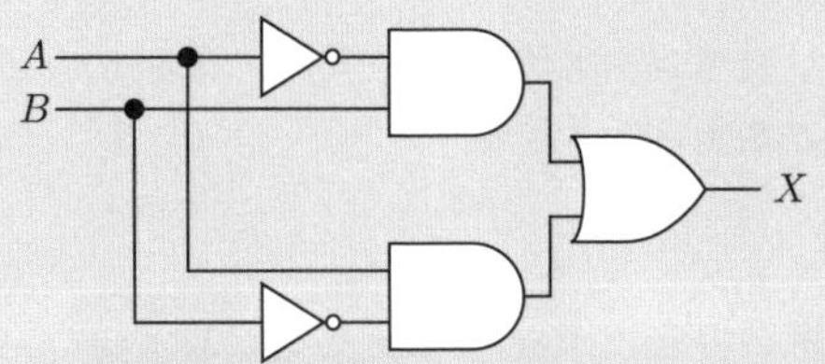

ア

入力		出力
A	B	X
0	0	0
0	1	0
1	0	0
1	1	1

イ

入力		出力
A	B	X
0	0	0
0	1	1
1	0	1
1	1	0

ウ

入力		出力
A	B	X
0	0	1
0	1	0
1	0	0
1	1	0

エ

入力		出力
A	B	X
0	0	1
0	1	1
1	0	1
1	1	0

問19 コードから商品の内容が容易に分かるようにしたいとき，どのコード体系を選択するのが適切か。

ア 区分コード　イ 桁別コード　ウ 表意コード　エ 連番コード

問20 静的テストツールの機能に分類されるものはどれか。

ア ソースコードを解析して，プログラムの誤りを検出する。
イ テスト対象モジュールに必要なドライバ又はスタブを生成する。
ウ テストによって実行した経路から網羅度を算出する。
エ プログラムの特定の経路をテストするためのデータを生成する。

解説

問18 論理回路

.ıl 90%

下図の論理積素子①の出力が1になるのは，Aが0でBが1の場合です。また，論理積素子②の出力が1になるのは，Aが1でBが0の場合です。どちらの場合でも，論理和素子③の出力は1になります。

一方，A，Bともに1の場合と，A，Bともに0の場合は，論理積素子①の出力も論理積素子②の出力も0になるので，論理和素子③の出力は0です。

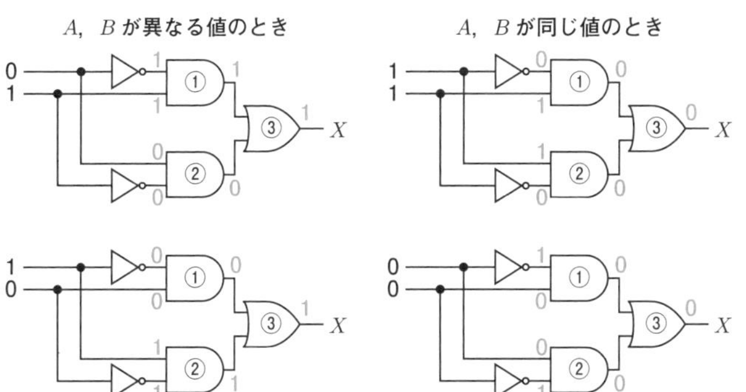

以上から，A，Bが異なる値のとき出力Xが1，A，Bが同じ値のとき出力Xが0になる イ が正解です。

問19 コード体系の選択

.ıl 20%

コードに意味のある記号や略称を含めて，商品の内容をコードから識別できるようにしたものを**表意コード**といいます。たとえば，商品の色を示す「BK」「RD」「BL」などの記号をコードに含めるのは，表意コードの例です。

× ア **区分コード**は，1000番台は営業部，2000番台は開発部，3000番台は製造部のように，コードを複数にグループ分けしたコード体系です。

× イ **桁別コード**は，上位2桁を学年，下位4桁を出席番号のように，コードの各桁に意味を持たせたコード体系です。

○ ウ 正解です。

× エ **連番コード**は，伝票番号などのように，発生順に連番を振っていくコード体系です。

問20 静的テストツール

.ıl 20%

テスト対象となるプログラムを実行せずに行うテストを**静的テスト**といいます。**静的テストツール**は，主にソースコードの解析からプログラムの構造や問題点を分析します。正解は ア です。

なお，静的テストに対して，実際にプログラムを実行して行うテストを**動的テスト**といいます。ドライバやスタブを生成したり（イ），網羅度を算出したり（ウ），テストデータを生成したり（エ）するツールは，いずれも動的テストを支援するツールです。

合格のカギ

論理回路 問18

論理否定素子（NOT）
論理積素子（AND）
論理和素子（OR）

論理否定（NOT） 問18
1のとき0，0のとき1になる。

論理積（AND） 問18
2つのビットが両方とも1のとき1，それ以外は0になる。

0 AND 0 → 0
0 AND 1 → 0
1 AND 0 → 0
1 AND 1 → 1

論理和（OR） 問18
2つのビットが両方とも0のとき0，それ以外は1になる。

0 OR 0 → 0
0 OR 1 → 1
1 OR 0 → 1
1 OR 1 → 1

覚えよう！ 問20

静的テストといえば
- プログラムを実行せずに行うテスト
- ソースコードを解析してプログラムの誤りを検出

ドライバ 問20
下位モジュールをテストするために用意する仮の上位モジュール。ボトムアップテストで利用する。

スタブ 問20
上位モジュールをテストするために用意する仮の下位モジュール。トップダウンテストで利用する。

解答

問18 イ　問19 ウ
問20 ア

問21

UML を用いて表した図のデータモデルの a，b に入れる多重度はどれか。

〔条件〕
(1) 部門には 1 人以上の社員が所属する。
(2) 社員はいずれか一つの部門に所属する。
(3) 社員が部門に所属した履歴を所属履歴として記録する。

部門		所属履歴		社員
部門コード 部門名 ⋮	1 ― a ―	開始日 終了日 ⋮	― b ― 1	社員コード 氏名 ⋮

	a	b
ア	0.. ＊	0.. ＊
イ	0.. ＊	1.. ＊
ウ	1.. ＊	0.. ＊
エ	1.. ＊	1.. ＊

問22

“得点”表から，学生ごとに全科目の点数の平均を算出し，平均が 80 点以上の学生の学生番号とその平均点を求める。a に入れる適切な字句はどれか。ここで，実線の下線は主キーを表す。

得点（<u>学生番号</u>，<u>科目</u>，点数）

〔SQL 文〕
```
SELECT 学生番号 , AVG( 点数 )
FROM 得点
GROUP BY [    a    ]
```

ア 科目 HAVING AVG(点数) >= 80
イ 科目 WHERE 点数 >= 80
ウ 学生番号 HAVING AVG(点数) >= 80
エ 学生番号 WHERE 点数 >= 80

問23

関係モデルにおいて，関係から特定の属性だけを取り出す演算はどれか。

ア 結合（join）
イ 射影（projection）
ウ 選択（selection）
エ 和（union）

解説

問21 多重度 キホン！

.ııl 10%

空欄 a は，1 つの部門につき，何件の所属履歴が対応するかを考えます。所属履歴は，社員が部門に所属した履歴です。部門には 1 人以上の社員が所属するので，1 つの部門につき，最低でも 1 件の所属履歴があります。複数の社員が所属していれば，その人数分の所属履歴ができます。したがって，部門と所属履歴の間の多重度は，「1 以上」を意味する「1.. ＊」です。

空欄 b は，社員 1 人につき，何件の所属履歴が対応するかを考えます。社員は必ずいずれかの部門に所属するので，社員 1 人につき，最低でも 1 件の所属履歴があります。所属部門が変われば，社員 1 人が複数の所属履歴をもつ場合もあります。したがって，社員と所属履歴の間の多重度も，「1 以上」を意味する「1.. ＊」です。

以上から，**空欄 a** が「1.. ＊」，**空欄 b** が「1.. ＊」の組合せの エ が正解です。

問22 SQL 文

.ııl 50%

平均は学生ごとに算出するので，GROUP BY 句に学生を識別する学生番号を指定します。

```
GROUP BY 学生番号    ← 学生ごとにグループ化
```

次に，平均点が 80 点以上の学生のみ表示するために，HAVING 句を使って，平均点が 80 点以上という条件を指定します。

```
HAVING AVG( 点数 ) >= 80    ←平均 80 点以上を取り出す
```

以上から，SQL 文は次のようになります。正解は ウ です。

```
SELECT 学生番号 , AVG( 点数 )
FROM 得点
GROUP BY 学生番号 HAVING AVG( 点数 ) >= 80  ← ウ
```

空欄 a

問23 関係演算 キホン！

.ııl 50%

関係モデルにおいて，行･列からなる二次元の表を**関係**といい，行を**タプル**，列を**属性**といいます。「関係から特定の属性を取り出す」とは，表から特定の列を取り出す操作です。関係演算では，このような操作を**射影**といいます。

× ア **結合**は，複数の表を共通する列をキーにして連結し，1 つの表にまとめる関係演算です。

○ イ 正解です。

× ウ **選択**は，表から特定の行を取り出す関係演算です。

× エ 和は，2 つの表の**和集合**を求めます。

合格のカギ

覚えよう！ 問21

多重度の種類

0..1	ゼロまたは 1
1	1 つだけ
0.. ＊	0 以上
1.. ＊	1 以上

UML 問21

Unified Modeling Language：オブジェクト指向設計で利用するさまざまな種類の図式を規格化したもの。

関係モデル 問23

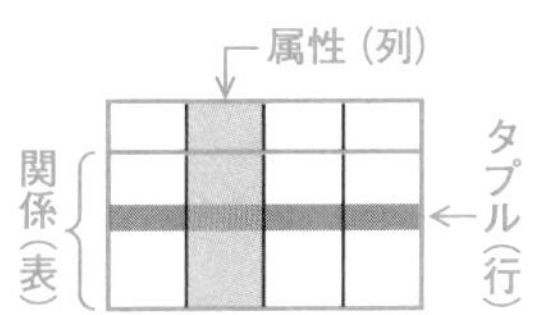

覚えよう！ 問23

関係演算といえば

- **射影**：特定の列を取り出す
- **選択**：特定の行を取り出す
- **結合**：複数の表を共通する列をキーにして結合する

覚えよう！ 問23

和集合といえば

- 複数の集合を合わせた集合

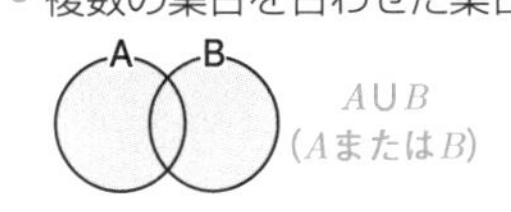

積集合といえば

- 複数の集合の共通部分

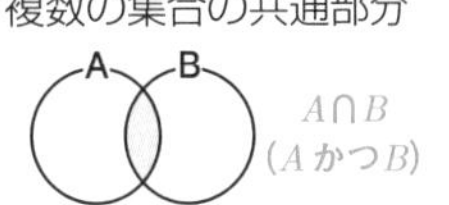

解答

問21 エ　問22 ウ
問23 イ

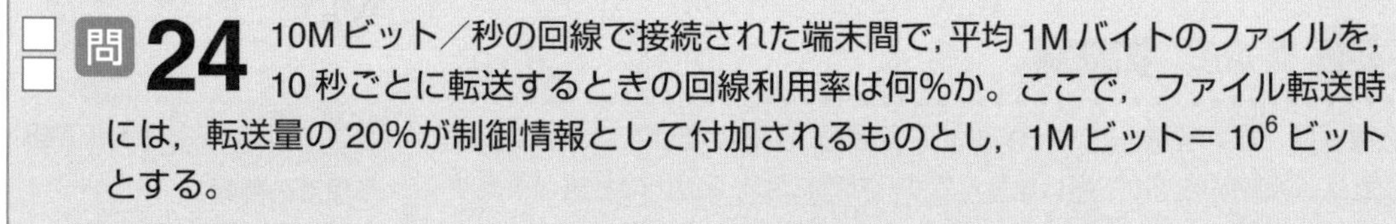

問24 10Mビット／秒の回線で接続された端末間で，平均1Mバイトのファイルを，10秒ごとに転送するときの回線利用率は何%か。ここで，ファイル転送時には，転送量の20%が制御情報として付加されるものとし，1Mビット＝10^6ビットとする。

ア 1.2　　イ 6.4　　ウ 8.0　　エ 9.6

問25 メディアコンバータ，リピータハブ，レイヤ2スイッチ，レイヤ3スイッチのうち，レイヤ3スイッチだけがもつ機能はどれか。

ア データリンク層において，宛先アドレスに従って適切なLANポートにパケットを中継する機能
イ ネットワーク層において，宛先アドレスに従って適切なLANポートにパケットを中継する機能
ウ 物理層において，異なる伝送媒体を接続し，信号を相互に変換する機能
エ 物理層において，入力信号を全てのLANポートに対して中継する機能

問26 LANに接続されている複数のPCをインターネットに接続するシステムがあり，装置AのWAN側インタフェースには1個のグローバルIPアドレスが割り当てられている。この1個のグローバルIPアドレスを使って複数のPCがインターネットを利用するのに必要な装置Aの機能はどれか。

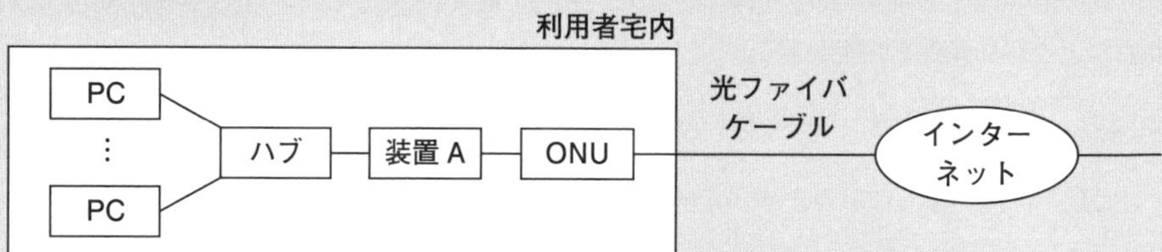

ア DHCP
イ NAPT（IPマスカレード）
ウ PPPoE
エ パケットフィルタリング

解説

問24 回線利用率の計算 キホン! .ıl20%

10秒ごとに転送するデータ量は，ファイルが1Mバイトと，制御情報が1Mバイト×20%で，合わせて1.2Mバイトです。1バイト＝8ビットなので，**1.2Mバイト＝1.2×8Mビット＝9.6Mビット**となります。

一方，回線速度は10Mビット／秒なので，10秒間に**10Mビット×10秒＝100Mビット**を転送できます。したがって回線利用率は，

$$\frac{9.6\text{M ビット}}{100\text{M ビット}} \times 100 = 9.6\%$$

となります。正解は エ です。

問25 レイヤ3スイッチの機能 .ıl80%

LAN間接続装置は，ネットワーク相互の通信を**OSI基本参照モデル**のどの階層で中継するかによって機能が異なります。メディアコンバータとリピータハブは**物理層**，レイヤ2スイッチは**データリンク層**，レイヤ3スイッチは**ネットワーク層**で通信を中継します。

× ア レイヤ2スイッチの機能です。
○ イ 正解です。
× ウ メディアコンバータの機能です。
× エ リピータハブの機能です。

問26 LANとインターネットとの接続 キホン! .ıl30%

LANに接続した各端末に割り当てられているプライベートIPアドレスと，インターネットで利用するためのグローバルIPアドレスとを相互に変換する機能を**NAT**（Network Address Translation）といいます。とくに，ポート番号と組み合わせることで，グローバルIPアドレス1個と，複数の端末のプライベートIPアドレスとを変換する機能を**NAPT**（IPマスカレード）といいます。

なお，図の装置Aはルータ，ONUは光回線終端装置です。

× ア **DHCP**（Dynamic Host Configuration Protocol）は，ネットワークに接続した端末にIPアドレスを自動的に割り当てるプロトコルです。
○ イ 正解です。
× ウ **PPPoE**（PPP over Ethernet）は，イーサネット上でPPPの機能を利用するためのプロトコルで，光回線などでインターネット接続プロバイダに接続する際のユーザ認証に利用されています。
× エ **パケットフィルタリング**は，通過するパケットのIPアドレスやポート番号に応じて，通信を許可したり禁止したりする機能です。

合格のカギ

覚えよう！ 問25

OSI基本参照モデルとLAN間接続装置

OSI基本参照モデル	LAN間接続装置
第4～7層 その他	ゲートウェイ
第3層 ネットワーク層	ルータ
第2層 データリンク層	ブリッジ，レイヤ2スイッチ
第1層 物理層	リピータハブ，リピータ

問25

参考 「レイヤ2」「レイヤ3」は，OSI基本参照モデルの第2層，第3層という意味だよ。

メディアコンバータ 問25
光ファイバとLANケーブルといった異なる伝送媒体同士を接続し，信号を相互に変換する装置。OSI基本参照モデルの物理層で信号を中継する。ONU（光回線終端装置）など。

NAPT(IPマスカレード) 問26
LAN内部のプライベートIPアドレスを，インターネット上のグローバルIPアドレスに変換する機能。ポート番号を組み合わせることで，1個のグローバルIPアドレスでも同時に複数の端末がインターネットを利用できる。

解答
問24 エ 問25 イ
問26 イ

□□ 問27 クライアントAがポート番号8080のHTTPプロキシサーバBを経由してポート番号80のWebサーバCにアクセスしているとき，宛先ポート番号が常に8080になるTCPパケットはどれか。

ア AからBへのHTTP要求及びCからBへのHTTP応答
イ AからBへのHTTP要求だけ
ウ BからAへのHTTP応答だけ
エ BからCへのHTTP要求及びCからBへのHTTP応答

□□ 問28 攻撃者が用意したサーバXのIPアドレスが，A社WebサーバのFQDNに対応するIPアドレスとして，B社DNSキャッシュサーバに記憶された。これによって，意図せずサーバXに誘導されてしまう利用者はどれか。ここで，A社，B社の各従業員は自社のDNSキャッシュサーバを利用して名前解決を行う。

ア A社Webサーバにアクセスしようとする A社従業員
イ A社Webサーバにアクセスしようとする B社従業員
ウ B社Webサーバにアクセスしようとする A社従業員
エ B社Webサーバにアクセスしようとする B社従業員

□□ 問29 情報セキュリティ対策のクリアデスクに該当するものはどれか。

ア PCのデスクトップ上のフォルダなどを整理する。
イ PCを使用中に離席した場合，一定時間経過すると，パスワードで画面ロックされたスクリーンセーバに切り替わる設定にしておく。
ウ 帰宅時，書類やノートPCを机の上に出したままにせず，施錠できる机の引出しなどに保管する。
エ 机の上に置いたノートPCを，セキュリティワイヤで机に固定する。

解説

問27 プロキシサーバ

20%

クライアントAが，HTTPプロキシサーバBを経由してWebサーバCにアクセスする場合のTCPパケットは，次の順でやり取りされます。

①**AからBへのHTTP要求**：宛先がプロキシサーバなので，宛先ポート番号は8080になります。また，送信元ポート番号は，クライアントのOSが自動的に割り当てた番号になります。

②**BからCへのHTTP要求**：宛先がWebサーバなので，宛先ポート番号は80になります。このとき，送信元ポート番号には，プロキシサーバがWebサーバとやり取りするために使うポート番号が使われます。

③**CからBへのHTTP応答**：宛先ポート番号には，②の送信元ポート番号が使

合格のカギ

プロキシサーバ 問27
クライアントが外部サーバとやり取りする場合に，クライアントを代行して外部サーバとやり取りするサーバ。クライアントのセキュリティ向上や，外部とのアクセス管理などの目的で利用される。

われます。

④**BからAへのHTTP応答**：宛先ポート番号には，①の送信元ポート番号が使われます。

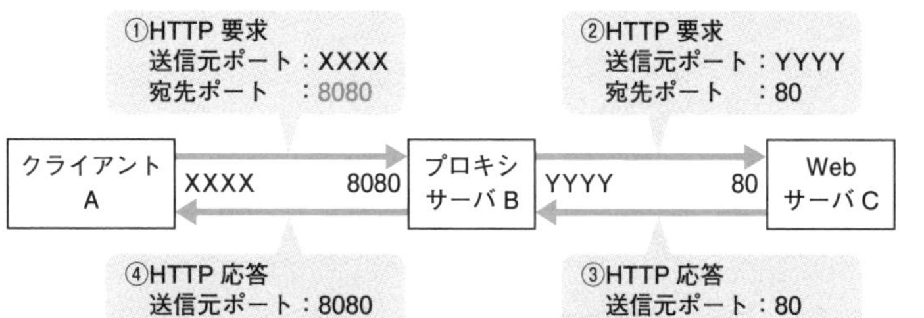

以上から，宛先ポート番号が常に8080になるTCPパケットは，①のAからBへのHTTP要求のみとなります。正解は イ です。

問28 DNSキャッシュポイズニング攻撃

30%

B社の従業員が，Webブラウザに**A社Webサーバ**のURLを入力すると，ブラウザはこのURLに対応するWebサーバのIPアドレスを，B社DNSキャッシュサーバに問い合わせます。するとB社DNSキャッシュサーバはA社Webサーバのものとして，サーバXのIPアドレスを返します。これにより，B社従業員はサーバXに誘導されます。このような攻撃を**DNSキャッシュポイズニング攻撃**といいます。

以上から，意図せずにサーバXに誘導されてしまう利用者は，A社Webサーバにアクセスしようとする B社従業員です。正解は イ です。

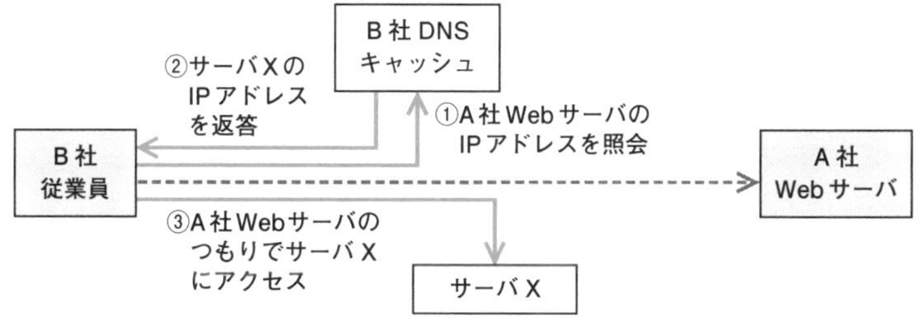

問29 クリアデスク

20%

書類を机の上に放置したり，鍵のついていない引き出しに入れたまま離席したりするのは，情報を盗まれるなどのセキュリティリスクがあります。離席する際に，書類やノートパソコンなどを机の上に出したままにせず，鍵のついたキャビネットなどに保管するセキュリティ施策を**クリアデスク**といいます。

× ア PCのデスクトップを整理するのは，クリアデスクには該当しません。

× イ **クリアスクリーン**の説明です。

○ ウ 正解です。

× エ 盗難防止対策の説明です。

合格のカギ

ポート番号 問27
インターネットのTCPやUDPプロトコルで，宛先や送信元アプリケーションの識別に使われる番号。代表的なアプリケーションについては標準のポート番号が決まっており，ウェルノウンポート番号と呼ばれる。Webサーバのウェルノウンポート番号は80。プロキシサーバは8080。

DNSキャッシュポイズニング攻撃 問28
DNSキャッシュサーバに偽のドメイン情報を注入し，サーバの利用者を誤ったサイトに誘導する攻撃。

FQDN 問28
Fully Qualified Domain Name：完全修飾ドメイン名。ドメイン名だけでなく，サブドメイン名やホスト名を省略せずに指定したもの。

クリアスクリーン 問29
離席中にPCを操作されたり，画面をのぞき見されたりするのを防ぐために，画面を消して操作できないようにしてから離席するセキュリティ施策。

解答
問27 イ　問28 イ
問29 ウ

□□ 問30 WPA3はどれか。

ア HTTP通信の暗号化規格
イ TCP/IP通信の暗号化規格
ウ Webサーバで使用するデジタル証明書の規格
エ 無線LANのセキュリティ規格

□□ 問31 メッセージにRSA方式のデジタル署名を付与して2者間で送受信する。そのときのデジタル署名の検証鍵と使用方法はどれか。

ア 受信者の公開鍵であり，送信者がメッセージダイジェストからデジタル署名を作成する際に使用する。
イ 受信者の秘密鍵であり，受信者がデジタル署名からメッセージダイジェストを算出する際に使用する。
ウ 送信者の公開鍵であり，受信者がデジタル署名からメッセージダイジェストを算出する際に使用する。
エ 送信者の秘密鍵であり，送信者がメッセージダイジェストからデジタル署名を作成する際に使用する。

□□ 問32 セキュリティバイデザインの説明はどれか。

ア 開発済みのシステムに対して，第三者の情報セキュリティ専門家が，脆弱性診断を行い，システムの品質及びセキュリティを高めることである。
イ 開発済みのシステムに対して，リスクアセスメントを行い，リスクアセスメント結果に基づいてシステムを改修することである。
ウ システムの運用において，第三者による監査結果を基にシステムを改修することである。
エ システムの企画・設計段階からセキュリティを確保する方策のことである。

解説

問30 WPA3

.ıl 20%

WPA（Wi-Fi Protected Access）は，無線LANのセキュリティ規格で，通信の暗号化やアクセスポイントへのユーザ認証方式などを規定したものです。WPA3は，現在幅広く使われているWPA2の次世代規格です。

× ア HTTP通信の暗号化規格は，TLSです。
× イ TCP/IP通信の暗号化規格は，IPsecです。
× ウ Webサーバで使用するデジタル証明書の規格は，X.509です。
○ エ 正解です。

問31 デジタル署名の検証 キホン！

.ıl 50%

デジタル署名は，メッセージから生成したメッセージダイジェスト（ハッシュ値）を，送信者の秘密鍵によって暗号化したものです。メッセージの受信者は，デジタル署名を送信者の公開鍵によって復号し，メッセージダイジェストを得ます。復号に成功するのは正しい公開鍵が使われたときなので，これによりデジタル署名が本人のものであることが検証できます。

また，受け取ったメッセージ本体からメッセージダイジェストを生成し，これがデジタル署名から復号した内容と一致すれば，メッセージ本体が改ざんされていないことが確認できます。

以上から，デジタル署名の検証鍵は**送信者の公開鍵**で，受信者がデジタル署名からメッセージダイジェストを得る際に使用します。正解は ウ です。

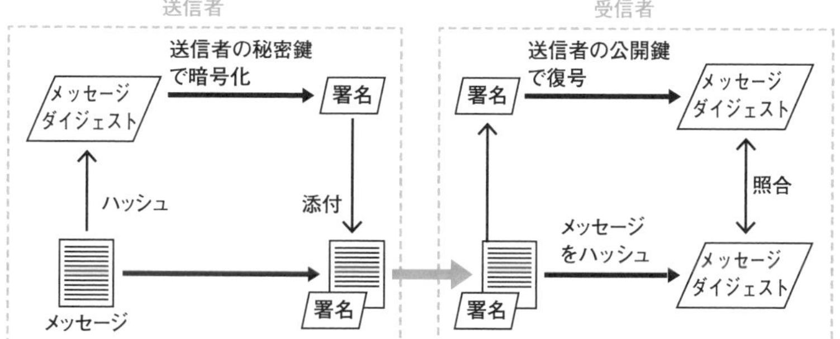

問32 セキュリティバイデザイン

.ıl 20%

セキュリティバイデザインとは，情報システムの開発後にセキュリティ対策を考えるのではなく，システムの企画・設計段階からセキュリティを確保していく方策のことです。正解は エ です。

とくにIoT（Internet of Things）を利用したシステムにおいては，モノとITが一体となっているため，事後的なセキュリティ確保が難しく，セキュリティバイデザインによる開発が提唱されています。

合格のカギ

IPsec 問30
IPパケットを暗号化して安全な通信を行うためのプロトコル。IPv4，IPv6のどちらでも利用できるが，IPv6には標準でIPsecの機能が組み込まれている。

TLS 問30
Transport Layer Security：インターネット上の利用者認証や暗号化，改ざんの検出など，安全な通信を実現するためのプロトコル。

覚えよう！ 問31

デジタル署名といえば
- **送信者**：メッセージのハッシュ値を送信者の秘密鍵で暗号化
- **受信者**：送信者の公開鍵で署名を復号

問31

対策 メッセージから生成したハッシュ値のことをメッセージダイジェストというよ。

解答

問30 エ　問31 ウ
問32 エ

□□ **問33** 検索サイトの検索結果の上位に悪意のあるサイトが表示されるように細工する攻撃の名称はどれか。

ア DNSキャッシュポイズニング　　イ SEOポイズニング
ウ クロスサイトスクリプティング　　エ ソーシャルエンジニアリング

□□ **問34** 1台のファイアウォールによって，外部セグメント，DMZ，内部セグメントの三つのセグメントに分割されたネットワークがあり，このネットワークにおいて，Webサーバと，重要なデータをもつデータベースサーバから成るシステムを使って，利用者向けのWebサービスをインターネットに公開する。インターネットからの不正アクセスから重要なデータを保護するためのサーバの設置方法のうち，最も適切なものはどれか。ここで，Webサーバでは，データベースサーバのフロントエンド処理を行い，ファイアウォールでは，外部セグメントとDMZとの間，及びDMZと内部セグメントとの間の通信は特定のプロトコルだけを許可し，外部セグメントと内部セグメントとの間の直接の通信は許可しないものとする。

ア WebサーバとデータベースサーバをDMZに設置する。
イ Webサーバとデータベースサーバを内部セグメントに設置する。
ウ WebサーバをDMZに，データベースサーバを内部セグメントに設置する。
エ Webサーバを外部セグメントに，データベースサーバをDMZに設置する。

□□ **問35** ランサムウェアによる損害を受けてしまった場合を想定して，その損害を軽減するための対策例として，適切なものはどれか。

ア PC内の重要なファイルは，PCから取外し可能な外部記憶装置に定期的にバックアップしておく。
イ Webサービスごとに，使用するIDやパスワードを異なるものにしておく。
ウ マルウェア対策ソフトを用いてPC内の全ファイルの検査をしておく。
エ 無線LANを使用するときは，WPA2を用いて通信内容を暗号化しておく。

解説

問33 サイバー攻撃の手法 キホン！

.ıl 20%

特定のサイトが，検索サイトの検索結果の上位に表示されるようにサイトの内容を調整することをSEO（検索エンジン最適化）といいます。SEOの手法を使って，悪意のあるサイトを検索結果の上位に表示させる攻撃手法をSEOポイズニングといいます。

× ア DNSキャッシュポイズニングは，DNSサーバのDNSキャッシュに登録されているドメインの情報を改ざんし，そのDNSサーバの利用者を特定のWebサイトに誘導する攻撃です。

○ イ 正解です。

× ウ クロスサイトスクリプティングは，入力されたデータをそのまま画面に表示してしまうWebサイトに利用者を誘導し，利用者のWebブラウザで悪意のあるスクリプトを実行させる攻撃です。

× エ ソーシャルエンジニアリングは，人の心理の隙や油断をついて機密情報を入手する攻撃手法です。

問34 DMZ キホン！

.ıl 20%

DMZは，外部ネットワークと直接やり取りする必要があるサーバ群を，内部セグメントから切り離して設置するセグメントです。

× ア DMZは部分的にしろ外部からのアクセスが許可されるので，重要なデータを含むデータベースサーバを置くべきではありません。

× イ Webサーバを内部セグメントに設置すると，外部からのアクセスを受けられません。

○ ウ 正解です。

× エ Webサーバを外部セグメントに設置すると，ファイアウォールの保護が受けられません。

問35 ランサムウェアの対策 シラバス9.0

.ıl 20%

ランサムウェアとは，感染した情報システムに保管されているデータを勝手に暗号化し，復号鍵と引き換えに暗号資産などの金銭を要求するマルウェアです。金銭を支払わなくても，データが復元できなければ損害が発生するため，重要なデータはバックアップしておくことが大切です。

また，バックアップデータをPCから常にアクセスできる場所に保管しておくと，バックアップも含めて暗号化されるリスクがあるため，バックアップデータは取外し可能な外部記憶装置などに保管します。以上から，正解は ア です。

合格のカギ

DMZ 問34

DeMilitarized Zone：非武装地帯という意味。社内LANとインターネットとの間に第三の領域を設け，社外に公開するサーバを社内LANから隔離したもの。外部から不正アクセスを受けても，社内LANに被害が及ばないようにする。

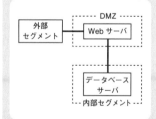

解答

問33 イ　問34 ウ
問35 ア

問36 CAPTCHAの目的はどれか。

ア Webサイトなどにおいて，コンピュータではなく人間がアクセスしていることを確認する。

イ 公開鍵暗号と共通鍵暗号を組み合わせて，メッセージを効率よく暗号化する。

ウ 通信回線を流れるパケットをキャプチャして，パケットの内容の表示や解析，集計を行う。

エ 電子政府推奨暗号の安全性を評価し，暗号技術の適切な実装法，運用法を調査，検討する。

問37 OSI基本参照モデルのネットワーク層で動作し，“認証ヘッダ（AH）”と“暗号ペイロード（ESP）”の二つのプロトコルを含むものはどれか。

ア IPsec　イ S/MIME　ウ SSH　エ XML暗号

問38 図は，構造化分析法で用いられるDFDの例である。図中の“○”が表しているものはどれか。

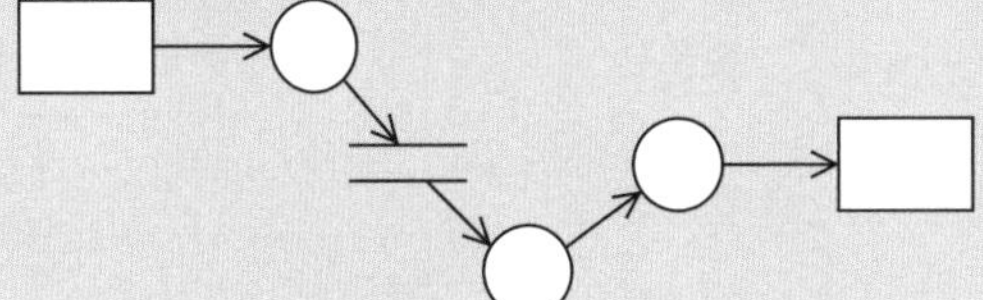

ア アクティビティ

イ データストア

ウ データフロー

エ プロセス

問39 スクラムでは，一定の期間で区切ったスプリントを繰り返して開発を進める。各スプリントで実施するスクラムイベントの順序のうち，適切なものはどれか。

〔スクラムイベント〕

1. スプリントプランニング
2. スプリントレトロスペクティブ
3. スプリントレビュー
4. デイリースクラム

ア 1→4→2→3　イ 1→4→3→2

ウ 4→1→2→3　エ 4→1→3→2

解説

合格のカギ

問36 CAPTCHA

20%

CAPTCHA（キャプチャ）は，Webサイトの認証などで，コンピュータではなく人間が入力していることを確認するための技術です。ランダムに並べた文字や数字の画像を歪めたり，一部を隠したりして表示し，それを利用者に判読してもらいます。変形された文字はプログラムでは判読が難しいので，プログラムによる自動入力を排除できます。

○ ア 正解です。
× イ ハイブリッド暗号方式の説明です。
× ウ パケットキャプチャの説明です。
× エ CRYPTREC の説明です。

問37 ネットワーク層のプロトコル 10%

認証ヘッダ（AH）や暗号ペイロード（ESP）を含むネットワーク層のプロトコルは IPsec です。IPsec は，IP プロトコルにセキュリティの機能を加えたもので，AH は認証，ESP はデータの暗号化を行います。

○ ア 正解です。
× イ S/MIME は，電子メールに暗号化やデジタル署名などのセキュリティ機能を追加する規格です。
× ウ SSH は，リモートコンピュータと安全に通信するために，認証や暗号化を行うためのプロトコルです。
× エ XML 暗号は，XML 文書のコンテンツを暗号化するための規格です。

問38 DFD（データフローダイアグラム） 20%

DFD（Data Flow Diagram）は，業務過程をデータの流れに着目して図式化したもので，"○" はプロセスを表します。正解は エ です。

記号	名称	説明
──→	データフロー	データの流れを表す。
○	プロセス	データに対する処理を表す。
＝	データストア	データを読み書きするファイルを表す。
□	外部（データ源泉／データ吸収）	データの受け渡しを行うシステム外部を表す。

問39 アジャイル開発 40%

スクラムとは，アジャイル開発の手法の 1 つで，スプリントと呼ばれる短期の開発目標を定め，スプリントを反復しながら段階的に開発を進めていきます。各スプリントで行う会議をスクラムイベントといい，以下の種類があります。

スプリントプランニング：スプリントの開始前に，そのスプリントのゴールを決定する。

デイリースクラム：スプリントの実施中に，進捗状況や問題点を毎日確認する。

スプリントレビュー：スプリントの終了時に，成果物のレビューを行う。

スプリントレトロスペクティブ：スプリント終了後に今回のスプリントを振り返り，改善点などを話し合う。

以上から，スクラムイベントの実施順序は イ の 1 → 4 → 3 → 2 となります。

合格のカギ

CAPTCHA の例 問36

9¥CPJM

CRYPTREC 問36
Cryptography Research and Evaluation Committees：電子政府推奨暗号の安全性を評価・監視し，暗号技術の適切な実装法・運用法を調査・検討するプロジェクト。

IPsec 問37
IP パケットを暗号化して安全な通信を行うためのプロトコル。IPv4，IPv6 のどちらでも利用できるが，IPv6 には標準で IPsec の機能が組み込まれている。

SSH 問37
Secure SHell：ネットワークを介して離れた場所にあるサーバにログインするためのプロトコル。従来は Telnet や rlogin が利用されていたが，これらは通信を暗号化する機能がないため，現在では SSH に置き換わっている。

アジャイル開発 問39
開発対象を小さな機能に分割し，短期間に 1 つの機能を開発する工程を反復しながら，全体を開発していく開発手法。エクストリームプログラミング（XP），スクラムなどの手法がある。

解答

問36	ア	問37	ア
問38	エ	問39	イ

問40 テストで使用するスタブ又はドライバの説明のうち，適切なものはどれか。

ア　スタブは，テスト対象モジュールからの戻り値の表示・印刷を行う。
イ　スタブは，テスト対象モジュールを呼び出すモジュールである。
ウ　ドライバは，テスト対象モジュールから呼び出されるモジュールである。
エ　ドライバは，引数を渡してテスト対象モジュールを呼び出す。

問41 単一の入り口をもち，入力項目を用いた複数の判断を含むプログラムのテストケースを設計する。命令網羅と判定条件網羅の関係のうち，適切なものはどれか。

ア　判定条件網羅を満足しても，命令網羅を満足しない場合がある。
イ　判定条件網羅を満足するならば，命令網羅も満足する。
ウ　命令網羅を満足しなくても，判定条件網羅を満足する場合がある。
エ　命令網羅を満足するならば，判定条件網羅も満足する。

問42 Web ページの構成要素のうち，図のような固定の表示領域内でマウス操作やタッチ操作を行うことによってスクロールし，複数の画像などが横方向に順次表示されるものを何というか。

◀　画像 1　画像 2　画像 3　▶
○ ○ ● ○ ○

ア　アコーディオン　　イ　カルーセル
ウ　タブ　　エ　モーダルウィンドウ

解説

問40 スタブとドライバ キホン!　20%

テスト対象のモジュールから呼び出される仮の下位モジュールを**スタブ**といいます。スタブは，モジュールを上位モジュールから順に結合していくトップダウンテストで必要となります。

一方，テスト対象のモジュールを呼び出す仮の上位モジュールを**ドライバ**といいます。ドライバは，モジュールを下位モジュールから順に結合していくボトムアップテストで必要となります。

× ア テスト対象の下位モジュールからの戻り値の表示・印刷を行うのはドライバです。

× イ テスト対象モジュールを呼び出すモジュールはドライバです。

× ウ テスト対象モジュールから呼び出されるモジュールはスタブです。

○ エ 正解です。ドライバは，引数を渡してテスト対象となる下位モジュールを呼び出します。

問41 命令網羅と判定条件網羅 60%

命令網羅では，プログラムに含まれるすべての命令を，少なくとも1回は実行するようにテストケースを設計します。一方，**判定条件網羅**（分岐網羅）では，各判定条件の真偽を少なくとも1回実行するようにテストケースを設計します。

判定条件網羅ではすべての分岐を1回は通るので，判定条件網羅を満足すれば，命令網羅も満足します。

命令網羅

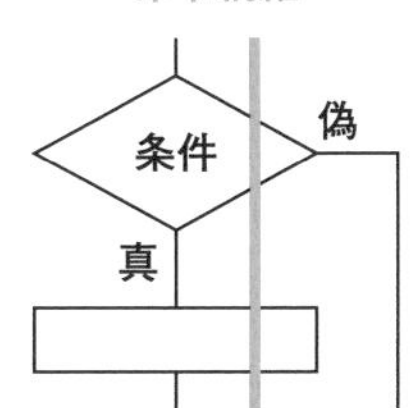

判定条件網羅

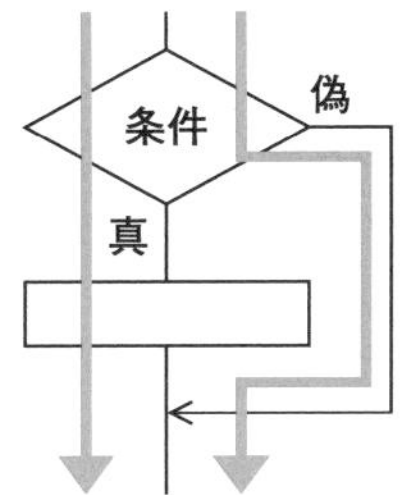

× ア 判定条件網羅を満足すれば，命令網羅も満足します。

○ イ 正解です。

× ウ 命令網羅を満足しない場合は，通っていない分岐が必ずあるので，判定条件網羅も満足しません。

× エ 命令のない分岐がある場合，命令網羅を満足しても，判定条件網羅は満足しない場合があります。

問42 Webページの構成要素 シラバス9.0 40%

問題文の図のように，複数のコンテンツを横方向にスライドさせて順次表示させる仕組みを，**カルーセル**といいます。

× ア **アコーディオン**は，クリックすることで詳細な項目が開閉するメニューです。

○ イ 正解です。

× ウ **タブ**は，クリックして表示を切り替えることができるコンテンツのリストです。

× エ **モーダルウィンドウ**は，Webページとは別枠で表示され，確認や注意を促すウィンドウです。

合格のカギ

覚えよう！ 問40

スタブといえば

- テスト対象モジュールから呼び出される仮の下位モジュール

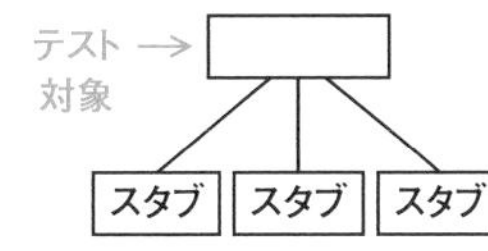

ドライバといえば

- テスト対象モジュールを呼び出す仮の上位モジュール

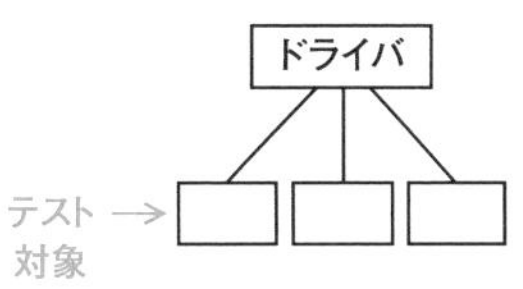

覚えよう！ 問41

命令網羅といえば

- すべての命令を少なくとも1回実行

判定条件網羅（分岐網羅）といえば

- 判定条件の真偽を少なくとも1回実行

条件網羅といえば

- 判定条件の個々の条件（A or Bの場合はAとB）の真偽を1回以上実行

判定条件／条件網羅といえば

- 判定条件（A or B）の真偽を少なくとも1回実行し，かつ，個々の条件（AとB）の真偽を1回以上実行

複数条件網羅といえば

- 個々の条件の真偽のすべての組合せをテストし，かつ，すべての命令を1回以上実行

解答

問40 エ　問41 イ
問42 イ

問43 あるプロジェクトの日程計画をアローダイアグラムで示す。クリティカルパスはどれか。

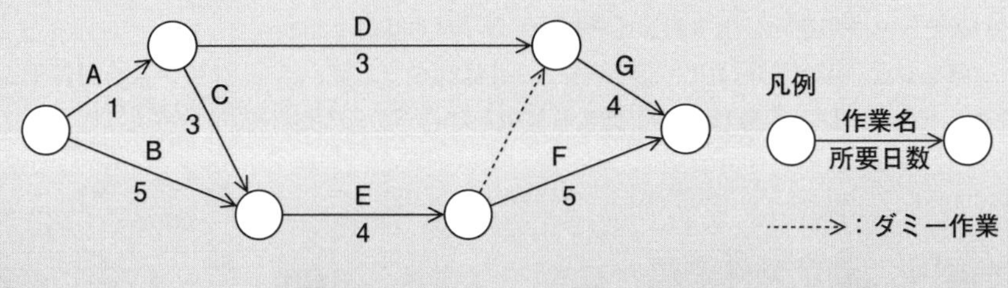

ア A, C, E, F　イ A, D, G　ウ B, E, F　エ B, E, G

問44 ソフトウェア開発プロジェクトにおいてWBS（Work Breakdown Structure）を使用する目的として，適切なものはどれか。

ア 開発の期間と費用がトレードオフの関係にある場合に，総費用の最適化を図る。
イ 作業の順序関係を明確にして，重点管理すべきクリティカルパスを把握する。
ウ 作業の日程を横棒（バー）で表して，作業の開始時点や終了時点，現時点の進捗を明確にする。
エ 作業を階層的に詳細化して，管理可能な大きさに細分化する。

問45 ソフトウェアのセキュリティ管理に使用されるSBOMはどれか。

ア セキュリティアラートやログを集約，分析し，潜在的な脅威を見つけるシステム
イ 組織内にあるソフトウェアを含むIT資産をリスト化したデータベース
ウ 組織のソフトウェアのセキュリティ脆弱性と設定ミスを特定，評価，処理，報告するためのプロセス，ツール，戦略
エ ソフトウェアを構成するコンポーネント，相互の依存関係などをリスト化した一覧

解説

問43 クリティカルパス キホン！

.ıl 80%

開始から終了までの各作業のうち，時間的余裕のない一連の作業経路を**クリティカルパス**といいます。クリティカルパス上にある各作業が1日でも遅れると，プロジェクト全体の遅れにつながります。

アローダイアグラムでは，開始から終了に至る複数の作業経路のうち，合計の所要日数が最も多い経路がクリティカルパスになります。解答群は，いずれも開始から終了までの作業経路なので，このうち所要日数の合計が最も多いものが正解です。

× ア A，C，E，F：1＋3＋4＋5＝13日
× イ A，D，G：1＋3＋4＝8日
○ ウ B，E，F：5＋4＋5＝14日 ← クリティカルパス
× エ B，E，G：5＋4＋4＝13日

問44 WBS キホン！

.ıl 40%

WBS（Work Breakdown Structure）とは，プロジェクト全体をいくつかの工程に分割し，各工程をさらに細かい作業に分解することを繰り返して，細分化された作業を階層的に管理する手法です。

× ア EVM（アーンドバリューマネジメント）の説明です。
× イ CPM（クリティカルパス法）の説明です。
× ウ **ガントチャート**の説明です。
○ エ 正解です。

問45 SBOM シラバス9.0

.ıl 20%

SBOM（Software Bill of Materials）とは，ソフトウェアを構成するすべてのコンポーネントについて，名称やバージョン，ライセンス情報，依存関係などをリスト化したものです。SBOMを作成しておくと，あるコンポーネントに脆弱性が見つかったときなどに，ソフトウェアのアップデートの必要性や影響範囲を判断する際に役立ちます。

× ア SIEM（Security Information and Event Management）の説明です。
× イ **構成管理データベース**の説明です。
× ウ **脆弱性管理**の説明です。
○ エ 正解です。

合格のカギ

アローダイアグラム 問43
プロジェクトの開始から終了までの作業を矢印の線で表し，作業と作業の結合点を○で表した図。ある結合点から出る作業は，その結合点に入るすべての作業の完了後に開始する。開始前に完了しなければならない作業が別の結合点に入る場合は，その結合点からダミー作業（所要日数0の作業）を出す。

覚えよう！ 問44

WBSといえば
- 作業を細分化して階層的に管理

プロジェクト
基本計画 ／ 設計 ／ プログラミング
要件定義 … ／ 外部設計 … ／ 詳細設計 …

EVM 問44
プロジェクトの進捗状況を，金額をベースに定量的に管理する手法。

CPM 問44
プロジェクトを構成する作業の順序関係をアローダイアグラムで表し，所要日数やクリティカルパスを把握する手法。

ガントチャート 問44

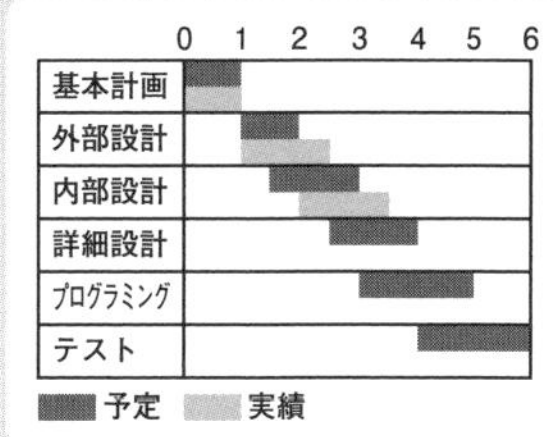

解答

問43 ウ　問44 エ
問45 エ

□□ 問46 システムの移行計画に関する記述のうち，適切なものはどれか。

ア　移行計画書には，移行作業が失敗した場合に旧システムに戻す際の判断基準が必要である。

イ　移行するデータ量が多いほど，切替え直前に一括してデータの移行作業を実施すべきである。

ウ　新旧両システムで環境の一部を共有することによって，移行の確認が容易になる。

エ　新旧両システムを並行運用することによって，移行に必要な費用が低減できる。

□□ 問47 システムテストの監査におけるチェックポイントのうち，最も適切なものはどれか。

ア　テストケースが網羅的に想定されていること

イ　テスト計画は利用者側の責任者だけで承認されていること

ウ　テストは実際に業務が行われている環境で実施されていること

エ　テストは利用者側の担当者だけで行われていること

□□ 問48 情報システム部が開発して経理部が運用している会計システムの運用状況を，経営者からの指示で監査することになった。この場合におけるシステム監査人についての記述のうち，最も適切なものはどれか。

ア　会計システムは企業会計に関する各種基準に準拠すべきなので，システム監査人を公認会計士とする。

イ　会計システムは機密性の高い情報を扱うので，システム監査人は経理部長直属とする。

ウ　システム監査を効率的に行うために，システム監査人は情報システム部長直属とする。

エ　独立性を担保するために，システム監査人は情報システム部にも経理部にも所属しない者とする。

解説

問46 システムの移行計画 20%

現行の情報システムを，新しい情報システムに切り替えることを**移行**といいます。移行作業中にトラブルが起こった場合は，旧システムに戻すことも考えなければなりません。旧システムに戻すかどうかの判断基準は，移行計画の中で前もって決めておくべきです。

○ ア 正解です。

× イ データ量が多いほど移行作業に時間がかかるので，直前に一括して移行すると間に合わない可能性があります。更新頻度の少ないものは前もって移行しておくなど，段階的に進めるべきです。

× ウ 新旧両システムで環境の一部を共有した場合，問題の原因が新システムにあるのか，共有環境にあるのか確認が必要になるため，移行の確認が困難になる場合があります。

× エ 新システムの移行後も旧システムを並行運用する場合は，両システムを連携させるための追加費用が必要となり，移行費用は高くなります。

問47 システムテストの監査 20%

システムテストは，完成したシステムが要求事項を満たしているか，性能や機能に不足がないかなどを，総合的に検証するテストです。

○ ア 正解です。要求事項を満たしているかどうかを検証するために，テストケースはすべての要求事項を網羅するように設計します。

× イ システムテストは開発部門が行うテストなので，テスト計画は開発部門の責任者の承認を得ます。

× ウ システムテストは，本番環境とは隔離された環境で実施します。

× エ システムテストには，利用者側の担当者も参加すべきです。ただし，利用者側の担当者だけでは実施できません。

問48 システム監査人 キホン! 40%

システム監査人は，独立・公正な立場で監査を実施できるように，被監査主体（監査される側）と身分上密接な利害関係をもたないようにしなければなりません。これをシステム監査人の**外観上の独立性**といいます。

× ア 公認会計士は，会計が適切に行われているかどうかを監査します。会計システムの運用状況の監査は，公認会計士である必要はありません。

× イ 会計システムは経理部が運用しているので，システム監査人を経理部長直属にすると利害関係が生じ，独立性が担保できません。

× ウ 会計システムは情報システム部が開発しているので，システム監査人を情報システム部長直属にすると独立性が担保できません。

○ エ 正解です。

合格のカギ

監査人の独立性 問48

経済産業省が策定したシステム監査基準には，「システム監査人は，システム監査を実施するために，監査対象から独立していなければならない。監査の目的によっては，被監査主体と身分上，密接な利害関係を有することがあってはならない。」と規定されている（外観上の独立性）。

解答

問46 ア 問47 ア
問48 エ

□□ 問 **49** 情報化投資において，リスクや投資価値の類似性でカテゴリ分けし，最適な資源配分を行う際に用いる手法はどれか。

ア 3C分析
イ ITポートフォリオ
ウ エンタープライズアーキテクチャ
エ ベンチマーキング

□□ 問 **50** 自社の経営課題である人手不足の解消などを目標とした業務革新を進めるために活用する，RPAの事例はどれか。

ア 業務システムなどのデータ入力，照合のような標準化された定型作業を，事務職員の代わりにソフトウェアで自動的に処理する。
イ 製造ラインで部品の組立てに従事していた作業員の代わりに組立作業用ロボットを配置する。
ウ 人が接客して販売を行っていた店舗を，ICタグ，画像解析のためのカメラ，電子決済システムによる無人店舗に置き換える。
エ フォークリフトなどを用いて人の操作で保管商品を搬入・搬出していたものを，コンピュータ制御で無人化した自動倉庫システムに置き換える。

□□ 問 **51** 非機能要件の定義で行う作業はどれか。

ア 業務を構成する機能間の情報（データ）の流れを明確にする。
イ システム開発で用いるプログラム言語に合わせた開発基準，標準の技術要件を作成する。
ウ システム機能として実現する範囲を定義する。
エ 他システムとの情報授受などのインタフェースを明確にする。

□□ 問 **52** バランススコアカードの内部ビジネスプロセスの視点における戦略目標と業績評価指標の例はどれか。

ア 持続的成長が目標であるので，受注残を指標とする。
イ 主要顧客との継続的な関係構築が目標であるので，クレーム件数を指標とする。
ウ 製品開発力の向上が目標であるので，製品開発領域の研修受講時間を指標とする。
エ 製品の製造の生産性向上が目標であるので，製造期間短縮日数を指標とする。

解説

問49 情報化投資の手法

.ıl20%

ハイリスク／ハイリターンの投資と，ローリスク／ローリターンの投資を組み合わせて，全体としてリスクとリターンのバランスをとる資産運用の手法を，**ポートフォリオ**といいます。この手法を応用して，情報化投資への資源配分を最適化する手法を **IT ポートフォリオ**といいます。

× ア **3C 分析**は，市場（Customer），競合（Competitor），自社（Company）の 3 つの視点から現状を分析する経営手法です。

○ イ 正解です。

× ウ **エンタープライズアーキテクチャ**（EA）は，組織をビジネス，データ，アプリケーション，テクノロジの 4 つの体系（アーキテクチャ）ごとに分析し，全体最適化を図る手法です。

× エ **ベンチマーキング**は，自社の製品やサービスを，優良な競合企業と比較して，経営戦略の立案に役立てる経営手法です。

問50 RPA

.ıl20%

RPA（Robotic Process Automation）は，パソコンのアプリケーション画面などを，人間と同じように操作するソフトウェアロボットです。データ入力や照合といった定型作業を，人間の代わりに RPA が行うことで，企業にとっては人手不足解消や業務の効率化が期待できます。正解は ア です。

問51 非機能要件の定義 キホン！

.ıl30%

情報システムの開発で行う要件定義のうち，業務に必要な機能を明らかにしたものを**機能要件**といいます。これに対し，システムの性能や使いやすさ，開発方法，運用費用など，機能以外の様々な要件を**非機能要件**といいます。

× ア 機能間のデータの流れは機能要件です。

○ イ 開発基準などは非機能要件です。

× ウ システム機能として実現する範囲は機能要件です。

× エ 他システムとのインタフェースは機能要件です。

問52 バランススコアカード

.ıl30%

バランススコアカードは，自社の経営戦略を①**財務**，②**顧客**，③**内部ビジネスプロセス**，④**学習と成長**の 4 つの視点から分析し，視点ごとに具体的な戦略目標や施策を策定する経営管理手法です。このうち内部ビジネスプロセスの視点では，財務や顧客の視点における目標を達成するために，業務プロセスや製造工程を改善していくことが目標となります。

× ア 「財務」視点の目標・指標例です。

× イ 「顧客」視点の目標・指標例です。

× ウ 「学習と成長」視点の目標・指標例です。

○ エ 「内部ビジネスプロセス」の目標・指標例です。

合格のカギ

覚えよう！ 問49

エンタープライズアーキテクチャといえば

- **ビジネスアーキテクチャ**：業務機能の構成
- **データアーキテクチャ**：業務機能に使われる情報の構成
- **アプリケーションアーキテクチャ**：業務機能と情報の流れをまとめたサービス群の構成
- **テクノロジアーキテクチャ**：各サービスを実現するための技術の構成

覚えよう！ 問52

バランススコアカードといえば

- 財務
- 顧客
- 内部ビジネスプロセス
- 学習と成長

解答

問49	イ	問50	ア
問51	イ	問52	エ

□□ 問53 技術経営におけるプロダクトイノベーションの説明として，適切なものはどれか。

ア 新たな商品や他社との差別化ができる商品を開発すること
イ 技術開発の成果によって事業利益を獲得すること
ウ 技術を核とするビジネスを戦略的にマネジメントすること
エ 業務プロセスにおいて革新的な改革をすること

□□ 問54 デジタルディバイドを説明したものはどれか。

ア PC などの情報通信機器の利用方法が分からなかったり，情報通信機器を所有していなかったりして，情報の入手が困難な人々のことである。
イ 高齢者や障害者の情報通信の利用面での困難が，社会的又は経済的な格差につながらないように，誰もが情報通信を利活用できるように整備された環境のことである。
ウ 情報通信機器やソフトウェア，情報サービスなどを，高齢者・障害者を含む全ての人が利用可能であるか，利用しやすくなっているかの度合いのことである。
エ 情報リテラシの有無や IT の利用環境の相違などによって生じる，社会的又は経済的な格差のことである。

□□ 問55 “かんばん方式”を説明したものはどれか。

ア 各作業の効率を向上させるために，仕様が統一された部品，半製品を調達する。
イ 効率よく部品調達を行うために，関連会社から部品を調達する。
ウ 中間在庫を極力減らすために，生産ラインにおいて，後工程の生産に必要な部品だけを前工程から調達する。
エ より品質が高い部品を調達するために，部品の納入指定業者を複数定め，競争入札で部品を調達する。

□□ 問56 BCP（事業継続計画）の策定，運用に関する記述として，適切なものはどれか。

ア IT に依存する業務の復旧は，技術的に容易であることを基準に優先付けする。
イ 計画の内容は，経営戦略上の重要事項となるので，上級管理者だけに周知する。
ウ 計画の内容は，自社組織が行う範囲に限定する。
エ 自然災害に加え，情報システムの機器故障やマルウェア感染も検討範囲に含める。

解説

問53 プロダクトイノベーション

.ıl 20%

プロダクトは「製品」，イノベーションは「革新」という意味で，革新的な新製品を開発することをプロダクトイノベーションといいます。

製品を革新するプロダクトイノベーションに対して，製造プロセスや業務プロセスなどのプロセスを革新することをプロセスイノベーションといいます。

○ ア 正解です。
× イ イノベーションによる「価値の収益化」の説明です。
× ウ MOT（技術経営）の説明です。
× エ プロセスイノベーションの説明です。

問54 デジタルディバイド

.ıl 30%

デジタルディバイドとは，IT技術を利用できる人とできない人との間に生じる社会的・経済的な格差のことです。

× ア 情報弱者の説明です。
× イ 情報バリアフリー環境の説明です。
× ウ アクセシビリティの説明です。
○ エ 正解です。

問55 かんばん方式

.ıl 20%

かんばん方式とは，工程で必要となる部品を前の工程から必要に応じて調達し，工程と工程の間に生じる中間在庫を極力減らす生産方式です。もともとトヨタ自動車が始めた方式で，部品の補充を知らせる生産指示票が「かんばん」と呼ばれていたことからかんばん方式といいます。ジャストインタイム生産方式ともいいます。正解は ウ です。

問56 BCP（事業継続計画）の策定・運用

.ıl 20%

BCP（事業継続計画）とは，不測の事態が発生した場合に，必要な業務を早期に復旧・再開できるように立てておく計画のことです。想定される不測の事態としては，地震・火災・津波などの災害の他にも，情報システムの故障やサイバー攻撃，マルウェア感染などについても検討します。

× ア 技術的に容易かどうかではなく，事業継続に不可欠な業務を優先的に復旧します。
× イ 緊急事態発生時に計画通り行動できるよう，事業継続計画の内容は組織全体に周知徹底が必要です。
× ウ 計画の内容によっては，警備会社やITサービスプロバイダといった他社との連携が必要です。
○ エ 正解です。

合格のカギ

覚えよう！ 問53

プロダクトイノベーション
といえば
- 革新的な新製品を開発

プロセスイノベーション
といえば
- 製造プロセスや業務プロセスを革新

MOT 問53

Management Of Technology：技術経営。技術に立脚する事業を行う企業が，技術開発に投資してイノベーション（技術革新）を促進し，事業を継続的に発展させていく経営の考え方。

解答

問53	ア	問54	エ
問55	ウ	問56	エ

□□ 問 57 CIOの果たすべき役割はどれか。

ア 各部門の代表として，自部門のシステム化案を情報システム部門に提示する。
イ 情報技術に関する調査，利用研究，関連部門への教育などを実施する。
ウ 全社的観点から情報化戦略を立案し，経営戦略との整合性の確認や評価を行う。
エ 豊富な業務経験，情報技術の知識，リーダシップをもち，プロジェクトの運営を管理する。

□□ 問 58 ROIを説明したものはどれか。

ア 一定期間におけるキャッシュフロー（インフロー，アウトフロー含む）に対して，現在価値でのキャッシュフローの合計値を求めるものである。
イ 一定期間におけるキャッシュフロー（インフロー，アウトフロー含む）に対して，合計値がゼロとなるような，割引率を求めるものである。
ウ 投資額に見合うリターンが得られるかどうかを，利益額を分子に，投資額を分母にして算出するものである。
エ 投資による実現効果によって，投資額をどれだけの期間で回収可能かを定量的に算定するものである。

□□ 問 59 表は，ある企業の損益計算書である。損益分岐点は何百万円か。

単位 百万円

項目	内訳	金額
売上高		700
売上原価	変動費 100 固定費 200	300
売上総利益		400
販売費・一般管理費	変動費 40 固定費 300	340
営業利益		60

ア 250　　イ 490　　ウ 500　　エ 625

□□ 問 60 ソフトウェアやデータに瑕疵（かし）がある場合に，製造物責任法の対象となるものはどれか。

ア ROM化したソフトウェアを内蔵した組込み機器
イ アプリケーションソフトウェアパッケージ
ウ 利用者がPCにインストールしたOS
エ 利用者によってネットワークからダウンロードされたデータ

解説

問57 CIOの役割

.ıl 50%

CIO（最高情報責任者）は，企業の情報資源やITに関する上級役員で，組織全体の情報化戦略やIT投資計画を経営戦略に基づいて立案します。

× ア 各利用者部門のシステム担当者の役割です。

× イ 情報システム部門の役割です。

○ ウ 正解です。

× エ プロジェクトマネージャの役割です。

問58 ROI

.ıl 30%

ROI（投資利益率：Return On Investment）は，投資した金額に対してどれだけの利益が得られたかを表すもので，「利益額／投資額」で算出します。

解答群は，いずれも投資を評価するための指標です。

× ア NPV（正味現在価値）の説明です。

× イ IRR（内部収益率）の説明です。

○ ウ 正解です。

× エ 回収期間法の説明です。

問59 損益分岐点の計算 キホン！

.ıl 20%

損益分岐点は，売上高と総費用（変動費と固定費の合計）が一致する利益ゼロのポイントで，次の式で求めることができます。

$$損益分岐点 = \frac{固定費}{1 - 変動費率}$$

変動費率とは，売上高に対する変動費の割合です。問題文の損益計算書から，売上高は700百万円，変動費は100＋40＝140百万円。したがって，変動費率は140／700＝1／5となります。また，固定費は200＋300＝500百万円なので，損益分岐点は次のように計算できます。正解は エ です。

$$損益分岐点 = \frac{500}{1 - 1/5} = 500 \times \frac{5}{4} = 625 百万円$$

問60 製造物責任法

.ıl 20%

製造物責任法（PL法）は，製造物の欠陥によって損害が生じた場合の製造業者の責任について定めた法律です。この法律でいう「製造物」とは「製造または加工された動産」であり，ソフトウェアやデータは製造物とはみなされません。ただし，ソフトウェアやデータをROMに組み込み，そのROMを部品とする製品は「製造物」となるので，製造物責任法の対象になります。

○ ア 正解です。

× イ ソフトウェアパッケージは入れ物なので，対象とはなりません。

× ウ OSはソフトウェアなので，単体では製造物責任法の対象とはなりません。

× エ ダウンロードされたデータには実体がなく，製造物とはみなされません。

合格のカギ

覚えよう！ 問57

執行役員の種類

- CEO：最高経営責任者
- COO：最高執行責任者
- CFO：最高財務責任者
- CIO：最高情報責任者
- CTO：最高技術責任者

NPV 問58

現金流入の現在価値から，現金流出の現在価値を差し引いたもの。

問59

参考 固定費の合計が500百万円なので，損益分岐点が500以下になることはありえないと考えれば，すぐに正解がわかるね。

製造物責任法 問60

製造物の瑕疵（欠陥）によって損害が生じた場合の製造業者の損害賠償責任について規定した法律。被害者は製品に欠陥があったことを証明すれば，製造業者の過失の有無にかかわらず賠償を請求できる。

解答

問57	ウ	問58	ウ
問59	エ	問60	ア

基本情報技術者試験 精選 模擬問題 ③ 科目B

問 01 次の記述中の [ ] に入れる正しい答えを解答群の中から選べ。

プログラムを実行すると，“[ ]”と出力される。

〔プログラム〕

```
整数型： x ← 1
整数型： y ← 2
x ← x ＋ y
y ← x － y
x ← x － y
x の値 と y の値 をこの順にコンマ区切りで出力する
```

解答群

ア 1，2　イ 1，1　ウ 2，1　エ 2，2

※オリジナル問題

合格のカギ

基本情報技術者試験の科目Ｂは，全 20 問のうち 16 問がプログラム問題です。とくに最初の何問かは基礎的な問題なので，ここで確実に正解できなければ合格は望めません。

本問では，プログラムの処理が進むとともに，変数の値がどのように変化するのかを追いかけていく作業が必要です。この作業を変数の**トレース**といいます。

変数のトレースは，メモ用紙に次のような簡単な表を書いて行います。もっとも，本問の難易度くらいのプログラムは，メモなしでトレースできるようにがんばりましょう。

	x	y
初期値	1	2
x ← x ＋ y		
y ← x － y		
x ← x － y		

プログラム・ノート

```
01  整数型： x ← 1      } ❶ 変数の宣言
02  整数型： y ← 2      }
03  x ← x ＋ y          }
04  y ← x − y           } ❷ 値の代入
05  x ← x − y           }
06  x の値 と y の値 をこの順にコンマ区切りで出力する  <---- ❸ 出力処理
```

❶ 変数の宣言

プログラム中で使用する変数は，宣言してから使用します。変数の宣言は次のように行います。

［型名］：［変数名］

❷ 値の代入

変数は値を入れる入れ物です。変数に値を代入するには，「←」を使用して，

［変数名］←［値］

のように記述します。

右辺の変数 y に値が入っていないとエラーになるので注意しよう。

例：x ← y　⟵ 変数 x に，変数 y の値を代入する

代入は変数の宣言と同時に行うこともできます。これを**変数の初期化**といいます。プログラムの行番号 01 ～ 03 では，整数型の 3 つの変数 x，y，z を宣言し，それぞれに値を代入しています。

例：　**整数型：** x ← 1　⟵ 整数型の変数 x を宣言し，値 1 を代入

上の処理は，

整数型： x　⟵ 整数型の変数 x を宣言
x ← 1　⟵ 変数 x に値 1 を代入

のように，2 行に分けて処理しても同じです。

❸ 出力処理

情報処理試験の擬似言語には，出力処理に関する決まった書式がありません。単に，「○○を出力する」などと記述します。

行番号 07 では，変数 x に代入されている値と変数 y に代入されている値を，コンマ（,）で区切って出力します。

例： x **の値 と** y **の値 をこの順にコンマ区切りで出力する**

決まった書式がない処理については，単に記述されている通りに処理されると考えればいいよ。

問題解説

3つの変数の値がどのように変化するのかを順にトレースしてみましょう。

行番号 01 ～ 02：整数型の2つの変数 x， y を宣言し，x と y を値 1，2 で初期化します。

	x	y
初期値	1	2
x ← x ＋ y		
y ← x － y		
x ← x － y		

行番号 03：変数 x に，x ＋ y の値 3 を代入します。

	x	y
初期値	1	2
x ← x ＋ y	3	2
y ← x － y		
x ← x － y		

行番号 04：変数 y に，x － y の値 1 を代入します。

	x	y
初期値	1	2
x ← x ＋ y	3	2
y ← x － y	3	1
x ← x － y		

行番号 05：変数 x に，x － y の値 2 を代入します。

	x	y
初期値	1	2
x ← x ＋ y	3	2
y ← x － y	3	1
x ← x － y	2	1

以上から，変数 x には 2，変数 y には 1 が代入されます。x の値と y の値をコンマ区切りで出力すると，出力結果は「2，1」となります。正解は ウ です。

変数 x と変数 y の値を交換する処理だね。

解答

問01 ウ

問 02 次のプログラム中の a と b に入れる正しい答えの組合せを，解答群の中から選べ。ここで，配列の要素番号は 1 から始まる。

次のプログラムは，整数型の配列 array の要素の並びを逆順にする。

〔プログラム〕

```
整数型の配列： array ← {1, 2, 3, 4, 5}
整数型： right, left
整数型： tmp

for (left を 1 から (array の要素数 ÷ 2 の商) まで 1 ずつ増やす)
  right ← [ a ]
  tmp ← array[right]
  array[right] ← array[left]
  [ b ] ← tmp
endfor
```

解答群

	a	b
ア	array の要素数 － left	array[left]
イ	array の要素数 － left	array[right]
ウ	array の要素数 － left ＋ 1	array[left]
エ	array の要素数 － left ＋ 1	array[right]

※令和 4 年 4 月公表
サンプル問題より

合格のカギ

一般的なプログラム言語では，配列の要素番号は 0 から始まる場合が多いのですが，情報処理試験の擬似言語では 1 から始まる場合が多いので注意が必要です。問題文を必ず確認しましょう。

配列の要素番号の計算では，開始番号が「0」か「1」か，「＋ 1」「－ 1」は必要かなどに注意してください。たとえば配列の要素番号が 0 から始まる場合，本問のプログラムは次のようになります。

開始番号は 0　　末尾の番号は要素数－ 1 になる

```
04  for (left を 0 から ((array の要素数－ 1) ÷ 2 の商) まで 1 ずつ増やす)
 ⋮
```

プログラム・ノート

```
01 整数型の配列：array ← {1, 2, 3, 4, 5}   ← 1 配列の宣言と初期化
02 整数型：right, left
03 整数型：tmp

04 for (left を 1 から (array の要素数 ÷ 2 の商) まで 1 ずつ増やす)   } 2 for 構文
05   right ← [    a    ]
06   tmp ← array[right]                  }
07   array[right] ← array[left]          } 3 値の交換
08   [    b    ] ← tmp                   }
09 endfor
```

1 配列の宣言と初期化

配列とは，複数の値をまとめて格納しておく値の入れ物です。1 つの配列には，同じデータ型の値しか格納できません。

配列の宣言では，格納する値のデータ型と配列名を次のように記述します。

[データ型]の配列：[配列名]

行番号 01 では，整数型の値を格納する array という名前の配列を宣言しています。

また，行番号 01 では，配列の宣言と同時に値の代入も行っています。配列の内容は，

{[値 1], [値 2], [値 3], …}

のように，{} 内にカンマで区切って記述します。

2 for 構文

for 構文は，for ～ endfor の間の処理を，指定した条件に従って繰り返します。行番号 04 では次のようになります。

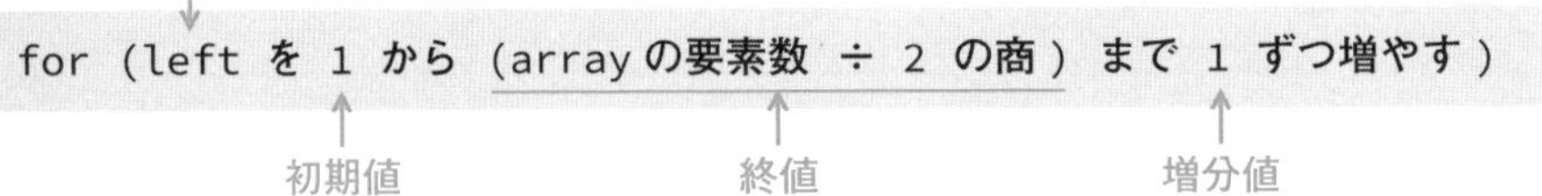

繰返し 1 回ごとに，変数 left の値を 1，2，3，…のように 1 ずつ増やしていきます。left の値が「array の要素数 ÷ 2 の商」になったときが最後の繰返しです。配列 array の要素数は 5 ですから，「array の要素数 ÷ 2 の商」は 2 になります。つまり，繰返し回数は全部で 2 回になります。

3 値の交換

プログラムで 2 つの変数の値を交換するときは，よく使われる決まった処理があります。まず，変数を 1 つ用意します。このプログラムでは tmp という変数です。次に，値を交換したい一方の変数の値を tmp に移します。次に，もう一方の変数の値を，先ほど値を移しておいた変数に代入します。最後に，変数 tmp の値をもう一方の変数に代入すれば完了です。

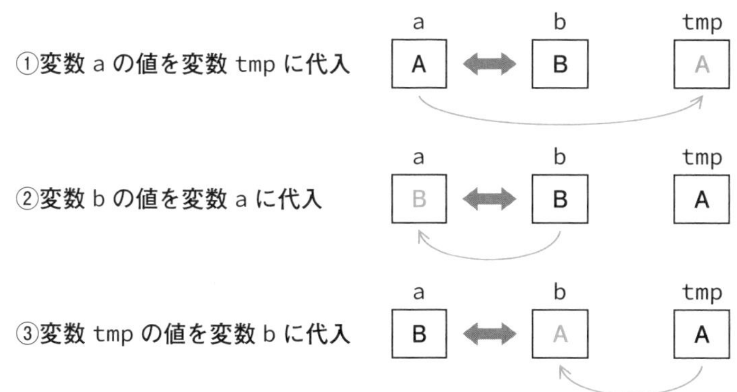

本問のプログラムでは，行番号 06 ～ 08 で値の交換を行っています。

問題解説

配列の要素の並びを逆順にするには，配列の左端と右端から同時にスタートし，どちらも真ん中へ進みながら値を交換していきます。

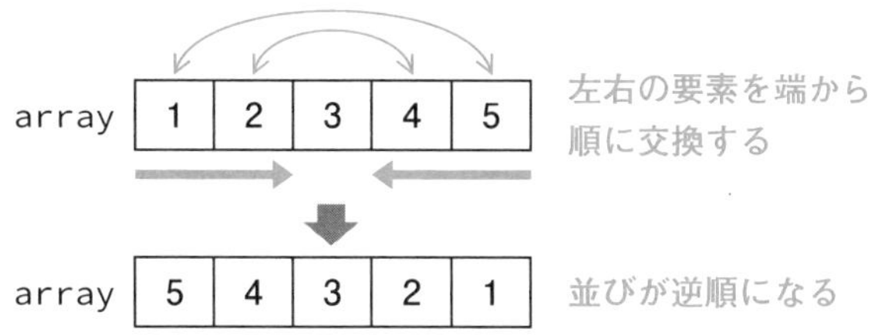

配列の要素数が偶数の場合は，最後に真ん中の 2 つの要素を交換して終了します。配列の要素数が奇数の場合は，真ん中の要素は逆順にしても変わりません。交換回数は「(array の要素数÷ 2) の商」になります。

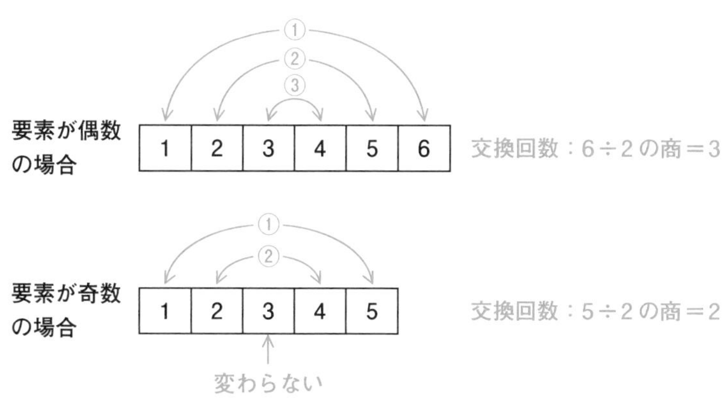

空欄 a：交換する要素の要素番号は，左側を変数 left，右側を変数 right に設定します。変数 left が 1 から「(array の要素数÷ 2) の商」まで 1 ずつ増えていくのに対し，変数 right は array の要素数から「(array の要素数÷ 2) の商」まで，1 ずつ減っていきます。変数 left と変数 right の対応関係は次のようになります。

left の値　：1,　　　　　　2,　　　　　　　3,　　　　　　　…,
right の値：**array の要素数**，**array の要素数－** 1，**array の要素数－** 2，…,

上記から，変数 right の値を対応する変数 left の値から求めるには，次のようにすればよいことがわかります。

```
right ← arrayの要素数 − left + 1 ← 空欄a
```

空欄b：左側のarray[left]と，右側のarray[right]の値を交換します。値の交換は，次のような手順となります。

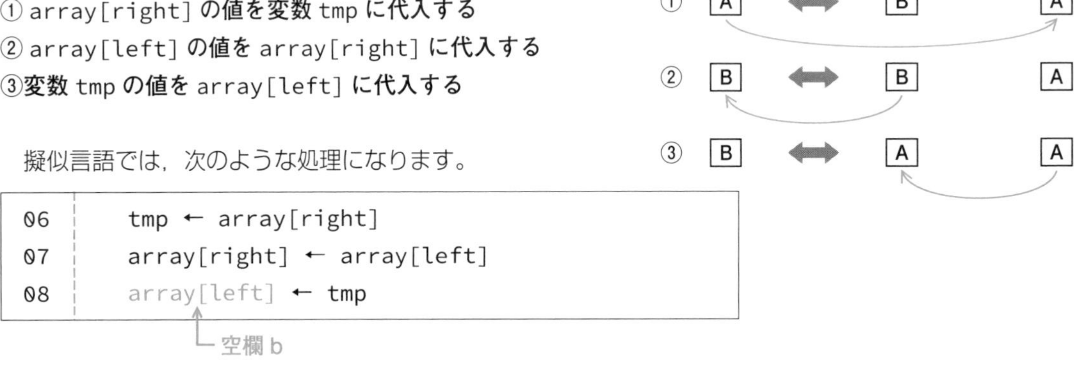

①array[right]の値を変数tmpに代入する
②array[left]の値をarray[right]に代入する
③変数tmpの値をarray[left]に代入する

擬似言語では，次のような処理になります。

```
tmp ← array[right]
array[right] ← array[left]
array[left] ← tmp
```

空欄b

以上から，**空欄b**には「array[left]」が入ります。

空欄aに「arrayの要素数 − left + 1」，**空欄b**に「array[left]」が入るので，正解は**ウ**です。

問 03

次の記述中の[a]，[b]に入れる正しい答えの組合せを，解答群の中から選べ。ここで，配列の要素番号は１から始まる。

関数 max は，引数に指定した整数型の配列の中から，最大値を返す関数である。

プログラム１は，引数に指定した配列の要素数が[a]のときエラーになる。一方，プログラム２は，引数に指定した配列の要素数が[b]のときエラーになる。

〔プログラム１〕

```
○ 整数： max( 整数型の配列： array)
  整数： i, ret
  ret ← array[1]
  i ← 2
  do
    if (array[i] が ret より大きい )
      ret ← array[i]
    endif
    i ← i + 1
  while(i が array の要素数 以下 )
  return ret
```

〔プログラム２〕

```
○ 整数： max( 整数型の配列： array)
  整数： i, ret
  ret ← array[1]
  i ← 2
  while (i が array の要素数 以下 )
    if (array[i] が ret より大きい )
      ret ← array[i]
    endif
    i ← i + 1
  endwhile
  return ret
```

解答群

	a	b
ア	0	0
イ	0	1 以下
ウ	1 以下	0
エ	1 以下	1 以下

※オリジナル問題

合格のカギ

プログラミングで，端の数をどう処理するかはデリケートな問題です。条件式では「以上」とするか「より大きい」とするのか，配列の要素番号に＋１や－１が必要かどうかなどに注意しましょう。とくに擬似言語では，配列の要素番号が１から始まる場合が多いため注意が必要です。

●配列の要素番号が１から始まる場合

```
  n ← array の要素数
  i ← 1
× while (i が n より小さい)
    array[i] を参照
    i ← i+1
  endwhile
```

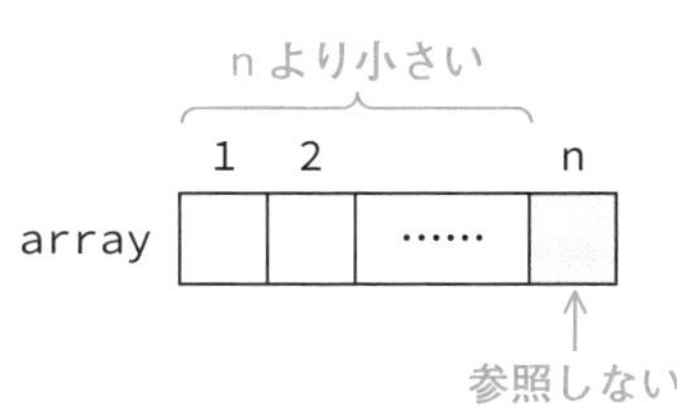

プログラム・ノート

〔プログラム 1〕

```
01  ○ 整数 : max(整数型の配列 : array)
02    整数 : i, ret
03    ret ← array[1]
04    i ← 2
05    do
06      if (array[i] が ret より大きい)
07        ret ← array[i]
08      endif
09      i ← i + 1
10    while(i が array の要素数 以下)
11    return ret
```

〔プログラム 2〕

```
01  ○ 整数 : max(整数型の配列 : array)
02    整数 : i, ret
03    ret ← array[1]
04    i ← 2
05    while (i が array の要素数 以下)
06      if (array[i] が ret より大きい)
07        ret ← array[i]
08      endif
09      i ← i + 1
10    endwhile
11    return ret
```

1 while 〜 endwhile と do 〜 while

while 〜 endwhile と do 〜 while は，どちらも条件式が真の間，処理を繰り返し実行します。

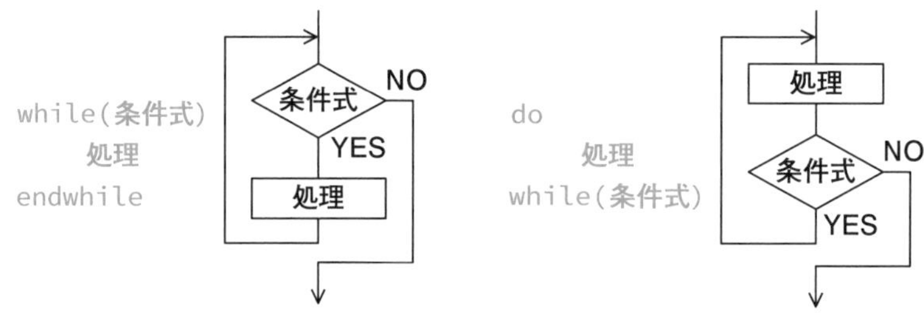

2 つの構文の違いは，while 〜 endwhile が繰返し処理の入口で条件式を評価するのに対し，do 〜 while は，繰返し処理の出口で条件式を評価することです。そのため，while 〜 endwhile では繰返し処理が 1 度も実行されないことがあるのに対し，do 〜 while では最低 1 回は必ず繰返し処理が実行されます。

2 最大値を求める

配列から最大値を求めるには，配列の要素を先頭から順に調べて，参照した値がこれまでより大きければ，その値を暫定最大値として記憶します。配列を最後まで調べ終わったときの暫定最大値が，実際の最大値となります。

問題解説

空欄 a：プログラム 1 は，行番号 03 で array[1] の内容を変数 ret に代入します。そのため，もし配列 array の要素数が 0 だった場合には，この時点でエラーになります。

続いて行番号 04 で変数 i に初期値 2 を代入してから，do 〜 while の繰返し処理に入ります。先ほど説明したように，do 〜 while の繰返し処理は最低でも 1 回は必ず実行されます。

行番号 06 では，条件式「array[i] が ret より大きい」を評価します。変数 i の初期値は 2 なので，初回は array[2] が参照されます。したがって，配列 array の要素数が 1 以下の場合はこの時点でエラーになります。

以上から，プログラム 1 では，配列 array の要素数が「1 以下」のときにエラーになります。

```
01   ○整数: max(整数型の配列: array)
02     整数: i, ret
03     ret ← array[1]   ←— 要素数 0 のときエラー
04     i ← 2
05     do
06       if (array[i] が ret より大きい)  ←— 要素数 1 のときエラー
07         ret ← array[i]
08       endif
09       i ← i + 1
10     while(i が array の要素数 以下)
11     return ret
```

空欄 b：プログラム 2 も，行番号 03 で array[1]の内容を変数 ret に代入します。そのため，もし配列 array の要素数が 0 だった場合には，この時点でエラーになります。

プログラムは変数 i に初期値 2 を代入した後，while ～ endwhile の繰返し処理に入ります。ただし，配列 array の要素数が 1 の場合，while の条件式「i が array の要素数 以下」が偽になるため，繰返し処理は 1 度も実行されません。この場合プログラムはエラーにならず，要素番号 1 の値を最大値として返します。

したがってプログラム 2 では，配列 array の要素数が「0」のときのみエラーになります。

```
01   ○整数: max(整数型の配列: array)
02     整数: i, ret
03     ret ← array[1]   ←— 要素数 0 のときエラー
04     i ← 2
05     while (i が array の要素数 以下)  ←— 要素数が 1 のときは繰返し
06       if (array[i] が ret より大きい)     処理が実行されない
07         ret ← array[i]
08       endif
09       i ← i + 1
10     endwhile
11     return ret
```

以上から，**空欄 a** が「**1 以下**」，**空欄 b** が「0」の ウ が正解です。

問 04

次のプログラム中の[a]と[b]に入れる正しい答えの組合せを，解答群の中から選べ。ここで，配列の要素番号は 1 から始まる。

関数 dec2bin は，引数に指定した 0 以上 255 以下の 10 進整数を 8 桁の 2 進数に変換し，その各桁を格納した配列を返す。例えば，dec2bin(10) を実行すると，引数に指定した 10 進数の 10 を 8 桁の 2 進数 00001010 に変換し，各桁を要素の値とする配列 {0,0,0,0,1,0,1,0} を返す。

〔プログラム〕

```
○ 整数型の配列： dec2bin( 整数型： dec)
  整数型： num ← dec
  整数型： i ← 8
  整数型の配列：bin ← {8 個の 0}
  while ( [ a ] )
    bin[i] ← num ÷ 2 の余り
    [ b ]
    i ← i − 1
  endwhile
  return bin
```

解答群

	a	b
ア	num が 0 より大きい	num ← num mod 2
イ	num が 0 でない	num ← num mod 2
ウ	num が 0 に等しい	num ← num ÷ 2 の商
エ	num が 0 でない	num ← num ÷ 2 の商
オ	num が 0 より大きい	num ← num × 2
カ	num が 0 に等しい	num ← num × 2

※オリジナル問題

合格のカギ

while ～ endwhile や do ～ while には，繰返しを継続する条件を指定します。これを，繰返しの終了条件と勘違いする人がときどきいます。たとえば，

```
while (num が 0 でない )
  [処理]
endwhile
```

は，変数 num の値が 0 でない間，処理を繰り返します。言い換えると，変数 num の値が 0 になったら繰返しを終了します。

プログラム・ノート

```
01  ○整数型の配列: dec2bin(整数型: dec)
02    整数型: num ← dec
03    整数型: i ← 8
04    整数型の配列:bin ← {8個の0}
05    while ( [   a   ] )
06      bin[i] ← num ÷ 2の余り
07      [   b   ]
08      i ← i － 1
09    endwhile
10    return bin
```

1 10進数→2進数の変換

10進整数を2進数に変換するには，10進整数を0になるまで繰り返し2で割り，その余りを下から順に並べます。

例：10進数の10を2進数に変換

上の例のように，10進数の10は2進数で「1010」になります。

問題解説

空欄a：空欄の条件式が真の間，while～endwhileの処理を繰り返します。繰返しはnumの値が0になるまで続けます。つまり，numの値が0ではない間は，処理を繰り返します。したがって空欄の条件式は次のようになります。

```
05  while (num が 0 でない)
              ↑空欄a
```

空欄b：10進整数numを2進数に変換するには，繰返し処理でnumの値を2で割ります。行番号07ではこの処理を行います。

```
07    num ← num ÷ 2 の商  ← 空欄b
```

以上から，**空欄a**が「num が 0 でない」，**空欄b**が「num ← num ÷ 2 の商」の エ が正解です。

問 05 次の記述中の a と b に入れる正しい答えの組合せを，解答群の中から選べ。

関数 gcd は引数に指定した 2 つの整数の最大公約数を返す関数，関数 lcm は引数に指定した 2 つの整数の最小公倍数を返す関数である。3， 6， 9 の 3 つの数の最小公倍数を求めるために，lcm(lcm(3, 6), 9)を実行した。このとき，αの行は a 回，βの行は b 回実行される。

〔プログラム 1〕

```
○整数型： gcd(整数型： a, 整数型： b)
  整数型： m, n, r
  m ← a
  n ← b
  do
    r ← m mod n   ← α
    m ← n
    n ← r
  while (r が 0 でない)
  return m
```

〔プログラム 2〕

```
○整数型： lcm(整数型： a, 整数型： b)
  return (a ÷ gcd(a, b) の商) × b   ← β
```

解答群

	a	b
ア	3	1
イ	3	2
ウ	4	1
エ	4	2
オ	5	1
カ	5	2
キ	6	1
ク	6	2

※オリジナル問題

合格のカギ

プログラムの処理に応じて，変数の値がどのように変化するかを追跡することをトレースといいます。変数の変化は，プログラム中のある行に注目し，繰返し１回ごとに表にするとわかりやすくなります。本問の場合は，αの行に注目して，変数 m と n の変化をトレースします。

プログラム・ノート

〔プログラム 1〕

```
○整数型： gcd(整数型： a, 整数型： b)
  整数型： m, n, r
  m ← a
  n ← b
  do
    r ← m mod n   ←――― α
    m ← n
    n ← r
  while (r が 0 でない)
return m
```

〔プログラム 2〕

```
○整数型： lcm(整数型： a, 整数型： b)
  return (a ÷ gcd(a, b) の商) × b   ←――― β
```

1 最大公約数

最大公約数とは，2 つの整数に共通する約数のうち最大の数です。たとえば，18 の約数は 1，2，3，6，9，18 の 6 個，10 の約数は 1，2，5，10 の 4 個です。共通する約数 1，2 のうち，最大の数 2 が最大公約数になります。

最大公約数は**ユークリッドの互除法**と呼ばれるアルゴリズムを用いて求めることができます。このアルゴリズムは，

> ① a ÷ b の余り r を求める
> ② a を b の値に，b を r の値に置き換える

という手順を繰り返すと，r が 0 になったときの b が最大公約数になるというものです。たとえば，a = 18，b = 12 の場合は，次のようになります。

```
 a     b          r
18 ÷ 10 = 1 余り 8
10 ÷  8 = 1 余り 2
 8 ÷  2 = 4 余り 0
      ↑
   最大公約数
```

本問の関数 gcd は，ユークリッドの互除法を用いて引数に指定した2つの整数の最大公約数を返します。

2 最小公倍数

最小公倍数とは，2つの整数に共通する倍数のうちの最小の数です。たとえば，6と9の最小公倍数は，6の倍数（6，12，18，24，30，36，…）と9の倍数（9，18，27，36，45，…）に共通する数のうち，最小の数18になります。

2つの数 a，b の最小公倍数は，a，b の最大公約数を用いて次のように求めることができます。

```
a ÷ (aとbの最大公約数) × b
```

たとえば6と9の最小公倍数は，6と9の最大公約数3を使えば，6 ÷ 3 × 9 = 18 となります。

本問の関数 lcm は，この方法を用いて引数に指定した2つの整数の最小公倍数を返します。

問題解説

lcm(lcm(3, 6), 9) は，まず lcm(3, 6) を実行して 3 と 6 の最小公倍数 6 を求め，さらに 6 と 9 を引数に指定して関数 lcm を実行します。

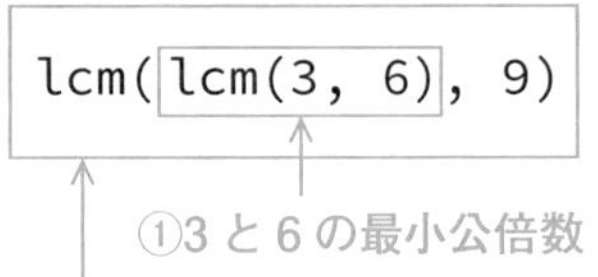

lcm(3, 6) を実行すると，βの行が1回実行されます。この行は，関数 gcd(3, 6) を呼び出して，3 と 6 の最大公約数を求めます。

関数 gcd 中のαの行は r が0になるまで繰り返されるので，次のように2回実行されます。

```
     m    n
r ← 3 mod 6   ←3 ÷ 6の余り3をrに代入
r ← 6 mod 3   ←6 ÷ 3の余り0をrに代入
```

lcm(3, 6) は，gcd(3, 6) の戻り値 3 を使って，3と6の最小公倍数 3 ÷ 3 × 6 = 6 を返します。

次に，lcm(3, 6) の戻り値 6 を使って lcm(6, 9) が実行され，2回目のβの行が実行されます。この行は，関数 gcd(6, 9) を呼び出して，6と9の最大公約数を求めます。

αの行は r が0になるまで繰り返されるので，次のように3回実行されます。

```
     m    n
r ← 6 mod 9   ←6 ÷ 9の余り6をrに代入
r ← 9 mod 6   ←9 ÷ 6の余り3をrに代入
r ← 6 mod 3   ←6 ÷ 3の余り0をrに代入
```

lcm(6, 9) は，gcd(6, 9) の戻り値 3 を使って，6と9の最小公倍数 6 ÷ 3 × 9 = 18 を返します。

以上から，αの行は合計5回，βの行は合計2回実行されます。正解は カ です。

□
□
問 06 次のプログラム中の[　　　]に入れる正しい答えを，解答群の中から選べ。

手続 insertNode は，引数 qVal で与えられた文字を，単方向リストの引数 pos で指定された位置に挿入する手続である。引数 pos は，リストの要素数以下の正の整数とする。リストの先頭の位置を 1 とする。

クラス ListElement は，単方向リストの要素を返す。クラス ListElement の説明を図に示す。ListElement 型の変数はクラス ListElement のインスタンスの参照を格納するものとする。単方向リストの先頭の要素の参照は，大域変数 listHead にあらかじめ格納されているものとする。

メンバ変数	型	説明
val	文字型	リストに格納する文字。
next	ListElement	リストの次の文字を保持するインスタンスの参照。初期状態は未定義である。

コンストラクタ	説明
ListElement(文字型： qVal)	引数 qVal でメンバ変数 val を初期化する。

図　クラス ListElement の説明

〔プログラム〕

```
大域： ListElement: listHead

○ insertNode(文字型： qVal, 整数型： pos)
  ListElement: prev, curr
  整数型： i
  curr ← ListElement(qVal)
  if (pos が 1 と等しい)
    curr.next ← listHead
    listHead ← curr
  else
    prev ← listHead
    /* pos が 2 と等しいときは繰返し処理を実行しない */
    for (i を 2 から pos − 1 まで 1 ずつ増やす)
      prev ← prev.next
    endfor
    [　　　　　　]
  endif
```

解答群

ア　`prev.next ← curr`
　　`curr.next ← prev.next`

イ　`curr.next ← prev.next`
　　`prev.next ← curr`

ウ　`prev.next.next ← curr`
　　`curr.next ← prev.next.next`

エ　`curr.next ← prev.next.next`
　　`prev.next.next ← curr`

※オリジナル問題

合格のカギ

単方向リストに関しては，要素の挿入のほかにも，要素の追加や削除などが出題される可能性があります。本書に類題を掲載しているので，それぞれの手順を理解しておきましょう（→模擬①問8，サンプル問10）。

・要素の追加

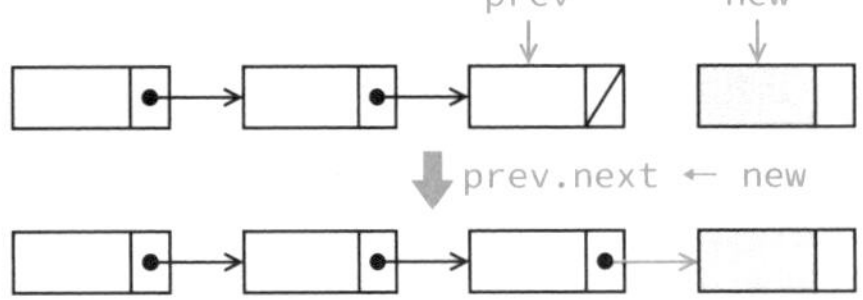

・要素の削除

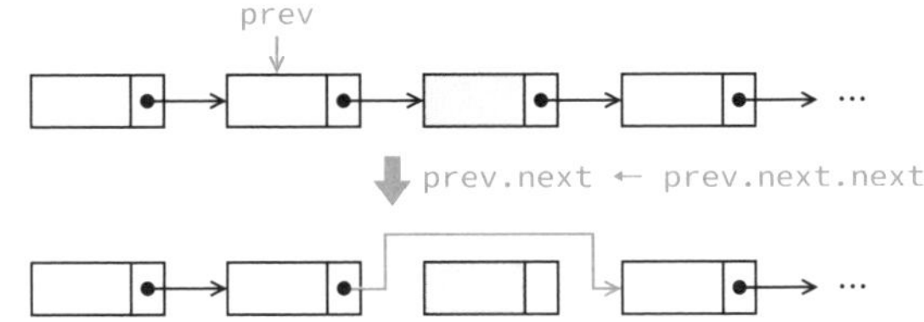

プログラム・ノート

```
大域：ListElement: listHead

○insertNode(文字型：qVal, 整数型：pos)
  ListElement: prev, curr
  整数型：i
  curr ← ListElement(qVal)
  if (pos が 1 と等しい)
    curr.next ← listHead
    listHead ← curr
  else
    prev ← listHead
    /* pos が 2 と等しいときは繰返し処理を実行しない */
    for (i を 2 から pos − 1 まで 1 ずつ増やす)
```

```
      prev ← prev.next
    endfor
    [          ]

  endif
```

1 単方向リスト

単方向リスト（線形リスト）は，リストを構成する個々の要素（データの入れ物）を数珠つなぎにして，複数のデータをひと連なりにまとめたデータ構造です。個々の要素は，

①データを格納する部分（val）
②次の要素の参照を格納する部分（next）

で構成されています。前の要素の next に，次の要素の参照を格納し，次の要素の next にまた次の要素の参照を格納し……という操作を繰り返して，複数の要素をつないでいきます。

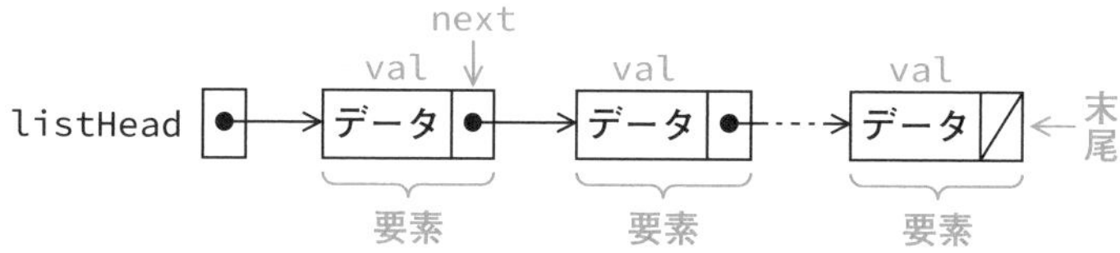

単方向リストに含まれる要素を参照するには，先頭要素から次の要素へと，目的の要素に到達するまでリストを順にたどっていきます。

問題解説

単方向リストに要素を追加する手順は次のようになります。

①先頭に追加する場合

リストの先頭（pos = 1）に要素 curr を追加する場合は，curr.next に現在の先頭要素の参照を設定してから，curr を新しい先頭要素に設定します。

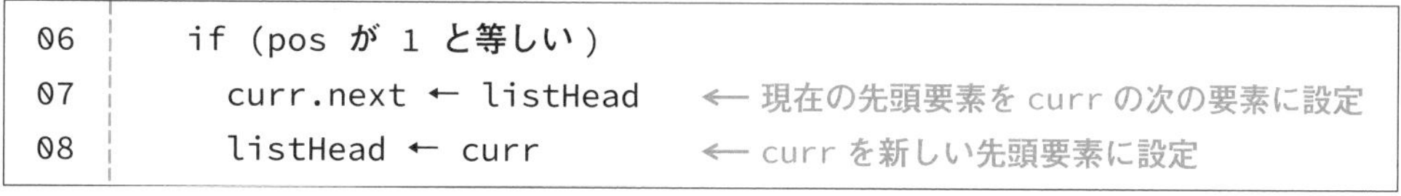

```
  if (pos が 1 と等しい)
    curr.next ← listHead     ← 現在の先頭要素を curr の次の要素に設定
    listHead ← curr          ← curr を新しい先頭要素に設定
```

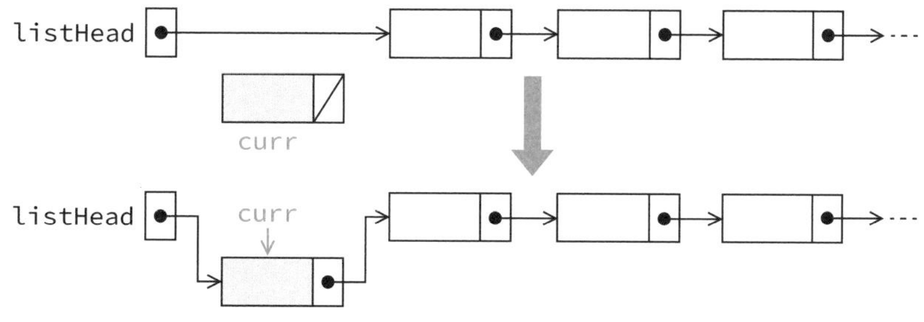

②先頭以外の位置に追加する場合

先頭以外の位置に要素 curr を追加する場合は，まず，挿入位置の 1 つ手前の要素まで移動します。こ

のプログラムでは，変数 prev に 1 つ手前の要素を設定しています。

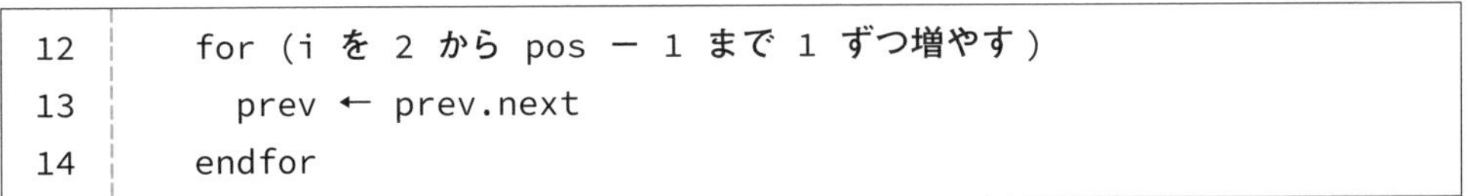

```
for (i を 2 から pos − 1 まで 1 ずつ増やす)
  prev ← prev.next
endfor
```

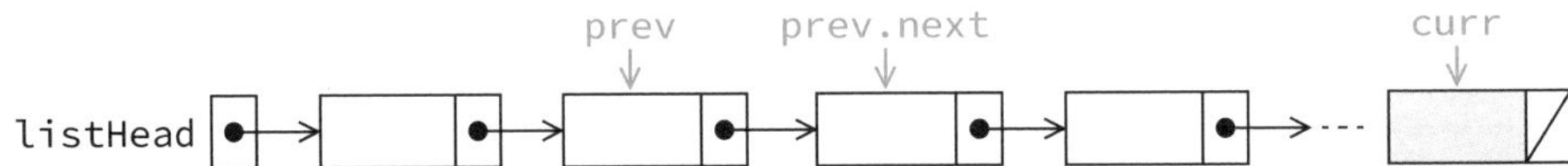

変数 prev は 1 つ手前の要素なので，挿入位置は prev.next になります。そこで，現在挿入位置にある要素を curr.next に設定してから，prev.next に curr を設定します。

```
curr.next ← prev.next    ← 挿入位置にある要素を curr.next に設定
prev.next ← curr         ← curr を挿入位置に設定
```

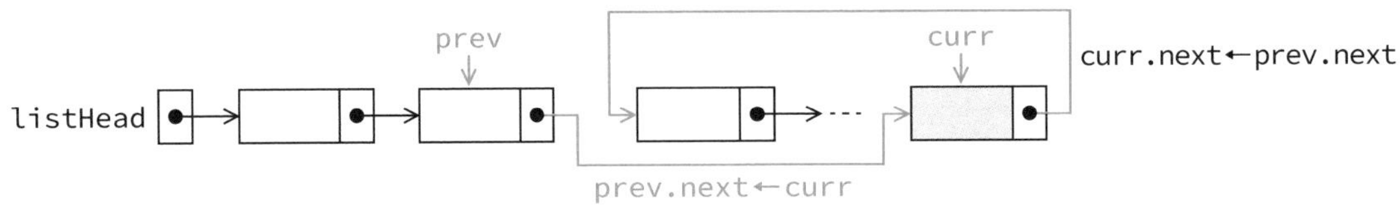

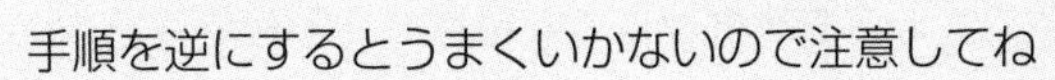

手順を逆にするとうまくいかないので注意してね！

以上から，正解は イ です。

解答

問06 イ

問 07 次のプログラム中の［ a ］と［ b ］に入る正しい答えの組合せを，解答群の中から選べ。

手続 reverse は，スタックを用いて英単語のスペルを逆順にするプログラムである。スタックはクラス Stack を用いて表現する。クラス Stack の説明を図に示す。本問において，文字列に対する演算子“＋”は，文字列の連結を表す。

メソッド	説明
push(文字列型： s)	文字列 s をスタックに格納する。
文字列型： pop()	スタックから文字列を取り出す。

コンストラクタ	説明
Stack(整数型： n)	大きさ n のスタックを生成する。

図　クラス Stack の説明

〔プログラム〕

```
○文字列型： reverse(文字列型： word)
  文字列型： buf ← ""
  Stack: stack ← Stack(wordの文字数)
  整数型： cnt ← 1
  while ( [ a ] )
    stack.push(wordの cnt 文字目の 1 文字から成る文字列)
    cnt ← cnt ＋ 1
  endwhile
  do
    cnt ← cnt － 1
    buf ← [ b ]
  while (cnt が 1 より大きい)
  return buf
```

解答群

	a	b
ア	cnt が word の文字数 以下	buf ＋ stack.pop()
イ	cnt が word の文字数 以下	stack.pop() ＋ buf
ウ	cnt が word の文字数 より小さい	buf ＋ stack.pop()
エ	cnt が word の文字数 より小さい	stack.pop() ＋ buf

※オリジナル問題

合格のカギ

スタックとキューは基本的なデータ構造なので，プログラム問題ではよく出題されると予想されます。スタックとキューの使い方を仕事にたとえると，入ってきた仕事を入ってきた順番に片付けていくのがキュー，新しい仕事が入ってきたら今の仕事を中断して，新しい仕事から順に片付けていくのがスタックです。

プログラム・ノート

```
○文字列型： reverse(文字列型： word)
  文字列型： buf ← ""          ← 初期値は空の文字列
  Stack: stack ← Stack(word の文字数)
  整数型： cnt ← 1
  while ( a )
    stack.push(word の cnt 文字目の 1 文字から成る文字列)  ← スタックに 1 文字プッシュ
    cnt ← cnt + 1
  endwhile
  do
    cnt ← cnt − 1
    buf ← b          ← スタックから取り出した文字を変数 buf に格納
  while (cnt が 1 より大きい)
  return buf
```

1 スタック

スタックは，プッシュとポップという 2 つの基本操作をもったデータ構造です。**プッシュ**はスタックにデータを格納する操作，**ポップ**はスタックからデータを取り出す操作です。このとき重要なのは，後に格納したデータから先に取り出されるという**後入れ先出し**（LIFO：Last In First Out）の原則です。

たとえば，データを 1，2，3 の順にスタックにプッシュします。次にスタックからデータをポップすると，取り出されるデータは 3，2，1 の順になります。格納するときはデータを一番上に積み上げ，取り出すときは一番上から取り出していくイメージです。

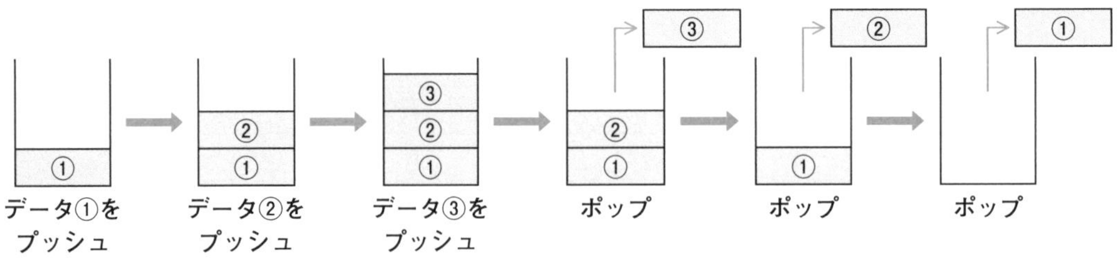

2 文字列を逆順にする

スタックを使うと，データの並びを簡単に逆順にできます。文字列を逆順にするには，文字列を 1 文字ずつスタックに格納し，次にスタックから 1 文字ずつ取り出して連結します。

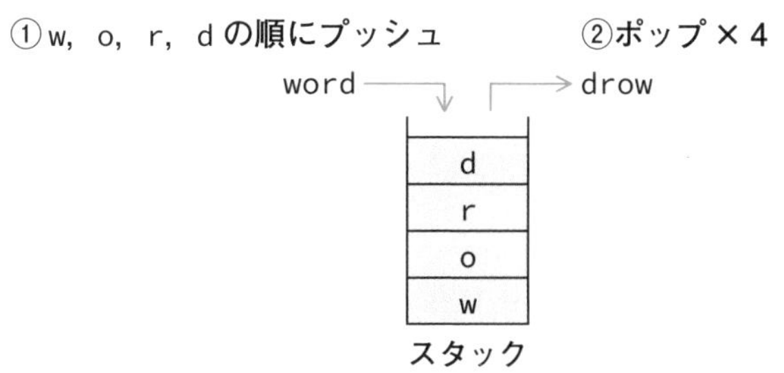

問題解説

空欄 a：行番号 05 ～ 08 は，文字列を 1 文字ずつスタックに格納する処理です。

```
05    while ( [ a ] )
06      stack.push(word の cnt 文字目の 1 文字から成る文字列 )
07      cnt ← cnt + 1
08    endwhile
```

スタックには，word の文字列を 1 文字目から順に格納します。したがって変数 cnt は，1 から（word の文字数）まで 1 ずつ増やします。変数 cnt が（word の文字数）を超えたら繰返しを抜けるので，**空欄 a** の条件式は次のようになります。

```
cnt が word の文字数 以下 ← 空欄 a
```

空欄 b：行番号 09 ～ 12 は，スタックに格納した文字を取り出して，文字列 buf に格納します。

```
09    do
10      cnt ← cnt − 1
11      buf ← [ b ]
12    while (cnt が 1 より大きい )
```

スタックからデータを取り出すには，メソッド pop を使います。文字は，word の末尾から順に出てくるので，これを文字列 buf の末尾に連結していけば，word の逆順になります。

```
buf ← buf + stack.pop() ← 空欄 b
```

以上から，**空欄 a** が「cnt が word の文字数 以下」，**空欄 b** が「buf ＋ stack.pop()」の ア が正解です。

解答
問07 ア

問 08 次のプログラム中の [a] と [b] に入れる正しい答えの組合せを，解答群の中から選べ。

構成する全ての節について，左の子のキー値は親のキー値より小さく，右の子のキー値は親のキー値より大きい2分木を2分探索木という。2分探索木の例を**図1**に示す。

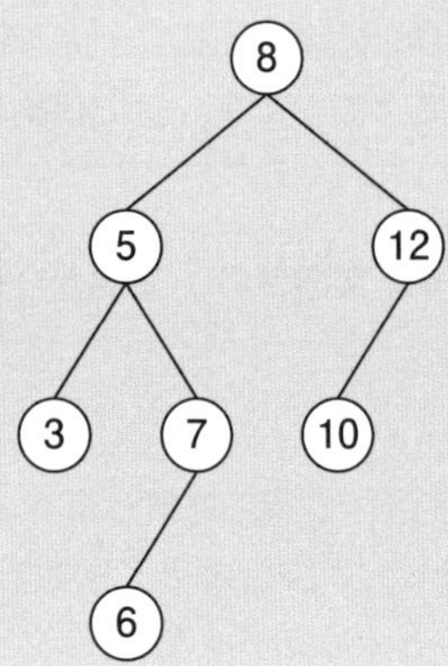

図1　2分探索木の例

関数 findNode は，2分探索木の根の参照とキー値を引数として受け取り，2分探索からキー値を検索して，見つかったノードの参照を返す関数である。2分探索木の節は，クラス Node を用いて表現する。クラス Node の説明を**図2**に示す。Node 型の変数は，クラス Node のインスタンスの参照を格納する。

メンバ変数	型	説明
val	整数型	2分探索木に格納する整数。
left	Node	左の子への参照。空のときは未定義の値となる。
right	Node	右の子への参照。空のときは未定義の値となる。

図2　クラス Node の説明

〔プログラム〕

```
○ Node: findNode(Node: root, 整数 : key)
  Node: curr ← root
  while (curr.val が key ではない)
    if ( a )
      curr ← curr.left
    else
      curr ← [ b ]
```

```
    endif
    if (curr が 未定義 )
      return 未定義の値
    endif
  endwhile
  return curr
```

解答群

	a	b
ア	key が curr.val より小さい	curr.right
イ	key が curr.val より大きい	curr.right
ウ	key が curr.val より小さい	curr.left
エ	key が curr.val より大きい	curr.left

※オリジナル問題

合格のカギ

2分探索木では，節が左右にバランスよく配置されていれば，1回の探索で探索範囲を半分にせばめることができます。この方式は，整列済みの配列から値を探索する2分探索法とよく似ています。2分探索法も基本的なアルゴリズムなので，内容を理解しておきましょう。

プログラム・ノート

```
○Node: findNode(Node: root, 整数 : key)
  Node: curr ← root  ← 根から探索
  while (curr.val が key ではない)
    if ( [ a ] )
      curr ← curr.left  ← 左の子に移動
    else
      curr ← [ b ]
    endif
    if (curr が 未定義 )
      return 未定義の値  ← 見つからなかった場合
    endif
  endwhile
  return curr  ← 見つかった場合
```

1 2分探索木

複数の節（ノード）をツリー状に接続したデータ構造を**木構造**といいます。下位に接続された節を**子**，上位に接続された節を**親**といい，木構造の頂点にあるもっとも上位の節を**根**といいます。

木構造のうち，3つ以上の子をもたないものをとくに**2分木**といいます。**2分探索木**は，2分木の各節に値を格納する際，「**左の子の値は親の値より小さく，右の子の値は親の値より大きい**」というルールを設けた2分木です。これにより，値の探索を効率的に行うことができます。

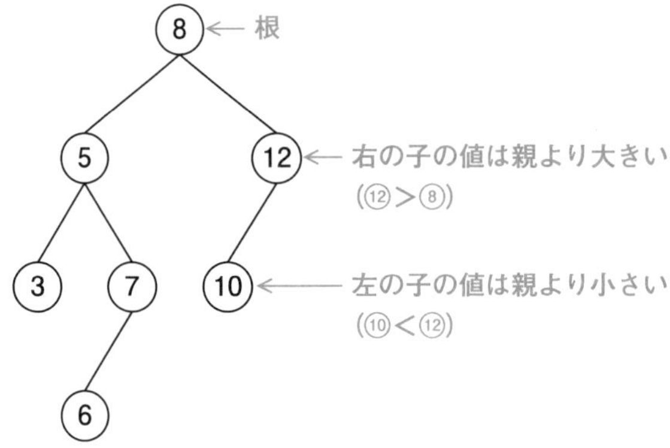

2 2分探索木から値を検索する

例として，上の2分探索木から値6を探索する手順を説明しましょう。

①2分探索木の根から出発します。6＜8なので，目的の値は8の左側の部分木にあると考えられます。

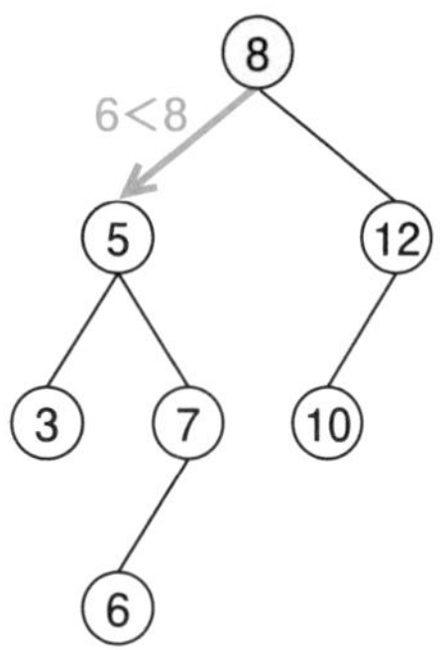

②8の左の子の値は5です。5＜6なので，目的の値は5の右側の部分木にあると考えられます。

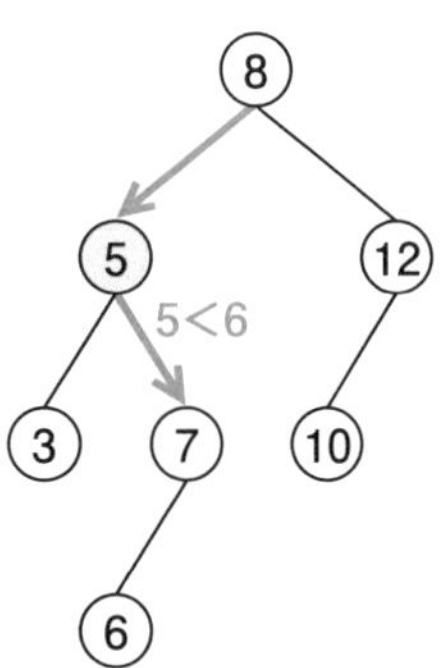

③5の右の子の値は7です。6＜7なので，目的の値は7の左側の部分木にあると考えられます。

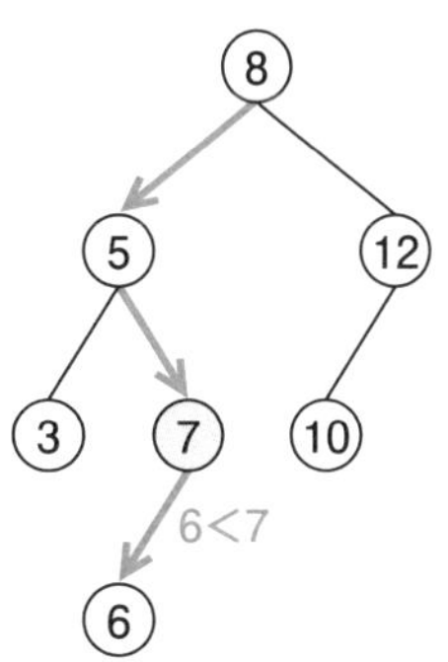

④7の左の子の値は目的の値6なので，探索成功です。

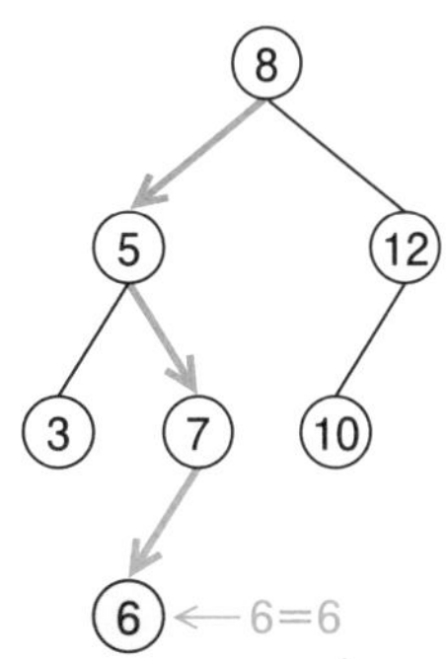

問題解説

空欄a：空欄の条件式が真のとき，変数 curr は変数 curr の左の子に設定されます。この処理は，目的の値が curr の節の値より小さかった場合に実行します。したがって**空欄a**の条件式は「key が curr.val **より小さい**」です。

```
04      if (key が curr.val より小さい)
05        curr ← curr.left          ↑空欄a
```

空欄b：行番号04の条件式が偽のときは，else 以下の処理が実行されます。行番号04の条件式が偽になるのは「key が curr.val **より大きい**」場合です。この場合，目的の値は右側にあると考えられるので，変数 curr を右の子に設定します。

```
06      else
07        curr ← curr.right  ←── 空欄b
```

以上から，**空欄a**が「key が curr.val **より小さい**」，**空欄b**が「curr.right」の ア が正解です。

□□ **問 09** 次の記述中の[ ]に入る正しい答えを，解答群の中から選べ。

4つの頂点をもつ無向グラフの隣接行列を，4行4列の二次元配列 graph で表現する。手続 addEdge は，この無向グラフに辺を追加する手続である。二次元配列 graph の各要素は，0 で初期値されているものとする。

```
addEdge(1, 2)
addEdge(1, 3)
addEdge(2, 4)
addEdge(3, 4)
addEdge(2, 3)
```

を実行したとき，二次元配列 graph が表すグラフは[ ]である。

〔プログラム〕

```
大域： 整数型の二次元配列： graph

○ addEdge(整数型：t1, 整数型：t2)
  graph[t1, t2] ← 1
  graph[t2, t1] ← 1
```

解答群

ア
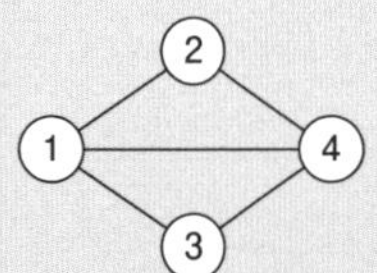

イ
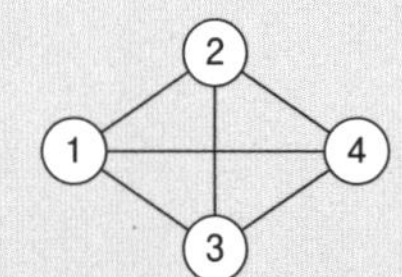

ウ
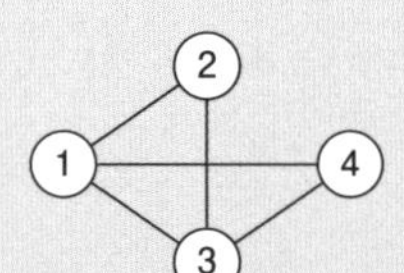

エ
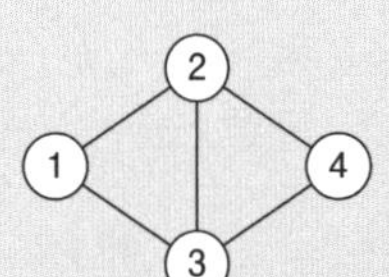

※オリジナル問題

合格のカギ

グラフに関しては，有向グラフや無向グラフをプログラムでどのように表すかを理解しておきましょう。

プログラム・ノート

```
大域： 整数型の二次元配列： graph

○ addEdge(整数型：t1, 整数型：t2)
  graph[t1, t2] ← 1
  graph[t2, t1] ← 1
```

1 グラフ

グラフは，複数の頂点を辺で結んだデータ構造です。2つの頂点を結ぶ辺（エッジ）に，始点と終点の区別がある場合を**有向グラフ**，始点と終点の区別がない場合を**無向グラフ**といいます。

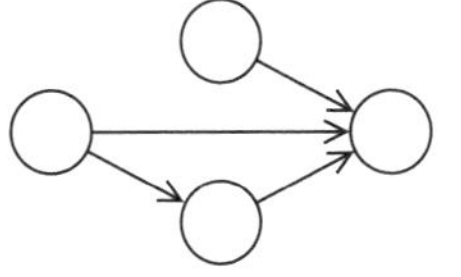
有向グラフ

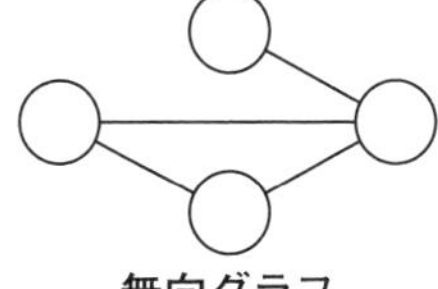
無向グラフ

2 隣接行列

隣接行列は，グラフの頂点と頂点を結ぶ辺を表現する方法の1つです。頂点の数をnとすると，隣接行列は，n×nの二次元配列になります。

本問では，graphという4×4の二次元配列を隣接行列として使っています。たとえば，頂点1と頂点2の間を辺で結ぶ場合は，graph[1, 2]とgraph[2, 1]を1に設定します。

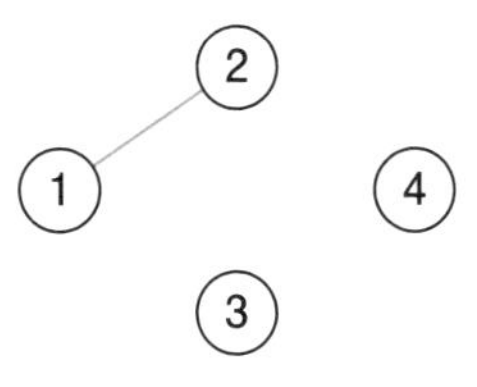

二次元配列 graph

	1	2	3	4
1	0	1	0	0
2	1	0	0	0
3	0	0	0	0
4	0	0	0	0

無向グラフでは，頂点1→頂点2と，頂点2→頂点1の両方向をつなげるので，上のようにgraph[1, 2]とgraph[2, 1]の両方を1に設定します。有向グラフの場合は，頂点1→頂点2ならgraph[1, 2]，頂点2→頂点1ならgraph[2, 1]だけを1に設定します。

問題解説

手続addEdgeは，2つの頂点の番号を引数に指定すると，その頂点の間を辺で結びます。本問では，手続addEdgeを次のように実行します。

```
addEdge(1, 2)  ←― 頂点1と頂点2を結ぶ
addEdge(1, 3)  ←― 頂点1と頂点3を結ぶ
addEdge(2, 4)  ←― 頂点2と頂点4を結ぶ
addEdge(3, 4)  ←― 頂点3と頂点4を結ぶ
addEdge(2, 3)  ←― 頂点2と頂点3を結ぶ
```

この結果できるグラフは，次のようになります。正解は エ です。

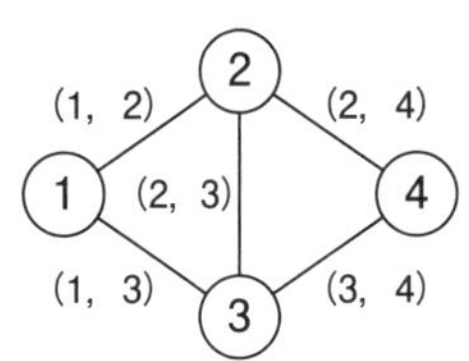

二次元配列 graph

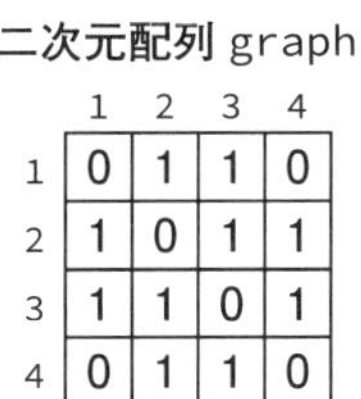

	1	2	3	4
1	0	1	1	0
2	1	0	1	1
3	1	1	0	1
4	0	1	1	0

問 10 次のプログラムの［　　］に入る正しい答えを，解答群の中から選べ。ここで，配列の要素番号は 1 から始まる。

関数 merge は，昇順に整列済みの 2 つの整数型の配列を併合し，1 つの整列済みの配列を作成する。例えば，この関数を merge({1, 3, 5}, {2, 4}) のように呼び出すと，戻り値は {1, 2, 3, 4, 5} となる。

〔プログラム〕

```
○整数型の配列: merge(整数型の配列: left, 整数型の配列: right)
  整数型の配列: sorted ← {}
  整数型: i ← 1
  整数型: j ← 1
  while (［　　］)
    if (left[i] ≦ right[j])
      sorted の末尾に left[i] を追加する
      i ← i + 1
    else
      sorted の末尾に right[j] を追加する
      j ← j + 1
    endif
  endwhile
  while (i ≦ left の要素数)
     sorted の末尾に left[i] を追加する
     i ← i + 1
  endwhile
  while (j ≦ right の要素数)
     sorted の末尾に right[j] を追加する
     j ← j + 1
  endwhile
  return sorted
```

解答群

- ア i ≠ left の要素数 かつ j ≠ right の要素数
- イ i ≠ left の要素数 または j ≠ right の要素数
- ウ i < left の要素数 かつ j < right の要素数
- エ i < left の要素数 または j < right の要素数

オ i ≦ left の要素数 かつ j ≦ right の要素数

カ i ≦ left の要素数 または j ≦ right の要素数

※オリジナル問題

合格のカギ

関数 merge は，2つの整列済み配列を併合し，1つの整列済み配列を作成します。この関数は整列アルゴリズムの1つであるマージソートに使われます。本問自体はマージソートについての知識がなくても解けますが，マージソートのアルゴリズムについて理解しておくことが重要です。

プログラム・ノート

```
○整数型の配列: merge(整数型の配列: left, 整数型の配列: right)
  整数型の配列: sorted ← {}
  整数型: i ← 1
  整数型: j ← 1
  while ([      ])
    if (left[i] ≦ right[j])
      sorted の末尾に left[i] を追加する
      i ← i + 1
    else
      sorted の末尾に right[j] を追加する
      j ← j + 1
    endif
  endwhile
  while (i ≦ left の要素数)
     sorted の末尾に left[i] を追加する
     i ← i + 1
  endwhile
  while (j ≦ right の要素数)
     sorted の末尾に right[j] を追加する
     j ← j + 1
  endwhile
  return sorted
```

（if～endif）left[i] と right[j] のうち，小さい値を sorted の末尾に追加する

（while～endwhile）残りの要素を sorted の末尾に追加する

1 マージソート

マージソートのアルゴリズムの基本的なアイデアは，2つの整列済み配列を併合（マージ）して，1つの整列済み配列を作ることです。この処理を実行するのが，本問のプログラムである関数 merge です。

マージソートでは，整列前の配列を半分に分割します。その半分をさらに半分に分割し，その半分をさ

らに半分に分割し……のように分割していくと，最後にはすべてが要素数 1 の配列になります。要素数 1 の配列は整列済み配列とみなせるので，関数 merge で併合して，要素数 2 の整列済み配列にします。これをもう半分の整列済み配列と併合し……のように，今度は併合を繰り返していくと，最終的に配列全体が整列済みになります。

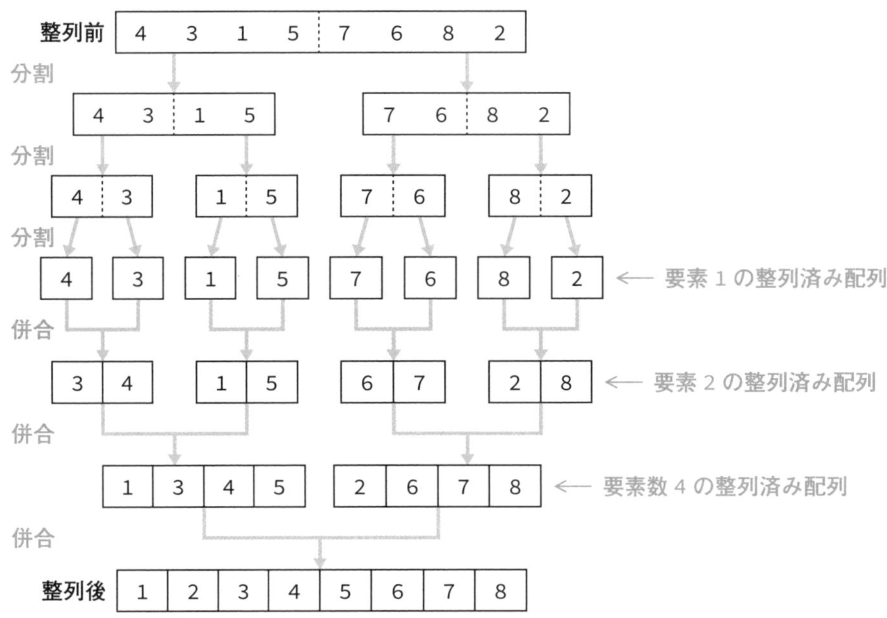

参考までに，擬似言語を使ったマージソートのプログラム例を示します。このプログラムでは，13 行目で本問の関数 merge を呼び出しています。マージソートは，一般に再帰的なプログラムになります。

```
○ 整数型の配列： sort( 整数型の配列： data)
  整数型の配列： left ← {}, right ← {}
  整数型： mid
  整数型： len ← data の要素数
  if (len ≦ 1)
    return data  // 要素数 1 の配列は整列済みとみなす
  endif
  mid ← len ÷ 2 の商
  left の末尾に data[1] から data[mid] までの要素を追加する
  right の末尾に data[mid ＋ 1] から data[len] までの要素を追加する
  left ← sort(left)
  right ← sort(right)
  return merge(left, right)
```

2 整列済み配列の併合

merge({1, 3, 5}, {2, 4}) を呼び出した場合を例に，関数 merge が 2 つの整列済み配列を併合する手順を見てみましょう。

①left[i] と right[j] を比較し，小さいほうの値を配列 sorted に追加します。left[i] を追加し

た場合は i，right[j] を追加した場合は j を 1 増やします。この処理を，どちらかの配列の末尾の要素を追加するまで繰り返します（行番号 05 ～ 13）。

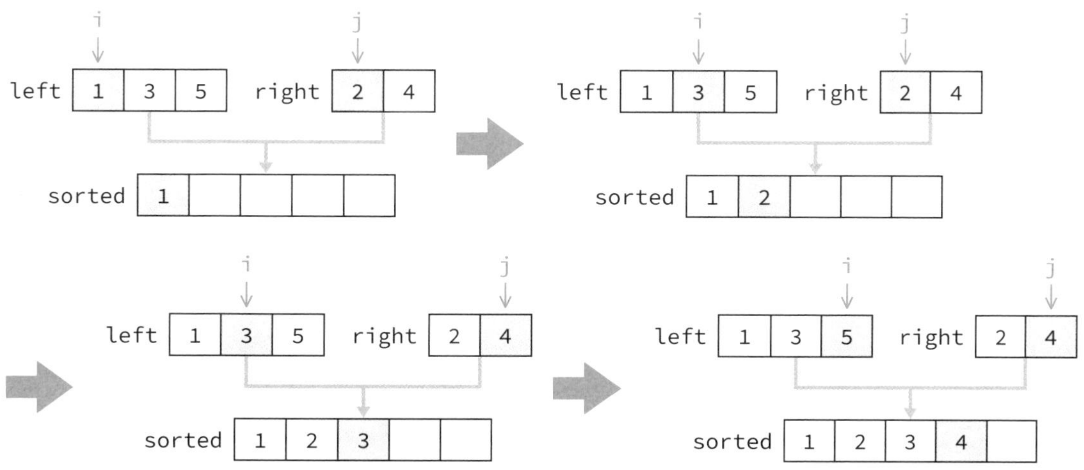

②どちらかの配列にまだ追加していない要素が残っている場合は，配列 sorted に追加します（行番号 14 ～ 20）。

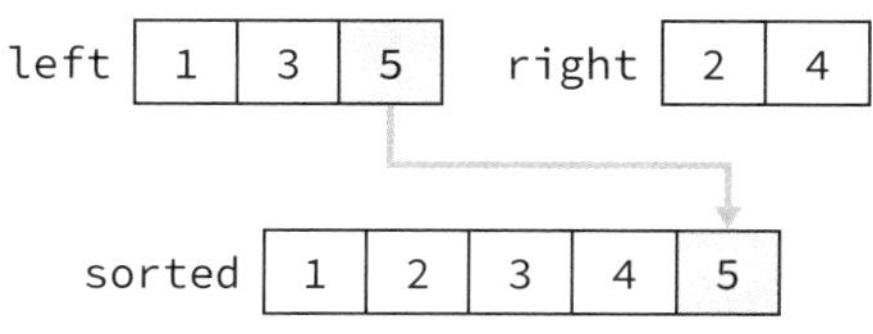

以上で，2 つの整列済み配列が併合されます。

問題解説

行番号 05 ～ 13 の繰返し処理は，left または right のどちらかの配列の末尾の要素が sorted に追加されるまで継続します。

配列の末尾が追加されたかどうかは，変数 i または変数 j の値が，配列の要素数を超えたかどうかで判別できます。逆に言うと「変数 i の値が配列 left の要素数以下」で，かつ「変数 j の値が配列 right の要素数以下」である間は，繰返しを継続しなければなりません。これを条件式で表すと，次のようになります。

i ≦ left の要素数　かつ　j ≦ right の要素数

空欄には，この条件式が入ります。正解は オ です。

模擬問題 精選 3 科目B

問 11 次のプログラム中の［ a ］と［ b ］に入れる正しい答えの組合せを解答群の中から選べ。なお，配列の要素番号は 1 から始まる。

関数stdevは，要素数が1以上の配列dataArrayを引数として受け取り，要素の標準偏差を戻り値として返す。ここで，実数型の配列dataArrayの各要素の値をx_1，x_2，…，x_n（nはdataArrayの要素数）とすると，標準偏差は次の式で求めることができる。

$$標準偏差 = \sqrt{\frac{1}{n}\sum_{i=1}^{n} x_i^2 - \left(\frac{1}{n}\sum_{i=1}^{n} x_i\right)^2}$$

〔プログラム〕

```
○ 実数型： stdev( 実数型の配列： dataArray)
  実数型： sum, sum2, var
  整数型： i, n
  n ← dataArray の要素数
  sum ← 0
  sum2 ← 0
  for (i を 1 から n まで 1 ずつ増やす )
    sum   ← sum ＋ dataArray[i]
    sum2  ← sum2 ＋ [ a ]
  endfor
  var ← (sum2 ÷ n) － [ b ]
  return (var の平方根 )
```

解答群

	a	b
ア	dataArray[i] × 2	(sum の 2 乗) ÷ n
イ	dataArray[i] × 2	(sum ÷ n) の 2 乗
ウ	dataArray[i] の 2 乗	(sum の 2 乗) ÷ n
エ	dataArray[i] の 2 乗	(sum ÷ n) の 2 乗

※オリジナル問題

合格のカギ

数学などで用いる数式は，ほぼそのままプログラムの計算式になります。ただし，数式の総和記号Σは，プログラムでは繰返し処理で値を求めます。数式の各項が，プログラムのどの変数に対応するかを確認しましょう。

プログラム・ノート

```
01  ○実数型: stdev(実数型の配列: dataArray)
02    実数型: sum, sum2, var
03    整数型: i, n
04    n ← dataArray の要素数
05    sum ← 0
06    sum2 ← 0
07    for (i を 1 から n まで 1 ずつ増やす)
08      sum   ← sum + dataArray[i]  ← 合計値を求める
09      sum2  ← sum2 + [ a ]        ← 2 乗和を求める
10    endfor
11    var ← (sum2 ÷ n) − [ b ]      ← 分散を求める
12    return (var の平方根)
```

1 分散と標準偏差

分散と標準偏差は，どちらもデータの散らばり具合を表す数値です。個々の要素と平均値との差を偏差といい，各要素の偏差の 2 乗を合計したものを平方和といいます。平方和を要素の個数で割ったものが分散です。

つまり分散とは，各要素の偏差の 2 乗の平均値です。ただし，この方法で分散を求めるには，まず各要素の平均値を求め，次に平方和を求めるという手順になるため，繰返し処理が 2 回必要になります。本問のプログラムは，繰返し処理を 1 回で済ますため，次のような分散を求める式を使っています。

$$\text{分散} = \frac{1}{n}\sum_{i=1}^{n}(x_i)^2 - \left(\frac{1}{n}\sum_{i=1}^{n}x_i\right)^2$$

プログラムは，変数 sum に個々の要素の合計（$\sum_{i=1}^{n} x_i$）を，変数 sum2 に個々の要素の 2 乗の合計（$\sum_{i=1}^{n}(x_i)^2$）を格納します。行番号 07 ～ 10 の繰返し処理で sum と sum2 の値を計算したら，行番号 11 でこれらを使って分散を計算し，変数 var に格納します。

標準偏差は分散の平方根ですから，行番号 12 で var の平方根を計算し，その値を戻り値とします。

問題解説

空欄 a：行番号 07 ～ 10 の繰返し処理で，sum，sum2 という 2 つの項目を集計しています。sum には dataArray[i] の各要素の合計，sum2 には各要素の 2 乗の合計を格納します。したがって行番号 09 の処理は次のようになります。

```
09      sum2  ← sum2 + dataArray[i] の 2 乗
                       └ 空欄 a
```

空欄 b：問題文の計算式を参考にして，分散を計算する式を組み立てます。

$\frac{1}{n}\sum_{i=1}^{n}(x_i)^2$ は，各要素の 2 乗の合計を dataArray の要素数 n で割ったものなので，「sum2 ÷ n」と書けます。また，$\left(\frac{1}{n}\sum_{i=1}^{n}x_i\right)^2$ は，各要素の合計を n で割ったものの 2 乗なので，「(sum ÷ n) の 2 乗」と書けます。以上から，行番号 11 の処理は次のようになります。

```
11    var ← (sum2 ÷ n) − (sum ÷ n) の 2 乗
                          └ 空欄 b
```

空欄 a が「dataArray[i] の 2 乗」，**空欄 b** が「(sum ÷ n) の 2 乗」なので，正解は エ です。

解答
問11 エ

問12 次のプログラム中の [a] と [b] に入る正しい答えの組合せを解答群の中から選べ。ここで，要素番号は1から始まるものとする。

関数 searchMatrix は，整列済みの二次元配列から，引数に指定した値を探索する。要素が見つかったときは，その行番号と列番号を整数型の配列で返す。見つからなかったときは {0, 0} を返す。

ここで，整列済みの二次元配列とは，次のような条件を満たす二次元配列とする。また，整列済みの二次元配列の例を図に示す。

①ある要素の右側にある同じ行の要素の値は，左側の要素の値以上である。
②ある要素の下側にある同じ列の要素の値は，上側の要素の値以上である。

```
matrix ← {{ 1, 2, 2, 4, 5, 5, 9},
          { 2, 2, 3, 5, 6, 7, 9},
          { 2, 4, 6, 7, 8,10,12},
          { 6, 8, 8,10,11,12,14},
          { 7, 9,11,13,15,15,19}}
```

図 整列済みの二次元配列の例

〔プログラム〕

```
大域： 整数型の二次元配列： matrix /* 整列済みのデータが格納されている */
○整数型の配列： searchMatrix(整数型： key)
  i ← 1
  j ← matrix の列数
  while ((i が matrix の行数 以下) and (j が 1 以上))
    if (matrix[i, j] が key より小さい)
      [ a ]
    elseif (matrix[i, j] が key に等しい)
      return {i, j}
    else
      [ b ]
  endwhile
  return {0, 0}
```

解答群

	a	b
ア	i ← i ＋ 1	j ← j ＋ 1
イ	j ← j ＋ 1	i ← i ＋ 1
ウ	i ← i ＋ 1	j ← j − 1
エ	j ← j − 1	i ← i ＋ 1
オ	i ← i − 1	j ← j ＋ 1
カ	j ← j ＋ 1	i ← i − 1
キ	i ← i − 1	j ← j − 1
ク	j ← j − 1	i ← i − 1

※オリジナル問題

合格のカギ

二次元配列は，一般的なプログラム言語では「配列の配列」として表しますが，情報処理試験の擬似言語では二次元配列と配列の配列を区別しています。二次元配列の要素はmatrix[i, j]のように表しますが，配列の配列はmatrix[i][j]となることに注意してください。また，擬似言語の配列の配列では，要素数が異なる配列の配列も作れます。

●二次元配列

matrix[i, j]

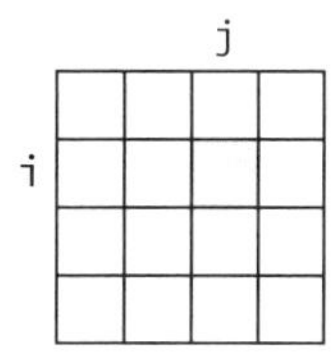

●配列の配列

matrix[i][j]

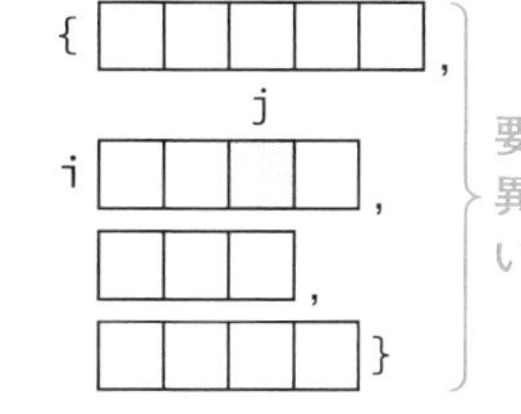

要素数が異なっていてもよい

プログラム・ノート

```
大域： 整数型の二次元配列： matrix /* 整列済みのデータが格納されている */
○ 整数型の配列： searchMatrix( 整数型： key)
  i ← 1                      } 右上から探索をスタートする
  j ← matrix の列数           }
  while ((i が matrix の行数 以下 ) and (j が 1 以上 ))
    if (matrix[i, j] が key より小さい )
      [  a  ]
    elseif (matrix[i, j] が key に等しい )
      return {i, j}
    else
      [  b  ]
  endwhile
  return {0, 0}
```

1 整列済み二次元配列の探索

次のような二次元配列 matrix を例に説明します。

```
matrix ← {{ 1, 2, 2, 4, 5, 5, 9},
          { 2, 2, 3, 5, 6, 7, 9},
          { 2, 4, 6, 7, 8,10,12},
          { 6, 8, 8,10,11,12,14},
          { 7, 9,11,13,15,15,19}}
```

目的の値を探索する出発点は，整列済みの二次元配列の右上の要素になります。この要素は1行目の右端にあるので，同じ行の中でもっとも大きく，また，同じ列の中でもっとも小さい値です。

したがって，この値が目的の値 key より小さいなら，目的の値は同じ行にはありません。また，この値が目的の値より大きいなら，目的の値は同じ列にはありません。

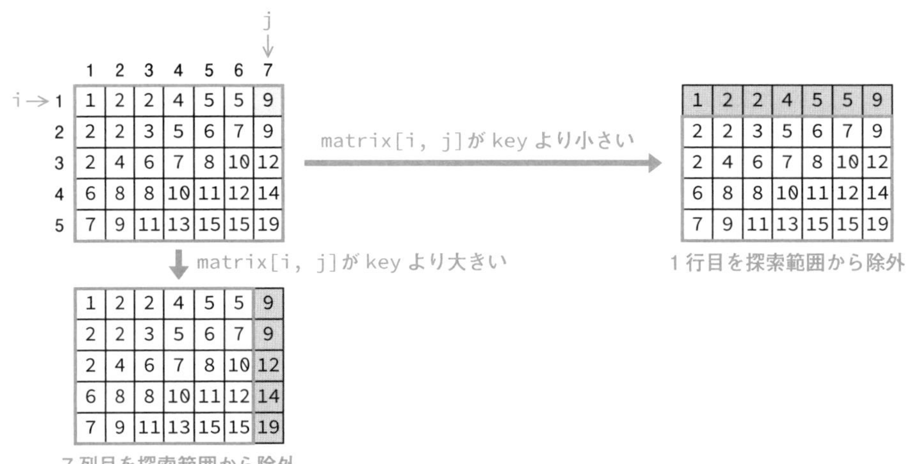

このように，1回の探索で，1行または1列を探索範囲から除外することができます。この作業を，目的の値が見つかるまで繰り返します。

問題解説

空欄 a：要素 matrix[i, j] が，目的の値より小さい場合，目的の値は i 行目には存在しないので，i の値を1増やし，次の行を探索します。

```
    if (matrix[i, j] が key より小さい)
      i ← i + 1 ⟵ 空欄 a
```

空欄 b：要素 matrix[i, j] が，目的の値より大きい場合，目的の値は j 列目には存在しないので，j の値を1減らし，次の列を探索します。

```
    else
      j ← j − 1 ⟵ 空欄 b
```

以上から，**空欄 a** が「i ← i ＋ 1」，**空欄 b** が「j ← j − 1」の ウ が正解です。

問 13 次のプログラム中の[a]と[b]に入る正しい答えの組合せを解答群の中から選べ。

関数 str2num は，0～9 の数字から成る文字列を引数として受け取り，これを 10 進数の数値に変換して返す。プログラム中の“str の i 文字目の文字”は，文字列 str の先頭を 1 文字目とする i 文字目の文字を表す。また，“ch の ascii コード”は，文字データ ch に対応する ASCII コード（整数値）を表す。

〔プログラム〕

```
○整数型： str2num(文字列型： str)
  整数型： ret, i, num
  文字型： ch
  ret ← 0
  for (i を 1 から str の文字数 まで 1 ずつ増やす)
    ch ← str の i 文字目の文字
    num ← (ch の ascii コード) − ( a )
    ret ← b
  endfor
  return ret
```

解答群

	a	b
ア	'0' の ascii コード	ret ＋ num
イ	'0' の ascii コード	ret × 10 ＋ num
ウ	'1' の ascii コード	ret ＋ num
エ	'1' の ascii コード	ret × 10 ＋ num
オ	'9' の ascii コード	ret ＋ num
カ	'9' の ascii コード	ret × 10 ＋ num

※オリジナル問題

合格のカギ

プログラムでは，文字列データと数値データを別のものとして扱います。文字列の“100”と数値の 100 は，まったく異なるデータです。本問のプログラムは，文字列の数字データを数値データに変換するプログラムです。よく使われる定番の処理なので，手順を覚えてしまいましょう。

プログラム・ノート

```
01  ○整数型: str2num(文字列型: str)
02    整数型: ret, i, num
03    文字型: ch
04    ret ← 0
05    for (i を 1 から str の文字数 まで 1 ずつ増やす)
06      ch ← str の i 文字目の文字
07      num ← (ch の ascii コード) − ( [  a  ] )
08      ret ← [  b  ]
09    endfor
10    return ret
```

1 ASCII コード

アルファベットや数字などの英数字には，ASCII コードと呼ばれる 7 ビットの数値が割り当てられています。ASCII コードは，数字の '0' が 48，'1' が 49，'2' が 50，…のように順番に割り当てられているので，たとえば，

('1' の ascii コード) − ('0' の ascii コード)

は 49 − 48 = 1 となります。プログラムは，これを利用して文字列の数字データを数値に変換します。

問題解説

プログラムは，数字から成る文字列を 1 文字ずつ取り出して数値に変換し，変数 ret に格納します。たとえば，文字列“123”を数値データに変換する手順は，次のようになります。

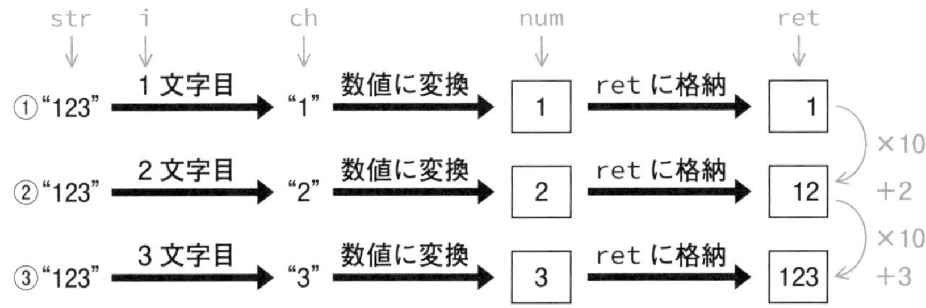

空欄 a：文字 ch を，1 桁の数値データに変換して変数 num に格納します。ch の ASCII コードから数字 '0' の ASCII コードを引くと，数字に対応する 1 桁の数値が得られます。

```
07        num ← (ch の ascii コード) − ('0' の ascii コード)
```

↑ 空欄 a

空欄 b：変換した 1 桁の数値 num を，変数 ret に格納します。その際，すでに格納されている数値は 10 倍して，位を 1 つ上げます。行番号 08 の処理は次のようになります。

```
08        ret ← ret × 10 + num
```

↑ 空欄 b

以上から，**空欄 a** が「'0' の ascii コード」，**空欄 b** が「ret × 10 + num」の イ が正解です。

問 14 次の記述中の[ ]に入る正しい答えを解答群の中から選べ。ここで，配列の要素番号は1から始まるものとする。

手続insertHashは，引数に指定された数値を，整数型の配列hashArrayに格納する。整数valueをhashArrayのどの要素に格納すべきかは，関数calcHash1及び関数calcHash2を利用して決める。

手続testは，関数insertHashを呼び出して，hashArrayに正の整数を格納する。手続testの処理が終了した直後のhashArrayの内容は，[ ]となる。

〔プログラム〕

```
大域： 整数型の配列： hashArray

○ insertHash(整数型： value)
  整数型： i ← calcHash1(value)
  整数型： step ← calcHash2(value)
  while (hashArray[i] ≠ −1)
    i ← i + step
    /* i が hashArray の要素数を超えたら先頭に戻る */
    while (i > hashArray の要素数)
      i ← i − hashArray の要素数
    endwhile
  endwhile
  hashArray[i] ← value

○ 整数型： calcHash1(整数型： value)
  return (value mod hashArray の要素数) + 1

○ 整数型： calcHash2(整数型： value)
  return (5 − (value mod 5))

○ test()
  hashArray ← {11 個の −1}
  insertHash(3)
  insertHash(23)
  insertHash(14)
  insertHash(12)
  insertHash(15)
```

解答群

ア {-1, 23, -1, 14, 3, -1, -1, 15, -1, 12, -1}

イ {12, -1, -1, 15, -1, 14, -1, 3, 23, -1, -1}

ウ {3, 12, -1, 14, -1, 15, -1, -1, -1, -1, 23}

エ {-1, -1, 12, -1, 3, -1, 23, 15, 14, -1, -1}

オ {-1, 23, -1, 3, 14, -1, -1, 12, -1, 15, -1}

※オリジナル問題

合格のカギ

ハッシュテーブルに値を格納するプログラムです。ハッシュテーブルへの値の格納方法については，科目Aでも出題されるので知識として理解しておく必要があります。①ハッシュ関数による格納位置の計算方法と，②ハッシュ値の衝突が起こった場合の対処方法をプログラムから読み取ってください。

プログラム・ノート

```
大域： 整数型の配列： hashArray

○ insertHash(整数型： value)
  整数型： i ← calcHash1(value)
  整数型： step ← calcHash2(value)
  while (hashArray[i] ≠ −1)   ← 衝突が発生した場合
    i ← i + step
    /* i が hashArray の要素数を超えたら先頭に戻る */
    while (i > hashArray の要素数)
      i ← i − hashArray の要素数
    endwhile
  endwhile
  hashArray[i] ← value

○ 整数型： calcHash1(整数型： value)
  return (value mod hashArray の要素数) + 1

○ 整数型： calcHash2(整数型： value)
  return (5 − (value mod 5))

○ test()
```

```
18    hashArray ← {11個の −1}
19    insertHash(3)
20    insertHash(23)
21    insertHash(14)
22    insertHash(12)
23    insertHash(15)
```

1 ハッシュテーブルとは

値の格納位置を，その値から算出したハッシュ値によって決めるデータ構造をハッシュテーブルといいます。手続 insertHash は，引数に指定した値から格納位置を算出し，配列 hashArray に値を格納します。

格納位置の求め方にはいくつかの手法がありますが，このプログラムでは関数 calcHash1 を使って

```
(value mod hashArrayの要素数) + 1
```

という計算を行い，格納位置を変数 i に設定します。たとえば，値「23」を格納する場合，変数 i の値は (23 mod 11) + 1 = 2 となるので，配列 hashArray の要素番号 2 に値「23」を格納します。

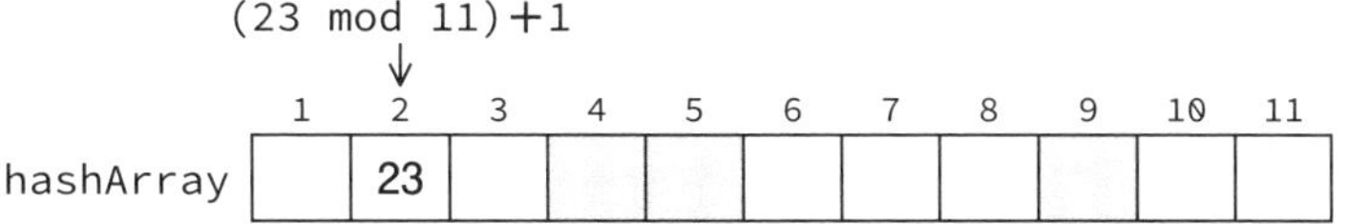

2 衝突が発生した場合

値によっては，算出される格納位置が同じになってしまう場合があります。このような場合を衝突といいます。衝突が発生した場合は，一定の方法で空いている場所を探して，その位置に値を格納します。このプログラムでは，関数 calcHash2 を使って

```
5 − (value mod 5)
```

という計算を行い，この値を変数 step に格納します。変数 i の位置にすでに値が格納されている場合は，step の値だけ先の位置を新たな格納位置とします。もし，その位置も空いていなかった場合は，さらに step の値だけ先を探します。空いている場所が見つかるまでこの処理を繰り返します（行番号 05 ～ 11）。

たとえば，値「12」の格納位置は (12 mod 11) + 1 = 2 となり，値「23」の格納位置と同じになります。要素番号 2 に値が格納されている場合は，そこから 5 − (12 mod 5) = 3 だけ先の要素番号 5 を格納位置とします。そこもふさがっている場合は，さらに 3 つ先の要素番号 8，そこもふさがっている場合は，さらに 3 つ先の要素番号 11 を探します。

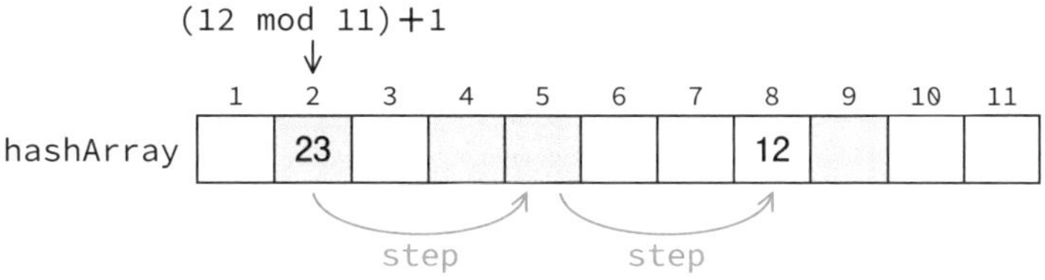

なお，配列 hashArray の要素数は 11 なので，要素番号 11 より先には格納できません。その場合は先頭に戻って格納場所を探します（ラップアラウンド）。行番号 08 ～ 10 の

```
while (i > hashArray の要素数 )
  i ← i − hashArray の要素数
endwhile
```

は，i の値が hashArray の要素数を超えたら，先頭に戻るという計算をしています。

問題解説

手続 insertHash は，引数に指定された値から，格納位置を

```
(value mod hashArray の要素数 ) + 1
```

で計算します。もし，その位置にすでに値が格納されていた場合は，

```
5 − (value mod 5)
```

で計算した数ずつ格納位置をずらし，空いている場所を探します。

この手続を，

```
insertHash(3) → insertHash(23) → insertHash(14) →
insertHash(12) → insertHash(15)
```

の順に実行すると，配列 hashArray の内容は次のようになります。

① insertHash(3)：(3 mod 11) + 1 = 4 が格納位置になります。

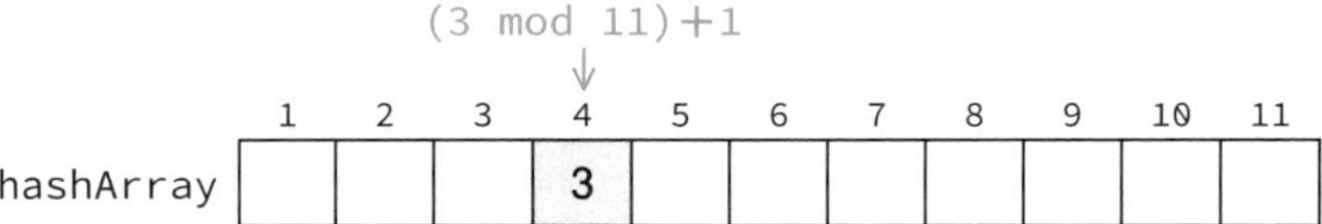

② insertHash(23)：(23 mod 11) + 1 = 2 が格納位置になります。

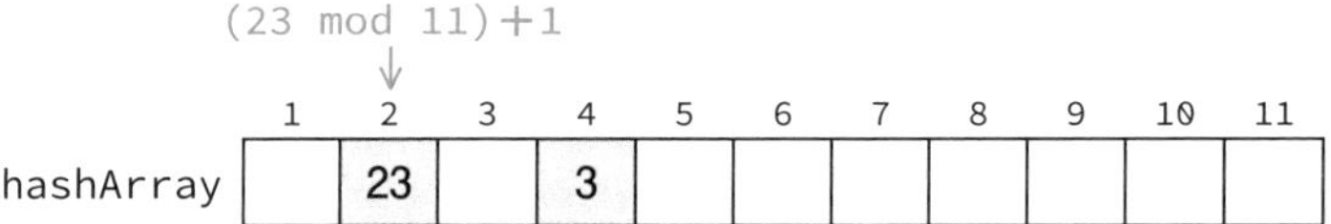

③ insertHash(14)：(14 mod 11) + 1 = 4 はふさがっているので，5 − (14 mod 5) = 1 ずらし，5 が格納位置になります。

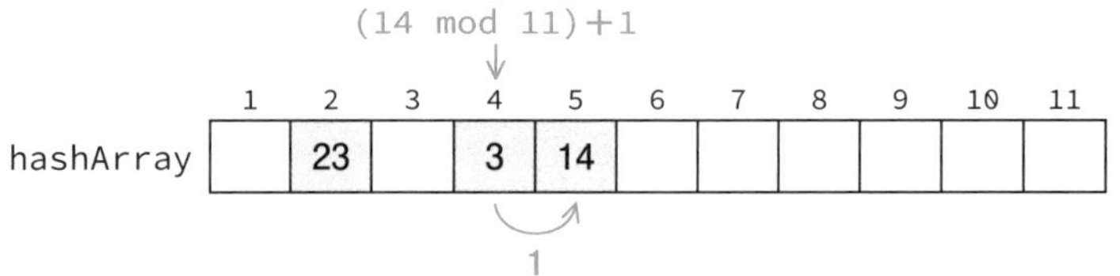

④ insertHash(12)：(12 mod 11) + 1 = 2 はふさがっているので，5 − (12 mod 5) = 3 ずらします。5 もふさがっているので，さらに 3 ずらし，8 が格納位置になります。

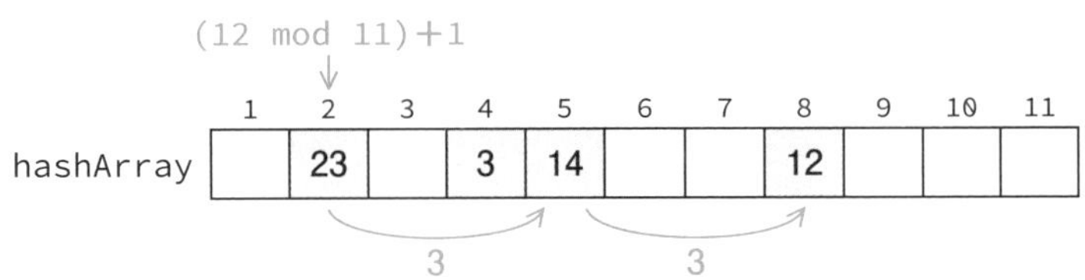

⑤ insertHash(15)：(15 mod 11) ＋ 1 ＝ 5 はふさがっているので，5 － (15 mod 5) ＝ 5 ずらし，10 が格納位置になります。

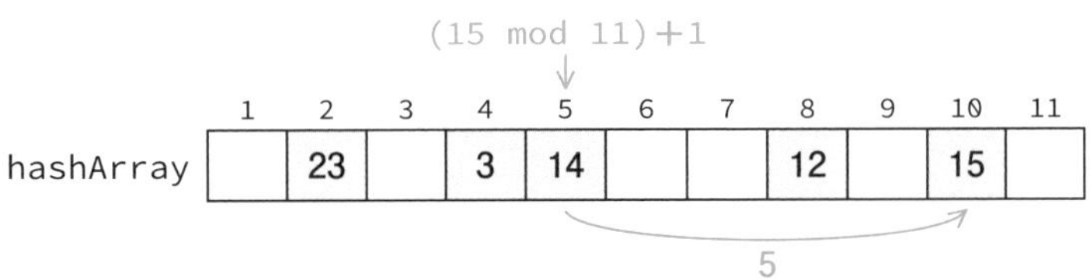

以上から，hashArray の内容は {－1, 23, －1, 3, 14, －1, －1, 12, －1, 15, －1} となります。正解は オ です。

問 15 次のプログラム中の［ a ］と［ b ］に入る正しい答えの組合せを解答群の中から選べ。

手続 outLines は，引数に指定した文字列を，指定した桁数で改行して出力する手続である。outLines("abcdefghijk", 5) の実行結果を図に示す。

```
abcde
fghij
k
```

図　outLines("abcdefghijk", 5) の実行結果

本問において，文字列に対する演算子“+”は，文字列の連結を表す。

〔プログラム〕

```
○ outLines(文字列型： text, 整数型： cols)
  文字列型： buf
  整数型： cnt, i
  buf ← ""
  cnt ← 0
  for (i を 1 から text の文字数 まで 1 ずつ増やす)
    buf ← buf ＋ text の i 文字目から成る文字列
    cnt ← cnt ＋ 1
    if ([ a ])
      buf を出力して改行する
      buf ← ""
      cnt ← 0
    endif
  endfor
  if ([ b ])
      buf を出力して改行する
  endif
```

解答群

	a	b
ア	cnt が 0 に等しい	cnt が cols に等しい
イ	cnt が 0 に等しい	cnt が cols より大きい
ウ	cnt が 0 より大きい	cnt が cols に等しい
エ	cnt が 0 より大きい	cnt が cols より大きい
オ	cnt が cols に等しい	cnt が 0 に等しい
カ	cnt が cols に等しい	cnt が 0 より大きい
キ	cnt が cols より大きい	cnt が 0 に等しい
ク	cnt が cols より大きい	cnt が 0 より大きい

※オリジナル問題

合格のカギ

テキストを，指定した桁数で改行して出力するプログラムです。1 文字ずつ出力するのではなく，バッファ（変数 buf）に 1 行分のテキストをためてから出力する方式であることに注意しましょう。

空欄に入る条件式の組合せは何通りか考えられるので，正解と思ったものが解答群にあるとは限りません。その場合は，同じ働きをする式がどれかを考えましょう。

プログラム・ノート

```
○ outLines(文字列型: text, 整数型: cols)
  文字列型: buf
  整数型: cnt, i
  buf ← ""
  cnt ← 0
  for (i を 1 から text の文字数 まで 1 ずつ増やす)
    buf ← buf + text の i 文字目から成る文字列   ← 1 行分の文字列を変数 buf に格納
    cnt ← cnt + 1
    if ( a )
      buf を出力して改行する   ← 1 行出力
      buf ← ""
      cnt ← 0
    endif
  endfor
  if ( b )
      buf を出力して改行する   ← 最後の行を出力
  endif
```

手続 outLines は，引数 text に指定した文字列を，指定した桁数 cols ごとに改行して出力します。

プログラムは，text から文字を 1 文字ずつ読み込み，変数 buf に格納していきます（行番号 07)。buf の長さが指定した桁数になったら，buf の内容を出力して改行し，buf を空にします（行番号 09 ～ 13)。この処理を，text の末尾の文字まで繰り返します。

繰返し処理を抜けたら，buf に残っている文字列を出力して終了です。

問題解説

空欄 a：空欄の条件式が成立すると，buf の内容が出力されます。これは，buf の長さが指定した桁数になった場合の処理です。

プログラムは，buf に 1 文字格納するたびに，変数 cnt の値を 1 増やしているので，buf の長さは変数 cnt に設定されます。cnt の値が桁数 cols になったら buf の内容を出力します。したがって，空欄の条件式は次のようになります。

```
09      if (cnt が cols に等しい)
```

空欄 a

空欄 b：繰返し処理を抜けても，変数 buf にはまだ出力されていない文字列が残っている可能性があります。行番号 15 ～ 17 では，これを確認して出力します。

buf の長さは変数 cnt に設定されるので，変数 buf に出力されていない文字列が残っている場合は，変数 cnt の値が 0 より大きくなります。したがって，空欄の条件式は次のようになります。

```
15    if (cnt が 0 より大きい)
```

空欄 b

以上から，**空欄 a** が「cnt が cols **に等しい**」，**空欄 b** が「cnt が 0 **より大きい**」の カ が正解です。

解答

問 15 カ

問16 次のプログラム中の [a] と [b] に入る正しい答えの組合せを解答群の中から選べ。ここで，配列の要素番号は 1 から始まる。

ある会社の今月の売上個数を商品ごとに登録した配列 master と，1 日分の売上個数を商品ごとに登録した配列 trans がある。手続 updateMaster は，配列 trans に登録されている商品の売上個数を，配列 master の該当する商品の売上個数に加算する手続である。

商品ごとの売上個数は，クラス Item によって表現する。クラス Item の説明を図に示す。配列 master 及び配列 trans には，クラス Item のインスタンスが商品コードの昇順に登録されている。配列 master に登録されていない商品コードの商品は，配列 trans にも登録されないものとする。

メンバ変数	型	説明
code	整数型	商品の商品コード。同じ商品コードのインスタンスは重複して登録されないものとする。
sales	整数型	商品の売上個数。

図　クラス Item の説明

〔プログラム〕

```
○ updateMaster(Item の配列： master, Item の配列： trans)
  整数型： i, j
  i ← 1
  j ← 1
  while ( [ a ] )
    if (master[i].code が trans[j].code と等しい)
      master[i].sales ← master[i].sales ＋ trans[j].sales
      i ← i ＋ 1
      j ← j ＋ 1
    elseif ( [ b ] )
      i ← i ＋ 1
    else
      j ← j ＋ 1
    endif
  endwhile
```

解答群

	a	b
ア	(i ≦ master の要素数) and (j ≦ trans の要素数)	master[i].code > trans[j].code
イ	(i ≦ master の要素数) and (j ≦ trans の要素数)	master[i].code < trans[j].code
ウ	(i ≦ master の要素数) or (j ≦ trans の要素数)	master[i].code > trans[j].code
エ	(i ≦ master の要素数) or (j ≦ trans の要素数)	master[i].code < trans[j].code

※オリジナル問題

合格のカギ

本問は２つの配列を比較していますが，突合せ処理は２つのファイルを比較する場合によく用いられます。２つのファイルが同じキー項目で整列済みであること，キー項目の比較結果に応じて処理が３つに枝分かれすることを理解しておきましょう。

プログラム・ノート

```
○ updateMaster(Item の配列 : master, Item の配列 : trans)
  整数型 : i, j
  i ← 1
  j ← 1
  while ( a )
    if (master[i].code が trans[j].code と等しい)
      master[i].sales ← master[i].sales + trans[j].sales
      i ← i + 1
      j ← j + 1
    elseif ( b )
      i ← i + 1
    else
      j ← j + 1
    endif
  endwhile
```

1 突合せ処理

手続 updateMaster は，商品コードと売上個数の組を並べた 2 つの配列を読み込み，一方の配列に登録されているデータ（trans）を使って，もう一方の配列のデータ（master）を更新します。このような処理を**突合せ処理**といいます。

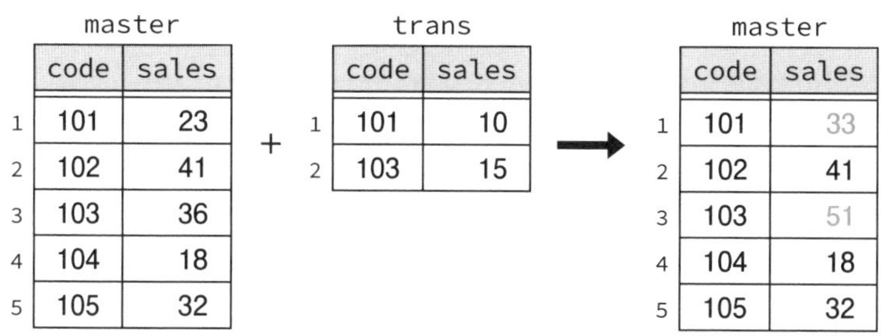

master

	code	sales
1	101	23
2	102	41
3	103	36
4	104	18
5	105	32

＋

trans

	code	sales
1	101	10
2	103	15

→

master

	code	sales
1	101	33
2	102	41
3	103	51
4	104	18
5	105	32

突合せ処理を行うには，2 つの配列が同じキー（本問の場合は商品コード）で整列されていなければなりません。プログラムは，次のような手順でデータの更新を行います。

① master と trans の各要素の商品コードを，先頭から順に比較します（行番号 06）。以降は比較の結果によって，処理が②～④に分かれます。

② 両者の商品コードが一致する場合は，trans のデータを使って master のデータを更新します（行番号 07）。次に，比較する要素を，master と trans の両方とも 1 つ先に進めます（行番号 08，09）。

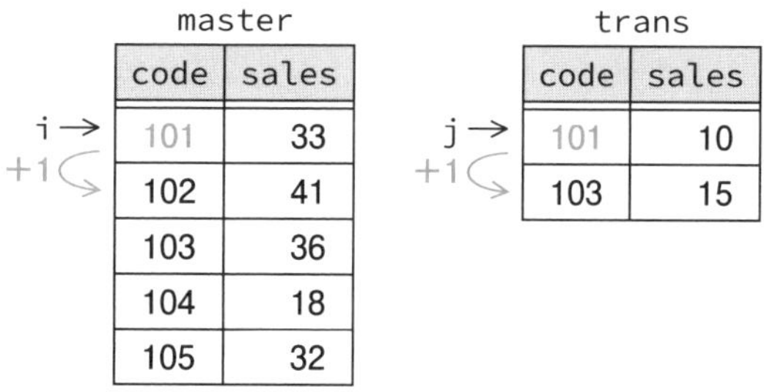

master

	code	sales
i → / +1	101	33
	102	41
	103	36
	104	18
	105	32

trans

	code	sales
j → / +1	101	10
	103	15

③ master の要素の商品コードのほうが，trans の商品コードより小さい場合，その商品は trans には登録されていません。この場合は，比較する要素を master のほうだけ 1 つ先に進めます。

master

	code	sales
	101	33
i → / +1	102	41
	103	36
	104	18
	105	32

trans

	code	sales
	101	10
j →	103	15

④ master の要素の商品コードのほうが，trans の商品コードより小さい場合，その商品は master に登録されていません（本問では，このような場合は生じないものとしています）。本問のプログラムではこの場合とくに何もせず，比較する要素を trans のほうだけ 1 つ先に進めます。

⑤ master か trans のどちらかの要素を末尾まで比較したら，処理を終了します。

問題解説

空欄 a：空欄には，繰返し処理を継続する条件式が入ります。行番号 06 では，

```
06 │    if (master[i].code が trans[j].code と等しい)
```

のように，2 つの配列の要素を比較しています。したがって繰返しの間，配列 master の要素番号 i と配列 trans の要素番号 j が，配列の要素数を超えないようにしなければなりません。2 つの条件は，それぞれ

```
i ≦ master の要素数
j ≦ trans の要素数
```

と書けます。2 つの条件は，どちらか一方ではなく両方とも成立している必要があるので，2 つの条件を and で結びます。

```
(i ≦ master の要素数) and (j ≦ trans の要素数)
```
← 空欄 a

空欄 b：プログラムは，配列 master と配列 trans の各要素の商品コードを先頭から順に比較し，その結果によって次の 3 通りに処理を分岐します。

- **両者の商品コードが一致する場合：trans のデータを使って master のデータを更新します（行番号 07）。**
- **空欄 b の条件が成立する場合：i を 1 増やし，配列 master の要素を 1 つ先に進めます。**
- **その他の場合：j を 1 増やし，配列 trans の要素を 1 つ先に進めます。**

配列 master の要素を 1 つ先に進めるのは，master の要素の商品コードのほうが，trans の商品コードより小さい場合です。

master[i].code ＜ trans[j].code

code	sales
101	33
102	41
103	36
104	18
105	32

i → (102)　1 つ先に進める

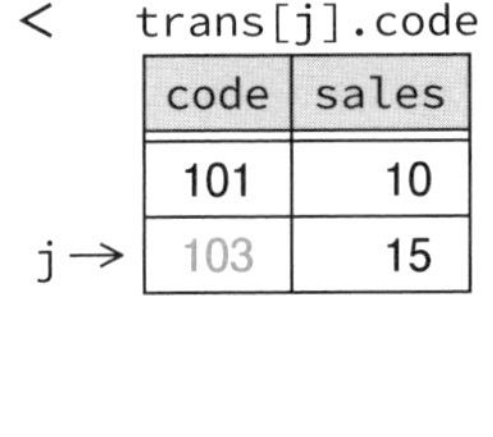

code	sales
101	10
103	15

j → (103)

したがって，**空欄 b** の条件式は次のようになります。

```
master[i].code < trans[j].code
```
← 空欄 b

空欄 a が「(i ≦ master の要素数) and (j ≦ trans の要素数)」，**空欄 b** が「master[i].code ＜ trans[j].code」なので，正解は イ です。

解答
問 16 イ

□□ 問 17

A 社は，自社の中継用メールサーバで，接続元 IP アドレス，電子メールの送信者のメールアドレスのドメイン名，及び電子メールの受信者のメールアドレスのドメイン名から成るログを取得している。ログの一部を図に示す。

項番	接続元 IP アドレス	送信者のメールアドレス のドメイン名	受信者のメールアドレス のドメイン名
1	AAA.168.1.5	a.b.c	a.b.d
2	AAA.168.1.10	a.b.c	a.b.c
3	BBB.45.67.90	a.b.c	a.b.d
4	AAA.168.1.10	a.b.d	a.b.c
5	BBB.45.67.89	a.b.d	a.b.e
6	BBB.45.67.90	a.b.d	a.b.c

注 1：AAA で始まる IP アドレスは自社のグローバル IP アドレス，BBB で始まる IP アドレスは社外のグローバル IP アドレスとする。
注 2：a.b.c は自社のドメイン名とし，a.b.d と a.b.e は他社のドメイン名とする。

図　中継用メールサーバのログ（抜粋）

A 社は，外部ネットワークからの第三者中継を遮断するため，以下のポリシーに基づいて中継を制限することにした。

(一) 自社サイト内のからのメール転送（受信，中継）は，送信者のメールアドレスが自社の場合にのみ許可する。
(二) 他社サイトからのメール転送（受信，中継）は，自社サイト宛しか受け取らない。
(三) 他社サイトから他社サイトへのメール転送は拒否する。

設問　上記のポリシーに従う場合，遮断されるメール中継の項番はどれか。

解答群

ア　項番 3，5
イ　項番 3，6
ウ　項番 5，6
エ　項番 3，4，5
オ　項番 3，5，6
カ　項番 4，5，6

※出典：平成 30 年度秋期基本情報技術者試験午前問題問 45 を改変

情報セキュリティの問題は，問題文をよく読んで，設問の状況を把握することが重要です。

問題解説

第三者中継とは，不特定多数の第三者が，自社のメールサーバを勝手に利用して電子メールを送信することです。第三者中継はメールサーバの設定によって可能になりますが，迷惑メールの送信元などに悪用される可能性があるため，許可すべきではありません。

ポリシーの（一）～（三）の項目ごとに，どのようなメールが許可／制限されるかを確認しましょう。

（一）自社サイト内のからのメール転送（受信，中継）は，送信者のメールアドレスが自社の場合にのみ許可する。

接続元のIPアドレスがAAAで始まるアドレスで，送信者のメールアドレスのドメイン名が「a.b.c」のメールは，転送を許可します。

（二）他社サイトからのメール転送（受信，中継）は，自社サイト宛しか受け取らない。

接続元のIPアドレスがAAAで始まるアドレス以外の場合は，受信者のメールアドレスのドメイン名が「a.b.c」の場合にのみ，転送を許可します。

（三）他社サイトから他社サイトへのメール転送は拒否する。

接続元のIPアドレスが社外のアドレスで，送信者と受信者のメールアドレスのドメイン名がいずれも他社サイトの場合は，第三者中継とみなして転送を拒否します。

以上のポリシーに従って，メールログの項番1～6を検討しましょう。

項番1：接続元IPアドレスが自社，送信者のメールアドレスも自社なので，社内の送信者から社外に宛てたメールです。**➡許可**

項番2：接続元IPアドレスが自社，送信者と受信者のメールアドレスも自社なので，社内の送信者から社内の受信者に宛てたメールです。**➡許可**

項番3：接続元IPアドレスが社外，送信者のメールアドレスは自社で，受信者のメールアドレスは社外です。社員が社外からメールサーバにアクセスして，社外にメールを送った可能性がありますが，ポリシーはこのメール転送を許可していません。**➡拒否**

項番4：接続元IPアドレスは自社ですが，送信者のメールアドレスが他社のドメインなので，メール転送は拒否されます。**➡拒否**

項番5：接続元IPアドレスが社外，送信者と受信者のメールアドレスも社外なので，第三者中継のメールです。**➡拒否**

項番6：接続元IPアドレスは社外ですが，受信者のメールアドレスが社内なので，社外の送信者から自社の受信者に宛てたメールです。**➡許可**

以上から，転送を拒否するメールは項番3，4，5になります。正解は エ です。

解答
問17 エ

問 18

イベントの企画，運営業務を行うR社は，現行のオフィスが手狭になってきたため，オフィスを半年後に移転することが決定している。オフィス移転を機に，現行の情報システムを見直して新たな情報システムを構築することになった。各部門から出された要望を検討した結果，クラウドコンピューティングを利用した外部サービス（以下，クラウドサービス）の利用を検討することにした。

そこでまず，自社で運用している現行のメールサービスとグループウェアサービスについて，クラウドサービスに切り替えた場合の管理，運用面の課題について検討することにした。クラウドサービスには大きく分けてSaaS型，PaaS型，IaaS型の3種類があることから，それぞれの特徴を考慮して現行の自社運用との比較を行った。その結果を表に示す。

表　メールサービスとグループウェアサービスの管理と運用に関する比較

管理主体・管理内容	SaaS型	PaaS型	IaaS型	自社運用（現行）
ハードウェア・ネットワークの管理主体	事業者	事業者	事業者	自社
OS，ミドルウェアの管理主体	事業者	a	自社又は事業者	自社
アプリケーションの管理主体	事業者	b	自社	自社
迷惑メール対策，ウイルス対策の管理主体	自社又は事業者	自社又は事業者	自社	自社
自社の管理工数	小	中	大	大
エンドユーザから見たサービスの稼働率	99.9%以上（SLAに依存）	99.9%以上（予想）	99.9%以上（予想）	99.5%以上（実績）

設問　表中の　a　と　b　に入れる正しい答えの組合せを，解答群の中から選べ。

解答群

	a	b
ア	事業者	事業者
イ	事業者	自社
ウ	自社	事業者
エ	自社	自社

※出典：平成24年度春期基本情報セキュリティスペシャリスト試験午後Ⅱ問題問2を改変

精選模擬問題 3 科目B

クラウド上のシステムの責任範囲の分担に関する問題です。責任範囲はクラウドサービスがSaaSかPaaSかIaaSかによって異なります。本問ではPaaSの責任範囲が問われていますが，これがIaaSであれば正解が異なります。したがって，3つの違いをよく理解しておく必要があります。

用語解説

クラウドサービスの種類として，SaaS，PaaS，IaaSの3種類の違いを理解しておきましょう。

SaaS（Software as a Service）	アプリケーションの機能を利用者に提供
PaaS（Platform as a Service）	アプリケーションの稼働環境を利用者に提供
IaaS（Infrastructure as a Service）	システムを稼働する回線やハードウェア環境のみを提供

問題解説

SaaSでは，事業者が開発したアプリケーションの機能をサービスとして利用者に提供するので，ハードウェアやOS，ミドルウェアはもちろん，アプリケーションの管理も事業者が行います。

PaaSでは，アプリケーションの稼働環境だけを事業者が提供します。通常，ミドルウェアまでは事業者が管理しますが，アプリケーションの開発は利用者自身が行います。

IaaSでは，事業者はハードウェアとネットワーク環境のみを提供し，それ以外はすべて利用者が行います。

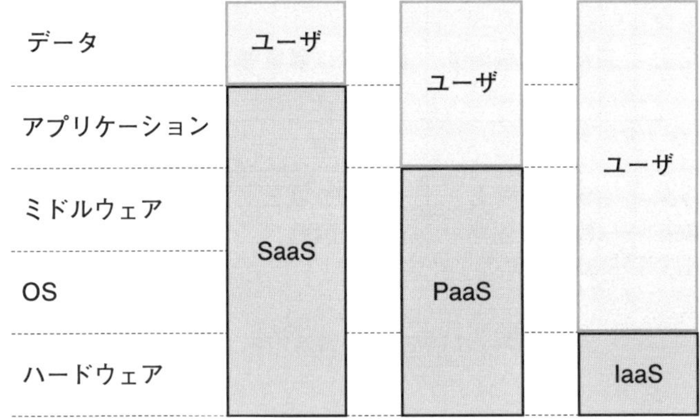

SaaS，PaaS，IaaS 事業者の管理範囲

PaaSの場合，OS，ミドルウェアの管理主体は事業者ですが，アプリケーションの管理主体は自社になります。したがって，**空欄a**が「**事業者**」，**空欄b**が「**自社**」の イ が正解です。

問 19

P社は，従業員数400名のIT関連製品の卸売会社であり，300社の販売代理店をもっている。P社では，販売代理店向けに，インターネット経由で商品情報の提供，見積書の作成を行う代理店サーバを運用している。また，従業員向けに，代理店ごとの卸価格や担当者の情報を管理する顧客サーバを運用している。代理店サーバ及び顧客サーバには，HTTP Over TLSでアクセスする。

P社のネットワーク構成を**図1**に示す。

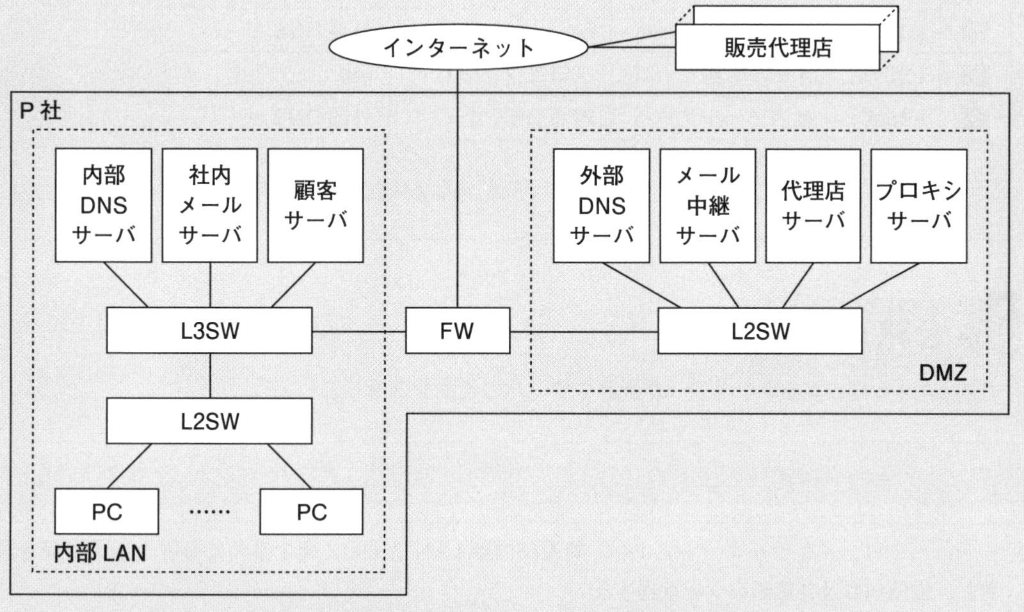

図1　P社のネットワーク構成

P社では，複数のサーバ，PC及びネットワーク機器を運用しており，それらには次のセキュリティ対策を実施している。

- [a]では，インターネットとDMZ間及び内部LANとDMZ間で業務に必要な通信だけを許可し，通信ログ及び遮断ログを取得する。
- [b]では，SPF（Sender Policy Framework）機能によって送信元ドメイン認証を行い，送信元メールアドレスがなりすまされた電子メールを隔離する。
- [c]では，DMZのゾーン情報のほかに，キャッシュサーバの機能を稼働させており，[c]をDDoSの踏み台とする攻撃への対策を行う。
- [d]は，P社からインターネット上のWebサーバへのアクセスを中継し，通信ログを取得する。

精選模擬問題3　科目B

設問　記述中の[a]～[d]に入れる正しい答えの組合せを，解答群から選べ。

解答群

	a	b	c	d
ア	FW	社内メールサーバ	内部 DNS サーバ	代理店サーバ
イ	FW	社内メールサーバ	プロキシサーバ	L3SW
ウ	FW	メール中継サーバ	外部 DNS サーバ	プロキシサーバ
エ	FW	メール中継サーバ	プロキシサーバ	L3SW
オ	L3SW	メール中継サーバ	外部 DNS サーバ	プロキシサーバ
カ	L3SW	社内メールサーバ	FW	外部 DNS サーバ
キ	L3SW	メール中継サーバ	プロキシサーバ	FW
ク	L3SW	社内メールサーバ	内部 DNS サーバ	外部 DNS サーバ

※出典：令和 4 年度秋期応用情報技術者試験午後問題問 1 を改変

社内 LAN を構成するネットワーク機器やサーバの役割を理解しましょう。

問題解説

・[a]では，インターネットと DMZ 間及び内部 LAN と DMZ 間で業務に必要な通信だけを許可し，通信ログ及び遮断ログを取得する。

空欄 a は，インターネットと DMZ 間，内部 LAN と DMZ 間の両方を中継する機器です。図のネットワーク構成から，そのような機器は「**FW（ファイアウォール）**」であることがわかります。ファイアウォールは，通過する通信の送信元や宛先，ポート番号などをチェックして，許可されていない通信を遮断します。

・[b]では，SPF（Sender Policy Framework）機能によって送信元ドメイン認証を行い，送信元メールアドレスがなりすまされた電子メールを隔離する。

SPF（Sender Policy Framework）は，送信元を偽った「なりすまし」のメールを防ぐための仕組みです。SPF に対応したメールサーバは，届いたメールが正当なメールサーバから送信されたものかどうかを，送信元の DNS サーバに問い合わせます。

P 社のネットワークにはメール中継サーバと社内メールサーバがありますが，社内メールサーバは社外のメールを中継しないので，SPF の機能は意味がありません。したがって，**空欄 b** には「**メール中継サーバ**」が入ります。

・[c]では，DMZ のゾーン情報のほかに，キャッシュサーバの機能を稼働させており，[c]を DDoS の踏み台とする攻撃への対策を行う。

DMZのゾーン情報とキャッシュサーバの機能を受け持つのは，DMZにある「**外部DNSサーバ**」です。DNSサーバは，「このドメイン名に対応するIPアドレスを教えて」という問合せに対して，必要な情報を返すサーバです。IPアドレスを知っていればIPアドレスを返しますが，知らなければ上位のDNSサーバに問合せを行います。一度問合せで得た情報はキャッシュサーバに保存されるので，次に同じ問合せが来たときは，上位のDNSサーバに再度問合せをする手間を省いています。

ただし，このキャッシュサーバが外部からの問合せも受け付ける設定になっていると，これを悪用した攻撃に利用されてしまうことがあります。

この攻撃は，DNSサーバに大量の問合せを送り，その返信先として攻撃対象のIPアドレスを指定するもので，攻撃対象に大量のDNSレスポンスが送られてしまいます。この攻撃を**DNSリフレクション攻撃**といいます。

攻撃対象となるサーバに大量の通信を送り付け，サーバを利用不能状態にする攻撃を**DoS攻撃**（Denial of Service attack）といいます。とくにDNSリフレクション攻撃では，遠隔操作された複数のコンピュータ（ボット）を使って，DNSサーバへの問合せを行います。このようなDoS攻撃を**DDoS攻撃**（Distributed DoS attack）といいます。DNSリフレクション攻撃は，DDoS攻撃の一種です。

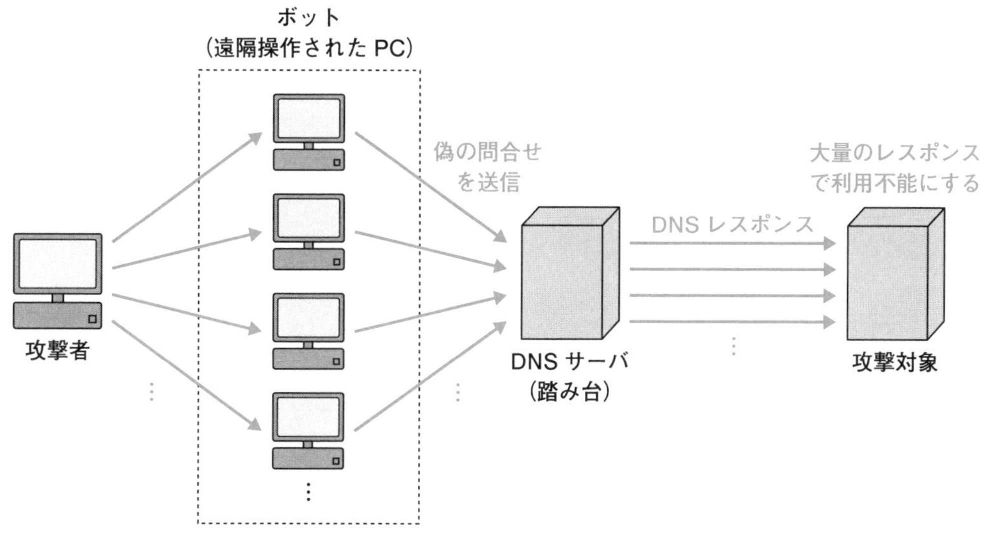

・[d]は，P社からインターネット上のWebサーバへのアクセスを中継し，通信ログを取得する。

社内のPCから外部のWebサーバにアクセスする際，アクセスを中継するサーバは「**プロキシサーバ**」です。プロキシサーバを利用すると，PCが外部とやり取りするログを記録できます。また，PCが外部と直接データのやり取りをしないので，マルウェアの侵入を防ぐことができます。

以上から，**空欄a「FW」，空欄b「メール中継サーバ」，空欄c「外部DNSサーバ」，空欄d「プロキシサーバ」**の ウ が正解です。

□
□

問 20

通信販売会社のA社のオフィスは，入退室管理システムによって入室制限が行われている。社員は，非接触型ICカードである社員カードを所持しており，社員カードを部屋の入口に設置された読取り装置にかざすと，社員カード内に記録されたIDによって入室の可否が判断される。入室が許可されるとドアが解錠される。オフィスの執務エリアは，間仕切りのない設計になっている。執務エリアにはプリンタ，コピー，文書保存などの機能をもつ複合機が3台設置され，複数の課で共有している。

A社では今回，物理的対策を中心にオフィスのセキュリティを見直すことになった。調査の結果，報告された問題点（一部）を図に示す。

（一）入退室の際，共連れでの入室が散見される。
（二）個人データが印刷された書類が複合機に放置されていることがある。
（三）書類や印刷物などを机の上に放置したままの離席が散見される。

図　報告された問題点（一部）

設問　報告された（一）～（三）の問題点への対策として，最も適切なものの組合せを解答群から選べ。

解答群

	（一）	（二）	（三）
ア	アンチパスバック	オンデマンド印刷	クリアスクリーン
イ	多要素認証	オンデマンド印刷	クリアスクリーン
ウ	アンチパスバック	オンデマンド印刷	クリアデスク
エ	多要素認証	オンデマンド印刷	クリアデスク
オ	アンチパスバック	オフセット印刷	クリアスクリーン
カ	多要素認証	オフセット印刷	クリアスクリーン
キ	アンチパスバック	オフセット印刷	クリアデスク
ク	多要素認証	オフセット印刷	クリアデスク

※出典：令和3年度秋期応用情報技術者試験午後問題問1を改変

合格のカギ

最近では，入退室管理や机の整理といった，情報システム以外のセキュリティが重視されるようになっています。自分が勤めている会社のセキュリティ体制を見直すことは，本問のようなセキュリティ問題を現実問題として解決することと同様なので，試験対策としておすすめです。

用語解説

1 アンチパスバック

入室した記録がない人に，退室を許可しない仕組みのこと。

2 オンデマンド印刷

利用者がプリンターの前に立ち，認証してから印刷を実行する仕組みのこと。

3 クリアスクリーン

離席する際にコンピュータをログオフしたり，コンピュータの画面をロックしたりしてのぞき見されないようにすること。

4 クリアデスク

書類やノートパソコンを机の上に出したままにせず，鍵のついたキャビネットなどに保管しておくこと。

5 多要素認証

パスワードや生体認証など，1 種類の情報だけで認証するのではなく，複数の情報で認証すること。①知識情報（パスワードなど），②所持情報（IC カードなど），③生体情報（指紋，顔認証など）のうち，異なる 2 つ以上の要素で認証する。

問題解説

問題点（一）～（三）の対策を順に検討します。

（一）入退室の際，共連れでの入室が散見される。

社員の 1 人が自分の社員カードを読取り装置にかざしてドアが開いたタイミングで，他の社員がカードをかざさずにいっしょに入室してしまうことを「共連れ」といいます。社員なら良いのですが，関係者以外の人が許可なく入室することもできるので，何らかの対策が必要です。

カード読取り装置を出口側にも設定して，入室状態になっていない人が退室しようとした場合は解錠しないようにすれば，入室許可のない人が勝手に出ていくのを防ぐことができます。このような仕組みを「**アンチパスバック**」といいます。

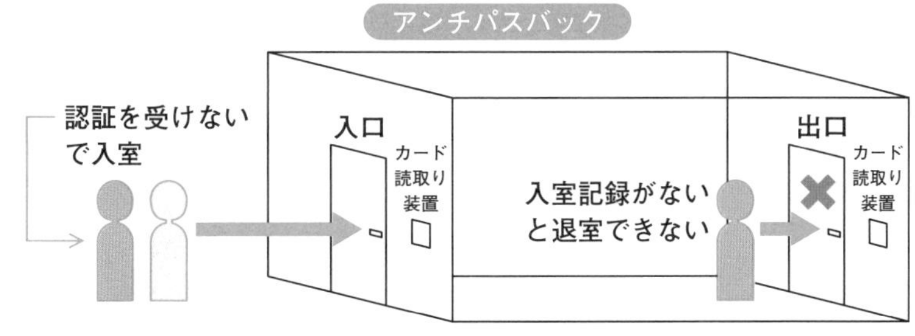

（二）個人データが印刷された書類が複合機に放置されていることがある。

社員が PC から複合機に印刷指示を出し，個人データを含む書類を印刷して，そのまま放置してしまう状態です。この状態を防ぐための方法としては，複合機にカード読み取り装置などを装備しておき，社員が印刷指示した書類については，複合機に社員カードをかざして認証を受けた後で印刷されるようにする対策が有効です。印刷指示を出した社員が複合機の側に行かないと印刷が実行されないため，書類の放置を防ぐことができます。このような仕組みを「**オンデマンド印刷**」といいます。

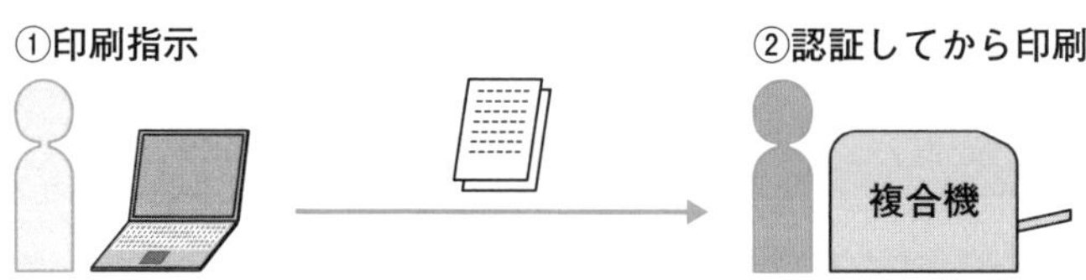

（三）**書類や印刷物などを机の上に放置したままの離席が散見される。**

重要な書類や印刷物を机の上に放置したり，鍵のついていない引き出しに入れたままにしたりして離席するのは，情報を盗まれるなどのセキュリティリスクがあります。離席する際に，書類やノートパソコンなどを机の上に出したままにせず，鍵のついたキャビネットなどに保管することを「**クリアデスク**」といいます。

なお，コンピュータをログインした状態のまま離席するのも，不正操作や情報の盗難などのリスクがあります。離席する際にコンピュータをログオフしたり，コンピュータの画面をロックしたりすることを「**クリアスクリーン**」といいます。

以上から，**問題（一）**の対策が「**アンチパスバック**」，**（二）**の対策が「**オンデマンド印刷**」，**（三）**の対策が「**クリアデスク**」の ウ が正解です。

基本情報技術者

サンプル問題

※このサンプル問題は，基本情報技術者試験が現行の試験制度に改定された際，IPAが新試験のサンプルとして公表したものです。内容は実際の試験と同じ科目A60問，科目B20問なので，模擬問題として利用できます。

基本情報技術者試験 サンプル問題 科目A

問01 負数を２の補数で表すとき，８ビットの２進正数 n に対し－ n を求める式はどれか。ここで，＋は加算を表し，OR はビットごとの論理和，XOR はビットごとの排他的論理和を表す。

ア (n OR 10000000) ＋ 00000001
イ (n OR 11111110) ＋ 11111111
ウ (n XOR 10000000) ＋ 11111111
エ (n XOR 11111111) ＋ 00000001

問02 次の流れ図は，10 進整数 j (0 ＜ j ＜ 100) を８桁の２進数に変換する処理を表している。２進数は下位桁から順に，配列の要素 NISHIN(1) から NISHIN(8) に格納される。流れ図の a 及び b に入れる処理はどれか。ここで，j div 2 は j を２で割った商の整数部分を，j mod 2 は j を２で割った余りを表す。

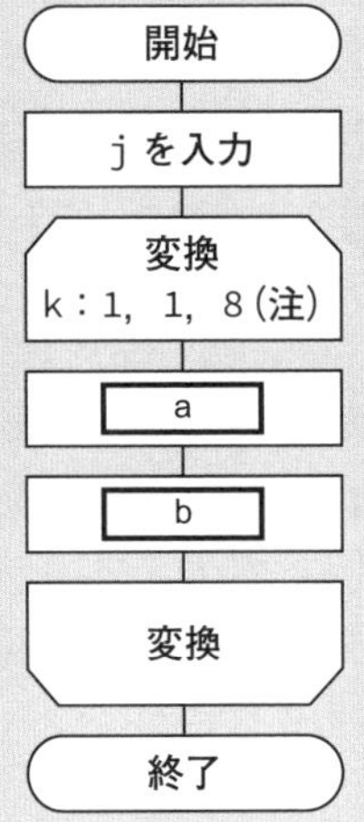

（注）ループ端の繰返し指定は，変数名：初期値，増分，終値を示す。

	a	b
ア	j ← j div 2	NISHIN (k) ← j mod 2
イ	j ← j mod 2	NISHIN (k) ← j div 2
ウ	NISHIN (k) ← j div 2	j ← j mod 2
エ	NISHIN (k) ← j mod 2	j ← j div 2

解説

問01　2の補数　キホン!　80%

－nは負数なので，nの2の補数になります。**2の補数**とは，元の2進数の全ビットを反転し，1を加えた数です。

ビットを反転するには，**排他的論理和**（XOR）と呼ばれる論理演算を使います。排他的論理和 A XOR Bは，AとBが同じ値のとき0，異なる値のとき1になります。したがって，0 XOR 1→1，1 XOR 1→0のように，1との排他的論理和をとればビットを反転することができます。

nは8ビットなので，全ビットを反転するには，(n XOR 11111111)とします。2の補数はこれに1を加えるので，

(n XOR 11111111) ＋ 00000001

となります。正解は エ です。

問02　10進→2進変換のアルゴリズム　キホン!　40%

10進数を2進数に変換するには，10進数を次々に2で割っていき，その余りを2進数の各桁に順番に格納していきます。たとえば，10進数の75を2進数に変換する場合は次のようになります。

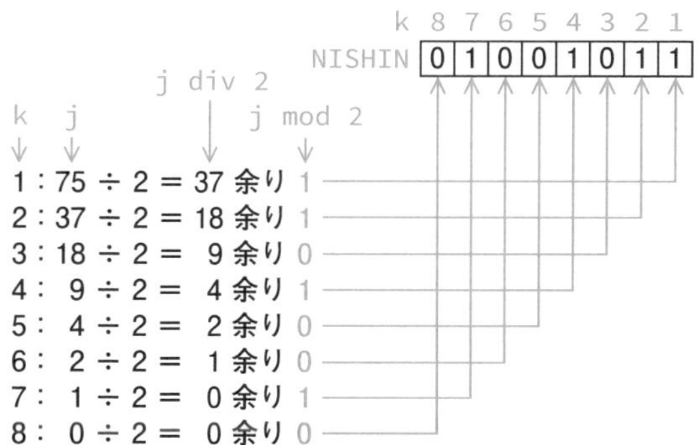

この処理は，変数kの値を1から8まで1ずつ増やしながら，次の①，②を繰り返すことで実現できます。

① 10進数jを2で割った余りを求め，結果を2進数のk桁目に格納する。
② 10進数jを2で割った商の整数部分をjに格納する。

流れ図の**空欄a**には，上の①の処理である「NISHIN(k) ← j mod 2」が入ります。また，**空欄b**には，②の処理である「j ← j div 2」が入ります。以上から，正解は エ です。

合格のカギ

排他的論理和　問01
2つのビットが同じ値のとき0，異なるビットのとき1になる論理演算。

0 XOR 0 → 0
0 XOR 1 → 1
1 XOR 0 → 1
1 XOR 1 → 0

覚えよう！　問01
2の補数といえば
- 元の値の各ビットを反転し，1を加える

例：01010101　←元の数
↓全ビットを反転
10101010
↓1を加える
10101011　←2の補数

問01
参考　元の数と2の補数を足すと00000000になる(桁あふれは無視する)ので，2の補数が元の数の負数とみなせるんだ。

覚えよう！　問02
10進数→2進数変換
10進数を次々に2で割っていき，その余りを下から順に並べる

10÷2=5 余り 0
5÷2=2 余り 1
2÷2=1 余り 0
1÷2=0 余り 1
↑ 1010

解答
問01 エ　問02 エ

問03 P，Q，R はいずれも命題である。命題 P の真理値は真であり，命題（not P）or Q 及び命題（not Q）or R のいずれの真理値も真であることが分かっている。Q，R の真理値はどれか。ここで，X or Y は X と Y の論理和，not X は X の否定を表す。

	Q	R
ア	偽	偽
イ	偽	真
ウ	真	偽
エ	真	真

問04 入力記号，出力記号の集合が {0，1} であり，状態遷移図で示されるオートマトンがある。0011001110 を入力記号とした場合の出力記号はどれか。ここで，入力記号は左から順に読み込まれるものとする。また，S_1 は初期状態を表し，遷移の矢印のラベルは，入力／出力を表している。

〔状態遷移図〕

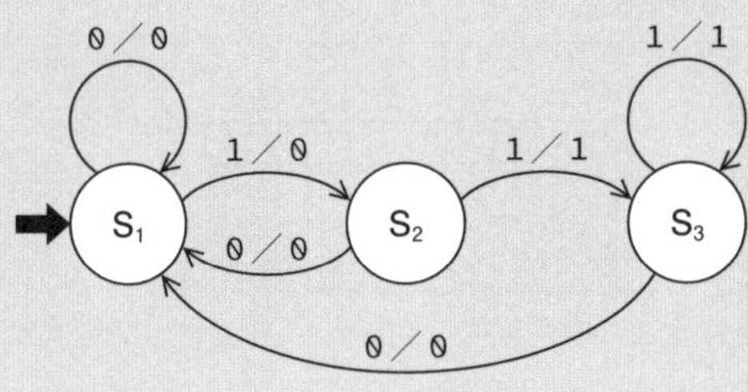

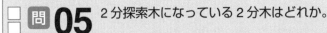

ア 0001000110　イ 0001001110　ウ 0010001000　エ 0011111110

問05 2 分探索木になっている 2 分木はどれか。

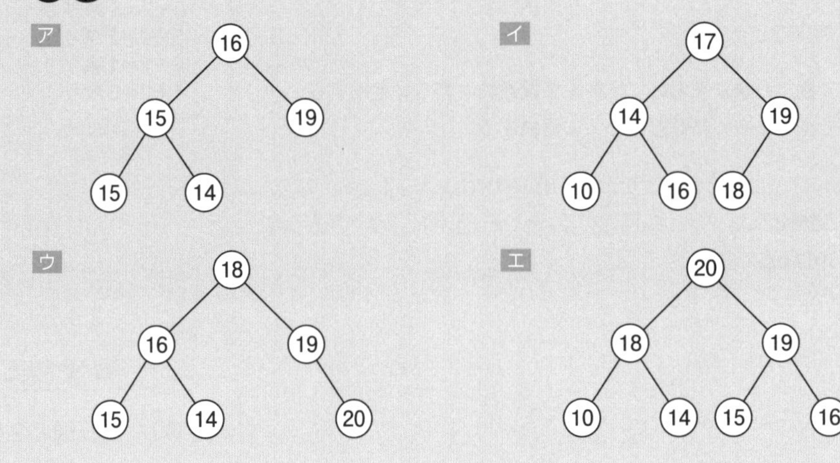

解説

問03 論理演算

.ıl 20%

not X は，X が真なら偽，偽なら真になります。また X or Y は，X または Y のどちらかまたは両方が真のとき真になります。

命題 P は真なので，命題 not P は偽です。したがって，(not P) or Q が真になるには，命題 Q が真でなければなりません。

命題 Q が真なので，命題 not Q は偽になるとわかります。したがって，(not Q) or R が真になるには，命題 R が真でなければなりません。

(not P) or Q → 真　　(not Q) or R → 真
偽　　真　　　　　　偽　　真

以上から，命題 Q が真，命題 R も真の組合せの エ が正解です。

問04 状態遷移図

.ıl 20%

入力記号 0011001110 の 10 個の数字を左から順に入力し，入力数字に対応する状態遷移図の矢印をたどっていくと，次の①～⑩の経路になります。

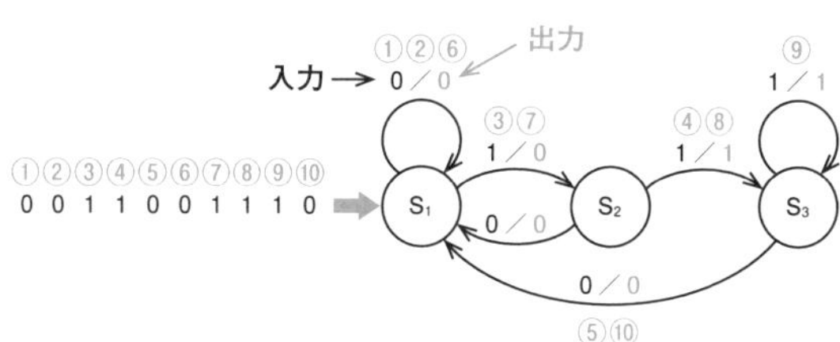

上図から，①～⑩の出力の数字を順に拾っていくと，0001000110 という出力記号を得ます。以上から，正解は ア です。

問05 2分探索木

.ıl 20%

2分探索木は，左の子が親より小さく，右の子が親より大きくなるように各ノードを配置した2分木です。ア～エ のうち，この条件を満たす2分木は イ だけです。

× ア

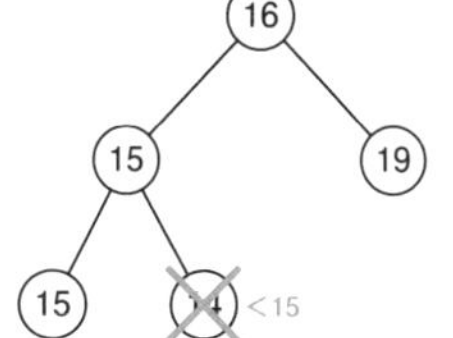

○ イ

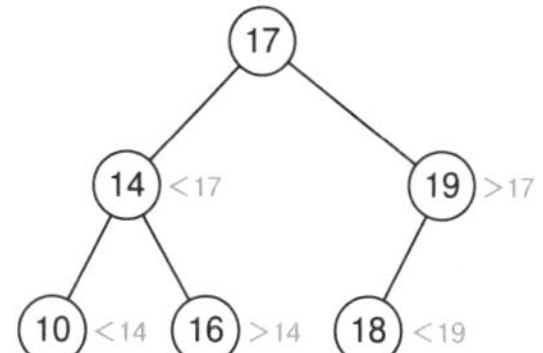

× ウ

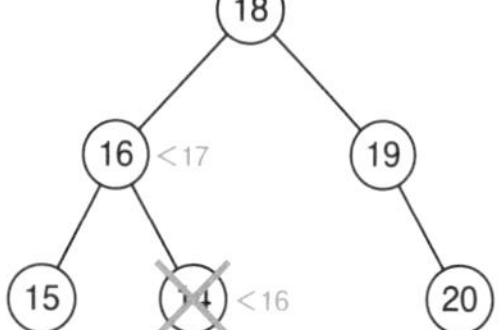

× エ

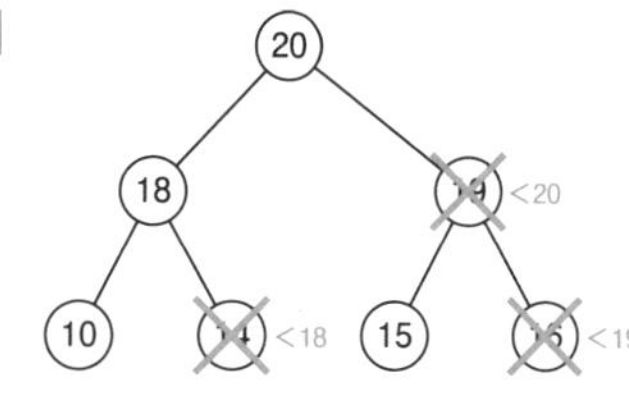

合格のカギ

状態遷移図　問04
システムがある状態から別の状態に移り変わる様子を表した図。

オートマトン　問04
外部からの入力に応じて内部の状態を変化させ，結果を出力するシステム。

2分探索木　問05
左の子が親より小さく，右の子が親より大きくなるように各ノードを配置した2分木。目的のデータを探すとき，ノードを1つたどるごとに探索範囲が半分に絞れるので，探索効率がよい。

解答
問03 エ　問04 ア
問05 イ

問06

配列Aが図2の状態のとき，図1の流れ図を実行すると，配列Bが図3の状態になった。図1のaに入れる操作はどれか。ここで，配列A，Bの要素をそれぞれA（i，j），B（i，j）とする。

開始
ループ1
i：0,1,7（注）
ループ2
j：0,1,7（注）
a
ループ2
ループ1
終了

図1　流れ図

i＼j	0	1	2	3	4	5	6	7
0		*	*	*	*	*	*	
1		*						
2		*						
3		*	*	*	*			
4		*						
5		*						
6		*						
7		*						

図2　配列Aの状態

i＼j	0	1	2	3	4	5	6	7
0								
1	*	*	*	*	*	*	*	*
2					*			*
3					*			*
4					*			*
5								*
6								*
7								

図3　実行後の配列Bの状態

（注）ループ端の繰返し指定は，
変数名：初期値，増分，終値
を示す。

ア　B（7－i，7－j）← A（i，j）
イ　B（7－j，i）← A（i，j）
ウ　B（i，7－j）← A（i，j）
エ　B（j，7－i）← A（i，j）

問07

10進法で5桁の数 $a_1 a_2 a_3 a_4 a_5$ を，ハッシュ法を用いて配列に格納したい。ハッシュ関数を mod（$a_1 + a_2 + a_3 + a_4 + a_5$，13）とし，求めたハッシュ値に対応する位置の配列要素に格納する場合，54321は配列のどの位置に入るか。ここで，mod（x，13）は，xを13で割った余りとする。

位置	配列
0	
1	
2	
⋮	⋮
11	
12	

ア　1　　イ　2　　ウ　7　　エ　11

問08

自然数nに対して，次のとおり再帰的に定義される関数f（n）を考える。f（5）の値はどれか。

```
f(n)：if n≦1 then return 1 else return n＋ f(n－1)
```

ア　6　　イ　9　　ウ　15　　エ　25

解説

問06 二次元配列の操作

20%

図2と図3を比べると，図2の内容を90°右に回転したものが図3です。配列 A と配列 B の対応する要素は，次のようになります。

```
  i  j                    i  j
A(0, 0) → B(0, 7)   A(1, 0) → B(0, 6)
A(0, 1) → B(1, 7)   A(1, 1) → B(1, 6)
A(0, 2) → B(2, 7)   A(1, 2) → B(2, 6)
  ⋮          ⋮          ⋮          ⋮
A(0, 7) → B(7, 7)   A(1, 7) → B(7, 6)
```

このように，配列 A の要素を A(i, j) とすれば，対応する配列 B の要素は B(j, 7 − i) と表すことができます。以上から，**空欄 a** には「B(j, 7 − i) ← A(i, j)」が入ります。正解は エ です。

問07 ハッシュ法

30%

$a_1 = 5$, $a_2 = 4$, $a_3 = 3$, $a_4 = 2$, $a_5 = 1$ として，mod $(a_1 + a_2 + a_3 + a_4 + a_5$, 13) を計算します。

mod(5＋4＋3＋2＋1, 13)＝mod(15, 13)＝2 ⬅ 15を13で割った余り

以上から，54321 は配列の 2 の位置に入ります。正解は イ です。

この方式で配列に値を格納しておくと，後で配列から値 54321 を検索する場合にも，同様の計算ですぐに配列の 2 番目から値を取り出せます。

位置	配列
0	12343
1	82121
2	54321
⋮	⋮
11	44556
12	55663

← 格納位置を計算で求めることができる

問08 再帰的関数

60%

処理の中で自分自身を呼び出す関数を**再帰的関数**といいます。関数 f(n) は，n の値が 1 より大きければ n ＋ f(n − 1) を返し，n の値が 1 以下のときは 1 を返します。したがって，f(5) の値は次のように計算できます。

```
f(5)=5+f(4)
    =5+4+f(3)      ←n+f(n-1) を返す
    =5+4+3+f(2)    ←n+f(n-1) を返す
    =5+4+3+2+f(1)  ←n+f(n-1) を返す
    =5+4+3+2+1     ←n≦1 なので 1 を返す
    =15
```

以上から，正解は ウ です。

合格のカギ

ハッシュ法 問07

データの格納位置を，ハッシュ関数によってデータ自体から計算する方法。データを検索する際には，同様の計算で格納位置をすばやく求めることができる。ただし，データによっては格納位置が重なる場合がある（衝突という）ため，その場合の処理手順が必要となる。

再帰的関数 問08

処理の中で自分自身を呼び出す関数。定義の中に，必ず底入れの規定が含まれる。この規定がないと無限に自分自身を呼び出してしまう。

解答

問06 エ　問07 イ
問08 ウ

問09 プログラムのコーディング規約に規定する事項のうち，適切なものはどれか。

ア　局所変数は，用途が異なる場合でもデータ型が同じならば，できるだけ同一の変数を使うようにする。
イ　処理性能を向上させるために，ループの制御変数には浮動小数点型変数を使用する。
ウ　同様の計算を何度も繰り返すときは，関数の再帰呼出しを用いる。
エ　領域割付け関数を使用するときは，割付けができなかったときの処理を記述する。

問10 外部割込みの原因となるものはどれか。

ア　ゼロによる除算命令の実行　　イ　存在しない命令コードの実行
ウ　タイマーによる時間経過の通知　　エ　ページフォールトの発生

問11 メモリのエラー検出及び訂正にECCを利用している。データバス幅 2^n ビットに対して冗長ビットが n＋2 ビット必要なとき，128ビットのデータバス幅に必要な冗長ビットは何ビットか。

ア　7　　イ　8　　ウ　9　　エ　10

問12 A～Dを，主記憶の実効アクセス時間が短い順に並べたものはどれか。

	キャッシュメモリ			主記憶
	有無	アクセス時間（ナノ秒）	ヒット率（%）	アクセス時間（ナノ秒）
A	なし	－	－	15
B	なし	－	－	30
C	あり	20	60	70
D	あり	10	90	80

ア　A，B，C，D　　イ　A，D，B，C　　ウ　C，D，A，B　　エ　D，C，A，B

解説

問09 コーディング規約

20%

コーディング規約とは，プログラムを記述する際に決めておく書き方のルールのことです。複数のプログラマの間で書き方を統一して，プログラムを読みやすくしたり，バグ（プログラムの誤り）を減らすために用います。

×ア　1つの変数を異なる用途に使うのは混乱のもとになるので，それぞれの用途に応じた変数を用意すべきです。

合格のカギ

× イ ループ制御変数は，繰返し処理を継続するかどうかを判断する条件式に用いる変数です。制御変数に浮動小数点型変数を使用すると，繰返しのたびに浮動小数点演算が必要となるため，整数型や論理型変数を使用した場合と比べて処理性能は低下します。

× ウ 関数の再帰呼出しは，関数の中でその関数自身を呼び出す場合に使用します。計算を何度も繰り返す処理には，繰返し処理を用います。

○ エ 正解です。領域割付け関数は，メモリが足りない場合は領域確保に失敗する場合があります。その場合の処理を記述しておくことで，意図せぬエラーを避けることができます。

問10 外部割込み

40%

実行中のプログラムを中断し，CPU に強制的に別の処理を実行させることを割込みといいます。割込みは，プログラムによって発生する内部割込みと，入出力装置やタイマーなどのハードウェアによって発生する外部割込みの 2 種類に大きく分かれます。

× ア，イ ゼロによる除算や存在しない命令コードの実行は，プログラムのエラーによって発生する内部割込みです。

○ ウ タイマーによって発生する外部割込みです。

× エ ページフォールトは OS の仮想記憶によって発生する内部割込みです。

問11 冗長ビット

20%

2^n ビットのデータバス幅に対して，n ＋ 2 ビットの冗長ビットが必要なので，128 ビット＝ 2^7 ビットのデータバス幅に対して必要な冗長ビットは，7 ＋ 2 ＝ 9 ビットになります。正解は ウ です。

問12 実効アクセス時間の計算

50%

CPU は，目的のデータがキャッシュメモリにある場合は，高速なキャッシュメモリからデータを読み込み，キャッシュメモリにない場合にだけ主記憶にアクセスして，全体のアクセス時間を短縮します。このように，キャッシュメモリの効果を含めたアクセス時間を実効アクセス時間といいます。

目的のデータがキャッシュメモリにある確率（ヒット率）を C とすると，実効アクセス時間は**キャッシュメモリのアクセス時間× C ＋主記憶のアクセス時間×（1 − C）**で計算できます。

A ～ D の実効アクセス時間は，それぞれ次のように計算します。

A：15 × 1 ＝ 15 ナノ秒（キャッシュメモリなし）
B：30 × 1 ＝ 30 ナノ秒（キャッシュメモリなし）
C：20 × 0.6 ＋ 70 ×（1 − 0.6）＝ 12 ＋ 28 ＝ 40 ナノ秒
D：10 × 0.9 ＋ 80 ×（1 − 0.9）＝ 9 ＋ 8 ＝ 17 ナノ秒

以上から，実効アクセス時間は小さい順に，A（15 ナノ秒），D（17 ナノ秒），B（30 ナノ秒），C（40 ナノ秒）となります。正解は イ です。

覚えよう！ 問10

内部割込みといえば
- プログラムによって発生

外部割込みといえば
- ハードウェアによって発生

入出力割込み	入出力処理の完了やエラーで発生
タイマー割込み	タイマーによって発生
機械チェック割込み	ハードウェアの障害などによって発生
コンソール割込み	割込みスイッチの操作で発生

ゼロによる除算 問10
数値をゼロで割ることはできないので，プログラムの実行中にゼロによる除算が発生するとエラーになる。

ページフォールト 問10
OSの仮想記憶システムで，物理メモリ上に存在しないページを参照したときに発生する割込み。

ECC 問11
Error Check and Correction：メモリに記憶されたデータの誤りを検出し，訂正する機能。誤りの検出・訂正に，データを基に算出された冗長ビットを使用する。

冗長ビット 問11
伝送データに付け加える余分な符号のこと。伝送の誤り検出や訂正を行うために用いられる。

覚えよう！ 問12

実効アクセス時間といえば
キャッシュメモリのアクセス時間×ヒット率＋主記憶のアクセス時間×（1 －ヒット率）

解答

問09	エ	問10	ウ
問11	ウ	問12	イ

□
□ **問 13** 仮想化マシン環境を物理マシン 20 台で運用しているシステムがある。次の運用条件のとき，物理マシンが最低何台停止すると縮退運転になるか。

〔運用条件〕
(1) 物理マシンが停止すると，そこで稼働していた仮想マシンは他の全ての物理マシンで均等に稼働させ，使用していた資源も同様に配分する。
(2) 物理マシンが 20 台のときに使用する資源は，全ての物理マシンにおいて 70%である。
(3) 1 台の物理マシンで使用している資源が 90%を超えた場合，システム全体が縮退運転となる。
(4) (1) ～ (3) 以外の条件は考慮しなくてよい。

ア 2　　イ 3　　ウ 4　　エ 5

□
□ **問 14** 図のように，1 台のサーバ，3 台のクライアント及び 2 台のプリンタが LAN で接続されている。このシステムはクライアントからの指示に基づいて，サーバにあるデータをプリンタに出力する。各装置の稼働率が表のとおりであるとき，このシステムの稼働率を表す計算式はどれか。ここで，クライアントは 3 台のうちどれか 1 台が稼働していればよく，プリンタは 2 台のうちどちらかが稼働していればよい。

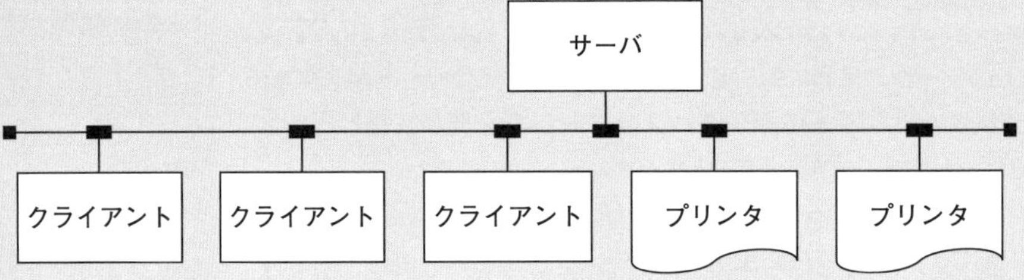

装置	稼働率
サーバ	a
クライアント	b
プリンタ	c
LAN	1

ア ab^3c^2

イ $a(1-b^3)(1-c^2)$

ウ $a(1-b)^3(1-c)^2$

エ $a(1-(1-b)^3)(1-(1-c)^2)$

解説

問13 仮想マシン

10%

物理マシンが 20 台のとき，物理マシン 1 台当たり 70%の資源を使用するので，使用する資源全体は $20 \times 0.7 = 14$ 台分に相当します。

この資源を各物理マシンに 90%ずつ割り当てる場合，必要な物理マシンは $14 \div 0.9 \fallingdotseq 15.56$ 台になります。物理マシン 16 台のときは，90%をわずかに下回るので，縮退運転になる台数は 15 台です。

以上から，$20 - 15 = 5$ 台以上停止すると縮退運転になることがわかります。正解は エ です。

問14 稼働率の計算

90%

クライアントは 3 台のうちどれか 1 台が稼働していればよいので，3 台とも故障しない限りは稼働しているとみなします。このようなシステムを**並列システム**といいます。クライアント 1 台の稼働率が b のとき，クライアント 1 台が故障している確率は $1 - b$ です。したがって，3 台とも故障している確率は $(1 - b)^3$ になります。3 台とも故障していなければ少なくとも 1 台は稼働しているので，クライアント全体の稼働率は

$$1 - (1 - b)^3$$

となります。

同様に，プリンタは 2 台のうちどちらかが稼働していればよい並列システムなので，2 台とも故障しない限りは稼働しているとみなします。プリンタ 1 台の稼働率が c のとき，プリンタ 1 台が故障している確率は $1 - c$ です。したがって，2 台とも故障している確率は $(1 - c)^2$ になります。よって，プリンタ全体の稼働率は

$$1 - (1 - c)^2$$

となります。

接続された機器が 1 つでも故障すると全体が停止するシステムを**直列システム**といいます。サーバ，クライアント，プリンタは同時に稼働していなければならない直列システムなので，全体の稼働率は次のようになります。

サーバの稼働率

$$a\,(1 - (1 - b)^3)\,(1 - (1 - c)^2)$$

クライアントの稼働率　プリンタの稼働率

以上から，正解は エ です。

合格のカギ

仮想マシン 問13
物理的なコンピュータ（物理マシン）上に，ソフトウェアによって擬似的に再現されたコンピュータのこと。

縮退運転 問13
障害が発生してもシステム全体を停止せず，機能の一部や性能を制限して稼働状態を維持すること。フォールバックともいう。

稼働率 問14
ある期間中に，装置やシステムが正常に稼働している割合のこと。稼働時間÷全運用時間で求められる。

覚えよう！ 問14

直列システムの稼働率

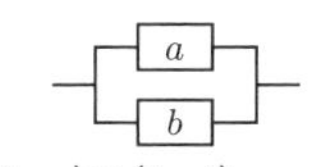

$a \times b$

並列システムの稼働率

$1 - (1 - a) \times (1 - b)$

解答

問13 エ　問14 エ

サンプル問題 科目A

問15 図の送信タスクから受信タスクにT秒連続してデータを送信する。1秒当たりの送信量をS，1秒当たりの受信量をRとしたとき，バッファがオーバフローしないバッファサイズLを表す関係式として適切なものはどれか。ここで，受信タスクよりも送信タスクの方が転送速度は速く，次の転送開始までの時間間隔は十分にあるものとする。

ア L＜（R－S）×T　　イ L＜（S－R）×T
ウ L≧（R－S）×T　　エ L≧（S－R）×T

問16 インタプリタの説明として，適切なものはどれか。

ア 原始プログラムを，解釈しながら実行するプログラムである。
イ 原始プログラムを，推論しながら翻訳するプログラムである。
ウ 原始プログラムを，目的プログラムに翻訳するプログラムである。
エ 実行可能なプログラムを，主記憶装置にロードするプログラムである。

問17 三つの媒体A～Cに次の条件でファイル領域を割り当てた場合，割り当てた領域の総量が大きい順に媒体を並べたものはどれか。

〔条件〕
(1) ファイル領域を割り当てる際の媒体選択アルゴリズムとして，空き領域が最大の媒体を選択する方式を採用する。
(2) 割当て要求されるファイル領域の大きさは，順に90，30，40，40，70，30（Mバイト）であり，割り当てられたファイル領域は，途中で解放されない。
(3) 各媒体は容量が同一であり，割当て要求に対して十分な大きさをもち，初めは全て空きの状態である。
(4) 空き領域の大きさが等しい場合には，A，B，Cの順に選択する。

ア A，B，C　　イ A，C，B　　ウ B，A，C　　エ C，B，A

解説

合格のカギ

問15 バッファサイズの計算

20%

1秒当たりの送信量Sに対し，受信量はRになります。SのほうがRより多いので，受信しきれないデータが1秒間にS－Rだけ生じます。このデータをバッファに蓄えます。

データはT秒間送信されるので，受信しきれないデータ量の合計は（S－R）

×Tになります。バッファサイズがこれより小さいとバッファがあふれてしまう（オーバフロー）ので，バッファサイズLはこの量以上でなければなりません。したがって，関係式は次のようになります。

L ≧（S − R）× T

以上から，正解は エ です。

問16 インタプリタ

30%

プログラム言語は人間が記述しやすいように，人間の言語に近い単語や文法でできています。プログラム言語で記述したプログラムを**原始プログラム**といいます（ソースプログラム，ソースコードともいう）。

原始プログラムは，コンピュータが理解できる機械語に変換されて，はじめて実行可能なプログラムになります。インタプリタやコンパイラは，この変換を行うプログラムです。**インタプリタ**は，原始プログラムを逐語的に機械語に解釈しながら実行します。

○ ア 正解です。
× イ トランスレータ（あるプログラム言語を別のプログラム言語に変換するときなどに使う）の説明です。
× ウ コンパイラの説明です。
× エ ローダの説明です。

問17 ファイル領域の割り当て

10%

条件（1）～（4）から，その時点で使用量が最も少ない（＝空き領域が最も多い）媒体に，ファイル領域を割り当てていけばよいことがわかります。90，30，40，40，70，30の順に割り当てていくと，次のようになります。

①空き領域はすべて同じなので，Aに90Mバイトを割り当てます。
A：90 B：0 C：0
②BとCの空き領域が同じなので，Bに30Mバイトを割り当てます。
A：90 B：30 C：0
③Cに40Mバイトを割り当てます。
A：90 B：30 C：40
④Bに40Mバイトを割り当てます。
A：90 B：30＋40 C：40
⑤Cに70Mバイトを割り当てます。
A：90 B：70 C：40＋70
⑥Bに30Mバイトを割り当てます。
A：90 B：70＋30 C：110

A～Cを，割り当てた領域の総量が大きい順に並べると，C，B，Aになります。正解は エ です。

合格のカギ

バッファ 問15
処理速度の異なる装置間でデータを転送する際，速度のギャップを埋めるためにデータを一時的に蓄える機能。

覚えよう！ 問16
インタプリタといえば
- ソースプログラムを解釈しながら実行する

コンパイラといえば
- ソースプログラムを目的プログラムに翻訳

目的プログラム 問16
原始プログラムを機械語に変換したプログラムのこと。オブジェクトプログラム。

解答
問15 エ 問16 ア
問17 エ

問18 ファイルシステムの絶対パス名を説明したものはどれか。

ア あるディレクトリから対象ファイルに至る幾つかのパス名のうち，最短のパス名
イ カレントディレクトリから対象ファイルに至るパス名
ウ ホームディレクトリから対象ファイルに至るパス名
エ ルートディレクトリから対象ファイルに至るパス名

問19 DRAMの特徴はどれか。

ア 書込み及び消去を一括又はブロック単位で行う。
イ データを保持するためのリフレッシュ操作又はアクセス操作が不要である。
ウ 電源が遮断された状態でも，記憶した情報を保持することができる。
エ メモリセル構造が単純なので高集積化することができ，ビット単価を安くできる。

問20 次のような注文データが入力されたとき，注文日が入力日以前の営業日かどうかを検査するチェックはどれか。

注文データ

伝票番号 (文字)	注文日 (文字)	商品コード (文字)	数量 (数値)	顧客コード (文字)

ア シーケンスチェック
イ 重複チェック
ウ フォーマットチェック
エ 論理チェック

問21 RDBMSにおけるビューに関する記述のうち，適切なものはどれか。

ア ビューとは，名前を付けた導出表のことである。
イ ビューに対して，ビューを定義することはできない。
ウ ビューの定義を行ってから，必要があれば，その基底表を定義する。
エ ビューは一つの基底表に対して一つだけ定義できる。

解説

問18 絶対パス名

30%

ディスクに保管されているファイルの情報を記録した登録簿を**ディレクトリ**といいます。対象ファイルを指定する際には，そのファイルが登録されているディレクトリをファイル名とともに指定します。これを**パス名**といいます。

ディレクトリは階層構造になっており，ディレクトリの下位にさらにディレクトリを作成できます。このうち，最上位のディレクトリ（¥）を**ルートディ**

レクトリといい，対象ファイルをルートディレクトリから順に表したパス名を絶対パス名といいます。

絶対パス名の例：¥usr¥data¥text¥file.txt ←ルートディレクトリの下位の"usr"の下位の"data"の下位の"text"にあるファイル"file.txt"

以上から，正解は エ です。なお， イ のように対象ファイルを現在のディレクトリ（カレントディレクトリ）からの経路で表したパス名を相対パス名といいます。

問19 DRAMの特徴

80%

DRAM（Dynamic RAM）は，電源を切ると内容が消えてしまう揮発性メモリの一種です。構造が単純なので大容量化・高集積化しやすく，ビット当たりの単価を安くできます。そのため，主に主記憶装置に用いられます。

× ア 書き込みや消去をブロック単位で行うのは，フラッシュメモリです。
× イ DRAMは，データを保持するために一定時間ごとに内容を再書込みするリフレッシュ動作が必要です。
× ウ 電源を切った後でも記憶した情報を保持できるのは，EPROMやフラッシュメモリなどの不揮発性メモリの特徴です。
○ エ 正解です。

問20 入力チェック

40%

注文日が入力日より後の日付では，未来からの注文になってしまいます。このように，入力データの論理的な整合性のチェックを，論理チェックといいます。

× ア シーケンスチェックは，入力データが順番通りかどうかをチェックします（例：伝票番号が前のデータの続きになっているか）。
× イ 重複チェックは，入力データが既存のデータと重複していないかどうかをチェックします（例：伝票番号が重複していないか）。
× ウ フォーマットチェックは，入力データが決められた形式に従っているかどうかをチェックします（例：商品コードの桁数が合っているか）。
○ エ 正解です。

問21 ビュー

10%

ビュー（仮想表）は，データベース上に実際に存在する表（実表）ではなく，実表を加工して得られる表（導出表）に名前を付け，実表と同様に扱えるようにしたものです。

○ ア 正解です。
× イ ビューをさらに加工して，別のビューを作ることができます。
× ウ ビューの基になる表（基底表）が先に定義されていなければなりません。
× エ 1つの基底表から複数のビューを定義することも，複数の基底表を参照して1つのビューを定義することもできます。

覚えよう！ 問18

絶対パス名といえば
- ファイルをルートディレクトリからの経路で表す

相対パス名といえば
- ファイルをカレントディレクトリからの経路で表す

問18

参考 Windowsや macOSでは，ディレクトリを「フォルダ」として表示しているよ。

覚えよう！ 問19

DRAMといえば
- 構造が単純で比較的安価に高集積化が可能
- リフレッシュ動作が必要
- 主記憶装置に用いる

フラッシュメモリ 問19
電源を切っても内容が消えない不揮発性メモリの一種。電気的に内容の消去・書換えができ，USBメモリやSSDなどに用いられる。

ビュー 問21
データベースに実際に記録されている表（実表）を基に，関係演算によって作成される仮想的な表。SQLのCREAT VIEWで定義する。

解答

問18	エ	問19	エ
問20	エ	問21	ア

サンプル問題 科目A

問22 UML を用いて表した図の概念データモデルの解釈として，適切なものはどれか。

ア 従業員の総数と部署の総数は一致する。
イ 従業員は，同時に複数の部署に所属してもよい。
ウ 所属する従業員がいない部署の存在は許されない。
エ どの部署にも所属しない従業員が存在してもよい。

問23 ビッグデータのデータ貯蔵場所であるデータレイクの特徴として，適切なものはどれか。

ア あらゆるデータをそのままの形式や構造で格納しておく。
イ データ量を抑えるために，データの記述情報であるメタデータは格納しない。
ウ データを格納する前にデータ利用方法を設計し，それに沿ってスキーマをあらかじめ定義しておく。
エ テキストファイルやバイナリデータなど，格納するデータの形式に応じてリポジトリを使い分ける。

問24 関係モデルにおいて表 X から表 Y を得る関係演算はどれか。

X

商品番号	商品名	価格	数量
A01	カメラ	13,000	20
A02	テレビ	58,000	15
B01	冷蔵庫	65,000	8
B05	洗濯機	48,000	10
B06	乾燥機	35,000	5

Y

商品番号	数量
A01	20
A02	15
B01	8
B05	10
B06	5

ア 結合（join）
イ 射影（projection）
ウ 選択（selection）
エ 併合（merge）

解説

問22 UMLの概念データモデル

20%

図は，従業員が部署に「所属する」関係であることを表しています。部署の多重度「1.. ＊」は，1人の従業員が必ず「1つ以上」の部署に所属することを表します。また，従業員の多重度「0.. ＊」は，1つの部署には「0人以上」の従業員が所属することを示します。

× ア 従業員と部署の対応は1対1ではないので，総数が一致するとは限りません。

○ イ 正解です。従業員は「1つ以上」の部署に所属するので，同時に複数の部署に所属できます。

× ウ 1つの部署には「0人以上」の従業員が所属するので，所属する従業員がいない部署の存在も許されます。

× エ 従業員は「1つ以上」の部署に所属するので，最低でも1つの部署に所属します。

問23 データレイク

10%

データレイクとは，様々なソースから収集された多様な形式のデータを一元的に管理する収納庫（リポジトリ）のことです。データをそのままの形式や構造で格納するため，あらゆるデータをとりあえず保存しておき，後から目的に応じて様々に活用することができます。正解は ア です。

○ ア 正解です。

× イ メタデータとは，ソースや収集日時など，保存データに関する情報です。格納されたデータを活用するため，データレイクでも必要に応じて付与します。

× ウ データレイクではデータをそのまま格納するので，スキーマ定義などは行いません。ビッグデータを利用目的に沿ったスキーマによって管理するデータベースは，データウェアハウスです。

× エ データレイクでは，どのような形式のデータも一元的に管理するため，リポジトリを使い分ける必要はありません。

問24 関係演算

50%

表Yは，表Xから列“商品番号”と“数量”だけを抜き出したものです。このように，元の表から特定の列を取り出す関係演算を射影といいます。

× ア 結合は，特定の項目をキーに，一方の表から他の表の項目を参照し，両者を1つの表に統合する関係演算です。

○ イ 正解です。

× ウ 選択は，元の表から特定の条件に合う行を取り出す関係演算です。

× エ 併合は，一方の表の行を他方の表に追加し，1つの表にまとめる操作です。

合格のカギ

覚えよう！ 問22

多重度の種類

0..1	ゼロまたは1
1	1つだけ
0.. ＊	0以上
1.. ＊	1以上

UML 問22
Unified Modeling Language：オブジェクト指向の開発や設計で利用する様々な種類の図式を規格化したもの。概念データモデルを表すには，UMLのクラス図を利用する。

データウェアハウス 問23
ビッグデータを時系列に整理して格納するデータベース。データレイクと異なり，収集したデータは目的に合わせて処理されて格納される。

覚えよう！ 問24

関係演算といえば

- **射影**：特定の列を取り出す
- **選択**：特定の行を取り出す
- **結合**：複数の表を共通の項目をキーにして結合する

解答

問22 イ　問23 ア
問24 イ

□□ 問25 IoTで用いられる無線通信技術であり，近距離のIT機器同士が通信する無線PAN（Personal Area Network）と呼ばれるネットワークに利用されるものはどれか。

ア BLE（Bluetooth Low Energy）
イ LTE（Long Term Evolution）
ウ PLC（Power Line Communication）
エ PPP（Point-to-Point Protocol）

□□ 問26 1.5Mビット／秒の伝送路を用いて12Mバイトのデータを転送するのに必要な伝送時間は何秒か。ここで，伝送路の伝送効率を50%とする。

ア 16　イ 32　ウ 64　エ 128

□□ 問27 TCP/IPを利用している環境で，電子メールに画像データなどを添付するための規格はどれか。

ア JPEG　イ MIME　ウ MPEG　エ SMTP

□□ 問28 トランスポート層のプロトコルであり，信頼性よりもリアルタイム性が重視される場合に用いられるものはどれか。

ア HTTP　イ IP　ウ TCP　エ UDP

解説

合格のカギ

問25 無線通信技術

10%

IT機器同士や，IT機器と周辺機器とをつなぐ近距離の無線通信規格に，Bluetooth（ブルートゥース）があります。このうち，とくに省電力に特化したBluetoothの規格がBLE（Bluetooth Low Energy）で，ボタン電池1個で長期間電池交換せずに利用できることから，IoTデバイスでよく用いられます。

○ ア 正解です。

× イ LTE（Long Term Evolution）は携帯電話用の通信規格です。3G（第3世代携帯電話）を拡張したものですが，4G（第4世代携帯電話）として広く普及しています。

× ウ PLC（Power Line Communication：電力線通信）は，電力線をデータ通信回線として利用する技術です。

× エ PPP（Point-to-Point Protocol）は，電話回線などを使用して1対1のデータ通信を行うためのプロトコルです。

問26 伝送時間の計算 30%

伝送路のスピードは1.5Mビット／秒ですが，伝送効率が50%なので実効スピードは1.5 × 0.5 = 0.75Mビット／秒になります。12Mバイト＝12 × 8Mビットなので（1バイト＝8ビット），データを転送するのに必要な時間は，

12 × 8Mビット ÷ 0.75Mビット／秒＝ 128秒

となります。正解は エ です。

問27 電子メールの添付データ 20%

インターネットの電子メールで，画像ファイルなどの様々な形式のデータをやり取りするための規格をMIME（Multipurpose Internet Mail Extension）といいます。

× ア JPEGは，画像データの圧縮形式です。

○ イ 正解です。

× ウ MPEGは，動画データの圧縮形式です。

× エ SMTPは，電子メールを送信するための標準プロトコルです。

問28 トランスポート層のプロトコル 20%

トランスポート層は，コネクションの確立やエラー処理など，端末間のデータ転送の信頼性を管理します。トランスポート層の代表的なプロトコルにTCPとUDPがあります。UDPは，コネクションの確立を確認せずにデータを送信するもので，ライブ音声や動画配信といった，信頼性よりもリアルタイム性を重視する通信に用いられます。

× ア HTTPは，Webページの情報をやり取りするアプリケーション層のプロトコルです。

× イ IPは，インターネットに接続した端末同士でパケットをやり取りするネットワーク層のプロトコルです。

× ウ TCPは，UDPと同じトランスポート層のプロトコルですが，コネクションの確立やデータ再送などの機能を備えており，信頼性を重心する通信に用いられます。

○ エ 正解です。

IoT 問25

Internet of Things：モノのインターネット。情報端末以外の様々なモノに通信機能をもたせ，インターネットを介して情報を収集・解析して高度な判断やサービスを実現する技術。

PAN 問25

Personal Area Network：ユーザ個人の周辺の数10cm～数m以内の電子機器を接続するネットワーク。

覚えよう！ 問27

MIMEといえば

- 電子メールで音声，動画などをやり取りするための規格
- 添付データを文字データに変換して送信。このときの符号化形式をBase64という

OSI基本参照モデルの7つの階層 問28

階層	名称
7	アプリケーション層
6	プレゼンテーション層
5	セッション層
4	トランスポート層
3	ネットワーク層
2	データリンク層
1	物理層

解答

問25	ア	問26	エ
問27	イ	問28	エ

問29 PC と Web サーバが HTTP で通信している。PC から Web サーバ宛てのパケットでは，送信元ポート番号は PC 側で割り当てた 50001，宛先ポート番号は 80 であった。Web サーバから PC への戻りのパケットでのポート番号の組合せはどれか。

	送信元（Web サーバ）のポート番号	宛先（PC）のポート番号
ア	80	50001
イ	50001	80
ウ	80 と 50001 以外からサーバ側で割り当てた番号	80
エ	80 と 50001 以外からサーバ側で割り当てた番号	50001

問30 緊急事態を装って組織内部の人間からパスワードや機密情報を入手する不正な行為は，どれに分類されるか。

ア ソーシャルエンジニアリング
イ トロイの木馬
ウ 踏み台攻撃
エ ブルートフォース攻撃

問31 ボットネットにおける C&C サーバの役割として，適切なものはどれか。

ア Web サイトのコンテンツをキャッシュし，本来のサーバに代わってコンテンツを利用者に配信することによって，ネットワークやサーバの負荷を軽減する。

イ 外部からインターネットを経由して社内ネットワークにアクセスする際に，CHAP などのプロトコルを中継することによって，利用者認証時のパスワードの盗聴を防止する。

ウ 外部からインターネットを経由して社内ネットワークにアクセスする際に，時刻同期方式を採用したワンタイムパスワードを発行することによって，利用者認証時のパスワードの盗聴を防止する。

エ 侵入して乗っ取ったコンピュータに対して，他のコンピュータへの攻撃などの不正な操作をするよう，外部から命令を出したり応答を受け取ったりする。

解説

問29 HTTPのポート番号

.ıl 20%

インターネットの標準プロトコル TCP/IP では，パケットの送信元と宛先のアプリケーションやサービスを識別するために，**ポート番号**と呼ばれる番号を指定します。PC 側のポート番号は，OS によって 1024 以上の番号が自動的に割り当てられます。一方，サーバ側のポート番号は，サービスの種類ごとに既定の番号が使われます。このような既定のポート番号を**ウェルノウンポート番号**といいます。Web サーバのウェルノウンポート番号は 80 番です。

PC のポート番号は 50001，Web サーバのポート番号は 80 です。問題は，Web サーバから PC へ送信するパケットなので，送信元のポート番号は 80，宛先のポート番号は 50001 となります。正解は ア です。

問30 攻撃の手口 キホン！

.ıl 10%

緊急事態を装ったり，会話を立ち聞きするといった，人間の心理の隙（すき）やうっかりを利用して機密情報などを入手する手口を**ソーシャルエンジニアリング**といいます。

○ ア　正解です。

× イ　**トロイの木馬**とは，無害なファイルを装ってシステム内に保存され，利用者がファイルを開くと様々な不正を働くプログラムです。

× ウ　**踏み台攻撃**は，ウイルスなどを使って他人のコンピュータを乗っ取り，そのコンピュータを遠隔操作して対象を攻撃する手口です。

× エ　**ブルートフォース攻撃**は，1 つの利用者 ID に対して，考えられるパスワードを総当たりで試して不正にログインする攻撃手法です。

問31 C&C サーバ

.ıl 20%

コンピュータに侵入し，そのコンピュータを外部から遠隔操作するためのマルウェアを**ボット**といい，ボットに感染したコンピュータで構成されるネットワークを**ボットネット**といいます。**C&C**（Command and Control）**サーバ**は，支配下にあるボットに対して命令を出したり，盗み出した情報などの応答を受け取ったりするサーバです。

× ア　**リバースプロキシ**の説明です。

× イ，ウ　社内ネットワークの利用者を識別する認証サーバの説明です。

○ エ　正解です。

合格のカギ

ポート番号 問29

インターネットの TCP や UDP プロトコルで，宛先や送信元アプリケーションの識別に使われる番号。代表的なアプリケーションについては標準のポート番号が決まっており，ウェルノウンポート番号と呼ばれる。Web サーバのウェルノウンポート番号は 80。プロキシサーバは 8080。

CHAP 問31

ユーザ ID とパスワードを使う認証方式の 1 つ。ダイヤルアップ接続などのシステムで使われていたもので，ユーザ ID とパスワードは暗号化されるため安全性が高いのが特徴。

解答

問29 ア　問30 ア
問31 エ

問32 メッセージ認証符号の利用目的に該当するものはどれか。

ア　メッセージが改ざんされていないことを確認する。
イ　メッセージの暗号化方式を確認する。
ウ　メッセージの概要を確認する。
エ　メッセージの秘匿性を確保する。

問33 UPS の導入によって期待できる情報セキュリティ対策としての効果はどれか。

ア　PC が電力線通信（PLC）からマルウェアに感染することを防ぐ。
イ　サーバと端末間の通信における情報漏えいを防ぐ。
ウ　電源の瞬断に起因するデータの破損を防ぐ。
エ　電子メールの内容が改ざんされることを防ぐ。

問34 ファジングに該当するものはどれか。

ア　サーバに FIN パケットを送信し，サーバからの応答を観測して，稼働しているサービスを見つけ出す。
イ　サーバの OS やアプリケーションソフトウェアが生成したログやコマンド履歴などを解析して，ファイルサーバに保存されているファイルの改ざんを検知する。
ウ　ソフトウェアに，問題を引き起こしそうな多様なデータを入力し，挙動を監視して，脆(ぜい)弱性を見つけ出す。
エ　ネットワーク上を流れるパケットを収集し，そのプロトコルヘッダやペイロードを解析して，あらかじめ登録された攻撃パターンと一致するものを検出する。

問35 マルウェアの動的解析に該当するものはどれか。

ア　検体のハッシュ値を計算し，オンラインデータベースに登録された既知のマルウェアのハッシュ値のリストと照合してマルウェアを特定する。
イ　検体をサンドボックス上で実行し，その動作や外部との通信を観測する。
ウ　検体をネットワーク上の通信データから抽出し，さらに，逆コンパイルして取得したコードから検体の機能を調べる。
エ　ハードディスク内のファイルの拡張子とファイルヘッダの内容を基に，拡張子が偽装された不正なプログラムファイルを検出する。

解説

問32 メッセージ認証符号

40%

メッセージ認証符号（MAC）とは，メッセージを基に生成した短いデータ（メッセージダイジェスト）を，共通鍵暗号方式で暗号化したものです。送信者がメッセージにメッセージ認証符号を添付して送信すると，受信者は受け取ったメッセージから同様の手順でメッセージ認証符号を作成し，これを添付されたものと照合します。両者が一致すれば，そのメッセージは途中で改ざんされていないことが確認できます。以上から，正解はアです。

問33 UPS キホン！

10%

UPS（Uninterruptible Power Supply：無停電電源装置）は，突発的な停電が発生した場合に，重要な機器に電力を供給し続けるための装置です。UPSの導入によって，落雷などによる瞬断（一瞬だけ電力供給が途切れる現象）からシステムを保護し，データが破損するのを防ぐことができます。正解はウです。

問34 ファジング

10%

ファジングとは，検査対象の製品にテストデータを送り，製品の応答や挙動を監視して脆弱性を検出する検査手法です。ファジングで用いるテストデータには，ファズデータと呼ばれる問題が起こりそうなデータを使用します。

× ア FINスキャンと呼ばれるポートスキャンの一種の説明です。
× イ ログ解析の説明です。
○ ウ 正解です。
× エ パターンマッチングによる攻撃検知の説明です。

問35 マルウェアの動的解析

20%

マルウェアの動的解析とは，検体（解析対象となるマルウェアのプログラムファイルなど）を実際に実行し，その動作や外部との通信を観測する解析手法です。実害を防ぐため，動的解析はサンドボックスと呼ばれる隔離された環境下で行われます。

× ア ハッシュ値を利用したパターンマッチングの説明です。
○ イ 正解です。
× ウ 静的解析の説明です。
× エ 偽装された拡張子からマルウェアを検出する手法です。動的解析の手法ではありません。

合格のカギ

メッセージ認証符号（MAC） 問32
メッセージが改ざんされていないかどうかを確認するための符号。メッセージダイジェストを共通鍵暗号方式で暗号化したもの。

共通鍵暗号方式 問32
暗号化用と復号用に共通の鍵を用いる暗号方式。代表的なものにDES，AESなどがある。

ポートスキャン 問34
ポート番号を順に指定してサーバにアクセスし，利用可能なサービスを検出すること。不正侵入の下調べとして行われる。

マルウェア 問35
コンピュータウイルスやスパイウェア，ワームなどの悪質なプログラムの総称。

サンドボックス 問35
プログラムがシステムに悪影響を与えないように，隔離して構築された仮想環境のこと。

解答

問32	ア	問33	ウ
問34	ウ	問35	イ

問36 SQL インジェクション攻撃による被害を防ぐ方法はどれか。

ア 入力された文字が，データベースへの問合せや操作において，特別な意味をもつ文字として解釈されないようにする。
イ 入力に HTML タグが含まれていたら，HTML タグとして解釈されない他の文字列に置き換える。
ウ 入力に上位ディレクトリを指定する文字列（../）が含まれているときは受け付けない。
エ 入力の全体の長さが制限を超えているときは受け付けない。

問37 電子メールをドメイン A の送信者がドメイン B の宛先に送信するとき，送信者をドメイン A のメールサーバで認証するためのものはどれか。

ア APOP　イ POP3S　ウ S/MIME　エ SMTP-AUTH

問38 オブジェクト指向プログラムにおいて，データとメソッドを一つにまとめ，オブジェクトの実装の詳細をユーザから見えなくすることを何と呼ぶか。

ア インスタンス　イ カプセル化　ウ クラスタ化　エ 抽象化

問39 モジュール結合度が最も弱くなるものはどれか。

ア 一つのモジュールで，できるだけ多くの機能を実現する。
イ 二つのモジュール間で必要なデータ項目だけを引数として渡す。
ウ 他のモジュールとデータ項目を共有するためにグローバルな領域を使用する。
エ 他のモジュールを呼び出すときに，呼び出したモジュールの論理を制御するための引数を渡す。

解説

合格のカギ

問36 SQLインジェクション攻撃の対策 30%

SQL インジェクション攻撃は，Web アプリケーションの入力データに悪意ある SQL 文を埋め込んで実行させ，データベースを改ざんしたり，情報を不正に入手したりする攻撃手法です。

SQL インジェクション攻撃を防ぐには，Web ページから入力されたデータに含まれる文字を，SQL 文として解釈されないように処理します。具体的には，「'」など一部の記号や文字を別の文字に置き換えたりして，特別な意味をもつ文字として解釈されないようにします。

○ ア　正解です。

× イ　クロスサイトスクリプティング攻撃の対策です。

× ウ　ディレクトリトラバーサル攻撃の対策です。

× エ　バッファオーバフロー攻撃の対策です。

問37 送信者の認証

20%

メールサーバで，電子メールの送信時に送信者を認証する方式は，SMTP-AUTH です。インターネットの電子メールでは，メール送信に SMTP というプロトコルが使われます。SMTP-AUTH は SMTP の拡張機能で，メールサーバが迷惑メールなどの送信に利用されるのを防ぐため，送信時にユーザ認証を行えるようにしたものです。

× ア　APOP は，電子メールを POP3 で受信するときに，ユーザ名やパスワードを暗号化してやり取りするための方式です。

× イ　POP3S は，メールサーバとの通信を TLS（SSL）によって暗号化した電子メールの受信プロトコルです。

× ウ　S/MIME（Secure MIME）は，電子メールに暗号化やデジタル署名などのセキュリティ機能を追加した規格です。

○ エ　正解です。

問38 オブジェクト指向プログラム キホン！

40%

オブジェクト指向プログラムの概念の 1 つで，データとメソッドを 1 つのオブジェクトにまとめ，その実装の詳細を外部から見えないようにすることをカプセル化といいます。

× ア　インスタンスとは，オブジェクトの定義に基づいて生成されるオブジェクトの実体のことです。

○ イ　正解です。

× ウ　クラスタ化（クラスタリング）には複数の意味がありますが，一般にオブジェクト指向の概念ではありません。

× エ　抽象化は，複数のクラスから共通する属性やメソッドを抜き出した上位クラスを定義し，異なるクラスのオブジェクトを統一的に扱えるようにすることです。

問39 モジュール結合度

40%

モジュール同士の関連性の度合いをモジュール結合度といいます。一般に，モジュール結合度が弱いほど個々のモジュールの独立性が高く，保守しやすくなる特徴があります。

× ア　モジュールが分割されていません。

○ イ　データ項目を引数で渡すのは，結合度の最も弱いデータ結合です。

× ウ　グローバルな領域でデータを共有するのは，共通結合または外部結合です。

× エ　呼び出したモジュールの動作を引数で制御するのは，制御結合です。

合格のカギ

クロスサイトスクリプティング攻撃 問36

掲示板サイトなどの入力フォームに不正なスクリプトを含むリンクを書き込み，そのページを閲覧した不特定多数のユーザに実行させる攻撃。

ディレクトリトラバーサル攻撃 問36

サーバ管理者が意図しないパス名を指定して，本来アクセスが許可されていないファイルに不正にアクセスする手法。

バッファオーバフロー攻撃 問36

バッファオーバフローと呼ばれるセキュリティ上の欠陥を利用し，メモリ領域に悪意あるデータを書き込む攻撃手法。

S/MIME 問37

MIME（電子メールでバイナリデータなどを送信するための仕様）を拡張して，暗号化やデジタル署名の機能を追加した規格。

オブジェクト指向 問38

オブジェクトと呼ばれる構成部品を組み合わせてプログラムを開発していく開発手法のこと。

モジュール結合度 問39

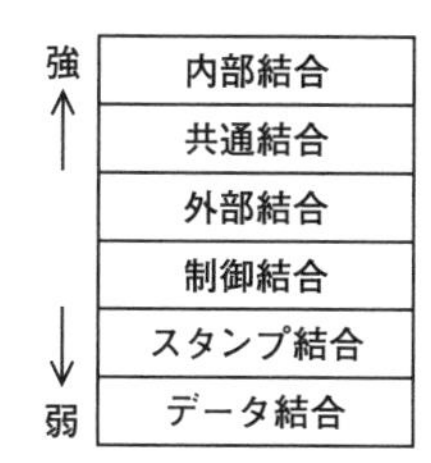

解答

問36	ア	問37	エ
問38	イ	問39	イ

サンプル問題 科目A

問40 モジュールの内部構造を考慮することなく，仕様書どおりに機能するかどうかをテストする手法はどれか。

ア トップダウンテスト
イ ブラックボックステスト
ウ ボトムアップテスト
エ ホワイトボックステスト

問41 アジャイル開発のスクラムにおけるスプリントのルールのうち，適切なものはどれか。

ア スプリントの期間を決定したら，スプリントの1回目には要件定義工程を，2回目には設計工程を，3回目にはコード作成工程を，4回目にはテスト工程をそれぞれ割り当てる。
イ 成果物の内容を確認するスプリントレビューを，スプリントの期間の中間時点で実施する。
ウ プロジェクトで設定したスプリントの期間でリリース判断が可能なプロダクトインクリメントができるように，スプリントゴールを設定する。
エ 毎回のスプリントプランニングにおいて，スプリントの期間をゴールの難易度に応じて，1週間から1か月までの範囲に設定する。

問42 プロジェクトライフサイクルの一般的な特性はどれか。

ア 開発要員数は，プロジェクト開始時が最多であり，プロジェクトが進むにつれて減少し，完了に近づくと再度増加する。
イ ステークホルダがコストを変えずにプロジェクトの成果物に対して及ぼすことができる影響の度合いは，プロジェクト完了直前が最も大きくなる。
ウ プロジェクトが完了に近づくほど，変更やエラーの修正がプロジェクトに影響する度合いは小さくなる。
エ リスクは，プロジェクトが完了に近づくにつれて減少する。

解説

合格のカギ

問40 テスト手法

30%

モジュールの内部構造を考慮することなく，プログラムが仕様書通りに機能するかどうかを，入力に対する出力に着目してテストする手法は，ブラックボックステストです。

× ア　トップダウンテストは，プログラムを構成するモジュール群を，上位モジュールから順に結合していくテストです。

○ イ　正解です。

× ウ　ボトムアップテストは，プログラムを構成するモジュール群を，下位モジュールから順に結合していくテストです。

× エ　ホワイトボックステストは，モジュールの内部構造に着目し，プログラムのロジックが正しいかどうかを確認するテストです。

問41 アジャイル開発　30%

プロジェクトを小さな単位に分割し，小単位で設計・開発・テストの工程を反復しながらプロジェクトを進めていく開発手法をアジャイル開発といいます。

スクラムは，少人数のチームによって進められるアジャイル開発技法で，反復する単位をスプリントといいます。

スプリントは1週間から1か月の範囲で設定し，設定した期間内で可能な成果（プロダクトインクリメント）が出るように，各回のスプリントゴールを設定します。

× ア　要件定義，設計，コード作成，テストの各工程を1回のスプリントごとに行います。

× イ　スプリントレビューはスプリントの終了時に実施します。

○ ウ　正解です。

× エ　スプリントの開始時に毎回行うスプリントプランニングでは，ゴールに合わせて期間を決めるのではなく，決められた期間内で可能なゴールを設定します。

問42 プロジェクトライフサイクル　10%

プロジェクトの開始（立ち上げ）から準備，実行，完了に至るプロセス全体をプロジェクトライフサイクルといいます。プロジェクトの開始時には様々なリスク（将来起こりうる損害の可能性）が想定されますが，完了に近づくにつれリスクは減少します。

× ア　開発要員数は，一般にプロジェクト実行時が最も多くなります。

× イ　ステークホルダが成果物に対して及ぼすことができる影響は，プロジェクトの開始時が最も大きく，完了に近づくにつれて小さくなります。また，成果物の変更にともなう追加コストは，プロジェクトが進むほど大きくなります。

× ウ　変更やエラーの修正にかかるコストは，プロジェクトが完了に近づくほど大きくなるため，プロジェクトに影響する度合いが大きくなります。

○ エ　正解です。

合格のカギ

覚えよう！ 問40

ブラックボックステスト
といえば
- プログラムの外部仕様に基づいてテストする
- 同値分割法，限界値分析などの方式がある

ホワイトボックステスト
といえば
- プログラムの内部構造に基づいてテストする
- 条件網羅，条件判定網羅，分岐網羅などの方式がある

アジャイル開発 問41
開発対象を小さな機能に分割し，短期間に1つの機能を開発する工程を反復しながら，全体を開発していく開発手法。エクストリームプログラミング(XP)，スクラムなどの種類がある。

ステークホルダ 問42
利害関係者のこと。プロジェクトにおいては，プロジェクトチームのメンバー，プロジェクトマネージャ，チームが所属する組織の経営陣，顧客，成果物の利用者などが含まれる。

解答
問40 イ　問41 ウ
問42 エ

□□ 問43 ソフトウェア開発の見積方法の一つであるファンクションポイント法の説明として，適切なものはどれか。

ア 開発規模が分かっていることを前提として，工数と工期を見積もる方法である。ビジネス分野に限らず，全分野に適用可能である。

イ 過去に経験した類似のソフトウェアについてのデータを基にして，ソフトウェアの相違点を調べ，同じ部分については過去のデータを使い，異なった部分は経験に基づいて，規模と工数を見積もる方法である。

ウ ソフトウェアの機能を入出力データ数やファイル数などによって定量的に計測し，複雑さによる調整を行って，ソフトウェア規模を見積もる方法である。

エ 単位作業項目に適用する作業量の基準値を決めておき，作業項目を単位作業項目まで分解し，基準値を適用して算出した作業量の積算で全体の作業量を見積もる方法である。

□□ 問44 アローダイアグラムの日程計画をもつプロジェクトの，開始から終了までの最少所要日数は何日か。

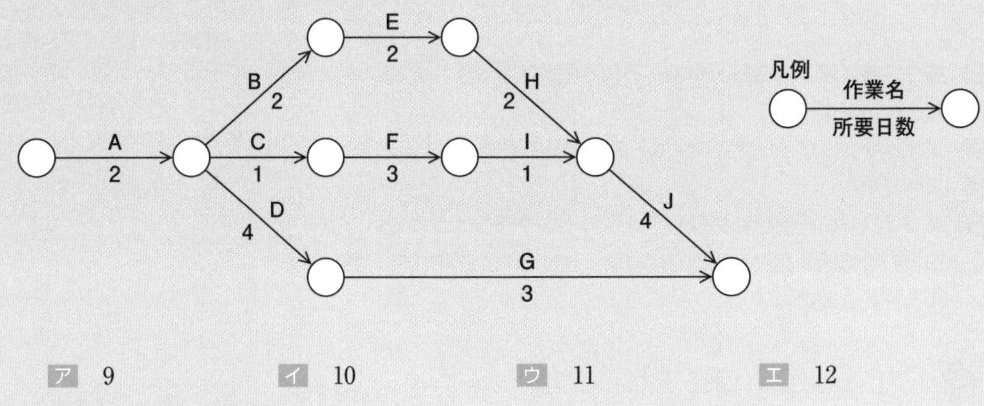

ア 9　　イ 10　　ウ 11　　エ 12

□□ 問45 サービスマネジメントのプロセス改善におけるベンチマーキングはどれか。

ア IT サービスのパフォーマンスを財務，顧客，内部プロセス，学習と成長の観点から測定し，戦略的な活動をサポートする。

イ 業界内外の優れた業務方法（ベストプラクティス）と比較して，サービス品質及びパフォーマンスのレベルを評価する。

ウ サービスのレベルで可用性，信頼性，パフォーマンスを測定し，顧客に報告する。

エ 強み，弱み，機会，脅威の観点から IT サービスマネジメントの現状を分析する。

解説

問43 ファンクションポイント法

.ııl 60%

ファンクションポイント法は，システムの機能を入出力データ数やファイル数，画面数などによって定量的に計測し，難易度などを考慮して点数化することで，システム規模を見積もる手法です。

× ア COCOMO（ココモ）の説明です。
× イ 類推法の説明です。
○ ウ 正解です。
× エ WBS 法または標準タスク法の説明です。

問44 アローダイアグラム

.ııl 80%

最少所要日数とは，それ以上短くすることはできない最少の所要日数です。開始から終了までの各経路の所要日数の合計を求めたとき，所要日数の合計が最も大きい経路が，それ以上日数を短縮できない経路（クリティカルパス）になります。この経路の所要日数の合計が，プロジェクトの最少所要日数です。

問題のアローダイアグラムには，次の 3 つの経路があります。

① A → B → E → H → J：所要日数の合計　2＋2＋2＋2＋4＝12
② A → C → F → I → J：所要日数の合計　2＋1＋3＋1＋4＝11
③ A → D → G　：所要日数の合計　2＋4＋3＝9

所要日数の合計が最も大きくなるのは①の 12 日なので，エ が正解です。

問45 プロセス改善のベンチマーキング

.ııl 20%

ベンチマーキングとは，現行の製品やサービスを，他の優良な事例との比較によって評価し，改善に役立てる手法です。サービスマネジメントのプロセス改善にベンチマーキングを導入する場合は，現行のサービスや業務を業界内外の優秀な業務方法（ベストプラクティス）と比較します。

× ア バランススコアカードの説明です。
○ イ 正解です。
× ウ サービスレベル指標の説明です。
× エ SWOT 分析の説明です。

覚えよう！ 問43

ファンクションポイント法 といえば

- 入出力，画面，ファイルなどの機能の個数によって開発規模を見積もる
- 個々の機能を開発の難易度に応じて点数化する

COCOMO 問43
ベームが提唱した見積もり手法で，プログラムステップ数などで表される開発規模を基に，プロジェクトの工数や工期を見積もる手法。

アローダイアグラム 問44
プロジェクトを達成するのに必要な作業を矢線で，作業の結合点を○で表した図。所要日数を示して日程計画を立てるのに用いる。

SWOT 分析 問45
企業内部にある強み(Strengths)と弱み(Weeknesses)，外部にある機会(Opportunities)と脅威(Threats)を分析し，経営戦略に役立てる手法。

解答
問43 ウ　問44 エ
問45 イ

サンプル問題 科目A

問46

ディスク障害時に，フルバックアップを取得してあるテープからディスクにデータを復元した後，フルバックアップ取得時以降の更新後コピーをログから反映させてデータベースを回復する方法はどれか。

ア　チェックポイントリスタート
イ　リブート
ウ　ロールバック
エ　ロールフォワード

問47

経営者が社内のシステム監査人の外観上の独立性を担保するために講じる措置として，最も適切なものはどれか。

ア　システム監査人にITに関する継続的学習を義務付ける。
イ　システム監査人に必要な知識や経験を定めて公表する。
ウ　システム監査人の監査技法研修制度を設ける。
エ　システム監査人の所属部署を内部監査部門とする。

問48

情報セキュリティ監査において，可用性を確認するチェック項目はどれか。

ア　外部記憶媒体の無断持出しが禁止されていること
イ　中断時間を定めたSLAの水準が保たれるように管理されていること
ウ　データ入力時のエラーチェックが適切に行われていること
エ　データベースが暗号化されていること

問49

テレワークで活用しているVDIに関する記述として，適切なものはどれか。

ア　PC環境を仮想化してサーバ上に置くことで，社外から端末の種類を選ばず自分のデスクトップPC環境として利用できるシステム
イ　インターネット上に仮想の専用線を設定し，特定の人だけが利用できる専用ネットワーク
ウ　紙で保管されている資料を，ネットワークを介して遠隔地からでも参照可能な電子書類に変換・保存することができるツール
エ　対面での会議開催が困難な場合に，ネットワークを介して対面と同じようなコミュニケーションができるツール

解説

問46 障害復旧の方法

20%

障害が発生したときに，まずバックアップデータによってバックアップ直前の状態に戻し，バックアップ以降の更新データを，更新後ログを使って回復す

る手法をロールフォワードといいます。

× ア　チェックポイントリスタートは，プログラムエラーなどの障害が発生したとき，直前のチェックポイントに戻って処理をやり直すことです。

× イ　リブート（再起動）とは，稼働中のコンピュータを起動し直すことです。

× ウ　ロールバックとは，トランザクション処理中に発生した障害から，更新前ログを使って処理直前の状態にデータを戻す方法です。

○ エ　正解です。

問47 システム監査人の独立性　40%

システム監査人は，独立・公正な立場で監査を実施するため，被監査主体（監査される側）と身分上密接な利害関係をもたないようにしなければなりません。これをシステム監査人の外観上の独立性といいます。

たとえば，自分が所属している部署の業務を自ら監査したり，監査人の上司を監査したり，納入したシステムを納入業者が監査するといったケースは，外観上の独立性の観点から避けるべきです。

× ア　システム監査人の監査能力を担保するための措置です。

× イ　システム監査人のニーズを明確にするための措置です。

× ウ　システム監査人の監査能力を担保するための措置です。

○ エ　正解です。システム監査人の所属を他の部署から独立させることで，外観上の独立を担保できます。

問48 可用性のチェック項目　20%

可用性（アベイラビリティ）とは，システムが必要なときに利用できることをいいます。サービスの中断時間が多いと，必要なときに利用できない可能性が高くなるので，中断時間を定めたSLA（サービスレベル契約）の水準が保たれるように管理されていることは，可用性のチェック項目となります。

× ア　外部記憶媒体の持出しの管理は，機密性のチェック項目です。

○ イ　正解です。

× ウ　データ入力時のエラーチェックは，完全性のチェック項目です。

× エ　暗号化は，機密性のチェック項目です。

問49 VDI　10%

VDI（仮想デスクトップ基盤：Virtual Desktop Infrastructure）とは，サーバ上で稼働する仮想マシンを利用者の端末とネットワークで接続し，デスクトップPCとして利用できるようにするシステムです。利用者の端末と仮想マシンとは操作画面の情報のみをやり取りする仕組みで，場所や端末の種類を問わず利用できます。

○ ア　正解です。

× イ　VPN（仮想プライベートネットワーク）の説明です。

× ウ　文書管理システムの説明です。

× エ　テレビ会議システムやWeb会議システムの説明です。

合格のカギ

覚えよう！ 問46

ロールフォワードといえば
- バックアップファイルと更新後ログを使ってデータベースを復元する

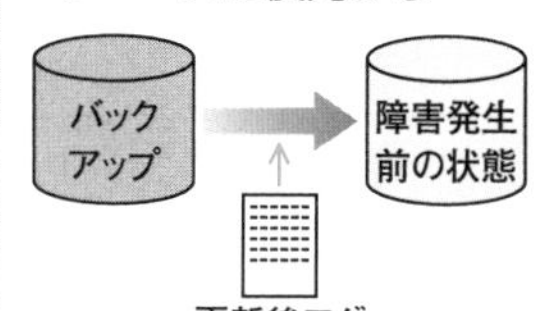

ロールバックといえば
- 更新前ログを使って障害発生前の状態に戻す

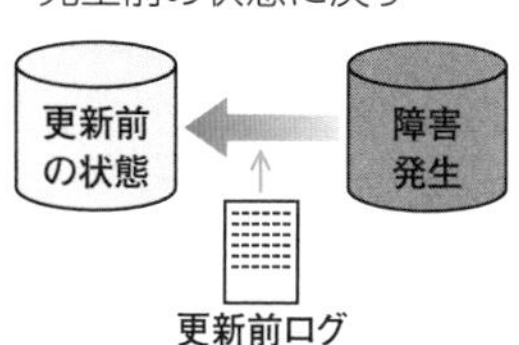

チェックポイント 問46
データベースにおいて，メモリ上に記憶されている更新内容を，物理的なディスクに書き込むタイミングのこと。

SLA 問48
Service Level Agreement：サービスレベル契約。ITサービスの利用者と提供者が，サービス品質について取り交わす合意のこと。

問49
参考 PCやタブレットなどのインターネット接続環境を使って行うのがWeb会議，専用機材を使って行うのがテレビ会議だよ。

解答

問46	エ	問47	エ
問48	イ	問49	ア

サンプル問題 科目A

問50

投資案件において，5年間の投資効果をROI（Return On Investment）で評価した場合，四つの案件a～dのうち，最もROIが高いものはどれか。ここで，割引率は考慮しなくてもよいものとする。

a

年目		1	2	3	4	5
利益		15	30	45	30	15
投資額	100					

b

年目		1	2	3	4	5
利益		105	75	45	15	0
投資額	200					

c

年目		1	2	3	4	5
利益		60	75	90	75	60
投資額	300					

d

年目		1	2	3	4	5
利益		105	105	105	105	105
投資額	400					

ア a　　イ b　　ウ c　　エ d

問51

国や地方公共団体が，環境への配慮を積極的に行っていると評価されている製品・サービスを選んでいる。この取組を何というか。

ア CSR　　イ エコマーク認定
ウ 環境アセスメント　　エ グリーン購入

問52

コアコンピタンスの説明はどれか。

ア 競合他社にはまねのできない自社ならではの卓越した能力
イ 経営を行う上で法令や各種規制，社会的規範などを遵守する企業活動
ウ 市場・技術・商品（サービス）の観点から設定した，事業の展開領域
エ 組織活動の目的を達成するために行う，業務とシステムの全体最適化手法

解説

問50 ROIの計算

.ıl 30%

ROI（投資利益率：Return On Investment）は，投資した金額に対してどれだけの利益が得られたかを表すもので，次のように計算します。

$$\mathrm{ROI} = \frac{\text{利益}}{\text{投資額}} \times 100(\%)$$

一般に，ROIが大きいほど投資効果が高く，有利な投資と考えることができます。a～dの5年間のROIをそれぞれ計算すると，次のようになります。

$$\text{a}: \frac{15+30+45+30+15}{100} \times 100 = 135\%$$

$$\text{b}: \frac{105+75+45+15+0}{200} \times 100 = 120\%$$

$$\text{c}: \frac{60+75+90+75+60}{300} \times 100 = 120\%$$

$$\text{d}: \frac{105+105+105+105+105}{400} \times 100 = 131.25\%$$

以上から，aが最もROIが高い投資案件であることがわかります。正解は ア です。

問51 グリーン購入

.ıl 20%

製品やサービスを購入する際に，なるべく環境への負荷が少ないものを選ぶことをグリーン購入（グリーン調達）といいます。

× ア CSR（企業の社会的責任）とは，企業が株主に対してだけではなく，消費者や従業員，周辺地域といった社会に対して果たすべき責任のことです。

× イ エコマークは，環境への負荷が少ないと認定された商品に付けられるラベルの一種です。エコマークの認定は公益財団法人　日本環境協会が行っています。

× ウ 環境アセスメントとは，道路や空港建設といった大規模な開発事業の際に，環境への影響を事前に評価することです。

○ エ 正解です。

問52 コアコンピタンス キホン！

.ıl 20%

コアコンピタンスとは，競合する他社がまねできない，自社独自の技術やノウハウのことです。コアコンピタンスを業務の中核に置いた経営を，コアコンピタンス経営といいます。

○ ア 正解です。

× イ コンプライアンス（法令遵守）の説明です。

× ウ 事業ドメインの説明です。

× エ エンタープライズアーキテクチャの説明です。

合格のカギ

覚えよう！ 問50

ROI（投資利益率）
といえば

$$\frac{\text{利益}}{\text{投資額}} \times 100(\%)$$

問50

参考 ROIが100%に満たない場合は，投資額を回収できていないということだね。

覚えよう！ 問52

コアコンピタンス
といえば

- 他社にまねのできない経営資源（技術やノウハウ）

問52

参考 「コア」は核，「コンピタンス」は能力の意味だね。

解答

問50 ア　問51 エ
問52 ア

□□ 問53 新しい事業に取り組む際の手法として，E. リースが提唱したリーンスタートアップの説明はどれか。

ア 国・地方公共団体など，公共機関の補助金・助成金の交付を前提とし，事前に詳細な事業計画を検討・立案した上で，公共性のある事業を立ち上げる手法
イ 市場環境の変化によって競争力を喪失した事業分野に対して，経営資源を大規模に追加投入し，リニューアルすることによって，基幹事業として再出発を期す手法
ウ 持続可能な事業を迅速に構築し，展開するために，あらかじめ詳細に立案された事業計画を厳格に遂行して，成果の検証や計画の変更を最小限にとどめる手法
エ 実用最小限の製品・サービスを短期間で作り，構築・計測・学習というフィードバックループで改良や方向転換をして，継続的にイノベーションを行う手法

□□ 問54 IoT の応用事例のうち，HEMS の説明はどれか。

ア 工場内の機械に取り付けたセンサで振動，温度，音などを常時計測し，収集したデータを基に機械の劣化状態を分析して，適切なタイミングで部品を交換する。
イ 自動車に取り付けたセンサで車両の状態，路面状況などのデータを計測し，ネットワークを介して保存し分析することによって，効率的な運転を支援する。
ウ 情報通信技術や環境技術を駆使して，街灯などの公共設備や交通システムをはじめとする都市基盤のエネルギーの可視化と消費の最適制御を行う。
エ 太陽光発電装置などのエネルギー機器，家電機器，センサ類などを家庭内通信ネットワークに接続して，エネルギーの可視化と消費の最適制御を行う。

□□ 問55 ロングテールの説明はどれか。

ア Web コンテンツを構成するテキストや画像などのデジタルコンテンツに，統合的・体系的な管理，配信などの必要な処理を行うこと
イ インターネットショッピングで，売上の全体に対して，あまり売れない商品群の売上合計が無視できない割合になっていること
ウ 自分の Web サイトやブログに企業へのリンクを掲載し，他者がこれらのリンクを経由して商品を購入したときに，企業が紹介料を支払うこと
エ メーカや卸売業者から商品を直接発送することによって，在庫リスクを負うことなく自分の Web サイトで商品が販売できること

解説

問53 リーンスタートアップ

10%

リーンスタートアップとは，実用最小限の製品・サービスを短期間で作り，顧客の反応を見ながら改良や方向転換を繰り返すことで，新規事業を効率的に成功させるマネジメント手法です。

× ア 事前に詳細な事業計画を検討するのは，リーンスタートアップの手法ではありません。

× イ 経営資源を大規模に投入するのは，リーンスタートアップの手法ではありません。

× ウ あらかじめ詳細に立案された計画を厳密に遂行するのは，リーンスタートアップの手法ではありません。

○ エ 正解です。

問54 HEMS

20%

HEMS（Home Energy Management System）とは，家庭内の家電製品やエネルギー機器，センサなどをネットワークでつなぎ，電力の可視化や消費の最適化を行うシステムです。

× ア 予防保全の説明です。

× イ コネクテッドカーの説明です。

× ウ スマートシティの説明です。

○ エ 正解です。

問55 ロングテール

30%

多数の商品を扱う店舗で，各商品の売上高を大きい順に並べたグラフを作ると，あまり売れない商品の列が長く伸びたグラフになります。この部分が動物の長い尻尾のように見えことからロングテールといいます。インターネットショッピングでは店舗スペースに制限がなく，売れ筋以外の商品も数多く扱うことができるため，こうした商品群の売り上げが無視できない割合を占めることがあります。

× ア CMS（Content Management System）の説明です。

○ イ 正解です。

× ウ アフィリエイトの説明です。

× エ ドロップシッピングの説明です。

合格のカギ

IoT 問54

Internet of Things：モノのインターネット。情報端末以外の様々なモノに通信機能をもたせ，インターネットを介して情報を収集・解析して高度な判断やサービスを実現する技術。

ロングテール 問55

販売数の少ないアイテムを数多く取り扱うことで全体の売上を伸ばす考え方。

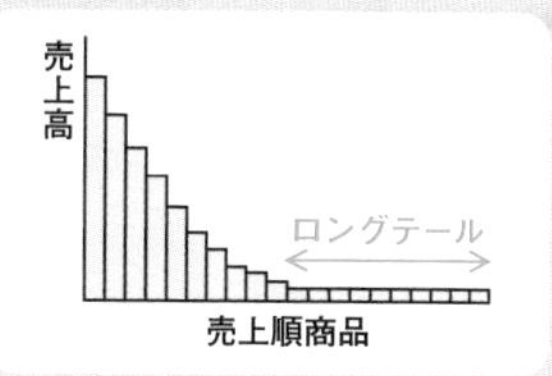

解答

問53 エ　問54 エ
問55 イ

問56 CGM（Consumer Generated Media）の例はどれか。

ア　企業が，経営状況や財務状況，業績動向に関する情報を，個人投資家向けに公開する自社のWebサイト

イ　企業が，自社の商品の特徴や使用方法に関する情報を，一般消費者向けに発信する自社のWebサイト

ウ　行政機関が，政策，行政サービスに関する情報を，一般市民向けに公開する自組織のWebサイト

エ　個人が，自らが使用した商品などの評価に関する情報を，不特定多数に向けて発信するブログやSNSなどのWebサイト

問57 製品X及びYを生産するために2種類の原料A，Bが必要である。製品1個の生産に必要となる原料の量と調達可能量は表に示すとおりである。製品XとYの1個当たりの販売利益が，それぞれ100円，150円であるとき，最大利益は何円か。

原料	製品Xの1個当たりの必要量	製品Yの1個当たりの必要量	調達可能量
A	2	1	100
B	1	2	80

ア　5,000　　イ　6,000　　ウ　7,000　　エ　8,000

問58 令和2年4月に30万円で購入したPCを3年後に1万円で売却するとき，固定資産売却損は何万円か。ここで，耐用年数は4年，減価償却は定額法，定額法の償却率は0.250，残存価額は0円とする。

ア　6.0　　イ　6.5　　ウ　7.0　　エ　7.5

解説

問56 CGM（Consumer Generated Media）　40%

CGM（消費者生成メディア）とは，消費者が発信する情報やデジタルコンテンツで構成される，インターネット上のメディアの総称です。代表的なものに，ブログやSNS，掲示板，動画投稿サイトなどがあります。以上から，正解はエです。

合格のカギ

覚えよう！　問56

CGMといえば
- 消費者生成メディア
- 個人がみずから発信するブログやSNSなど

問57 線形計画法

.ıl 10%

製品 X と製品 Y の生産個数をそれぞれ x, y とすると，原料 A の使用量は $2x + y$，原料 B の使用量は $x + 2y$ で表されます。原料の調達可能量はそれぞれ 100 と 80 なので，次の不等式が成り立ちます。

原料 A の使用量：$2x + y \leqq 100$ ➡ $y \leqq -2x + 100$ …①
原料 B の使用量：$x + 2y \leqq 80$ ➡ $y \leqq -\frac{1}{2}x + 40$ …②

また，製品 X と製品 Y の販売利益の合計を z とすると，$z = 100x + 150y$ で求められます。この式を変形し，

$$y = -\frac{2}{3}x + \frac{z}{150} \quad \cdots③$$

を得ます。

不等式①，②で表される x と y の値は，右図のように 2 本の直線①'②' の下側の範囲にあります（ただし，$x \geqq 0$，$y \geqq 0$）。

この範囲を通るように，直線③を描きます。直線の位置は z の値によってずれますが，直線の y 切片（$\frac{z}{150}$）が最大になるのは，この直線が図の点 Q を通るときです。したがって，直線③が点 Q を通るとき，販売利益 z は最大になることがわかります。

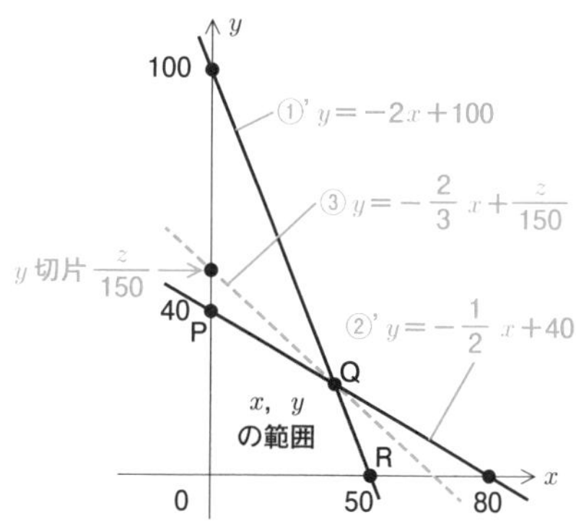

点 Q は図の直線①'，②' の交点ですから，その座標は 2 つの式を連立方程式として解けば求めることができます。

①' −②' より，$-\frac{3}{2}x + 60 = 0$ → $x = 40$

直線①' の式に $x = 40$ を代入すると，$y = 20$ となります。したがって，製品 X を 40 個，製品 Y を 20 個生産したとき，販売利益 $100x + 150y$ は最大になります。その金額は，

$$100 \times 40 + 150 \times 20 = 7000$$

以上から，最大利益は 7,000 円となります。正解は ウ です。

問58 減価償却

.ıl 10%

耐用年数は 4 年，残存価額は 0 円なので，**減価償却費**は PC の購入代金 30 万円を 4 年間に分けて計上します。**定額法**の場合，毎年計上する費用は同額で，1 年間に計上する費用は 30 万円× 0.25 ＝ 7.5 万円です。したがって，3 年後には 7.5 万円× 3 年＝ 22.5 万円の償却が終わり，PC の資産価値は 30 万円− 22.5 万円＝ 7.5 万円となります。これを 1 万円で売却するので，売却損は 7.5 万円− 1 万円＝ 6.5 万円です。正解は イ です。

合格のカギ

線形計画法 問57
与えられた制約条件のもとで，最大の成果を達成する解を求める方法。

減価償却 問58
設備や機器などの固定資産の購入費を，定められた年数に分割して費用（償却費）として計上すること。償却方式には定額法と定率法がある。定額法は毎年同じ額を償却していく方式，定率法は償却費が毎年一定の率で減っていく方式。

覚えよう！ 問58
定額法といえば
● 償却費＝取得価額×償却率

解答
問56 エ　問57 ウ
問58 イ

サンプル問題 科目A

問 59 売上高が 100 百万円のとき，変動費が 60 百万円，固定費が 30 百万円掛かる。変動費率，固定費は変わらないものとして，目標利益 18 百万円を達成するのに必要な売上高は何百万円か。

ア 108　　イ 120　　ウ 156　　エ 180

問 60 労働者派遣法に基づく，派遣先企業と労働者との関係（図の太線部分）はどれか。

派遣元企業
派遣先企業
労働者

ア 請負契約関係　　イ 雇用契約関係
ウ 指揮命令関係　　エ 労働者派遣契約関係

解説

問59 売上高の計算

.ıll 20%

売上高 100 百万円のとき，変動費が 60 百万円なので，**変動費率**（売上高に対する変動費の割合）は $\frac{60}{100}=0.6$ になります。

目標利益を達成するのに必要な売上高を x 百万円とすると，このときの変動費は $0.6x$ 百万円と表せます。また，固定費は売上高にかかわらず一定なので 30 百万円です。

売上高から原価（変動費と固定費の合計）を差し引いたものが利益になるので，目標利益が 18 百万円のとき，次の式が成り立ちます。

$$\underbrace{x}_{\text{売上高}} - \underbrace{(0.6x + 30)}_{\text{原価}} = \underbrace{18}_{\text{目標利益}} \Rightarrow 0.4x = 48 \quad \therefore x = 120$$

以上から，必要な売上高は 120 百万円になります。正解は イ です。

問60 労働者派遣契約 キホン！

.ıll 40%

労働者派遣契約では，労働者は派遣元企業と雇用契約関係を結び，派遣先企業の**指揮命令**の下で働きます。派遣元企業，派遣先企業，労働者の関係は次のようになります。

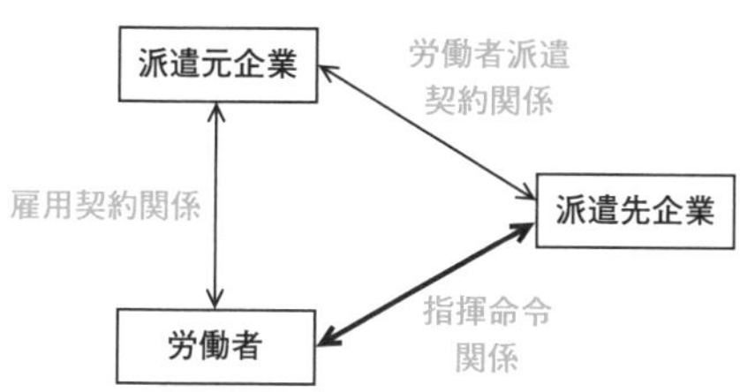

以上から，派遣先企業と労働者の関係は ウ の指揮命令関係です。

合格のカギ

覚えよう！ 問59

変動費といえば

- 売上高に比例してかかる費用（材料費，運送費など）

$$\text{変動費率}=\frac{\text{変動費}}{\text{売上高}}$$

変動費＝変動費率×売上高

固定費といえば

- 売上高にかかわりなく一定の費用（人件費，家賃など）

請負契約 問60

企業が他の企業から業務を受託して遂行すること。

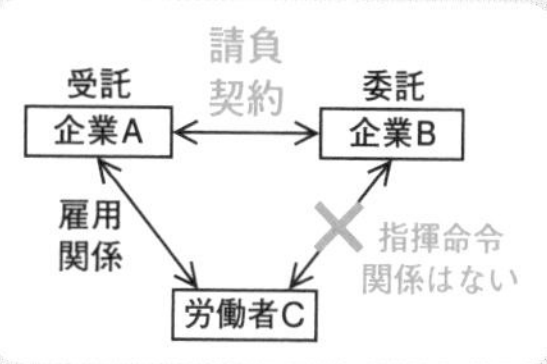

解答

問59 イ　問60 ウ

基本情報技術者試験 サンプル問題 科目B

問 01

次の記述中の［　　　］に入れる正しい答えを，解答群の中から選べ。

プログラムを実行すると，“［　　　］”と出力される。

〔プログラム〕

```
整数型：x ← 1
整数型：y ← 2
整数型：z ← 3
x ← y
y ← z
z ← x
y の値 と z の値 をこの順にコンマ区切りで出力する
```

解答群

ア　1，2　　イ　1，3　　ウ　2，1

エ　2，3　　オ　3，1　　カ　3，2

合格のカギ

基本情報技術者試験の科目Bは，全20問のうち16問がプログラム問題です。とくに最初の何問かは基礎的な問題なので，ここで確実に正解できなければ合格は望めません。

本問では，プログラムの処理が進むとともに，変数の値がどのように変化するかを追いかけていく作業が必要です。この作業を変数の**トレース**といいます。メモ用紙に右図のような簡単な表を書いて行うとよいでしょう。

変数

処理内容（実際の試験では適宜省略）	x	y	z
初期値	1	2	3
x ← y			
y ← z			
z ← x			

プログラム・ノート

```
01  整数型： x ← 1
02  整数型： y ← 2
03  整数型： z ← 3
04  x ← y
05  y ← z
06  z ← x
07  yの値 と zの値 をこの順にコンマ区切りで出力する
```

（01～03：❶ 変数の宣言／04～06：❷ 値の代入／07：❸ 出力処理）

❶ 変数の宣言

プログラム中で使用する変数は，宣言してから使用します。変数の宣言は次のように行います。

型名：変数名

❷ 値の代入

変数は値を入れる入れ物です。変数に値を代入するには，「←」を使用して，

変数名 ← 値

のように記述します。

例：x ← y　← 変数 x に，変数 y の値を代入する

右辺の変数 y に値が入っていないとエラーになるので注意しよう。

代入は変数の宣言と同時に行うこともできます。これを**変数の初期化**といいます。プログラムの行番号 01 ～ 03 では，整数型の 3 つの変数 x，y，z を宣言し，それぞれに値を代入しています。

例：　**整数型：** x ← 1　← 整数型の変数 x を宣言し，値 1 を代入

上の処理は，

整数型： x　← 整数型の変数 x を宣言
x ← 1　← 変数 x に値 1 を代入

のように，2 行に分けて処理しても同じです。

❸ 出力処理

情報処理試験の擬似言語には，出力処理に関する決まった書式がありません。単に，「**○○を出力する**」などと記述します。

行番号 07 では，変数 x に代入されている値と変数 y に代入されている値を，コンマ（,）で区切って出力します。

例：yの値 と zの値 をこの順にコンマ区切りで出力する

決まった書式がない処理については，単に記述されている通りに処理されると考えればいいよ。

問題解説

3つの変数の値がどのように変化するかを順にトレースしてみましょう。

行番号 01 ～ 03：整数型の3つの変数 x，y，z を宣言し，それぞれに値 1，2，3 を代入します。

	x	y	z
初期値	1	2	3
x ← y			
y ← z			
z ← x			

行番号 04：変数 x に，変数 y の値 2 を代入します。

	x	y	z
初期値	1	2	3
x ← y	2	2	3
y ← z			
z ← x			

← y の値を x に代入

行番号 05：変数 y に，変数 z の値 3 を代入します。

	x	y	z
初期値	1	2	3
x ← y	2	2	3
y ← z	2	3	3
z ← x			

← z の値を y に代入

行番号 06：変数 z に，変数 x の値 2 を代入します。

	x	y	z
初期値	1	2	3
x ← y	2	2	3
y ← z	2	3	3
z ← x	2	3	2

← x の値を z に代入

以上から，変数 x には 2，変数 y には 3，変数 z には 2 が代入されます。y の値と z の値をコンマ区切りで出力すると，出力結果は「3，2」となります。正解は カ です。

y の値と z の値を交換する処理だね。

解答

問01 カ

問 02 次のプログラム中の［ a ］～［ c ］に入れる正しい答えの組合せを，解答群の中から選べ。

関数 fizzBuzz は，引数で与えられた値が，3 で割り切れて 5 で割り切れない場合は“3 で割り切れる”を，5 で割り切れて 3 で割り切れない場合は“5 で割り切れる”を，3 と 5 で割り切れる場合は“3 と 5 で割り切れる”を返す。それ以外の場合は“3 でも 5 でも割り切れない”を返す。

〔プログラム〕

```
○ 文字列型： fizzBuzz(整数型： num)
  文字列型： result
  if (num が [ a ] で割り切れる)
    result ← "[ a ] で割り切れる"
  elseif (num が [ b ] で割り切れる)
    result ← "[ b ] で割り切れる"
  elseif (num が [ c ] で割り切れる)
    result ← "[ c ] で割り切れる"
  else
    result ← "3 でも 5 でも割り切れない"
  endif
  return result
```

解答群

	a	b	c
ア	3	3 と 5	5
イ	3	5	3 と 5
ウ	3 と 5	3	5
エ	5	3	3 と 5
オ	5	3 と 5	3

合格のカギ

条件判定をどの順番で行うかを問う問題です。類似の問題がよく出題されています。

こうした問題では，なるべく具体的な数値を当てはめて考えることが重要です。たとえば 15 は「3 と 5 で割り切れる数」ですが，空欄 a を「3」とした場合，15 は 3 でも割り切れるので，変数 result に「3 で割り切れる」が代入されてしまいます。つまり，空欄 a は「3」ではないことがわかります。

初歩的な問題なので比較的簡単に解答できますが，その場合でも具体的な数値で正しいかどうかを確認することが大切です。

プログラム・ノート

```
○文字列型： fizzBuzz(整数型： num)  <---- 1 関数の宣言
  文字列型： result
  if (num が [ a ] で割り切れる)
    result ← "[ a ] で割り切れる"
  elseif (num が [ b ] で割り切れる)
    result ← "[ b ] で割り切れる"
  elseif (num が [ c ] で割り切れる)
    result ← "[ c ] で割り切れる"
  else
    result ← "3 でも 5 でも割り切れない"
  endif
  return result  <---- 3 return文
```

(3～10行目: 2 if～elseif～else構文)

1 関数の宣言

先頭に○記号のついた行は，関数や手続の宣言です。情報処理試験の擬似言語では，関数を次のように定義します。

```
○[戻り値の型名]:[関数名] ([引数の型名]:[引数名], …)
  関数の処理
```

キーワード	説明
戻り値の型名	関数の戻り値のデータ型を指定（本問では文字列型）。
関数名	関数の名前（本問では FizzBuzz）。
引数の型名	関数に指定する引数の型名（本問では整数型）。
引数名	関数に指定する引数（本問では num）。引数は複数指定できる。また，引数がない場合は省略できる。

2 if～elseif～else構文

この構文では，条件式を上から順番に評価し，最初に真（true）になった条件式に対応する処理を実行します。真になった条件式以降の条件式は評価せず，対応する処理も実行しません。条件式がどれも真にならなかったときは，else に対応する処理 n + 1 を実行します。

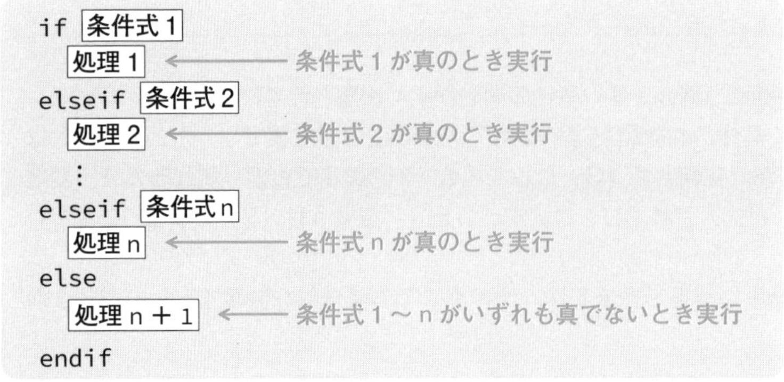
if 条件式1
処理1 ← 条件式1が真のとき実行
elseif 条件式2
処理2 ← 条件式2が真のとき実行
⋮
elseif 条件式n
処理n ← 条件式nが真のとき実行
else
処理n＋1 ← 条件式1～nがいずれも真でないとき実行
endif

elseと処理の組は，最後に1つだけ記述することができます。また必要なければ省略することもできます。

3 return文

return文は戻り値を関数の呼び出し元のプログラムに返し，関数の処理を終了します。本問では，変数resultの値を戻り値として返します。

```
return 戻り値
```

このプログラムを使用するには，別のプログラムで

```
for (i を 1 から 100 まで 1 ずつ増やす)
  fizzBuzz(i)の値 を出力する
endfor
```

のように関数FizzBuzzを呼び出します。上の処理では，1から100までの数について3または5で割り切れるかどうかを順に調べています。

問題解説

FizzBuzzというのは，数人で1から順番に数を声に出して数えていき，自分の番の数が3で割り切れるときは「Fizz」，5で割り切れるときは「Buzz」，3と5で割り切れるときは「FizzBuzz」と言うというルールのゲームです。本問のように，初歩的なプログラミングの題材としてよく使われます。

行番号03：擬似言語のif～elseif～endif構文は，条件式を上から順に評価し，最初に真になった条件式に対応する処理を実行します。以降の条件式は評価されません。

そのため，たとえば**空欄a**を「3」とすると，numが3と5で割り切れる数のときでも，行番号04の「result ← "3 で割り切れる"」が実行されてしまいます。

空欄aが「5」のときも同様です。したがって，**空欄a**は「3と5」でなければなりません。

空欄aを「3と5」とすれば，**空欄b**と**空欄c**は「3」でも「5」でもどちらでもかまいません。ただし，**空欄a**が「3と5」の選択肢は解答群に ウ しかないので， ウ が正解となります。

```
03    if (num が 3 と 5 で割り切れる) ←― 空欄a
04      result ← "3 と 5 で割り切れる"
05    elseif (num が 3 で割り切れる) ←― 空欄b
06      result ← "3 で割り切れる"
07    elseif (num が 5 で割り切れる) ←― 空欄c
08      result ← "5 で割り切れる"
09    else
10      result ← "3 でも 5 でも割り切れない"
11    endif
```

解答

問02 ウ

問 03

次の記述中の［　　］に入れる正しい答えを，解答群の中から選べ。ここで，配列の要素番号は 1 から始まる。

関数 makeNewArray は，要素数 2 以上の整数型の配列を引数にとり，整数型の配列を返す関数である。関数 makeNewArray を makeNewArray({3, 2, 1, 6, 5, 4}) として呼び出したとき，戻り値の配列の要素番号 5 の値は［　　］となる。

〔プログラム〕

```
○整数型の配列： makeNewArray(整数型の配列： in)
  整数型の配列： out ← {} // 要素数 0 の配列
  整数型： i, tail
  out の末尾 に in[1] の値 を追加する
  for (i を 2 から in の要素数 まで 1 ずつ増やす)
    tail ← out[out の要素数]
    out の末尾 に (tail + in[i]) の結果を追加する
  endfor
  return out
```

解答群

ア 5　　イ 6　　ウ 9　　エ 11　　オ 12
カ 17　　キ 21

合格のカギ

プログラムの実行結果を予測する問題は，プログラムのとおりに机上で処理を行えば，おのずと正解がわかります。いわば，受験者自身がコンピュータとなって，プログラムを実行すればよいわけです。

具体的には，変数の値の変化をトレースします。とくに繰返し処理では，1 回の繰返し処理で変数がどのように変化するかに注意しましょう。

プログラム・ノート

```
01  ○整数型の配列: makeNewArray(整数型の配列: in)
02    整数型の配列: out ← {} // 要素数 0 の配列   <--- 1 配列の宣言と初期化
03    整数型: i, tail
04    out の末尾 に in[1] の値 を追加する   <--- 2 配列要素の参照  3 配列要素の追加
05    for (i を 2 から in の要素数 まで 1 ずつ増やす)   <--- 4 for 構文
06      tail ← out[out の要素数]
07      out の末尾 に (tail + in[i]) の結果を追加する
08    endfor
09    return out
```

1 配列の宣言と初期化

配列とは，複数の値を順番に並べて格納しておく値の入れ物です。1 つの配列には，同じデータ型の値しか格納できません。

配列の宣言では，格納する値のデータ型と配列名を次のように記述します。

[データ型] の配列：[配列名]

行番号 02 では，整数型の値を格納する out という名前の配列を宣言しています。

行番号 02 では，配列の宣言と同時に値の初期化も行っています。配列の内容は，

{ 値 1，値 2，値 3，…}

のように，{　} 内に値をカンマで区切って記述します。また，{} のように値を指定しない場合は，要素数 0 の配列を表します。

2 配列要素の参照

配列の中の要素を指定するには，

配列名 [[要素番号]]

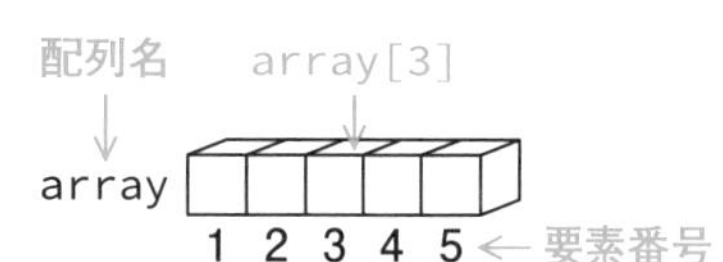

のように，配列名の後に要素番号を［　］で囲んで記述します。

要素番号は，実際のプログラム言語では 0 から始まるのが一般的ですが，**擬似言語では基本的に 1 から始まります**。問題文に断り書きがあるので必ず確認しましょう。

3 配列要素の追加

行番号 04 や行番号 07 では，配列 out の末尾に要素を追加する処理が出てきます。要素の追加は一般に次のように行います。

[配列名] の末尾 に [値] を追加する

上の処理は，[配列名] で指定した配列の末尾に要素を 1 つ追加し，追加した要素に指定した値を代入します。これにより，配列の要素数が 1 つ増えます。

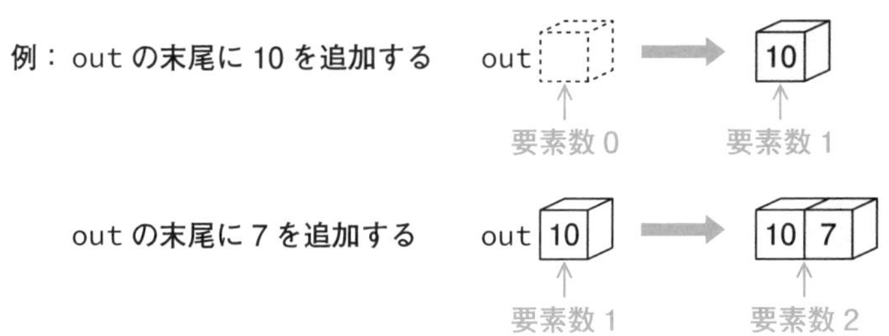

なお，要素を追加する配列は，前もって初期化しておく必要があります。

4 for 構文

for 構文は，for ～ endfor の間の処理を，指定した条件に従って繰り返します。行番号 04 では次のようになります。

繰返し 1 回ごとに，変数 i の値を 2，3，…のように 1 ずつ増やしていきます。i の値が配列 in の要素数の値になったときが最後の繰返しになります。

問題解説

行番号 04：配列 out の末尾に，in[1] の値を追加します。in[1] の値は 3 です。また，配列 out はこの時点では要素数 0 なので，この処理によって配列 out の内容は {3} となります。

行番号 05 ～ 08：繰返し変数 i の値が 2 から配列 in の要素数 6 になるまで，処理を繰り返します。1 回の繰返しごとの各変数の変化を表にしていきましょう。

i	out	in[i]	tail	out
2	{3}	2		
3		1		
4		6		
5		5		
6		4		

行番号06では，配列outの末尾の値を変数tailに代入します。

i	out	in[i]	tail	out
2	{3}	2	3	

行番号07では，変数tailの値にin[i]の値を加えたものを，配列outの末尾に追加します。

i	out	in[i]	tail	out
2	{3}	2	3	{3,5}

＋

以上で，繰返し1回目の処理は終了です。繰返し終了時の配列outの内容が，次の繰返しの開始時の内容になります。

	i	out	in[i]	tail	out
	2	{3}	2	3	{3,5}
繰返し→ 2回目	3	{3,5}	1		

以下，同様に繰返しごとの変数の変化を追っていくと，次のようになります。

i	out	in[i]	tail	out
2	{3}	2	3	{3,5}
3	{3,5}	1	5	{3,5,6}
4	{3,5,6}	6	6	{3,5,6,12}
5	{3,5,6,12}	5	12	{3,5,6,12,17}
6	{3,5,6,12,17}	4	17	{3,5,6,12,17,21}

＋

繰返し処理が終わると，配列outの内容は{3,5,6,12,17,21}となるので，要素番号5の値は17です。以上から，正解は カ です。

□□ 問 04 次のプログラム中の［ a ］～［ c ］に入れる正しい答えの組合せを，解答群の中から選べ。

関数 gcd は，引数で与えられた二つの正の整数 num1 と num2 の最大公約数を，次の（1）～（3）の性質を利用して求める。

(1) num1 と num2 が等しいとき，num1 と num2 の最大公約数は num1 である。

(2) num1 が num2 より大きいとき，num1 と num2 の最大公約数は，(num1 − num2) と num2 の最大公約数と等しい。

(3) num2 が num1 より大きいとき，num1 と num2 の最大公約数は，(num2 − num1) と num1 の最大公約数と等しい。

〔プログラム〕

```
○整数型： gcd(整数型： num1, 整数型： num2)
  整数型： x ← num1
  整数型： y ← num2
  [   a   ]
    if ([   b   ])
      x ← x − y
    else
      y ← y − x
    endif
  [   c   ]
  return x
```

解答群

	a	b	c
ア	if (x ≠ y)	x ＜ y	endif
イ	if (x ≠ y)	x ＞ y	endif
ウ	while (x ≠ y)	x ＜ y	endwhile
エ	while (x ≠ y)	x ＞ y	endwhile

本問のプログラムは，ユークリッドの互除法と呼ばれるアルゴリズムを用いて，2つの整数の最大公約数を求めています。ユークリッドの互除法は科目Aの流れ図の問題としてもよく出題されるので覚えておいてください。

もっとも「ユークリッドの互除法」という名称を知らなくても，アルゴリズムの具体的な手順は問題文に説明があります。この説明を擬似言語のプログラムで表せば，おのずと正解がわかります。実は，この「問題文の説明を擬似言語のプログラムで表す」ことが，プログラム問題を攻略するうえでもっとも重要です。

プログラム・ノート

```
○整数型： gcd(整数型： num1, 整数型： num2)   ← 1 ユークリッドの互除法
  整数型： x ← num1
  整数型： y ← num2
  [  a  ]                                      ← 2 while ～ endwhile と do ～ while 構文
    if ( [  b  ] )
      x ← x − y
    else
      y ← y − x
    endif
  [  c  ]
  return x
```

1 ユークリッドの互除法

このプログラムでは，2つの整数xとyの最大公約数を，次の手順で求めます。

- xのほうがyより大きいときは，xからyを引く。
- yのほうがxより大きいときは，yからxを引く。

この作業を繰り返して，xとyが等しくなったら，その値が最大公約数となります。たとえばx＝176，y＝99の場合は次のようになります。

①x＞yなので，176－99＝77　→　x＝77，y＝99
②y＞xなので，99－77＝22　→　x＝77，y＝22
③x＞yなので，77－22＝55　→　x＝55，y＝22
④x＞yなので，55－22＝33　→　x＝33，y＝22
⑤x＞yなので，33－22＝11　→　x＝11，y＝22
⑥y＞xなので，22－11＝11　→　x＝11，y＝11
⑦x＝yなので，最大公約数は11

2 while ～ endwhile と do ～ while 構文

while ～ endwhile と do ～ while は，どちらも条件式が真の間，処理を繰り返し実行します。

2つの構文の違いは，while ～ endwhile が繰返し処理の入口で条件式を評価するのに対し，do ～ while は，繰返し処理の出口で条件式を評価することです。そのため，while ～ endwhile では繰返し処理が1度も実行されないことがあるのに対し，do ～ while では最低1回は必ず繰返し処理が実行されます。

一般に，do ～ while は while ～ endwhile に書き替えることができます。そのためプログラム言語によっては，do ～ while に当たる構文がないものもあります（Python など）。

問題解説

問題文の次の記述について検討しましょう。

(1) num1 と num2 が等しいとき，num1 と num2 の最大公約数は num1 である。
(2) num1 が num2 より大きいとき，num1 と num2 の最大公約数は，（num1 － num2）と num2 の最大公約数と等しい。
(3) num2 が num1 より大きいとき，num1 と num2 の最大公約数は，（num2 － num1）と num1 の最大公約数と等しい。

(1) については後回しにして，(2) と (3) から考えます。引数 num1，num2 の値は，行番号 02 と 03 でそれぞれ変数 x と変数 y に代入されているので，上の記述は次のように言い換えることができます。

(2) x が y より大きいとき，x と y の最大公約数は，（x － y）と y の最大公約数と等しい。
(3) y が x より大きいとき，x と y の最大公約数は，（y － x）と x の最大公約数と等しい。

上の2つの記述から，x ＞ y なら x の値を x － y に置き換え，y ＞ x なら y の値を y － x に置き換えて，x と y との最大公約数を求めればよいことがわかります。

この作業は，x と y の値が異なる間繰り返す必要があります（なぜなら，x と y の値が異なるなら，必ず (2) または (3) のどちらかが当てはまるから）。

これを擬似言語のプログラムで表すと次のようになります。

```
04  while (x ≠ y)    ←─ x と y の値が異なる間，以下の処理を繰り返す
05    if (x > y)
06      x ← x － y   ←─ x > y なら x の値を x － y に置き換える
07    else
08      y ← y － x   ←─ y > x なら y の値を y － x に置き換える
09    endif
10  endwhile
```

繰返し処理が終わったとき，x と y の値は等しくなります。「**(1) x と y が等しいとき，x と y の最大公約数は x である。**」より，変数 x の値を最大公約数として返します。

```
return x
```

以上から，**空欄 a** は「while (x ≠ y)」，**空欄 b** は「x > y」，**空欄 c** は「endwhile」となります。正解は エ です。

問05

次のプログラム中の[　　]に入れる正しい答えを，解答群の中から選べ。

関数 calc は，正の実数 x と y を受け取り，$\sqrt{x^2+y^2}$ の計算結果を返す。関数 calc が使う関数 pow は，第 1 引数として正の実数 a を，第 2 引数として実数 b を受け取り，a の b 乗の値を実数型で返す。

〔プログラム〕

```
○ 実数型： calc( 実数型： x, 実数型： y)
  return [　　]
```

解答群

ア (pow(x, 2) + pow(y, 2)) ÷ pow(2, 0.5)

イ (pow(x, 2) + pow(y, 2)) ÷ pow(x, y)

ウ pow(2, pow(x, 0.5)) + pow(2, pow(y, 0.5))

エ pow(pow(pow(2, x), y), 0.5)

オ pow(pow(x, 2) + pow(y, 2), 0.5)

カ pow(x, 2) × pow(y, 2) ÷ pow(x, y)

キ pow(x, y) ÷ pow(2, 0.5)

合格のカギ

式を組み立てる問題では，元の数式を各パーツに分解し，パーツごとに擬似言語の数式に変換していきます。組立ては計算順に行うのがよいでしょう。本問の場合は，① x^2，② y^2，③ $x^2 + y^2$，④ $\sqrt{x^2+y^2}$ の順に組み立てていきます。最初に $\sqrt{}$ から組み立てようとするとうまくいきません。

プログラム・ノート

```
○ 実数型： calc( 実数型： x, 実数型： y)
  return [　　]          <---- 1 関数の呼出し
```

1 関数の呼出し

関数 pow は，第 1 引数に正の実数 a，第 2 引数に実数 b を指定すると，a の b 乗の値を返す関数です。この関数が，実際にどのような処理をしているかを考える必要はまったくありません。この関数の機能と使い方を正しく理解して，プログラム中で使えるようにすればよいのです。

例：
```
return pow(2, 3)         ←2 の 3 乗を返す
return pow(3, -1)        ←3 の－1 乗を返す
return pow(1.7, 0.5)     ←1.7 の 0.5 乗を返す
return pow(－1, 2)       ←第 1 引数が正ではないのでエラーになる
```

なお，一般に$\sqrt[n]{a}$は$a^{\frac{1}{n}}$，$\frac{1}{a^n}$はa^{-n}と表せます。

$\sqrt{a}$ は「a の $\frac{1}{2}$ 乗」だよ。

問題解説

式$\sqrt{x^2+y^2}$を，関数 pow を用いた擬似言語の式で表してみましょう。問題文に，「関数 pow は，第 1 引数として正の実数 a を，第 2 引数として実数 b を受け取り，a の b 乗の値を実数型で返す」とあるので，a の b 乗は pow(a，b) と表せます。x^2 は pow(x，2)，y^2 は pow(y，2) なので，x^2+y^2 は，

```
pow(x, 2) + pow(y, 2)
```

となります。

a の平方根$\sqrt{a}$は，指数形式では$a^{\frac{1}{2}}$と表せます。$a^{\frac{1}{2}}$は a の 0.5 乗ですから，式$\sqrt{x^2+y^2}$は，

```
pow(pow(x, 2)+pow(y, 2), 0.5)
```
（pow(x, 2)+pow(y, 2) は x^2+y^2，0.5 は $\frac{1}{2}$ 乗）

となります。正解は オ です。

解答

問05 オ

問 06 次のプログラム中の[ ]に入れる正しい答えを，解答群の中から選べ。

関数 rev は 8 ビット型の引数 byte を受け取り，ビットの並びを逆にした値を返す。例えば，関数 rev を rev(01001011) として呼び出すと，戻り値は 11010010 となる。

なお，演算子∧はビット単位の論理積，演算子∨はビット単位の論理和，演算子 >> は論理右シフト，演算子 << は論理左シフトを表す。例えば，value >> n は value の値を n ビットだけ右に論理シフトし，value << n は value の値を n ビットだけ左に論理シフトする。

〔プログラム〕

```
○8ビット型: rev(8ビット型: byte)
  8ビット型: rbyte ← byte
  8ビット型: r ← 00000000
  整数型: i
  for (i を 1 から 8 まで 1 ずつ増やす)
    [      ]
  endfor
  return r
```

解答群

ア
```
r ← (r << 1) ∨ (rbyte ∧ 00000001)
rbyte ← rbyte >> 1
```

イ
```
r ← (r << 7) ∨ (rbyte ∧ 00000001)
rbyte ← rbyte >> 7
```

ウ
```
r ← (rbyte << 1) ∨ (rbyte >> 7)
rbyte ← r
```

エ
```
r ← (rbyte >> 1) ∨ (rbyte << 7)
rbyte ← r
```

合格のカギ

本問のプログラムで用いるビット演算子の∧や∨，シフト演算子の >> や << は，情報処理試験の擬似言語の仕様には含まれていません。仕様の範囲内でできることには限界があるので，このような拡張は問題ごとに必要に応じて行われます。

とはいえ，ほとんどのプログラム言語は，同様の機能をもつ演算子を備えています。試験対策としては，Python や C，Java といった実際のプログラム言語を，どれか 1 つ学習しておくとよいでしょう。出題された擬似言語のプログラムを，実際のプログラム言語を使って作成してみるのも，おすすめの学習方法です。

プログラム・ノート

```
01  ○8ビット型: rev(8ビット型: byte)
02    8ビット型: rbyte ← byte
03    8ビット型: r ← 00000000
04    整数型: i
05    for (i を 1 から 8 まで 1 ずつ増やす)
06      [          ]  <------ 1 ビット演算
07
08    endfor
09    return r
```

1 ビット演算

・ビット単位の論理積：2つのビットが両方とも1のとき1になる

```
0 ∧ 0 → 0
0 ∧ 1 → 0
1 ∧ 0 → 0
1 ∧ 1 → 1
```

例： 11001010 ∧ 00001111 → 00001010

・ビット単位の論理和：2つのビットのうち，少なくとも1つが1のとき1になる

```
0 ∨ 0 → 0
0 ∨ 1 → 1
1 ∨ 0 → 1
1 ∨ 1 → 1
```

例： 11001010 ∨ 00001111 → 11001111

・論理右シフト：指定したビット数だけ右にずらす

```
                     n
XXXXXXXX  >>n  [000XXXXX]XXX
                          ↑はみ出た分は捨てる
```

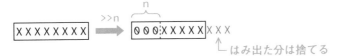

例：11110000 >> 3 → 00011110

・論理左シフト：指定したビット数だけ左にずらす

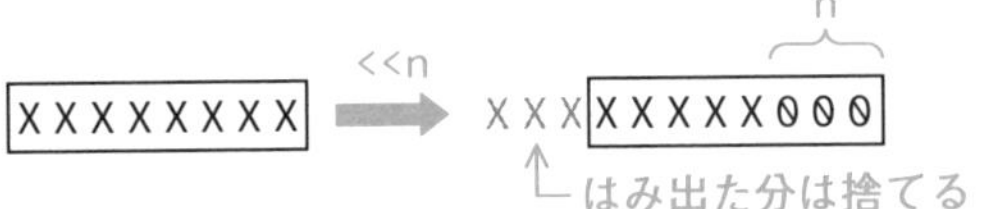

例：01000110 << 2 → 00011000

∧は「and」や「&」，∨は「or」や「|」で表すプログラム言語もあるよ。

問題解説

ア～エのうち，どの処理を空欄に当てはめるとビット列が逆順になるかを考えます。もっとも，4つの選択肢をすべて確認するのは面倒なので，前もって候補を絞りましょう。

行番号05～08の for 文は，変数 i が1から8になるまで処理を8回繰り返します。これは，元の

ビット列（rbyte）を1ビットずつ順に処理していると考えられます。そこで解答群から，変数 rbyte から1ビットを取り出している処理を探すと，ア と イ の処理に「rbyte ∧ 00000001」という式が見つかります。この式は，

```
XXXXXXXX ∧ 00000001 → 0000000X
```

rbyte　　rbyteの右端以外をすべて0にする

のように，rbyte から右端の1ビットだけを取り出します。逆順にするにはこのような処理が必要なはずなので，ウ と エ はひとまず正解候補から外しましょう。

次に，変数 rbyte に 01001011，変数 r に 00000000 を代入し，ア の処理を検討します。

```
05    for (i を 1 から 8 まで 1 ずつ増やす)
06      r ← (r << 1) ∨ (rbyte ∧ 00000001)
07      rbyte ← rbyte >> 1
08    endfor
```

行番号06では，r を1ビット左シフトしたビット列（r << 1）と，rbyte の右端のビット（rbyte ∧ 00000001）との論理和をとります。

```
00000000 ∨ 00000001    → 00000001
```

r << 1　rbyte ∧ 00000001　　r

次に行番号07で，rbyte を1ビット右シフトします。

```
01001011 >> 1 → 00100101
```

以上の処理を8回繰り返したときの変数の変化は次のようになります。

i	r << 1		rbyte ∧ 00000001		r	rbyte >> 1
1	00000000	∨	00000001	→	00000001	00100101
2	00000010	∨	00000001	→	00000011	00010010
3	00000110	∨	00000000	→	00000110	00001001
4	00001100	∨	00000001	→	00001101	00000100
5	00011010	∨	00000000	→	00011010	00000010
6	00110100	∨	00000000	→	00110100	00000001
7	01101000	∨	00000001	→	01101001	00000000
8	11010010	∨	00000000	→	11010010	00000000

繰返しごとに，変数 r が1ビット左にずれて，rbyte の右端のビットが加算されます。処理が終わると，変数 r に rbyte のビット列を逆順にしたビット列が格納されます。以上から，正解は ア とわかります。

ア が正解とわかったので，イ 以降は確認する必要がありませんが，イ の処理では，

```
r ← (r << 7) ∨ (rbyte ∧ 00000001)
rbyte ← rbyte >> 7
```

のように，変数 r や変数 rbyte を一度に7ビットもシフトしてしまっています。8ビットのビット列を8回の繰返しで処理するのだから，1ビットずつ処理しなければなりません。よって，イ は誤りです。

解答

問06　ア

□□ 問 07 次のプログラム中の[   ]に入れる正しい答えを，解答群の中から選べ。

関数 factorial は非負の整数 n を引数にとり，その階乗を返す関数である。非負の整数 n の階乗は n が 0 のときに 1 になり，それ以外の場合は 1 から n までの整数を全て掛け合わせた数となる。

〔プログラム〕

```
○ 整数型： factorial(整数型： n)
  if (n ＝ 0)
    return 1
  endif
  return [    ]
```

解答群

- ア (n － 1) × factorial(n)
- イ factorial(n － 1)
- ウ n
- エ n × (n － 1)
- オ n × factorial(1)
- カ n × factorial(n － 1)

合格のカギ

関数 a の処理中に関数 a が呼び出され，その処理中にさらに関数 a が呼び出され…のように，関数が処理中に自分自身を呼び出すプログラムを**再帰的関数**といいます。再帰的関数は，科目 A でも科目 B でもよく出題されます。

再帰的関数の問題を解く際の第 1 のポイントは，自分自身を呼び出すたびに，引数がちょっとずつ変化する部分を見つけることです。引数が変わらないと，永遠に自分自身を呼び出し続けることになります。第 2 のポイントは，「これ以上は自分自身を呼び出さない」ための条件が必ず設定されているということです。本問の関数 factorial の場合は「n ＝ 0 のとき」という条件が該当し，この場合は自分自身を呼び出さずに 1 を返します。

プログラム・ノート

```
01 ○整数型： factorial(整数型： n)   ← 1 nの階乗
02   if (n = 0)
03     return 1
04   endif
05   return [      ]
```

1 nの階乗

nの**階乗**とは，1からnまでの整数を順番に掛け合わせた数のことで，記号では「n!」のように表します。

$$n! = n \times (n-1) \times (n-2) \times \cdots \times 3 \times 2 \times 1$$

ただし，0の階乗は0ではなく1と約束します。

例：$3! = 3 \times 2 \times 1 = 6$　　$5! = 5 \times 4 \times 3 \times 2 \times 1 = 120$

問題解説

nの階乗n!は，

$$n! = n \times \underbrace{(n-1) \times (n-2) \times \cdots \times 2 \times 1}_{(n-1)!} = n \times (n-1)!$$

で求めることができます。(n − 1)!は，関数 `factorial` を使って「`factorial(n − 1)`」で求められるので，nの階乗n!は

`n × factorial (n − 1)`

となります。したがって，行番号05は次のようになります。

```
05   return n × factorial(n − 1)
```

以上から，正解は **カ** です。

解答

問07 カ

問 08 次の記述中の[   ]に入れる正しい答えを，解答群の中から選べ。

優先度付きキューを操作するプログラムである。優先度付きキューとは扱う要素に優先度を付けたキューであり，要素を取り出す際には優先度の高いものから順番に取り出される。クラス PrioQueue は優先度付きキューを表すクラスである。クラス PrioQueue の説明を図に示す。ここで，優先度は整数型の値 1，2，3 のいずれかであり，小さい値ほど優先度が高いものとする。

手続 prioSched を呼び出したとき，出力は[   ]の順となる。

コンストラクタ	説明
PrioQueue()	空の優先度付きキューを生成する。

メソッド	戻り値	説明
enqueue(文字列型： s, 整数型： prio)	なし	優先度付きキューに，文字列 s を要素として，優先度 prio で追加する。
dequeue()	文字列型	優先度付きキューからキュー内で最も優先度の高い要素を取り出して返す。最も優先度の高い要素が複数あるときは，そのうちの最初に追加された要素を一つ取り出して返す。
size()	整数型	優先度付きキューに格納されている要素の個数を返す。

図　クラス PrioQueue の説明

〔プログラム〕

```
○ prioSched()
  PrioQueue: prioQueue ← PrioQueue()
  prioQueue.enqueue("A", 1)
  prioQueue.enqueue("B", 2)
  prioQueue.enqueue("C", 2)
  prioQueue.enqueue("D", 3)
  prioQueue.dequeue() /* 戻り値は使用しない */
  prioQueue.dequeue() /* 戻り値は使用しない */
  prioQueue.enqueue("D", 3)
  prioQueue.enqueue("B", 2)
  prioQueue.dequeue() /* 戻り値は使用しない */
  prioQueue.dequeue() /* 戻り値は使用しない */
  prioQueue.enqueue("C", 2)
  prioQueue.enqueue("A", 1)
  while (prioQueue.size() が 0 と等しくない)
    prioQueue.dequeue() の戻り値を出力
  endwhile
```

解答群

ア “A”, “B”, “C”, “D”

イ “A”, “B”, “D”, “D”

ウ “A”, “C”, “C”, “D”

エ “A”, “C”, “D”, “D”

合格のカギ

本問のプログラムには，クラス定義と優先度付きキューという２つのテーマがあります。このうち，クラス定義は優先度付きキューを操作するための記述方法の問題に過ぎません。優先度付きキューの働きを正しく理解しているかどうかが重要です。

科目Ｂで出題頻度の高いデータ構造としては，キューのほかにスタックやリストがあります。これらに関しては模擬問題で解説しているので，高い優先度でマスターしておきましょう。

プログラム・ノート

```
○prioSched()
  PrioQueue: prioQueue ← PrioQueue()   ← 1 優先度付きキュー  2 クラスの利用
  prioQueue.enqueue("A", 1)
  prioQueue.enqueue("B", 2)
  prioQueue.enqueue("C", 2)
  prioQueue.enqueue("D", 3)
  prioQueue.dequeue() /* 戻り値は使用しない */
  prioQueue.dequeue() /* 戻り値は使用しない */
  prioQueue.enqueue("D", 3)
  prioQueue.enqueue("B", 2)
  prioQueue.dequeue() /* 戻り値は使用しない */
  prioQueue.dequeue() /* 戻り値は使用しない */
  prioQueue.enqueue("C", 2)
  prioQueue.enqueue("A", 1)
  while (prioQueue.size() が 0 と等しくない)
    prioQueue.dequeue() の戻り値を出力
  endwhile
```

3 クラスの操作

1 優先度付きキュー

キューは，複数のデータを１列に格納するデータの入れ物です。データを格納するときは列の一番後ろに格納し，取り出すときは列の先頭から取り出します。キューにデータを格納することをエンキュー，キューからデータを取り出すことをデキューといいます。

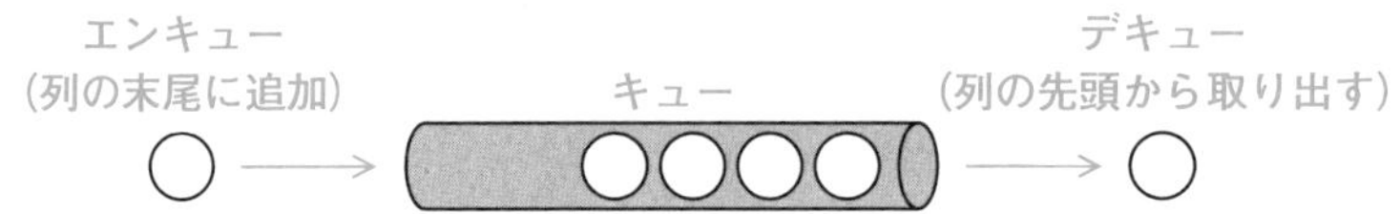

優先度付きキューは，格納するデータに優先度を付けたもので，優先度の高いものから順に取り出せるようにしたものです。優先度ごとに列を作り，取り出すときは優先度の高い列から先に取り出すようにするイメージです。

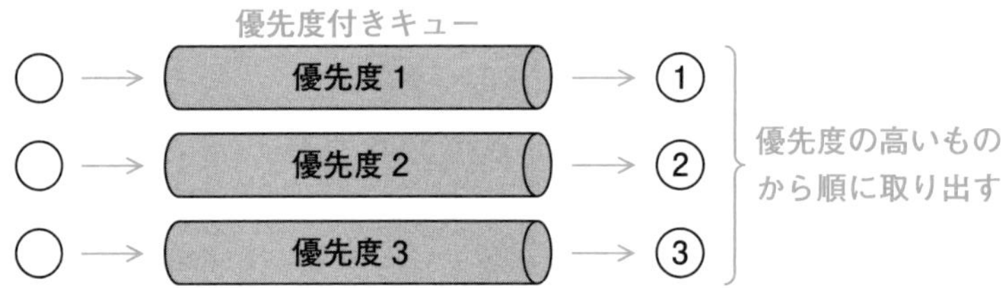

2 クラスの利用

優先度付きキューのような構造をもったデータを表すには，**クラス**を用います。クラスとは本来はオブジェクト指向プログラムの用語ですが，ここでは，操作するためのメソッドを備えたデータ型の一種と考えてかまいません。情報処理試験の擬似言語はクラスを定義するための構文を用意してないので，使用するクラスについては問題文に必ず説明があります。

プログラム中でクラスを使用するには，通常の変数と同様に，

```
クラス名 : 変数名
```

のようにクラスの変数を宣言します。本問のプログラムでは，行番号 02 で `prioQueue` という `PrioQueue` 型の変数を宣言しています（大文字小文字の違いに注意）。

変数を宣言しただけでは，クラスの実体（オブジェクト）は作成されません。オブジェクトを作成するにはそのクラスのコンストラクタを使って，

```
変数名 ←コンストラクタ ()
```

のように変数を初期化する必要があります。コンストラクタ名は一般にクラス名と同じです。本問では，行番号 02 で，変数の宣言とコンストラクタの実行を同時に行い，優先度付きキューを作成しています。

3 クラスの操作

クラスを操作するには，操作対象となるオブジェクトの変数を指定して，

```
変数名 . メソッド ()
```

のようにメソッドを実行します。本問では，優先度付きキューにデータを格納する `enqueue`，優先度付きキューからデータを取り出す `dequeue`，優先度付きキューに格納されている要素の個数を返す `size` の 3 つのメソッドが用意されています。

```
prioQueue.enqueue("A", 1) ← 優先度付きキューprioQueueに，データ"A"を優先度1で格納
prioQueue.dequeue() ←――― prioQueueからデータを取り出す
prioQueue.size() ←――――― prioQueueに格納されているデータの個数を返す
```

問題解説

プログラムを実行したときのキューの変化を順に追いかけましょう。優先度は1～3まで3段階あるので，3本のキューを用意します。

```
prioQueue.enqueue("A", 1) ← 優先度1の列に“A”を追加
prioQueue.enqueue("B", 2) ← 優先度2の列に“B”を追加
prioQueue.enqueue("C", 2) ← 優先度2の列に“C”を追加
prioQueue.enqueue("D", 3) ← 優先度3の列に“D”を追加
```

ここまでの操作で，キューの状態は次のようになります。

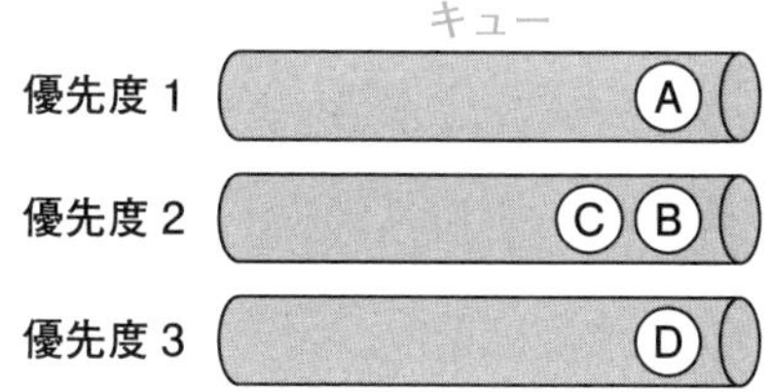


```
prioQueue.dequeue() ← データを取り出し
prioQueue.dequeue() ← データを取り出し
```

データは優先度の高い順に取り出すので，優先度1のキューにある“A”と，優先度2のキューにある“B”が取り出されます。

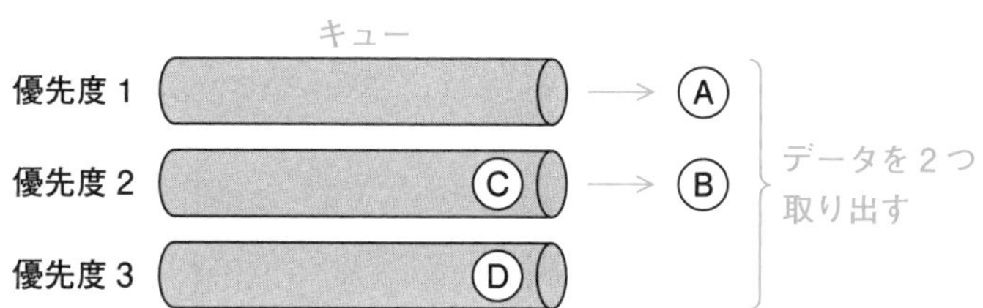


```
prioQueue.enqueue("D", 3) ← 優先度3の列に“D”を追加
prioQueue.enqueue("B", 2) ← 優先度2の列に“B”を追加
```

以上の操作で，キューの状態は次のようになります。

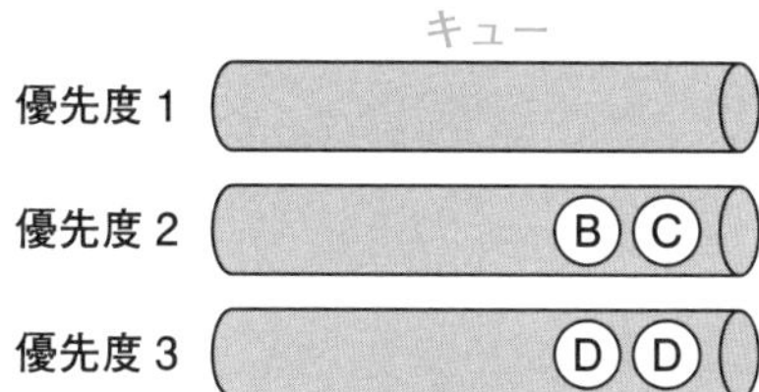


```
prioQueue.dequeue() ← データを取り出し
prioQueue.dequeue() ← データを取り出し
```

以上の操作で，優先度2のキューにある“C”と“B”が取り出されます。

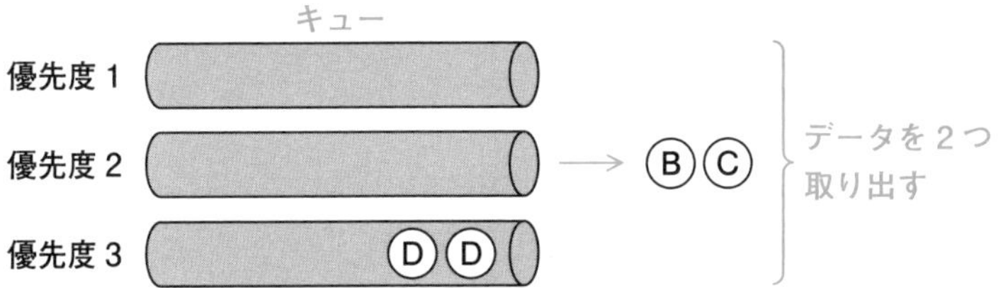


```
13    prioQueue.enqueue("C", 2) ←― 優先度 2 の列に “C” を追加
14    prioQueue.enqueue("A", 1) ←― 優先度 1 の列に “A” を追加
```

以上の操作で，キューの状態は次のようになります。

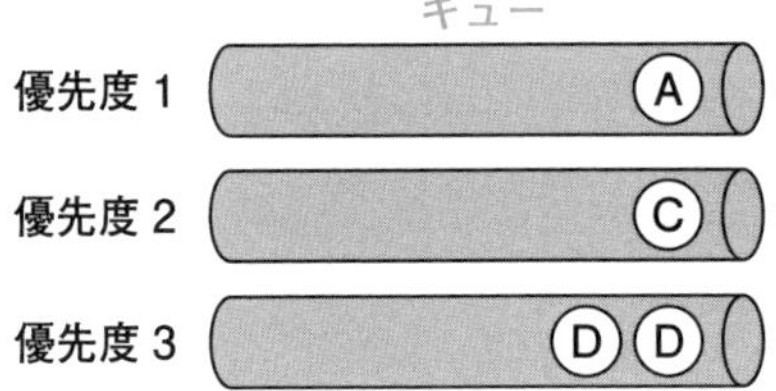

行番号 15 ～ 17 では，キューが空になるまでデータを取り出します。残っているデータは，優先度 1 の列に “A”，優先度 2 の列に “C”，優先度 3 の列に “D” と “D” の 4 個です。これらを順に取り出すと，出力結果は

“A”，“C”，“D”，“D”

となります。正解は エ です。

問 09

次の記述中の ＿＿＿ に入れる正しい答えを，解答群の中から選べ。ここで，配列の要素番号は 1 から始まる。

手続 order は，図の 2 分木の，引数で指定した節を根とする部分木をたどりながら，全ての節番号を出力する。大域の配列 tree が図の 2 分木を表している。配列 tree の要素は，対応する節の子の節番号を，左の子，右の子の順に格納した配列である。例えば，配列 tree の要素番号 1 の要素は，節番号 1 の子の節番号から成る配列であり，左の子の節番号 2，右の子の節番号 3 を配列 {2, 3} として格納する。

手続 order を order(1) として呼び出すと，＿＿＿ の順に出力される。

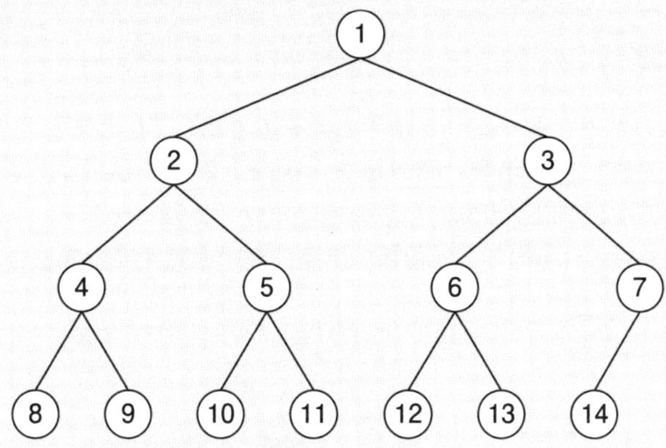

注記 1　○の中の値は節番号である。
注記 2　子の節が一つの場合は，左の子の節とする。

図　プログラムが扱う 2 分木

〔プログラム〕

```
大域：整数型配列の配列：tree ← {{2, 3}, {4, 5}, {6, 7}, {8, 9},
                                {10, 11}, {12, 13}, {14}, {}, {}, {},
                                {}, {}, {}, {}}  // {} は要素数 0 の配列

○order(整数型：n)
  if (tree[n] の要素数 が 2 と等しい)
    order(tree[n][1])
    n を出力
    order(tree[n][2])
  elseif (tree[n] の要素数 が 1 と等しい)
    order(tree[n][1])
    n を出力
```

サンプル問題 科目B

```
  else
    n を出力
  endif
```

解答群

ア 1, 2, 3, 4, 5, 6, 7, 8, 9, 10, 11, 12, 13, 14

イ 1, 2, 4, 8, 9, 5, 10, 11, 3, 6, 12, 13, 7, 14

ウ 8, 4, 9, 2, 10, 5, 11, 1, 12, 6, 13, 3, 14, 7

エ 8, 9, 4, 10, 11, 5, 2, 12, 13, 6, 14, 7, 3, 1

合格のカギ

本問は，プログラムの処理を逐一追いかけて出力を書き出していっても何とか解くことはできます。しかし，2分木の走査に前順走査，間順走査，後順走査の3種類があることを知っていれば，そのうちのどれに当たるかをプログラムから読み取るだけで解答できます。2分木の走査に関する問題はよく出題されると予想されるので，3種類の走査の違いを覚えておきましょう。

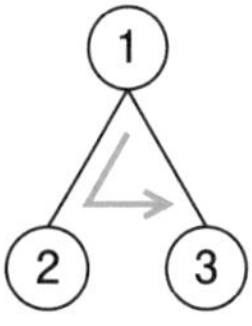

前順走査
（行きがけ順）

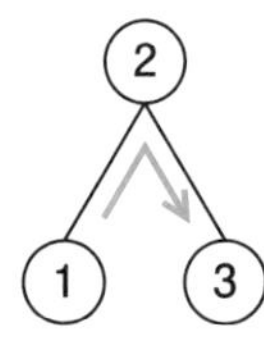

間順走査
（通りがけ順）

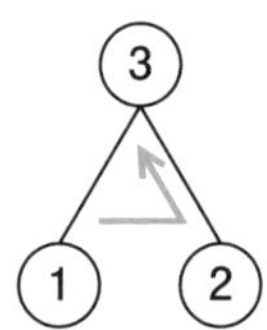

後順走査
（帰りがけ順）

プログラム・ノート

```
大域： 整数型配列の配列： tree ← {{2, 3}, {4, 5}, {6, 7}, {8, 9},
                                  {10, 11}, {12, 13}, {14}, {}, {}, {},
                                  {}, {}, {}, {}}  // {} は要素数 0 の配列

○order(整数型： n)
  if (tree[n] の要素数 が 2 と等しい)
    order(tree[n][1])
    n を出力
    order(tree[n][2])
  elseif (tree[n] の要素数 が 1 と等しい)
    order(tree[n][1])
    n を出力
  else
    n を出力
  endif
```

2 2分木の走査

1 2分木

複数の節（ノード）をツリー状に接続したデータ構造を**木構造**といいます。下位に接続した節を**子**，上位に接続された節を**親**といい，木構造の頂点にあるもっとも上位の節を**根**（こん）といいます。

木構造のうち，親となる節が3つ以上の子をもたないものをとくに**2分木**といいます。

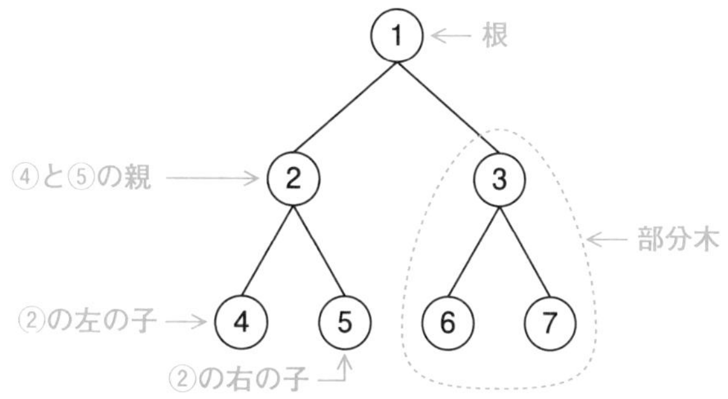

2 2分木の走査

2分木を構成する各節を漏れなく訪ねることを**走査**といいます。2分木の走査には，①**間順走査**（通りがけ順），②**前順走査**（行きがけ順），③**後順走査**（帰りがけ順）の3種類があります。

①間順走査

(1) 現在の節の左側の子を根とする部分木を走査する
(2) 現在の節の値を出力する
(3) 現在の節の右側の子を根とする部分木を走査する

現在の節の値をいつ出力するかによって，通りがけ順，行きがけ順，帰りがけ順というよ。

②前順走査

(1) 現在の節の値を出力する
(2) 現在の節の左側の子を根とする部分木を走査する
(3) 現在の節の右側の子を根とする部分木を走査する

③後順走査

(1) 現在の節の左側の子を根とする部分木を走査する
(2) 現在の節の右側の子を根とする部分木を走査する
(3) 現在の節の値を出力する

たとえば，右図のような2分木を間順走査する場合の手順は，次のようになります。

①の左の部分木を走査
　　②の左の子を走査
　　　　④を出力
　　②を出力
　　②の右の子を走査
　　　　⑤を出力
①を出力
①の右の部分木を走査

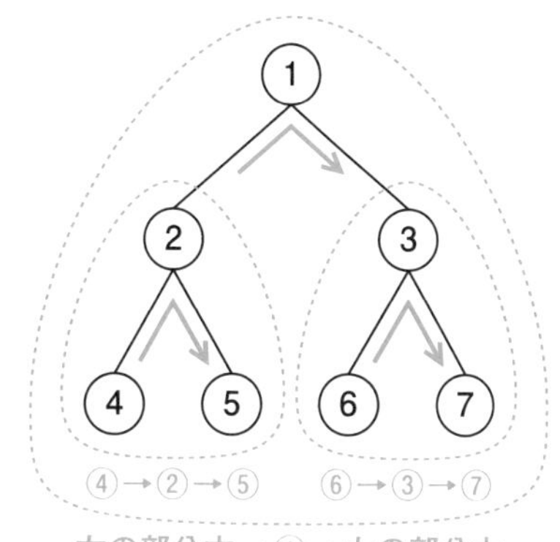

③の左の子を走査
　　⑥を出力
③を出力
③の右の子を走査
　　⑦を出力

以上から，出力結果は「4, 2, 5, 1, 6, 3, 7」となります。

問題解説

行番号 01 ～ 03：大域変数 tree は，整数型配列を要素とする配列です。14 個ある要素はそれぞれ 2 分木の節を表し，値は子の要素番号を表します。この配列 tree を図で表すと，問題文のような 2 分木になります。

要素番号	値
1	{2, 3}
2	{4, 5}
3	{6, 7}
4	{8, 9}
5	{10, 11}
6	{12, 13}
7	{14}
8	{}
9	{}
10	{}
11	{}
12	{}
13	{}
14	{}

← 左の子が要素番号 2,
右の子が要素番号 3

行番号 06 ～ 08：tree[n] が 2 つの要素からなる配列の場合，tree[n][1] には左の子，tree[n][2] には右の子の要素番号が格納されています。この場合，プログラムは次のような処理を行います。

```
05  if (tree[n] の要素数 が 2 と等しい)  ← 左右に子があるか？
06    order(tree[n][1])  ← 左の子を根とする部分木を走査
07    n を出力           ← 現在の節の値を出力する
08    order(tree[n][2])  ← 右の子を根とする部分木を走査
```

これは間順走査なので，出力結果は問題文の 2 分木を間順走査した結果になります。

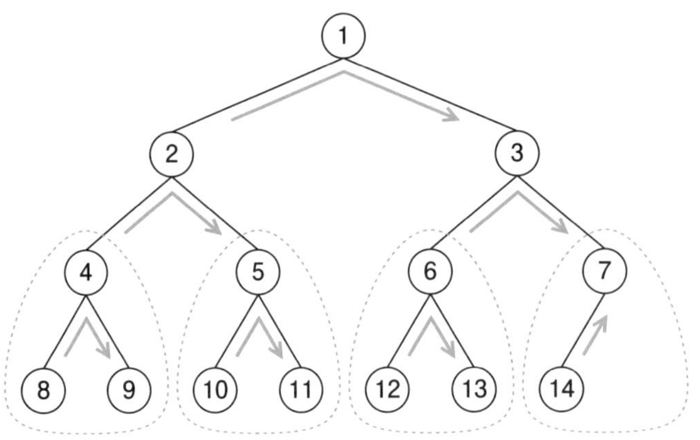

①の左の部分木を走査
　②の左の部分木を走査
　　④の左の子を走査
　　　⑧を出力
　　④を出力
　　④の右の子を走査
　　　⑨を出力
　②を出力
　②の右の部分木を走査
　　⑤の左の子を走査
　　　⑩を出力
　　⑤を出力
　　⑤の右の子を走査
　　　⑪を出力
　　　　⋮

以上のように，問題文の 2 分木を間順走査した結果は，

```
8, 4, 9, 2, 10, 5, 11, 1, 12, 6, 13, 3, 14, 7
```

となります。正解は ウ です。

最後まで走査しなくても正解はわかるね。

解答
問09 ウ

□□ 問 10 次のプログラム中の [   ] に入れる正しい答えを，解答群の中から選べ。

手続 delNode は，単方向リストから，引数 pos で指定された位置の要素を削除する手続である。引数 pos は，リストの要素数以下の正の整数とする。リストの先頭の位置を 1 とする。

クラス ListElement は，単方向リストの要素を表す。クラス ListElement のメンバ変数の説明を表に示す。ListElement 型の変数はクラス ListElement のインスタンスの参照を格納するものとする。大域変数 listHead には，リストの先頭要素の参照があらかじめ格納されている。

表　クラス ListElement のメンバ変数の説明

メンバ変数	型	説明
val	文字型	要素の値
next	ListElement	次の要素の参照 次の要素がないときの状態は未定義

〔プログラム〕

```
大域： ListElement: listHead // リストの先頭要素が格納されている

○delNode(整数型： pos) /* pos は，リストの要素数以下の正の整数 */
  ListElement: prev
  整数型： i
  if (pos が 1 と等しい)
    listHead ← listHead.next
  else
    prev ← listHead
    /* pos が 2 と等しいときは繰返し処理を実行しない */
    for (i を 2 から pos － 1 まで 1 ずつ増やす)
      prev ← prev.next
    endfor
    prev.next ← [    ]
  endif
```

解答群

ア listHead　　イ listHead.next

ウ listHead.next.next　　エ prev

オ prev.next　　カ prev.next.next

単方向リストに関しては，要素の削除のほかに，要素の追加や挿入などが出題される可能性があります。本書に類題を掲載しているので，それぞれの手順を理解しておきましょう（→模擬①問 8，模擬③問 6）。

・要素の追加　　・要素の挿入

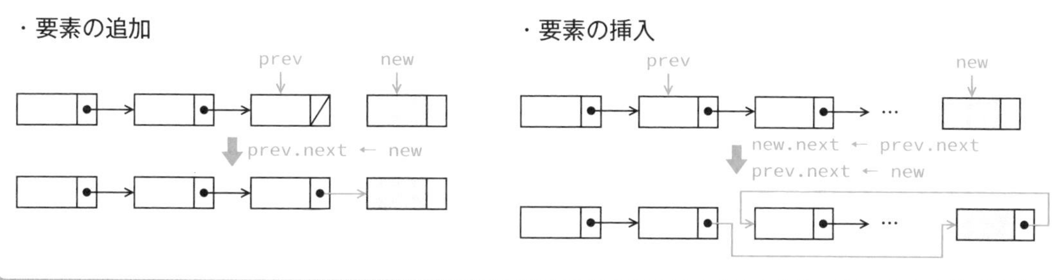

プログラム・ノート

```
大域： ListElement: listHead // リストの先頭要素が格納されている

○ delNode( 整数型： pos) /* pos は，リストの要素数以下の正の整数 */
  ListElement: prev
  整数型： i
  if (pos が 1 と等しい)
    listHead ← listHead.next
  else
    prev ← listHead
    /* pos が 2 と等しいときは繰返し処理を実行しない */
    for (i を 2 から pos － 1 まで 1 ずつ増やす)
      prev ← prev.next
    endfor
    prev.next ← [          ]
  endif
```

1 単方向リスト

単方向リスト（線形リスト）は，リストを構成する個々の要素（データの入れ物）を数珠つなぎにして，複数のデータをひと連なりにまとめたデータ構造です。個々の要素は，

①データを格納する部分（val）
②次の要素の参照を格納する部分（next）

で構成されています。前の要素の next に，次の要素の参照を格納し，次の要素の next にまた次の要素の参照を格納し……という操作を繰り返して，複数の要素をつないでいきます。

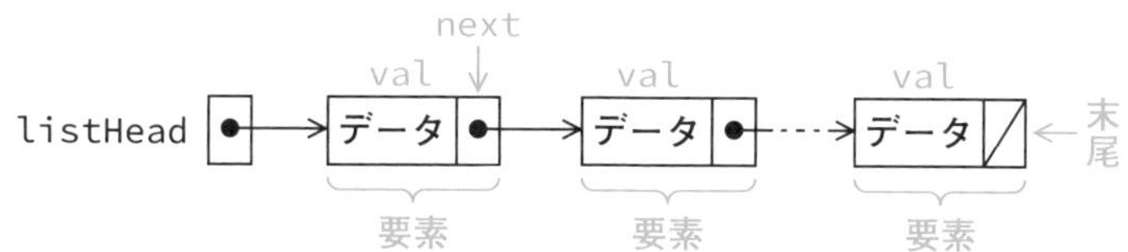

単方向リストに含まれる要素を参照するには，先頭要素から次の要素へと，目的の要素に到達するまでリストを順にたどっていきます。

単方向リストから，目的の要素を削除する手順は次のようになります。

①先頭の要素を削除する場合

削除する要素がリストの先頭にある場合は，単に先頭の次の要素 `listHead.next` を，先頭要素 `listHead` に付け替えます。

```
if (pos が 1 と等しい)
  listHead ← listHead.next
```

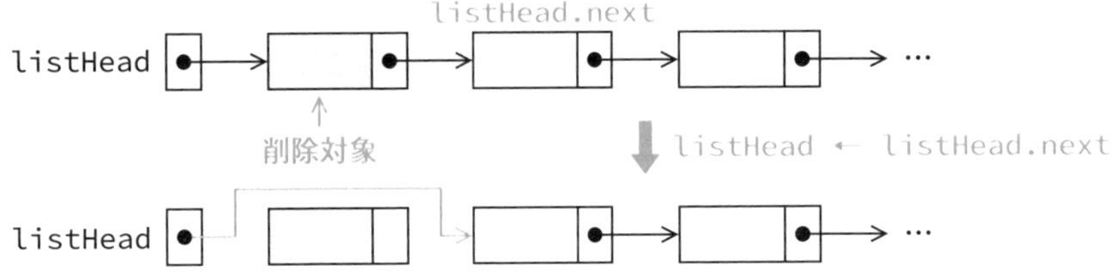

②先頭以外の要素を削除する場合

削除する要素がリストの先頭以外の場合は，目的の要素の 1 つ手前の要素まで移動します。このプログラムでは，変数 prev に，1 つ手前の要素の参照を設定しています。

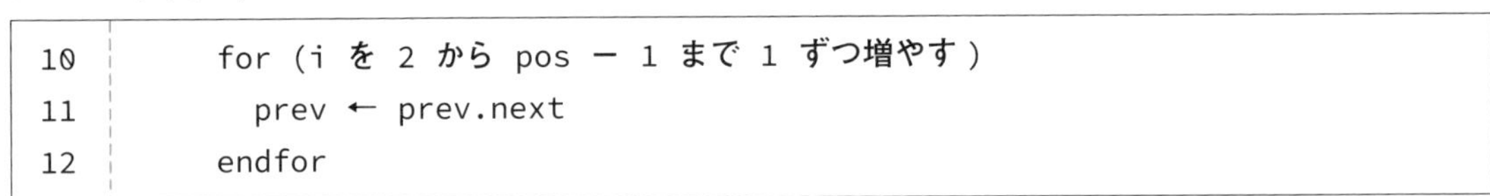

```
    for (i を 2 から pos − 1 まで 1 ずつ増やす)
      prev ← prev.next
    endfor
```

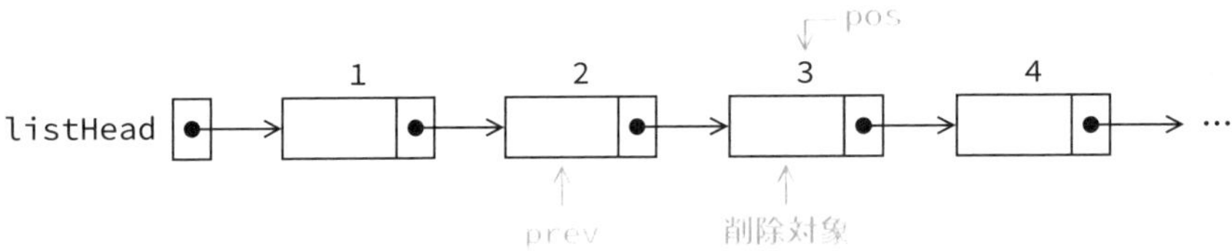

次に，変数 prev の次の要素 `prev.next` を，そのさらに次の要素に付け替えます。

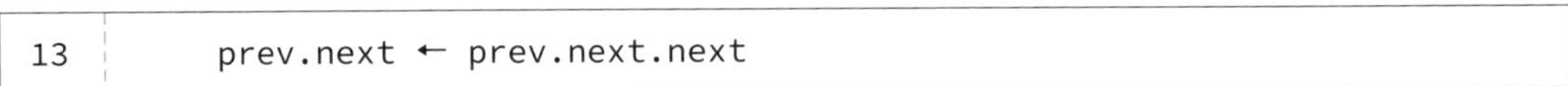

```
    prev.next ← prev.next.next
```

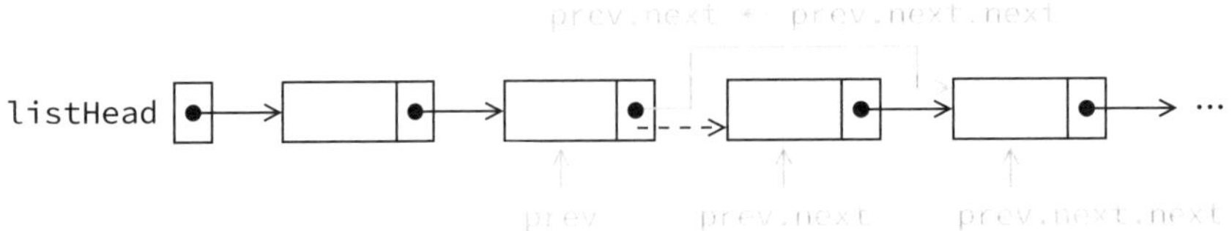

以上から，空欄には「`prev.next.next`」が入ります。正解は カ です。

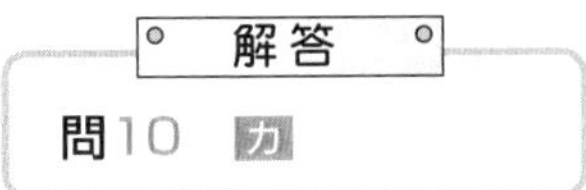

問 11

次の記述中の［　　　］に入れる正しい答えを，解答群の中から選べ。ここで，配列の要素番号は 1 から始まる。

関数 binSort を binSort(［　　　］) として呼び出すと，戻り値の配列には未定義の要素は含まれておらず，値は昇順に並んでいる。

〔プログラム〕

```
○整数型の配列 : binSort(整数型の配列 : data)
  整数型 : n ← data の要素数
  整数型の配列 : bins ← {n 個の未定義の値 }
  整数型 : i

  for (i を 1 から n まで 1 ずつ増やす )
    bins[data[i]] ← data[i]
  endfor

  return bins
```

解答群

ア　{2, 6, 3, 1, 4, 5}　　イ　{3, 1, 4, 4, 5, 2}

ウ　{4, 2, 1, 5, 6, 2}　　エ　{5, 3, 4, 3, 2, 6}

合格のカギ

ビンソート（バケットソート）と呼ばれる整列アルゴリズムの問題です。整列アルゴリズムには様々な種類があるので，基本的なものについては理解しておきましょう。とくに出題される可能性の高いものは，バブルソート，選択ソート，挿入ソート，クイックソート，マージソートです（本書にも類題を掲載しています→令和 5 年問 3，模擬①問 10，模擬③問 10）。

本問に関しては，ビンソートについての知識がなくても正解できますが，「ビンソートは値の重複があるデータは整列できない」という特徴を知っていれば，よりすばやく解答できます。

プログラム・ノート

```
○ 整数型の配列： binSort(整数型の配列： data)   ← ❶ ビンソート
  整数型： n ← data の要素数
  整数型の配列： bins ← {n 個の未定義の値}
  整数型： i

  for (i を 1 から n まで 1 ずつ増やす)
    bins[data[i]] ← data[i]
  endfor                ↑ ❷ 配列の要素番号に別の配列の要素の値を指定する

  return bins
```

❶ ビンソート

ビンソート（バケットソート）は，整列するデータのとりうる値が前もってわかっている場合に使用できる整列アルゴリズムです。

【ビンソートの手順】

①まず，対象となるデータのとりうる値に対応するビン（バケット）を，値の個数分用意します。たとえば，対象データが1～10の整数であれば，10個のビンを用意します（対象データ数が5個でも，とりうるデータが10種類あるなら，10個のビンが必要です）。本問のプログラムでは配列 bins に相当します。

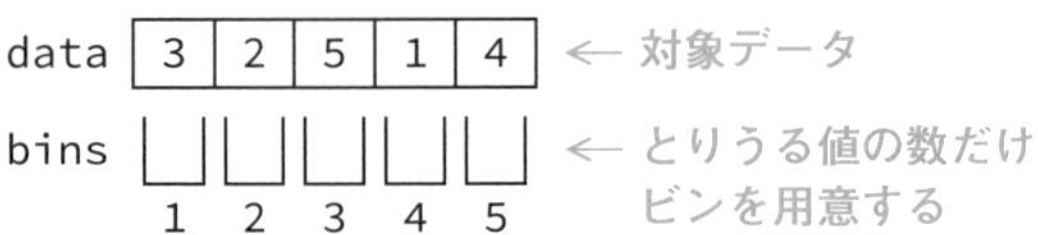

②対象データを順に調べて，対応するビンに格納していきます。本問のプログラムでは，対象データとなる配列 data の値を順に調べます。たとえば，data[i] の値が 5 なら，bins[5] に 5 を格納します。

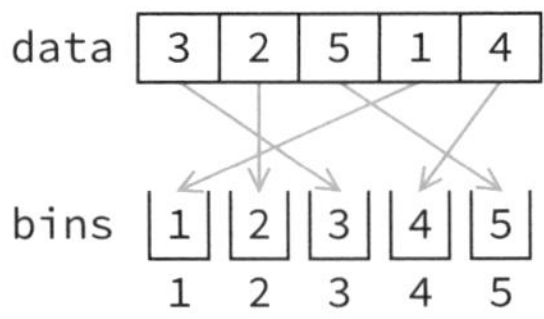

③すべてのデータをビンに入れたら，ビンの先頭から順にデータを取り出せば，データが整列します。

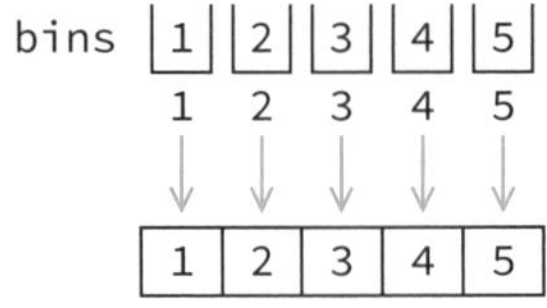

ビンソートは，データのとりうる値があらかじめわかっていないと使えません。また，とりうる値の範囲が広いと，用意するビンの個数が増えるため，必要なメモリが大きくなってしまいます。

また，対象データに値の重複があると，うまく整列できません。本問のプログラムの場合，たとえば配列 data に 4 が 2 つあると，どちらも bins[4] に格納してしまうため，整列後のデータが 1 つ減ってしまいます。

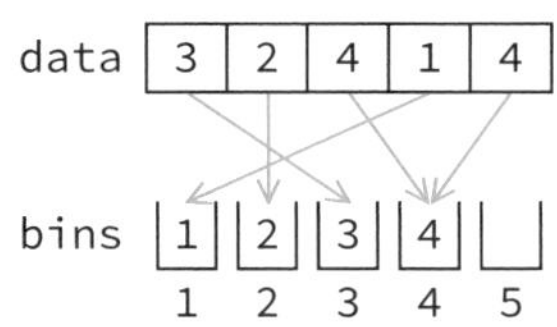

2 配列の要素番号に別の配列の要素の値を指定する

行番号 06 にある bins[data[i]] は，「配列 bins の data[i] 番目の要素」を意味します。たとえば，i = 1 で，data[1] の値が 5 なら，bins[data[i]] は「配列 bins の 5 番目の要素」を意味します。

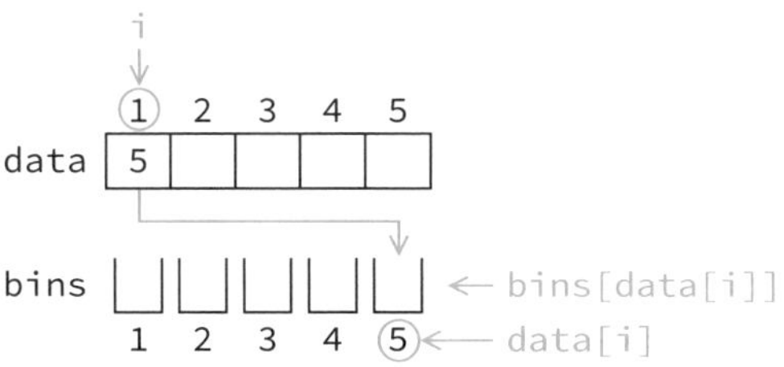

問題解説

ア ～ エ の配列の中から，関数 binSort の引数に指定すると正常に整列されるものを選びます。

プログラム・ノートでも説明したように，ビンソートは対象データに値の重複があると正常に整列できません。たとえば，イ の配列を指定した場合で考えてみましょう。行番号 05 ～ 07 の繰返し処理の結果，配列 bins は次のようになります。

i	data[i]	bins[data[i]] ← data[i]
1	3	bins[3] ← 3
2	1	bins[1] ← 1
3	4	bins[4] ← 4
4	4	bins[4] ← 4
5	5	bins[5] ← 5
6	2	bins[2] ← 2

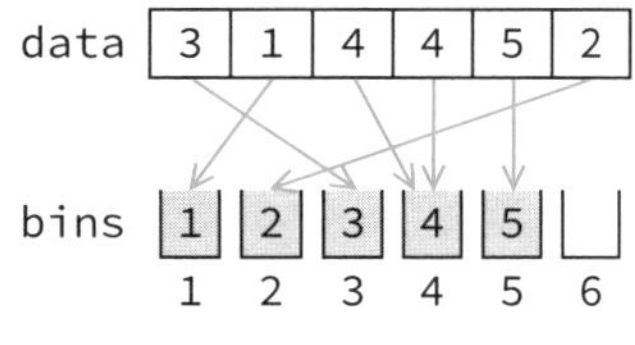

上のように，イ の配列は 4 が重複しているため，正しく整列されません。同様に，ウ，エ の配列にも値の重複があります。値の重複がないのは ア の配列だけです。この配列を指定した結果は，次のようになります。

i	data[i]	bins[data[i]] ← data[i]
1	2	bins[2] ← 2
2	6	bins[6] ← 6
3	3	bins[3] ← 3
4	1	bins[1] ← 1
5	4	bins[4] ← 4
6	5	bins[5] ← 5

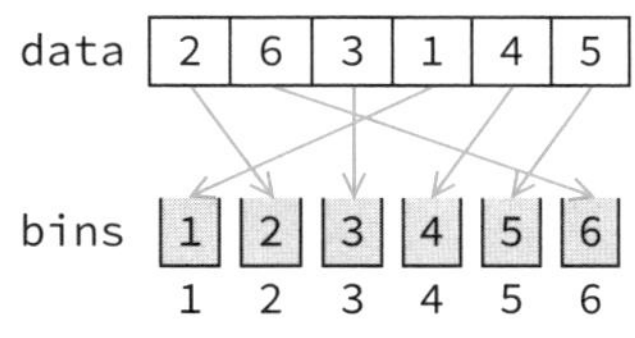

上のように，ア の配列を指定した場合は，配列 bins には値が昇順に整列されます。以上から正解は ア です。

□ 問 12 次のプログラム中の[　　　]に入れる正しい答えを，解答群の中から選べ。ここで，配列の要素番号は 1 から始まる。
□

関数 simRatio は，引数として与えられた要素数 1 以上の二つの文字型の配列 s1 と s2 を比較し，要素数が等しい場合は，配列の並びがどの程度似ているかの指標として，（要素番号が同じ要素の文字同士が一致する要素の組みの個数 ÷ s1 の要素数）を実数型で返す。例えば，配列の全ての要素が一致する場合の戻り値は 1，いずれの要素も一致しない場合の戻り値は 0 である。

なお，二つの配列の要素数が等しくない場合は，－ 1 を返す。

関数 simRatio に与える s1，s2 及び戻り値の例を表に示す。プログラムでは，配列の領域外を参照してはならないものとする。

表　関数 simRatio に与える s1，s2 及び戻り値の例

s1	s2	戻り値
{"a", "p", "p", "l", "e"}	{"a", "p", "p", "l", "e"}	1
{"a", "p", "p", "l", "e"}	{"a", "p", "r", "i", "l"}	0.4
{"a", "p", "p", "l", "e"}	{"m", "e", "l", "o", "n"}	0
{"a", "p", "p", "l", "e"}	{"p", "e", "n"}	－1

〔プログラム〕

```
○実数型： simRatio(文字型の配列： s1, 文字型の配列： s2)
  整数型： i, cnt ← 0
  if (s1 の要素数 ≠ s2 の要素数)
    return －1
  endif
  for (i を 1 から s1 の要素数 まで 1 ずつ増やす)
    if ([　　　])
      cnt ← cnt ＋ 1
    endif
  endfor
  return cnt ÷ s1 の要素数  /* 実数として計算する */
```

解答群

ア　s1[i] ≠ s2[cnt]　　イ　s1[i] ≠ s2[i]

ウ　s1[i] ＝ s2[cnt]　　エ　s1[i] ＝ s2[i]

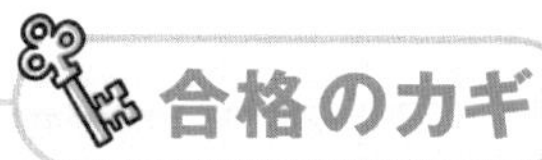

合格のカギ

本問で扱うプログラムは，2つの配列を比較するものです。整列や探索のように，特別なアルゴリズムを扱っているわけではありません。

このような問題では，問題文の説明通りに動作するプログラムを組み立てられるかどうかが問われます。プログラムを順に読んで，各処理が問題文の説明のどの部分に相当するかを考えましょう。国語の長文読解問題に似ています。

プログラム・ノート

```
01  ○実数型： simRatio(文字型の配列： s1, 文字型の配列： s2)
02    整数型： i, cnt ← 0
03    if (s1の要素数 ≠ s2の要素数)
04      return −1
05    endif
06    for (i を 1 から s1の要素数 まで 1 ずつ増やす)
07      if (          )
08        cnt ← cnt + 1
09      endif
10    endfor
11    return cnt ÷ s1の要素数  /* 実数として計算する */
```

（行番号06～10：**1** 2つの配列の比較）

1 2つの配列の比較

配列s1と配列s2の要素数が等しい場合，プログラムは2つの配列の要素を，先頭から順に比較します。

s1	a	p	p	l	e
	=	=	≠	≠	≠
s2	a	p	r	i	l

→ 5文字のうち2文字が一致

上の例では，5つの要素のうち2つが一致しているので，戻り値は2 ÷ 5 = 0.4となります。

問題解説

変数cntには，「要素番号が同じ要素の文字同士が一致する要素の組みの個数」を格納します。そのため，行番号06～10で配列の要素に格納されている文字を繰返し処理で1つずつ順に調べ，一致している場合は変数cntに1を加えます。

したがって行番号07のif文の空欄に入る条件式は，2つの配列の要素が一致している場合にtrueとなるようにします。配列s1の要素はs1[i]，同じ要素番号の配列s2の要素はs2[i]なので，空欄に入る条件式はs1[i] = s2[i]となります。

```
07    if (s1[i] = s2[i])   ← 2つの配列の要素が一致している場合
08      cnt ← cnt + 1      ← 変数cntを+1
09    endif
```

以上から，正解は エ です。

解答
問12 エ

問 13

次の記述中の[　　　]に入れる正しい答えを，解答群の中から選べ。ここで，配列の要素番号は 1 から始まる。

関数 search は，引数 data で指定された配列に，引数 target で指定された値が含まれていればその要素番号を返し，含まれていなければ－1 を返す。data は昇順に整列されており，値に重複はない。

関数 search には不具合がある。例えば，data の[　　　]場合は，無限ループになる。

〔プログラム〕

```
○整数型： search(整数型の配列： data, 整数型： target)
  整数型： low, high, middle

  low ← 1
  high ← data の要素数

  while (low ≦ high)
    middle ← (low ＋ high) ÷ 2 の商
    if (data[middle] < target)
      low ← middle
    elseif (data[middle] > target)
      high ← middle
    else
      return middle
    endif
  endwhile

  return －1
```

解答群

ア　要素数が 1 で，target がその要素の値と等しい

イ　要素数が 2 で，target が data の先頭要素の値と等しい

ウ　要素数が 2 で，target が data の末尾要素の値と等しい

エ　要素に－1 が含まれている

合格のカギ

問題文の説明とプログラムから，本問が**2分探索法**のアルゴリズムに関する問題であることにすぐ気づけるよう学習しておきましょう。2分探索法の大きな特徴は，探索対象の配列（本問の場合は配列 data）が整列済みであることです。また，プログラムでは，配列の中央の要素（middle）を算出して，その値が目的の値より大きいか小さいかによって場合分けをします。

2分探索法の問題は高確率で出題が予想されます。本書では本問以外にも類題を掲載しているので，必ず解いておきましょう（模擬②問7）。

プログラム・ノート

```
○整数型： search(整数型の配列： data, 整数型： target)   ← 1 2分探索法
  整数型： low, high, middle

  low ← 1
  high ← data の要素数

  while (low ≦ high)
    middle ← (low ＋ high) ÷ 2 の商   ← 2 商の計算
    if (data[middle] ＜ target)
      low ← middle
    elseif (data[middle] ＞ target)
      high ← middle
    else
      return middle
    endif
  endwhile

  return －1
```

1 2分探索法

2分探索法は，あらかじめ整列済みの配列から，目的の値を探索するアルゴリズムです。

2分探索法では，まず，整列済みの配列の中央にある要素の値を調べます。中央の要素の値が目的の値より大きければ，目的の値は配列の前半にあるはずです（昇順に整列している場合）。逆に，中央の要素の値が目的の値より小さければ，目的の値は配列の後半にあるはずです。

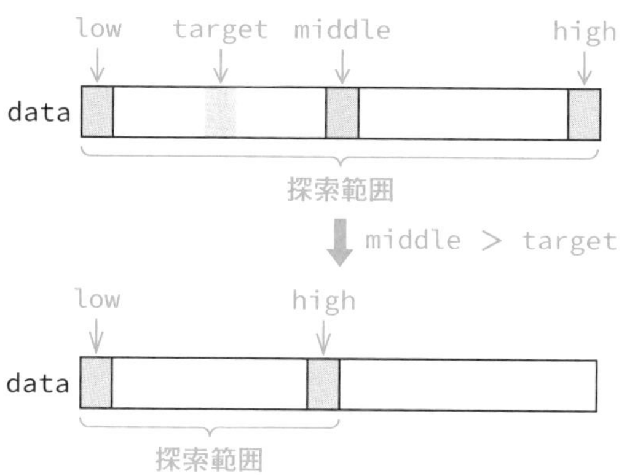

中央の値（middle）が目的の値（target）より大きければ，目的の値は low と middle の間にあるので，探索範囲を半分にせばめることができる

このように，1 回の探索で，探索範囲を半分に絞り込みます。この作業を目的の値が見つかるか，探索範囲がなくなるまで繰り返すのが，2 分探索法のアルゴリズムです。

2 商の計算

行番号 06 で，「(low ＋ high) ÷ 2 の商」のように，割り算の商を求めています。割り算の商は整数になることに注意してください。割り算の結果が実数値になる場合，小数点以下は切り捨てられます。

例： 6 ÷ 2 の商 → 3　　　　5 ÷ 2 の商 → 2

問題解説

本問は，空欄を埋めてプログラムを完成させるのではなく，完成したプログラムの誤りを見つける問題です。解答群の ア ～ エ に相当するデータを関数 search に入力して，無限ループになるかどうかを確認してみましょう。

ア　data の要素数が 1 で，target がその要素の値と等しい

たとえば，配列 data が {3}，target が 3 の場合で考えてみましょう。行番号 03，04 より，変数 low の値は 1，変数 high の値も 1 になります。また，行番号 06 より，変数 middle の値も 1 になります。

data[middle] の値は target の値と等しいので，行番号 07，09 の条件式はいずれも false になります。そのため行番号 11 の else 以下が実行され，戻り値 1 を返して関数 search が終了します。無限ループにはなりません。

イ　data の要素数が 2 で，target が data の先頭要素の値と等しい

たとえば，配列 data が {3, 4}，target が 3 の場合で考えてみましょう。行番号 03，04 より，変数 low の値は 1，変数 high の値は 2 になります。また，変数 middle の値は (1 ＋ 2) ÷ 2 の商なので 1 になります。

data[middle] の値は target の値と等しいので，ア と同様に行番号 11 の else 以下が実行され，戻り値 1 を返して関数 search が終了します。無限ループにはなりません。

ウ　data の要素数が 2 で，target が data の末尾要素の値と等しい

配列 data が {3, 4}，target が 4 の場合で考えてみましょう。行番号 03，04 より，変数 low の値は 1，変数 high の値は 2 になります。また，変数 middle の値は (1 ＋ 2) ÷ 2 の商なので 1 になります。

data[1] の値は 3 ですが，target は 4 なので，条件 data[middle] ＜ target が true となり，以下の処理が実行されます。

```
07      if (data[middle] < target)
08        low ← middle
```

これにより，変数 low に 1 が代入されますが，変数 low の値はもともと 1 なので変化しません。そのため行番号 05 の while 文の条件式「low ≦ high)」も引き続き true となり，繰返し処理が継続されます。変数 low，high，middle の値が変化しないため，無限ループになります。

エ　data の要素に－ 1 が含まれている

data の要素の値に－ 1 が含まれていても，繰返し処理には影響ありません。

以上から正解は ウ です。なお，関数 search は次のように行番号 08 と 10 を修正すれば正常に動作します。

```
01 ○整数型： search(整数型の配列： data, 整数型： target)
02   整数型： low, high, middle

03   low ← 1
04   high ← data の要素数

05   while (low ≦ high)
06     middle ← (low ＋ high) ÷ 2 の商
07     if (data[middle] ＜ target)
08       low ← middle ＋ 1   /* 次回の探索範囲の先頭をmiddleの次の要素にする */
09     elseif (data[middle] ＞ target)
10       high ← middle － 1   /* 次回の探索範囲の末尾をmiddleの1つ前の要素にする */
11     else
12       return middle
13     endif
14   endwhile

15   return －1
```

解答

問13 ウ

□
□ 問 14 次の記述中の[　　　]に入れる正しい答えを，解答群の中から選べ。ここで，配列の要素番号は 1 から始まる。

要素数が 1 以上で，昇順に整列済みの配列を基に，配列を特徴づける五つの値を返すプログラムである。

関数 summarize を summarize({0.1, 0.2, 0.3, 0.4, 0.5, 0.6, 0.7, 0.8, 0.9, 1}) として呼び出すと，戻り値は[　　　]である。

〔プログラム〕

```
○実数型: findRank(実数型の配列: sortedData, 実数型: p)
  整数型: i
  i ← (p × (sortedDataの要素数 − 1)) の小数点以下を切り上げた値
  return sortedData[i + 1]

○実数型の配列: summarize(実数型の配列: sortedData)
  実数型の配列: rankData ← {}  /* 要素数 0 の配列 */
  実数型の配列: p ← {0, 0.25, 0.5, 0.75, 1}
  整数型: i
  for (i を 1 から pの要素数 まで 1 ずつ増やす)
    rankDataの末尾 に findRank(sortedData, p[i])の戻り値 を追加する
  endfor
  return rankData
```

解答群

ア {0.1, 0.3, 0.5, 0.7, 1}
イ {0.1, 0.3, 0.5, 0.8, 1}
ウ {0.1, 0.3, 0.6, 0.7, 1}
エ {0.1, 0.3, 0.6, 0.8, 1}
オ {0.1, 0.4, 0.5, 0.7, 1}
カ {0.1, 0.4, 0.5, 0.8, 1}
キ {0.1, 0.4, 0.6, 0.7, 1}
ク {0.1, 0.4, 0.6, 0.8, 1}

合格のカギ

本問のプログラムは，findRank と summarize という２つの関数からなります。問題を解くには，関数 summarize がどのような処理をして，どのような値を返すかを理解することが重要になります。

関数 summarize は繰返し処理の中で関数 findRank を呼び出し，その出力結果を配列 rankData に順次格納します。この配列 rankData が，関数 summarize の戻り値になります。

こうしたプログラムの流れは，科目Ｂの問題を何問か解いているうちに自然とつかむことができるようになります。

プログラム・ノート

```
01  ○実数型： findRank(実数型の配列： sortedData, 実数型： p)   ← 2 関数findRank
02    整数型： i
03    i ← (p × (sortedDataの要素数 － 1)) の小数点以下を切り上げた値
04    return sortedData[i ＋ 1]

05  ○実数型の配列： summarize(実数型の配列： sortedData)   ← 1 関数summarize
06    実数型の配列： rankData ← {}  /* 要素数0の配列 */
07    実数型の配列： p ← {0, 0.25, 0.5, 0.75, 1}
08    整数型： i
09    for (i を 1 から pの要素数 まで 1 ずつ増やす)
10      rankDataの末尾 に findRank(sortedData, p[i])の戻り値 を追加する
11    endfor
12    return rankData
```

1 関数summarize

関数 summarize は，引数に指定した配列 sortedData から，その配列を短く要約した配列 rankData を作成して出力します。配列 rankData の各要素は，行番号 09～11 の繰返し処理によって追加されます。この繰返し処理は「p の要素数」すなわち 5 回繰り返されるので，配列 rankData の要素数は 5 になります。各要素は関数 findRank によって出力されます。

2 関数findRank

関数 findRank は，引数に指定された配列 sortedData から，p で指定された位置にある要素を返します。p は 0～1 の実数値で，0 が配列の先頭，1 が配列の末尾を表します。たとえば sortedData の要素数が 11 で，p が 0.5 なら，配列のちょうど中間の要素番号 6 の要素を返します。

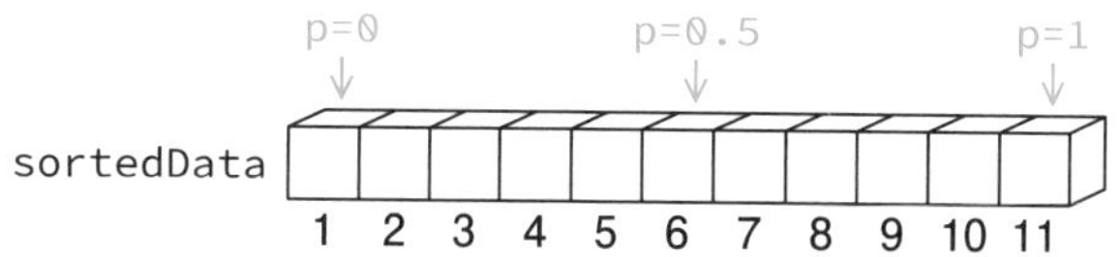

p は実数ですが，配列の要素番号は整数なので，目的の要素の要素番号の計算はやや複雑です。

```
03    i ← (p × (sortedDataの要素数 － 1)) の小数点以下を切り上げた値
04    return sortedData[i ＋ 1]
```

配列 p の内容は {0, 0.25, 0.5, 0.75, 1} なので，行番号 09 ～ 11 の繰返し処理ごとに呼び出される関数 findRank は，

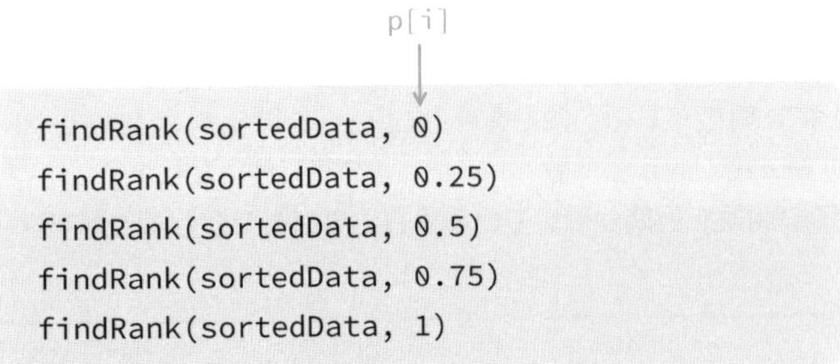


```
findRank(sortedData, 0)
findRank(sortedData, 0.25)
findRank(sortedData, 0.5)
findRank(sortedData, 0.75)
findRank(sortedData, 1)
```

となります。

「sortedData の要素数」は常に 10 のまま変化しないので，行番号 03 では，上の呼び出しごとに次の処理が実行されます。

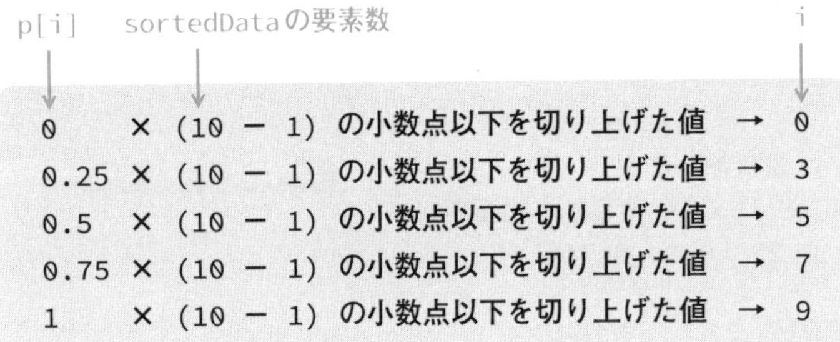


```
0    × (10 − 1) の小数点以下を切り上げた値 → 0
0.25 × (10 − 1) の小数点以下を切り上げた値 → 3
0.5  × (10 − 1) の小数点以下を切り上げた値 → 5
0.75 × (10 − 1) の小数点以下を切り上げた値 → 7
1    × (10 − 1) の小数点以下を切り上げた値 → 9
```

以上から，関数 findRank の呼出しごとの戻り値は次のようになります。

i	sortedData[i + 1]
0	0.1
3	0.4
5	0.6
7	0.8
9	1.0

関数 summarize では，これらの値が，順に配列 rankData に格納されます。したがって，関数 summarize の戻り値は，

```
{0.1, 0.4, 0.6, 0.8, 1.0}
```

となります。正解は ク です。

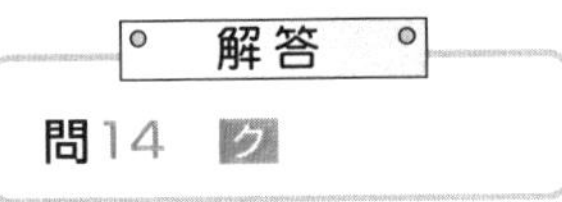

問 15　次の記述中の［ a ］と［ b ］に入れる正しい答えの組合せを，解答群の中から選べ。

三目並べにおいて自分が勝利する可能性が最も高い手を決定する。次の手順で，ゲームの状態遷移を木構造として表現し，根以外の各節の評価値を求める。その結果，根の子の中で最も評価値が高い手を，最も勝利する可能性が高い手とする。自分が選択した手を○で表し，相手が選択した手を×で表す。

〔手順〕

(1) 現在の盤面の状態を根とし，勝敗がつくか，引き分けとなるまでの考えられる全ての手を木構造で表現する。

(2) 葉の状態を次のように評価する。

①自分が勝ちの場合は 10

②自分が負けの場合は − 10

③引き分けの場合は 0

(3) 葉以外の節の評価値は，その節の全ての子の評価値を基に決定する。

①自分の手番の節である場合，子の評価値で最大の評価値を節の評価値とする。

②相手の手番の節である場合，子の評価値で最小の評価値を節の評価値とする。

ゲームが図の最上部にある根の状態のとき，自分が選択できる手は三つある。そのうち A が指す子の評価値は［ a ］であり，B が指す子の評価値は［ b ］である。

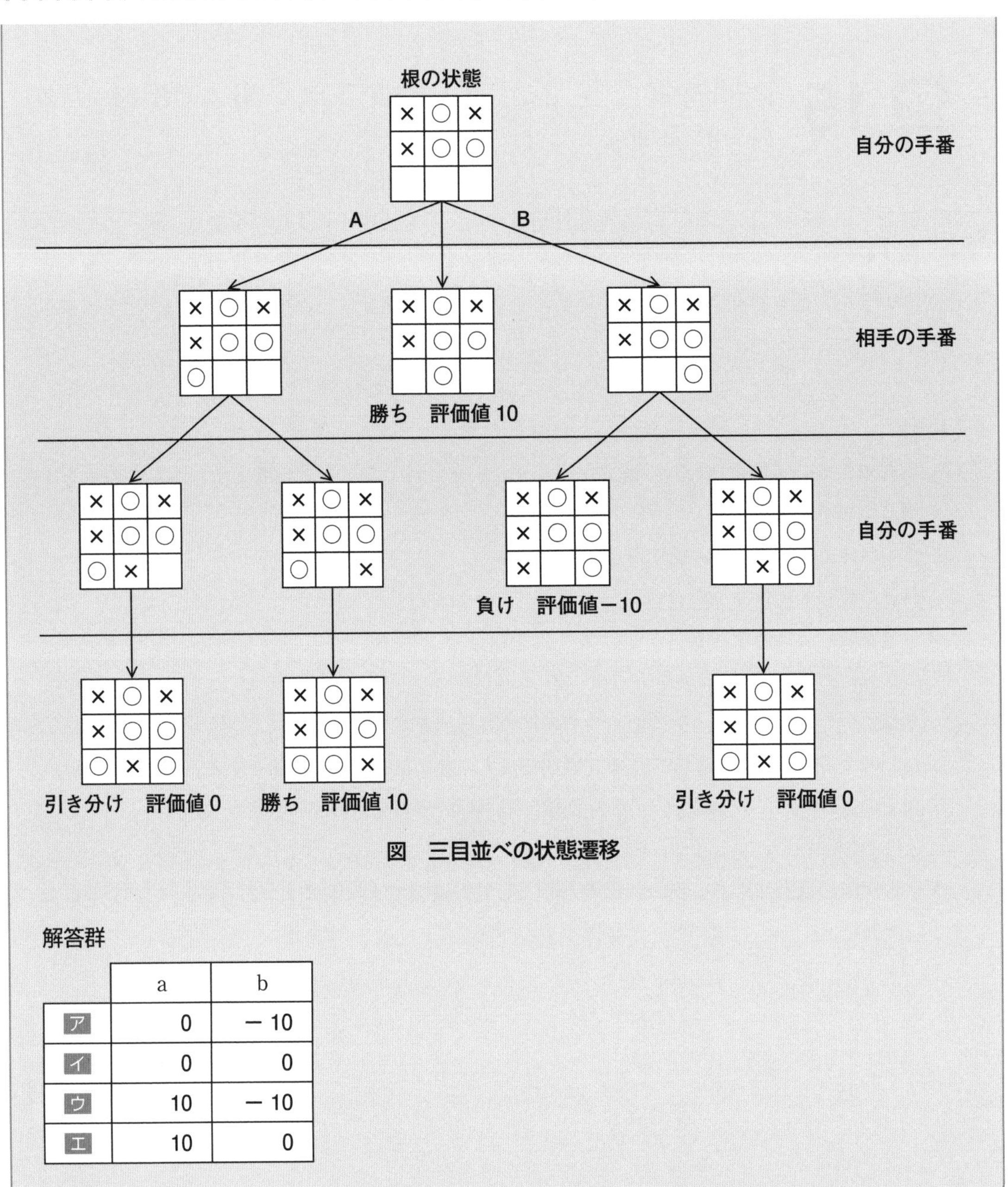

図　三目並べの状態遷移

解答群

	a	b
ア	0	－10
イ	0	0
ウ	10	－10
エ	10	0

合格のカギ

コンピュータにゲームをプレイさせるための思考アルゴリズムに関する問題です。擬似言語のプログラムはありませんが，問題文の〔手順〕の部分が実質的なプログラムとなります。擬似言語より読みやすいので，実はそれほど難しい問題ではありません。〔手順〕に従って評価値を求めます。

プログラム・ノート

問題文の図のように，一手ごとに枝分かれするゲームの局面を木構造で表したものを**ゲーム木**といいます。

ゲーム木の各節には，その局面が自分にとってどれくらい有利かを点数化した評価値を設定します。自分の手番であれば，枝分かれした節のうち，最も評価値の高い手を選択することで，ゲームを有利に進めることができます。したがって，「子の評価値で最大の評価値」を節の評価値とします。

反対に相手の手番の場合は，相手にとって最も有利な手，すなわち最も評価値の低い手が選択されると想定します。したがって，「子の評価値で最小の評価値」を節の評価値とします。

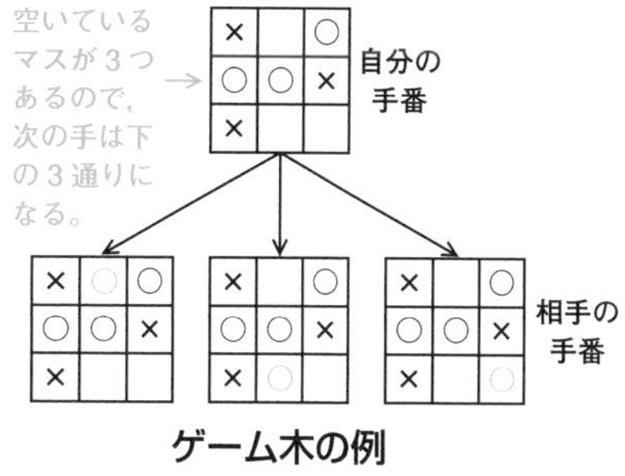

ゲーム木の例

問題解説

図「三目並べの状態遷移」は4階層のゲーム木で，一番下（第4階層）の葉の評価値はすでにわかっています。そこで，第3階層の節の評価値を求めましょう。

第3階層は自分の手番なので，手順（3）の①より，「子の評価値で最大の評価値」を節の評価値とします。ただし，各節には子が1つしかないので，子の評価値をそのまま節の評価値とすればOKです。

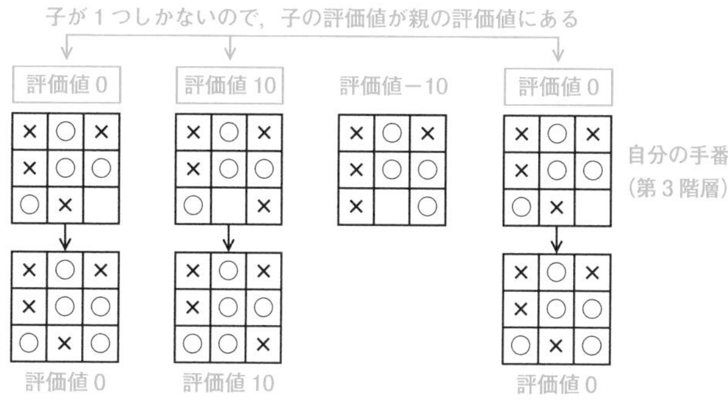

次に，第2階層の節の評価値を求めます。第2階層は相手の手番なので，手順（3）の②より，「子の評価値で最小の評価値」を節の評価値とします。左側の節には2つの子があり，評価値はそれぞれ「0」と「10」なので，「0」が節の評価値となります。また，右側の節の子の評価値は「− 10」と「0」なので，「− 10」が節の評価値となります。

子の評価値で最小の評価値

A 評価値0

B 評価値−10

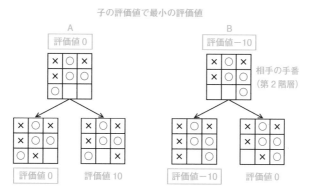

相手の手番（第2階層）

評価値0　評価値10　評価値−10　評価値0

以上から，Aが指す子の評価値（左側の節の評価値）は「0」，Bが指す子の評価値（右側の節の評価値）は「− 10」となります。**空欄aが「0」，空欄bが「− 10」**なので，正解はアです。

解答

問15 ア

□ 問 **16** 次のプログラム中の　　　に入れる正しい答えを，解答群の中から選べ。二つの　　　には，同じ答えが入る。ここで，配列の要素番号は1から始まる。

Unicodeの符号位置を，UTF-8の符号に変換するプログラムである。本問で数値の後ろに“(16)”と記載した場合は，その数値が16進数であることを表す。

Unicodeの各文字には，符号位置と呼ばれる整数値が与えられている。UTF-8は，Unicodeの文字を符号化する方式の一つであり，符号位置が 800(16) 以上 FFFF(16) 以下の文字は，次のように3バイトの値に符号化する。

3バイトの長さのビットパターンを 1110xxxx 10xxxxxx 10xxxxxx とする。ビットパターンの下線の付いた“x”の箇所に，符号位置を2進数で表した値を右詰めで格納し，余った“x”の箇所に，0 を格納する。この3バイトの値がUTF-8の符号である。

例えば，ひらがなの“あ”の符号位置である 3042(16) を2進数で表すと 11000001000010 である。これを，上に示したビットパターンの“x”の箇所に右詰めで格納すると，1110xx11 10000001 10000010 となる。余った二つの“x”の箇所に 0 を格納すると，“あ”のUTF-8の符号 11100011 10000001 10000010 が得られる。

関数 encode は，引数で渡されたUnicodeの符号位置をUTF-8の符号に変換し，先頭から順に1バイトずつ要素に格納した整数型の配列を返す。encode には，引数として，800(16) 以上 FFFF(16) 以下の整数値だけが渡されるものとする。

〔プログラム〕

```
○整数型の配列: encode(整数型: codePoint)
  /* utf8Bytesの初期値は，ビットパターンの“x”を全て 0 に置き換え，
     8桁ごとに区切って，それぞれを2進数とみなしたときの値 */
  整数型の配列: utf8Bytes ← {224, 128, 128}
  整数型: cp ← codePoint
  整数型: i
  for (i を utf8Bytesの要素数 から 1 まで 1 ずつ減らす)
    utf8Bytes[i] ← utf8Bytes[i] + (cp ÷ [      ] の余り)
    cp ← cp ÷ [      ] の商
  endfor
  return utf8Bytes
```

解答群

ア ((4 − i) × 2)	イ (2 の (4 − i) 乗)	ウ (2 の i 乗)
エ (i × 2)	オ 2	カ 6
キ 16	ク 64	ケ 256

合格のカギ

擬似言語を使ってビットを操作する問題です。ビット演算にはいろいろな方法がありますが，本問では四則演算で必要な処理を行っているのがポイントです。ビット演算に対応する四則演算は，いったん 10 進数の場合で考えると理解しやすくなります。

プログラム・ノート

```
○整数型の配列: encode(整数型: codePoint)
  /* utf8Bytes の初期値は，ビットパターンの "x" を全て 0 に置き換え，
     8 桁ごとに区切って，それぞれを 2 進数とみなしたときの値 */
  整数型の配列: utf8Bytes ← {224, 128, 128}
  整数型: cp ← codePoint
  整数型: i
  for (i を utf8Bytes の要素数 から 1 まで 1 ずつ減らす)
    utf8Bytes[i] ← utf8Bytes[i] + (cp ÷ [     ] の余り)   ← 1 2進数から下位6ビットを取り出す
    cp ← cp ÷ [     ] の商   ← 2 2進数を6ビット右シフトする
  endfor
  return utf8Bytes
```

1 2 進数から下位 6 ビットを取り出す

たとえば，10 進数の 12354 の 1000 未満の端数を求めるには，12354 を 1000 で割り，その余りを求めます。

例：12354 ÷ 1000 = 12 余り 354

つまり，ある 10 進数から下位 3 桁を取り出すには，その数を 1000（= 10 の 3 乗）で割った余りを求めればよいわけです。

2 進数の場合もまったく同様で，ある 2 進数から下位 6 ビットを取り出すには，その数を 2 の 6 乗 (2 進数で 1000000) で割った余りを求めます。

例：0011000001000010 ÷ 1000000 = 0011000001 余り 000010 ← 元の数の下位 6 ビット
（10 進数の 12354）（2^6）（193）（2）

2 2 進数を 6 ビット右シフトする

2 進数を 6 ビット右シフトするには，その数を 2 の 6 乗（2 進数で 1000000）で割った商を求めます。上の例で，2 進数を 2 の 6 乗で割った商は，元の 2 進数を 6 ビット右シフトした値になっています。

例：0011000001000010 —6 ビット右シフト→ 0000000011000001

問題解説

引数に“あ”の符号位置 3042(16) を指定した場合を例に説明します。16 進数の 3042 を，16 ビットの 2 進数で表すと 0011000001000010 となります。UTF-8 は，この 16 ビットの 2 進数を 4 ビット，

6ビット，6ビットに分けて，それぞれを 1110xxxx，10xxxxxx，10xxxxxx の x の部分に当てはめます。

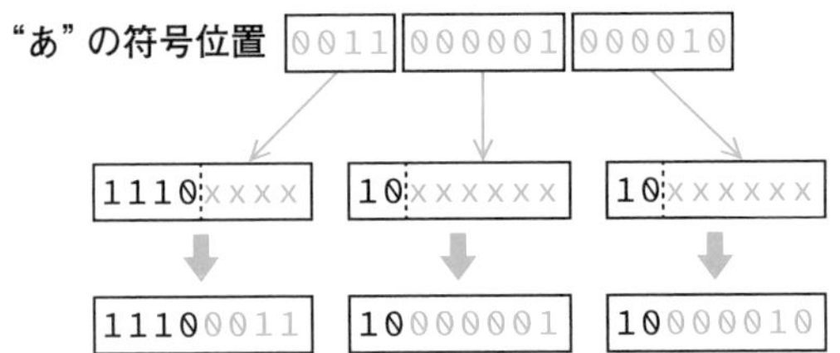

この処理を行っているのが，行番号 07 ～ 10 の繰返し処理です。

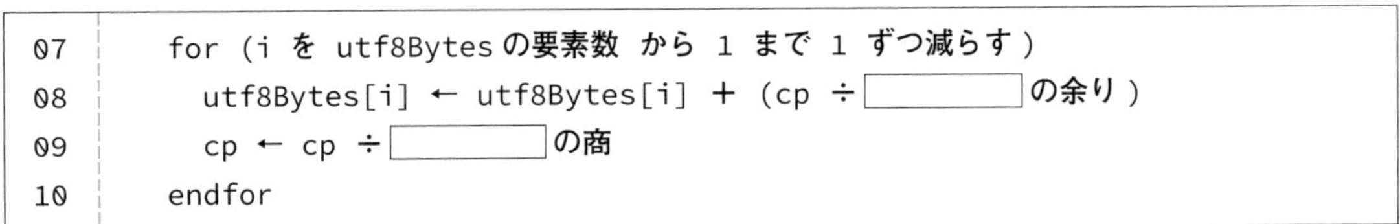

```
07    for (i を utf8Bytes の要素数 から 1 まで 1 ずつ減らす)
08      utf8Bytes[i] ← utf8Bytes[i] + (cp ÷ [    ] の余り)
09      cp ← cp ÷ [    ] の商
10    endfor
```

プログラムでは，配列 utf8Bytes に 3 つの値 224，128，128 が格納されています。これらを 2 進数で表すとそれぞれ 11100000，10000000，10000000 となります。一方，符号位置は変数 cp に代入されています。そこで，変数 cp から 6 ビットずつ順に切り出して，utf8Bytes の要素に加算し，目的の符号を得ます。

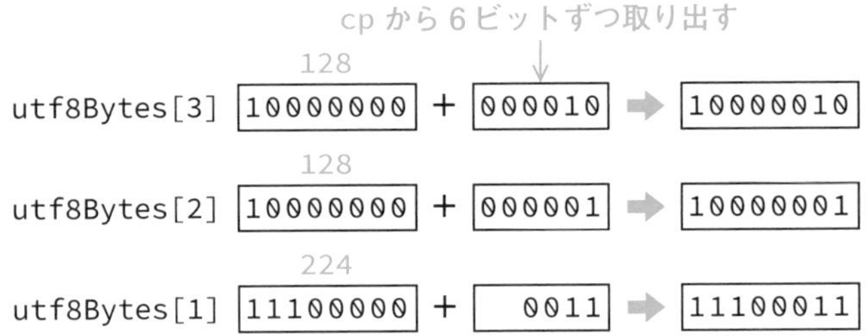

プログラム・ノートで説明したように，変数 cp から下位 6 ビットを取り出すには，cp を 2 の 6 乗（= 64）で割った余りを求めます。

変数 cp から下位 6 ビットを取り出したら，次の 6 ビットを取り出すために，cp を 6 ビット右シフトします。そのためには，cp を 2 の 6 乗（= 64）で割った商を求めます。

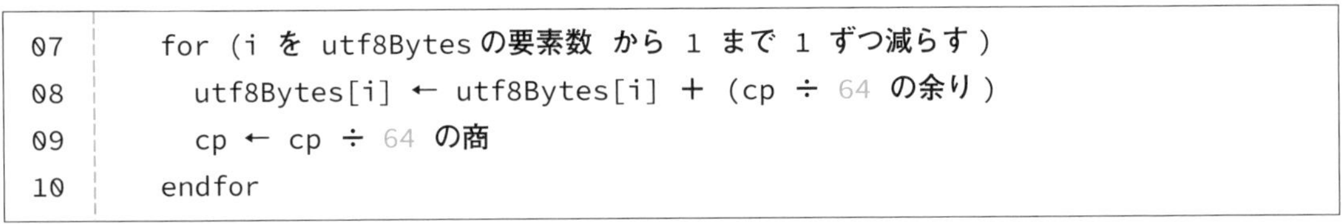

```
07    for (i を utf8Bytes の要素数 から 1 まで 1 ずつ減らす)
08      utf8Bytes[i] ← utf8Bytes[i] + (cp ÷ 64 の余り)
09      cp ← cp ÷ 64 の商
10    endfor
```

以上から，正解は ク です。

問 17

製造業のA社では，ECサイト（以下，A社のECサイトをAサイトという）を使用し，個人向けの製品販売を行っている。Aサイトは，A社の製品やサービスが検索可能で，ログイン機能を有しており，あらかじめAサイトに利用登録した個人（以下，会員という）の氏名やメールアドレスといった情報（以下，会員情報という）を管理している。Aサイトは，B社のPaaSで稼働しており，PaaS上のDBMSとアプリケーションサーバを利用している。

A社は，Aサイトの開発，運用をC社に委託している。A社とC社との間の委託契約では，Webアプリケーションプログラムの脆(ぜい)弱性対策は，C社が実施するとしている。

最近，A社の同業他社が運営しているWebサイトで脆弱性が悪用され，個人情報が漏えいするという事件が発生した。そこでA社は，セキュリティ診断サービスを行っているD社に，Aサイトの脆弱性診断を依頼した。脆弱性診断の結果，対策が必要なセキュリティ上の脆弱性が複数指摘された。**図1**にD社からの指摘事項を示す。

項番1　Aサイトで利用しているアプリケーションサーバのOSに既知の脆弱性があり，脆弱性を悪用した攻撃を受けるおそれがある。
項番2　Aサイトにクロスサイトスクリプティングの脆弱性があり，会員情報を不正に取得されるおそれがある。
項番3　Aサイトで利用しているDBMSに既知の脆弱性があり，脆弱性を悪用した攻撃を受けるおそれがある。

図1　D社からの指摘事項

設問　図1中の各項番それぞれに対処する組織の適切な組合せを，解答群の中から選べ。

解答群

	項番1	項番2	項番3
ア	A社	A社	A社
イ	A社	A社	C社
ウ	A社	B社	B社
エ	B社	B社	B社
オ	B社	B社	C社
カ	B社	C社	B社
キ	B社	C社	C社
ク	C社	B社	B社
ケ	C社	B社	C社
コ	C社	C社	B社

問 17 ～問 20 までの 4 問は，セキュリティに関する問題です。問題文がやや長文になるので，先に設問を読んで，何を問題文から探せばよいかを確認してから読むと，スムーズに解答できます。

クラウド上のシステムの責任範囲の分担に関する問題です。責任範囲はクラウドサービスが SaaS か PaaS か IaaS かによって異なります。本問では PaaS を利用していますが，これが IaaS であれば正解が異なります。したがって，3 つの違いをよく理解しておく必要があります。

用語解説

1 SaaS，PaaS，IaaS

情報システムの構築に必要な環境やソフトウェアを，インターネットを介して提供するサービスを**クラウドサービス**といいます。クラウドサービスには提供するリソース（資源）の違いにより，SaaS，PaaS，IaaS の 3 種類に分類できます。

SaaS（Software as a Service）：アプリケーションの機能を利用者に提供
PaaS（Platform as a Service）：アプリケーションの稼働環境を利用者に提供
IaaS（Infrastructure as a Service）：システムを構築するためのハードウェアやネットワーク環境のみを提供

障害やサポートなどに対する責任は，クラウドサービスを提供する業者と利用者とで分担します。ただし，分担する範囲は SaaS，PaaS，IaaS によって異なります。

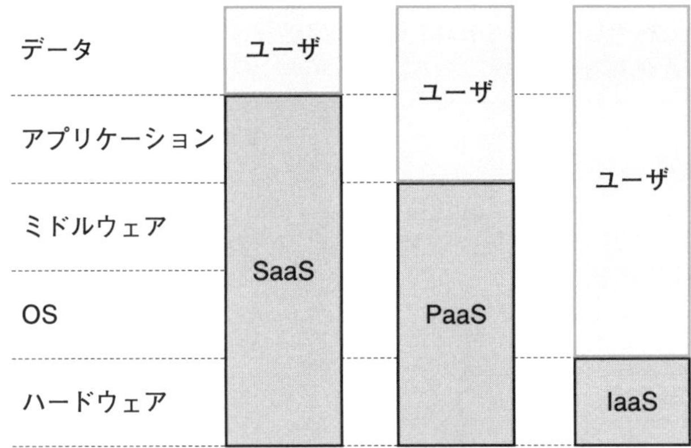

2 クロスサイトスクリプティング

クロスサイトスクリプティングは，訪問者の入力データをそのまま表示してしまう Web サイトを悪用し，悪意のあるコードをそのサイトを訪問した不特定多数の Web ブラウザ上で実行させる攻撃です。

問題解説

脆弱性とは，情報システムや防犯体制などに存在するセキュリティ上の欠点です。診断の結果，A サイトには 3 つの脆弱性が見つかりました。これらの脆弱性に対処すべき組織を，A サイトに関係のある A 社，B 社，C 社からそれぞれ選択する問題です。

3つの脆弱性を1つずつ検討していきましょう。

項番1　Aサイトで利用しているアプリケーションサーバのOSに既知の脆弱性があり，脆弱性を悪用した攻撃を受けるおそれがある。

Aサイトは B社の PaaS で稼働しています。PaaS とは Platform as a Service の略で，アプリケーションを実行するために必要な環境（プラットフォーム）を，インターネットを介して利用者に提供するサービスです。

具体的には，ハードウェアや OS，DBMS（データベース管理システム）など，利用者がアプリケーションを利用するために必要なシステムを提供します。項番1はアプリケーションサーバの OS の脆弱性であり，OS は B社が提供するプラットフォームの一部ですから，B社が対処すべきです。

	Aサイト	
	アプリケーションサーバ	DBMS
	OS	

C社が開発 → Aサイト
B社が提供 → アプリケーションサーバ，DBMS，OS

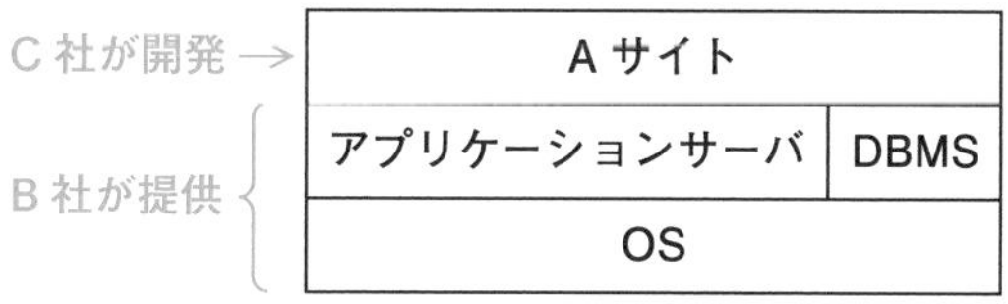

項番2　Aサイトにクロスサイトスクリプティングの脆弱性があり，会員情報を不正に取得されるおそれがある。

A社は，Aサイトの開発，運用をC社に委託しており，クロスサイトスクリプティングのような Web アプリケーションプログラムの脆弱性対策は，C社が実施する契約になっています。したがって，C社が対処すべきです。

項番3　Aサイトで利用している DBMS に既知の脆弱性があり，脆弱性を悪用した攻撃を受けるおそれがある。

DBMS は B社が提供する PaaS のプラットフォームの一部ですから，B社が対処すべきです。

以上から，対処すべき組織は**項番1**が「**B社**」，**項番2**が「**C社**」，**項番3**が「**B社**」となります。正解は カ です。

解答

問17　カ

□□ 問 18

A 社は IT 開発を行っている従業員 1,000 名の企業である。総務部 50 名，営業部 50 名で，ほかは開発部に所属している。開発部員の 9 割は客先に常駐している。現在，A 社における PC の利用状況は**図 1** のとおりである。

1　A 社の PC
- 総務部員，営業部員及び A 社オフィスに勤務する開発部員には，会社が用意した PC（以下，A 社 PC という）を一人 1 台ずつ貸与している。
- 客先常駐開発部員には，A 社 PC を貸与していないが，代わりに客先常駐開発部員が A 社オフィスに出社したときに利用するための共用 PC を用意している。

2　客先常駐開発部員の業務システム利用
- 客先常駐開発部員が休暇申請，経費精算などで業務システムを利用するためには共用 PC を使う必要がある。

3　A 社の VPN 利用
- A 社には，VPN サーバが設置されており，営業部員が出張時に A 社 PC からインターネット経由で社内ネットワークに VPN 接続し，業務システムを利用できるようになっている。規則で，VPN 接続には A 社 PC を利用すると定められている。

図 1　A 社における PC の利用状況

A 社では，客先常駐開発部員が業務システムを使うためだけに A 社オフィスに出社するのは非効率的であると考え，客先常駐開発部員に対して個人所有 PC の業務利用（BYOD）と VPN 接続の許可を検討することにした。

設問　客先常駐開発部員に，個人所有 PC からの VPN 接続を許可した場合に，増加する又は新たに生じると考えられるリスクを二つ挙げた組合せは，次のうちどれか。解答群のうち，最も適切なものを選べ。

(一) VPN 接続が増加し，可用性が損なわれるリスク
(二) 客先常駐開発部員が A 社 PC を紛失するリスク
(三) 客先常駐開発部員がフィッシングメールの URL をクリックして個人所有 PC がマルウェアに感染するリスク
(四) 総務部員が個人所有 PC を VPN 接続するリスク
(五) マルウェアに感染した個人所有 PC が社内ネットワークに VPN 接続され，マルウェアが社内ネットワークに拡散するリスク

解答群

ア （一），（二）	イ （一），（三）	ウ （一），（四）
エ （一），（五）	オ （二），（三）	カ （二），（四）
キ （二），（五）	ク （三），（四）	ケ （三），（五）
コ （四），（五）		

合格のカギ

科目Bの情報セキュリティ問題では，具体的な事例を基にした問題が出題されますが，あまり長文の問題は出題されないため，難易度はそれほど高くありません。科目Aで出題される基本的なセキュリティ用語について学習しておきましょう。

用語解説

1 VPN接続

VPN（Virtual Private Network）は，インターネットなどの不特定多数が利用するネットワークの回線を，専用線のようなプライベートなネットワークの回線として利用する技術です。本問のように外部にあるPCを社内ネットワークと接続したり，本社と支社といった拠点間を接続したりする際に利用されます。

2 BYOD

BYODは（Bring Your Own Device）の略で，個人の私物のPCやスマートフォンを業務に使用する利用形態をいいます。従業員にとっては使い慣れたデバイスを業務にも利用できる利点がありますが，本問で検討されているように，セキュリティ上のリスクが生じます。

3 可用性

可用性（アベイラビリティ）とは，利用者が必要なときにシステムを利用できることをいいます。システムは故障やメンテナンスのために停止している間は利用できません。したがって，停止時間や待機時間が短いシステムほど，可用性は高くなります。

問題解説

（一）～（五）のリスクを1つずつ検討します。

（一）VPN接続が増加し，可用性が損なわれるリスク

1,000名の従業員のうち開発部員は900名で，その9割（810名）が客先常駐開発部員です。これまで，VPN接続を利用するのは出張中の営業部員（50名以下）だけだったので，客先常駐開発部員にVPN接続を許可すると，VPN接続が一気に増加し，サーバに接続しにくくなるなど，可用性が損なわれるリスクが増加すると考えられます。

（二）客先常駐開発部員がA社PCを紛失するリスク

客先常駐開発部員は個人所有PCを利用するので，A社PCを紛失するリスクはありません。

(三) 客先常駐開発部員がフィッシングメールのURLをクリックして個人所有PCがマルウェアに感染するリスク

個人所有PCがマルウェアに感染するリスクは，VPN接続を許可するかどうかによって増減しません。

(四) 総務部員が個人所有PCをVPN接続するリスク

VPN接続を許可するのは客先常駐開発部員に対してだけなので，総務部員が個人所有PCをVPN接続するリスクは増加しません。

(五) マルウェアに感染した個人所有PCが社内ネットワークにVPN接続され，マルウェアが社内ネットワークに拡散するリスク

個人所有PCは業務以外にも利用されるので，会社はマルウェアに感染するリスクを抑えることができません。マルウェアに感染した個人所有PCが社内ネットワークにVPN接続すれば，マルウェアが社内ネットワークに拡散するリスクが生じます。

以上から，新たに生じると考えられるリスクは（一）と（五）です。正解は エ です。

解答
問18 エ

問 19

A 社は従業員 200 名の通信販売業者である。一般消費者向けに生活雑貨，ギフト商品などの販売を手掛けている。取扱商品の一つである商品 Z は，Z 販売課が担当している。

〔Z 販売課の業務〕

現在，Z 販売課の要員は，商品 Z についての受注管理業務及び問合せ対応業務を行っている。商品 Z についての受注管理業務の手順を**図 1** に示す。

> 商品 Z の顧客からの注文は電子メールで届く。
> (1) 入力
> 販売担当者は，届いた注文（変更，キャンセルを含む）の内容を受注管理システム 1)（以下，J システムという）に入力し，販売責任者 2) に承認を依頼する。
> (2) 承認
> 販売責任者は，注文の内容と J システムへの入力結果を突き合わせて確認し，問題がなければ承認する。問題があれば差し戻す。

注 1)　A 社情報システム部が運用している。利用者は，販売責任者，販売担当者などである。
注 2)　Z 販売課の課長 1 名だけである。

図 1　受注管理業務の手順

〔J システムの操作権限〕

Z 販売課では，J システムについて，次の利用方針を定めている。

［方針 1］ある利用者が入力した情報は，別の利用者が承認する。

［方針 2］販売責任者は，Z 販売課の全業務の情報を閲覧できる。

J システムでは，業務上必要な操作権限を利用者に与える機能が実装されている。

この度，商品 Z の受注管理業務が受注増によって増えていることから，B 社に一部を委託することにした（以下，商品 Z の受注管理業務の入力作業を行う B 社従業員を商品 Z の B 社販売担当者といい，商品 Z の B 社販売担当者の入力結果を閲覧して，不備があれば A 社に口頭で差戻しを依頼する B 社従業員を商品 Z の B 社販売責任者という）。

委託に当たって，Z 販売課は情報システム部に J システムに関する次の要求事項を伝えた。

［要求 1］B 社が入力した場合は，A 社が承認する。

［要求 2］A 社の販売担当者が入力した場合は，現状どおりに A 社の販売責任者が承認する。

上記を踏まえ，情報システム部は今後の各利用者に付与される操作権限を**表 1** にまとめ，Z 販売課の情報セキュリティリーダーである C さんに確認をしてもらった。

表１　操作権限案

付与される操作権限 / 利用者	Ｊシステム		
	閲覧	入力	承認
（省略）	○		○
Ｚ販売課の販売担当者	（省略）	（省略）	（省略）
a1	○		
a2	○	○	

注記　○は，操作権限が付与されることを示す。

設問　表１中の a1 ， a2 に入れる字句の適切な組合せを，ａに関する解答群の中から選べ。

ａに関する解答群

	a1	a2
ア	Ｚ販売課の販売責任者	商品ＺのＢ社販売責任者
イ	Ｚ販売課の販売責任者	商品ＺのＢ社販売担当者
ウ	商品ＺのＢ社販売責任者	Ｚ販売課の販売責任者
エ	商品ＺのＢ社販売責任者	商品ＺのＢ社販売担当者
オ	商品ＺのＢ社販売担当者	商品ＺのＢ社販売責任者

合格のカギ

アクセス権の設定は，比較的問題が作りやすく，実務でも必要なのでよく出題されます。アクセス権の設定では，「用語解説」で解説した最小権限の原則が重要です。利用者の業務をシミュレートして，「これがないと業務ができない」という権限だけを設定してください。

用語解説

1 最小権限の原則

各利用者に付与する情報システムへのアクセス権は，必要最小限に制限するのが原則です。使わない権限は最初から付与しないほうが，誤操作や不正アクセスを少なくできるからです。これを**最小権限の原則**といいます。

たとえば本問の場合，Ｚ販売課の販売担当者は「承認」を行わないので，「承認」の権限は付与しません。

なお，「閲覧」は「入力」や「承認」の際に必要な権限なので，とくに言及がなくても全員に必要となることに注意してください。

問題解説

Ｊシステムの利用者は，以下の4グループに分類できます。それぞれの役割を問題文から抜き出してみましょう。

利用者	業務内容
Z販売課の販売担当者	届いた注文の内容をＪシステムに入力し，販売責任者に承認を依頼する。
Z販売課の販売責任者	注文の内容とＪシステムへの入力結果を突き合わせて確認し，問題がなければ承認する。問題があれば差し戻す。
商品ZのB社販売担当者	商品Zの受注管理業務の入力作業を行う。
商品ZのB社販売責任者	商品ZのB社販売担当者の入力結果を閲覧して，不備があればA社に口頭で差戻しを依頼する。

以上の業務内容から，**表1**の**空欄a1**，**a2**に入る利用者を考えます。

空欄a1の利用者の操作権限は「閲覧」のみです。利用者のうち，「Z販売課の販売担当者」と「商品ZのB社販売担当者」は入力作業を行うので「入力」の権限が必要です。また「Z販売課の販売責任者」は「承認」の権限が必要です。

したがって，**空欄a1**には残りの「商品ZのB社販売責任者」が入ります。B社販売責任者はB社販売担当者の入力結果を閲覧しますが，入力作業や承認は行いません。

空欄a2の利用者の操作権限は「閲覧」と「入力」です。「承認」の権限がないので，「Z販売課の販売責任者」は除外します。

「入力」の権限が必要な利用者は「Z販売課の販売担当者」または「商品ZのB社販売担当者」ですが，このうち「Z販売課の販売担当者」はすでに表にあるので，**空欄a2**には残りの「商品ZのB社販売担当者」が入ります。

以上から，**空欄a1**が「**商品ZのB社販売責任者**」，**空欄a2**が「**商品ZのB社販売担当者**」の組合せの エ が正解です。

省略部分も含めた操作権限案は，次のようになります。

付与される操作権限 ＼ 利用者	Ｊシステム		
	閲覧	入力	承認
Z販売課の販売責任者	○		○
Z販売課の販売担当者	○	○	
商品ZのB社販売責任者	○		
商品ZのB社販売担当者	○	○	

解答

問19 エ

問 20

A 社は栄養補助食品を扱う従業員 500 名の企業である。A 社のサーバ及びファイアウォール（以下，FW という）を含む情報システムの運用は情報システム部が担当している。

ある日，内部監査部の監査があり，FW の運用状況について情報システム部の B 部長が**図 1** のとおり説明したところ，**表 1** に示す指摘を受けた。

- FW を含め，情報システムの運用は，情報システム部の運用チームに所属する 6 名の運用担当者が担当している。
- FW の運用には，FW ルールの編集，操作ログの確認，並びに編集後の FW ルールの確認及び操作の承認（以下，編集後の FW ルールの確認及び操作の承認を操作承認という）の三つがある。
- FW ルールの編集は事前に作成された操作指示書に従って行う。
- FW の機能には，FW ルールの編集，操作ログの確認，及び操作承認の三つがある。
- FW ルールの変更には，FW ルールの編集と操作承認の両方が必要である。操作承認の前に操作ログの確認を行う。
- FW の利用者 ID は各運用担当者に個別に発行されており，利用者 ID の共用はしていない。
- FW では，機能を利用する権限を運用担当者の利用者 ID ごとに付与できる。
- 現在は，6 名の運用担当者とも全権限を付与されており，運用担当者は FW のルールの編集後，編集を行った運用担当者が操作に誤りがないことを確認し，操作承認をしている。
- FW へのログインにはパスワードを利用している。パスワードは 8 文字の英数字である。
- FW の運用では，運用担当者の利用者 ID ごとに，ネットワークを経由せずコンソールでログインできるかどうか，ネットワークを経由してリモートからログインできるかどうかを設定できる。
- FW は，ネットワークを経由せずコンソールでログインした場合でも，ネットワークを経由してリモートからログインした場合でも，同一の機能を利用できる。
- FW はサーバルームに設置されており，サーバルームにはほかに数種類のサーバも設置されている。
- 運用担当者だけがサーバルームへの入退室を許可されている。

図 1　FW の運用状況

表 1　内部監査部からの指摘

指摘	指摘内容
指摘 1	FW の運用の作業の中で，職務が適切に分離されていない。
指摘 2	（省略）
指摘 3	（省略）
指摘 4	（省略）

B 部長は**表 1** の指摘に対する改善策を検討することにした。

設問　表 1 中の指摘 1 について，FW ルールの誤った変更を防ぐための改善策はどれか。解答群のうち，最も適切なものを選べ。

解答群

ア　Endpoint Detection and Response（EDR）をコンソールに導入し，監視を強化する。

イ　FW での運用担当者のログインにはパスワード認証の代わりに多要素認証を導入する。

ウ　FW のアクセス制御機能を使って，運用担当者をコンソールからログインできる者，リモートからログインできる者に分ける。

エ　FW の運用担当者を 1 人に限定する。

オ　運用担当者の一部を操作ログの確認だけをする者とし，それらの者には操作ログの確認権限だけを付与する。

カ　運用担当者を，FW ルールの編集を行う者，操作ログを確認し，操作承認をする者に分け，それぞれに必要最小限の権限を付与する。

キ　作業を行う運用担当者を，曜日ごとに割り当てる。

合格のカギ

情報システムの運用状況から，セキュリティ上の欠点を読み取る問題で，類似した問題の出題頻度は高いと考えられます。運用状況から漠然と欠点を探すのではなく，どんな欠点を探せばよいかを問題文から絞り込みましょう。

本問の場合は，「職務が適切に分離されていない」ために，FW ルールが誤って変更されるおそれがあるような運用を図から探します。

用語解説

1 EDR（Endpoint Detection and Response）

EDR は，PC やサーバといったネットワークの末端（エンドポイント）からログデータを収集し，解析サーバによって不審な挙動や攻撃を検知する仕組みです。

2 多要素認証（MFA）

ログイン時の認証を複数の要素によって行うことを多要素認証といいます。一般に，知識情報（パスワードなど），所持情報（IC カード，スマートフォンなど），固有情報（指紋，顔貌など）の 3 つの要素のうち，2 つ以上の異なる要素を使って認証します。

問題解説

表 1「内部監査部からの指摘」の指摘 1 は，次のような内容です。

FW の運用の作業の中で，職務が適切に分離されていない。

そこで，**図 1**「FW の運用状況」の中から，「職務が適切に分離されていない」と思われる項目を探します。すると，次のような項目が見つかります。

・現在は，6 名の運用担当者とも全権限を付与されており，運用担当者は FW のルールの編集後，編集を行った運用担当者が操作に誤りがないことを確認し，操作承認をしている。

運用担当者全員に全権限が付与されていることも疑問ですが，「FW のルールの編集」と「操作承認」を同じ運用担当者が行っているのは問題です。自分の行った操作を自分で承認するのは，操作ミスの見逃しや，不正な操作を可能にするからです。

言い換えると，「FW のルールの編集」と「操作承認」は職務を分離して，それぞれ別の運用担当者が行うべきでしょう。

解答群の中でこのことを指摘しているのは，カ の「**運用担当者を，FW ルールの編集を行う者，操作ログを確認し，操作承認をする者に分け，それぞれに必要最小限の権限を付与する。**」です。

■擬似言語の記述形式

擬似言語を使用した問題では，各問題文中に注記がない限り，次の記述形式が適用されているものとする。

〔擬似言語の記述形式〕

記述形式	説明
○**手続名又は関数名**	手続又は関数を宣言する。
型名：**変数名**	変数を宣言する。
/* **注釈** */	注釈を記述する。
// **注釈**	
変数名 ← **式**	変数に**式**の値を代入する。
手続名又は関数名（**引数**，…）	手続又は関数を呼び出し，**引数**を受け渡す。

if（**条件式1**）
　処理1
elseif（**条件式2**）
　処理2
elseif（**条件式n**）
　処理n
else
　処理n＋1
endif
	選択処理を示す。
	条件式を上から評価し，最初に真になった**条件式**に対応する**処理**を実行する。以降の**条件式**は評価せず，対応する**処理**も実行しない。どの**条件式**も真にならないときは，**処理n＋1**を実行する。
	各**処理**は，0以上の文の集まりである。
	elseifと**処理**の組みは，複数記述することがあり，省略することもある。
	elseと**処理n＋1**の組みは一つだけ記述し，省略することもある。

while（**条件式**） 　**処理** endwhile	前判定繰返し処理を示す。 **条件式**が真の間，**処理**を繰返し実行する。 **処理**は，0以上の文の集まりである。
do 　**処理** while（**条件式**）	後判定繰返し処理を示す。 **処理**を実行し，**条件式**が真の間，**処理**を繰返し実行する。 **処理**は，0以上の文の集まりである。
for（**制御記述**） 　**処理** endfor	繰返し処理を示す。 **制御記述**の内容に基づいて，**処理**を繰返し実行する。 **処理**は，0以上の文の集まりである。

〔演算子と優先順位〕

演算子の種類		演算子	優先度
式		().	高
単項演算子		not + −	↕
二項演算子	乗除	mod × ÷	
	加減	+ −	
	関係	≠ ≦ ≧ < = >	
	論理積	and	
	論理和	or	低

注　演算子 . は，メンバ変数又はメソッドのアクセスを表す。
　　演算子 mod は，剰余算を表す。

〔論理型の定数〕

true, false

〔配列〕

配列の要素は，“[” と “]” の間にアクセス対象要素の要素番号を指定することでアクセスする。なお，二次元配列の要素番号は，行番号，列番号の順に “,” で区切って指定する。

“{” は配列の内容の始まりを，“}” は配列の内容の終わりを表す。ただし，二次元配列において，内側の “{” と “}” に囲まれた部分は，1 行分の内容を表す。

〔未定義，未定義の値〕

変数に値が格納されていない状態を，“未定義” という。変数に “未定義の値” を代入すると，その変数は未定義になる。

索引

数字

A

B

C

D

E

F

T

U

V

W

X

あ

い

う

え

け

こ

さ

し

す

せ

そ

た

ち・つ

て

と

な

に

ね

の

は

ひ

ふ

へ

ほ

ま

み・む

め

も

や・ゆ・よ

STAFF

編集・制作	株式会社ノマド・ワークス
執筆	平塚陽介
DTP	庄司智子
表紙デザイン	阿部　修（株式会社G-Co.Inc.）
表紙・本文イラスト	スマイルワークス（神岡　学）
表紙制作	鈴木　薫
デスク	千葉加奈子
編集長	玉巻秀雄

本書のご感想をぜひお寄せください

https://book.impress.co.jp/books/1124101097

読者登録サービス CLUB IMPRESS

アンケート回答者の中から、抽選で図書カード（1,000円分）などを毎月プレゼント。
当選者の発表は賞品の発送をもって代えさせていただきます。
※プレゼントの賞品は変更になる場合があります。

■商品に関する問い合わせ先

このたびは弊社商品をご購入いただきありがとうございます。本書の内容などに関するお問い合わせは、下記のURLまたは二次元コードにある問い合わせフォームからお送りください。

https://book.impress.co.jp/info/

上記フォームがご利用いただけない場合のメールでの問い合わせ先
info@impress.co.jp

※お問い合わせの際は、書名、ISBN、お名前、お電話番号、メールアドレス に加えて、「該当するページ」と「具体的なご質問内容」「お使いの動作環境」を必ずご明記ください。なお、本書の範囲を超えるご質問にはお答えできないのでご了承ください。

- 電話やFAX でのご質問には対応しておりません。また、封書でのお問い合わせは回答までに日数をいただく場合があります。あらかじめご了承ください。
- インプレスブックスの本書情報ページ https://book.impress.co.jp/books/1124101097 では、本書のサポート情報や正誤表・訂正情報などを提供しています。あわせてご確認ください。
- 本書の奥付に記載されている初版発行日から３年が経過した場合、もしくは本書で紹介している製品やサービスについて提供会社によるサポートが終了した場合はご質問にお答えできない場合があります。

■落丁・乱丁本などの問い合わせ先

FAX 03-6837-5023
service@impress.co.jp
※古書店で購入された商品はお取り替えできません。

かんたん合格 基本情報技術者過去問題集
令和７年度

2024 年 12 月 11 日　初版第 1 刷発行

著　者　株式会社ノマド・ワークス
発行人　高橋 隆志
編集人　藤井 貴志
発行所　株式会社インプレス
〒101-0051　東京都千代田区神田神保町一丁目 105 番地
ホームページ　https://book.impress.co.jp/

印刷所　日経印刷株式会社

ISBN978-4-295-02073-8 C3055

Printed in Japan